Spanish Program
Book 1

VOCES Y VISTAS

Bernadette M. Reynolds

Carol Eubanks Rodríguez

Rudolf L. Schonfeld

 ScottForesman
A Division of HarperCollins*Publishers*

Editorial Offices: Glenview, Illinois

Regional Offices: Sunnyvale, California
Atlanta, Georgia • Glenview, Illinois
Oakland, New Jersey • Dallas, Texas

ISBN: 0–673–21621–7

Copyright © 1992, 1989
Scott, Foresman and Company, Glenview, Illinois
All Rights Reserved. Printed in the United States of America.

161718 RRC 99

Welcome to a world of EXCITEMENT!

The world of
VOCES Y VISTAS

¡Bienvenido! By choosing to study Spanish, you have taken an important and valuable step. This may be your first experience studying another language. With practice, patience, and participation, your ability to speak Spanish will develop so that you can become a well-informed and productive member of the world community.

Throughout the year, you and your classmates will be partners, actively working together. This book and your teacher will guide you in helping you achieve a goal we share:

To communicate effectively in Spanish!

During the years you use the Scott, Foresman Spanish Program, you will be encouraged to:

■ use Spanish to talk about yourself and your experiences and to express your own needs, desires, and opinions

■ explore the way of life and the contributions of people from many different Spanish-speaking countries—their traditions, foods, leisure activities, customs, and history

■ learn about the personal and cultural experiences of young people from Spanish-speaking countries

■ talk in Spanish, working in pairs and groups and sometimes moving around the classroom

■ find ways to meet and interact with speakers of Spanish

You are about to set out on an exciting journey!

With **VOCES Y VISTAS** you will:

EXPRESS yourself in real-life situations

EXPERIENCE the many different cultures of the Spanish-speaking world

EXPLORE new career opportunities

EXPAND all of your communication skills

EXCEL!

EXPRESS yourself in practical, real-life situations

With *VOCES Y VISTAS*, you will have the chance to practice the language actively, every day, in a variety of situations that will prepare you for "real-life" communication. Our goal is to help you develop **proficiency**—the ability to *use* the language to fulfill your own needs.

Right away you will learn how to greet people, to tell the date and the time, to spell your name and give your phone number, and to express your likes and dislikes. Very soon you will be talking about yourself, your family, and your experiences. Gradually, by practicing and participating in class, you will begin to be able to:

■ socialize with Spanish-speaking friends and acquaintances in many different settings

■ express your feelings, opinions, and judgments on topics that are important to you

■ "survive" in a Spanish-speaking country by being able to communicate your personal and travel-related needs

■ ask and answer the types of questions that would be meaningful or important in everyday life

■ enjoy reading and the media (films, TV, radio) in Spanish

Un grupo de estudiantes
en la cafetería

Let's Get Started

How many of these can you find in your community?

- Spanish-language newspapers and magazines at a bookstore or library

- Spanish-language billboards, signs, brochures, or ads

- radio or satellite, cable, or local TV with Spanish-language programs

- videos or theaters showing Spanish-language films

- cassettes, CDs, and records in Spanish

- restaurants where Spanish or Spanish-American food is served

And if you know or meet any native Spanish speakers in your community, try speaking to them in Spanish. You will find that most of them will go out of their way to help and encourage you if you attempt to speak their language.

Of course, **proficiency takes time.** Think of learning a foreign language as if you were learning to play a musical instrument or a new sport. The fact that you are a good basketball player does not mean that you can switch overnight to tennis. New rules must be learned, different muscles brought into play, a whole new set of skills developed. You can get some of the basics very quickly, but you can really become good at it only through continued practice. Just as with a sport, developing and maintaining proficiency in a second language will reward you for the rest of your life.

Un sondeo *(poll)* de opinión pública

EXPERIENCE the diverse cultures of the Spanish-speaking world

By the year 2000, we expect that in some states almost half of the population will be of Hispanic descent. These people have brought with them the rich cultural heritage of more than twenty nations on three continents. In addition, through world trade, international business, and instant worldwide communication, our economy is strongly linked to many of these countries. As you continue your studies in Spanish, you will have more and more opportunities to learn about our multicultural society and about the Spanish-speaking countries from which so many of us came.

In the Scott, Foresman Spanish Program, we will introduce you to the entire Spanish-speaking world through photographs, articles, stories, interviews, music, and so forth. While exploring other cultures and learning about other people, you will come to:

■ appreciate the many differences and similarities among people around the world and in our own country

■ discover different ways of life and of looking at life

■ communicate more effectively with people from backgrounds different from your own

■ be more open to meeting new people and to unfamiliar situations

What Can You Find Out?

1. Where in the world . . . ? With a partner, see how many countries you can name where Spanish is an official language.

2. What contributions, people, or events from the Spanish-speaking world can you name in each of these categories? Work with a partner, then share your list with the class.
a. fashion or articles of clothing
b. food
c. music and entertainment
d. art and architecture
e. literature
f. sports
g. historical events in United States history
h. geographical names in the United States

You can check your answers to Question 1 by looking at the maps on pages 585–88. (The islands shown in yellow on p. 585 are not separate countries, but are part of Spain.)

Un mural en
Puerto Rico

You might like to try these extra activities:

During this first semester, ask your teacher to help you get a Spanish-speaking pen pal. Not only is it fun and informative to correspond with someone in another country, but if you ever have an opportunity to go there, it can make your visit a lot more enjoyable.

Find someone in your school or community who is from a Spanish-speaking country. Meet with them on a regular basis to find out more about their culture and to practice your Spanish.

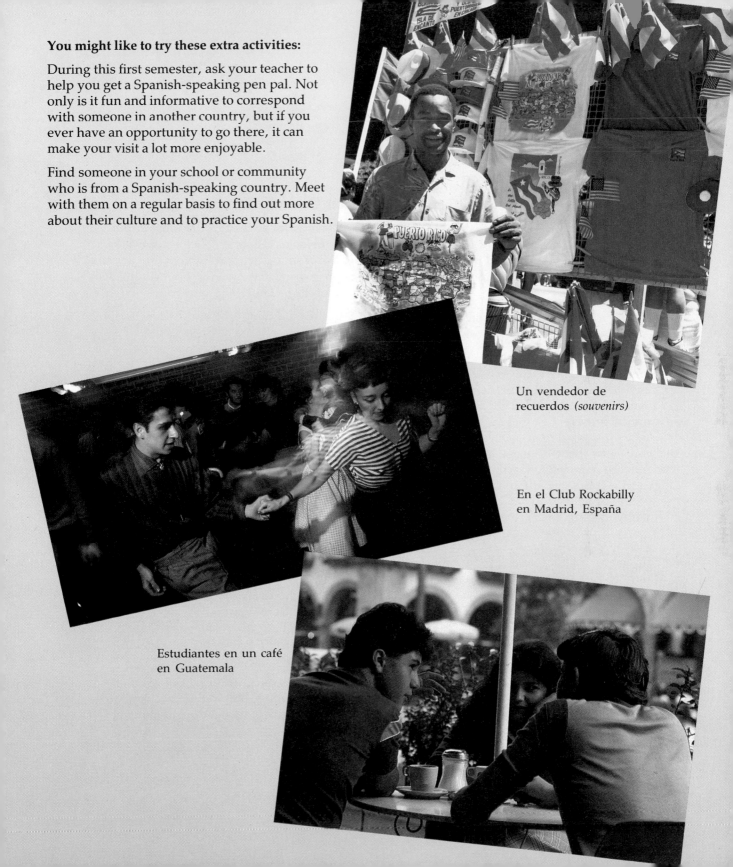

Un vendedor de recuerdos *(souvenirs)*

En el Club Rockabilly en Madrid, España

Estudiantes en un café en Guatemala

EXPLORE new career opportunities

As you begin to think about job or career possibilities, consider the facts:

■ Our economy is totally linked to an international marketplace where the countries of the world depend on each other.

■ In every city, in every area of business, there is a critical—and growing—need for people proficient in more than one language.

■ As the population of non-English speakers continues to grow, knowledge of a second language is becoming more and more important for any career involving working with the public.

■ Knowing a second language can open the door to exciting opportunities for travel or work abroad.

■ In most colleges and universities, knowing a foreign language is a requirement for graduation, and it is a must for many advanced degrees.

Did you know that in Europe and Japan, students are required to learn *two* foreign languages? This same ability can help make the difference for **you** in the highly competitive job market of the future.

What Do You Think?

Here is a list of sixteen of the most popular career fields as listed in college surveys. Discuss with a partner how knowing a second language could improve job opportunities for your top three choices. Share your observations with the class.

law
engineering
business
advertising/marketing
financial planning/banking
government service/politics
social services
education
electronics/computers
fashion/interior design
entertainment
journalism/writing
real estate development/sales
medicine
military
science/scientific research

1. Look at the want ads in a local or large-city newspaper. How many of the ads mention knowledge of a foreign language? How many of the companies do business in foreign countries?

2. Can you locate someone from a Spanish-speaking country with whom you could talk about job opportunities here and abroad?

EXPAND all of your communication skills

By studying a foreign language, you will increase your English skills as well. This happens in three main ways:

■ **VOCABULARY DEVELOPMENT**
Spanish is a Romance language, based on Latin, the language of ancient Rome. Approximately half of our English vocabulary also comes from Latin. You will discover many links between Spanish and English and many new English words.

■ **SPEAKING AND WRITING SKILLS**
By comparing language patterns and creating sentences in Spanish, you will understand better how English works. This will help you use your own language much more clearly and correctly. Your English-language skills will be crucial for you in getting a good job.

■ **CRITICAL THINKING SKILLS**
Learning to speak and write another language offers you the opportunity to practice new and creative ways of organizing and communicating your thoughts. Effective communication is based largely on the ability to express yourself clearly.

Build on What You Know

Here are some words that are really Spanish but that are now in common use in the United States. How many do you know? Working with a partner, how many can you add to the list?

■ FOODS: tacos, tamales, tortillas . . .

■ MUSIC: mariachis, salsa, tango . . .

■ CLOTHING: bandana, poncho, sombrero . . .

■ SPORTS AND AMUSEMENTS: jai alai, piñata, fiesta . . .

■ HOMES AND BUILDINGS: patio, veranda, adobe . . .

■ ANIMALS: armadillo, pinto, palomino . . .

■ NATURE TERMS: mesa, chaparral, canyon . . .

■ PLACE NAMES: Santa Fe, San Francisco, Nevada . . .

■ EXPRESSIONS: adiós, pronto, amigo . . .

Look at a map of the United States. See how many places you can locate that have Spanish names. Can you guess how they got those names?

CURRENT RESEARCH SHOWS THAT HIGH-SCHOOL STUDENTS WITH TWO YEARS OF A FOREIGN LANGUAGE SCORE UP TO 12% HIGHER ON THE S.A.T. VERBAL EXAMS—AND THAT THE SCORE CONTINUES TO RISE BY AT LEAST 5% WITH EACH ADDITIONAL YEAR OF FOREIGN LANGUAGE STUDY.

Los licuados *(shakes)* de fruta son muy populares.

EXCEL! with *VOCES Y VISTAS*

So that you can have a successful and enjoyable learning experience, we would like to show you how your book is organized.

In the five beginning sections called *En camino* you will learn how to say some of the most basic things in Spanish: how to greet people and say good-by, how to ask for and tell the time and date, how to tell where you are from and find out where others are from, how to spell your name, give your phone number, and so on.

After the *En camino*, you will find that the chapters are all divided into several main sections. Let's take a close look at each one.

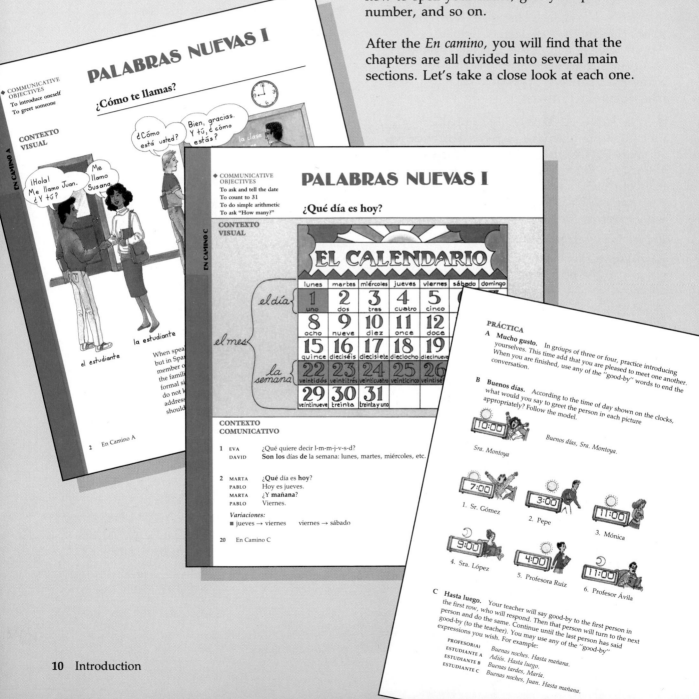

◆ COMMUNICATIVE OBJECTIVES
To introduce oneself
To greet someone

CONTEXTO VISUAL

PALABRAS NUEVAS I

¿Cómo te llamas?

¿Cómo está usted?

Bien, gracias. Y tú, ¿cómo estás?

la clase

¡Hola! Me llamo Juan. ¿Y tú?

Me llamo Susana

la estudiante

el estudiante

2 En Camino A

◆ COMMUNICATIVE OBJECTIVES
To ask and tell the date
To count to 31
To do simple arithmetic
To ask "How many?"

PALABRAS NUEVAS I

¿Qué día es hoy?

CONTEXTO VISUAL

EL CALENDARIO

lunes	martes	miércoles	jueves	viernes	sábado	domingo
1 uno	2 dos	3 tres	4 cuatro	5 cinco		
8 ocho	9 nueve	10 diez	11 once	12 doce		
15 quince	16 dieciséis	17 diecisiete	18 dieciocho	19 diecinueve		
22 veintidós	23 veintitrés	24 veinticuatro	25 veinticinco	26 veintiséis		
29 veintinueve	30 treinta	31 treinta y uno				

el día

el mes

la semana

CONTEXTO COMUNICATIVO

1 EVA   ¿Qué quiere decir l-m-m-j-v-s-d?
   DAVID **Son los** días **de** la semana: lunes, martes, miércoles, etc.

2 MARTA ¿**Qué** día es **hoy**?
   PABLO Hoy es jueves.
   MARTA ¿Y **mañana**?
   PABLO Viernes.

   Variaciones:
   ■ jueves → viernes   viernes → sábado

20   En Camino C

PRÁCTICA

A **Mucho gusto.** In groups of three or four, practice introducing yourselves. This time add that you are pleased to meet one another. When you are finished, use any of the "good-by" words to end the conversation.

B **Buenos días.** According to the time of day shown on the clocks, what would you say to greet the person in each picture appropriately? Follow the model.

Buenos días, Sra. Montoya.

Sra. Montoya

1. Sr. Gómez

2. Pepe

3. Mónica

4. Sra. López

5. Profesora Ruiz

6. Profesor Ávila

C **Hasta luego.** Your teacher will say good-by to the first person in the first row, who will respond. Then that person will turn to the next person and do the same. Continue until the last person has said good-by (to the teacher). You may use any of the "good-by" expressions you wish. For example:

PROFESOR(A)   *Buenos noches. Hasta mañana.*
ESTUDIANTE A   *Adiós. Hasta luego.*
ESTUDIANTE B   *Buenas tardes, María.*
ESTUDIANTE C   *Buenas noches, Juan. Hasta mañana.*

1. PRÓLOGO CULTURAL

Enjoy the photograph and article that give you a glimpse into an area of Hispanic culture. The chapter that follows will relate to the topics you will learn about in the *Prólogo cultural.*

CAPÍTULO 2

PRÓLOGO CULTURAL

¿UN LATINOAMERICANO TÍPICO?

Suppose you are the casting director for a movie and the script calls for a "Latin American." What do you look for? A specific style of clothing? A particular color of hair, skin, or eyes? You'd better ask the director for a more detailed description.

Meet Mario Antonioni from Argentina, Cecilia Chang from Puerto Rico, and Lucía Díaz from Mexico. As you can tell from their names, their ancestors came from all parts of the world. Though they all share a common language—Spanish—they lead very different lives.

Mario's family originally came from Italy and Spain. Many Latin American families in Argentina, Uruguay, and Chile are of European descent. After school, Mario and his friends often sit for hours in a café on one of the wide, tree-lined avenues in Buenos Aires, talking and drinking coffee.

While Mario chats, Cecilia works through the warm Puerto Rican evening in her parents' restaurant. After the first Spaniards arrived in the Caribbean, this region became a melting pot of Europeans, Africans, and Asians. The Changs' customers are tall, short, thin, heavyset, darkest brown, and palest white. They're all Puerto Rican, and they are there for the food—the unique Caribbean cuisine that includes savory rice and beans and sweet, fried plantains.

Lucía eats at home, and her mother's recipes are hundreds of years old. The Díaz family are direct descendants of the Aztecs of Mexico. Not far from the ancient pyramids of Teotihuacán, Lucía's family grows *maíz* and grinds corn the same way her ancestors did five centuries ago. Mario, Cecilia, and Lucía are all *latinoamericanos*. Different as they are, if they were to meet they would have little trouble communicating, for they all share a basic tool—the Spanish language.

81

2. PALABRAS NUEVAS I and II

Here you will find useful, everyday vocabulary in pictures (**Contexto visual**) and in real-life conversations (**Contexto comunicativo**) that get you in on the action. You can practice these with classmates and listen to them on tape. The new words are in **dark type**.

Use the **Variaciones** to substitute other words and phrases. You use the same basic framework to say something different.

The list of **Communicative Objectives** tells you the types of situations that the *Palabras nuevas* section is preparing you for.

Your teacher will choose a variety of activities to help you learn the new words. And there will always be an **Hablemos de ti,** where you will use the words to talk about yourself and your activities.

There are other features to help you:

En otras partes, where you will see that different words are sometimes used in certain areas of the Spanish-speaking world.

Pronunciación, which will help you focus on practicing the sounds.

Estudio de palabras, which will help you expand your vocabulary and give you valuable hints as you begin to use your Spanish.

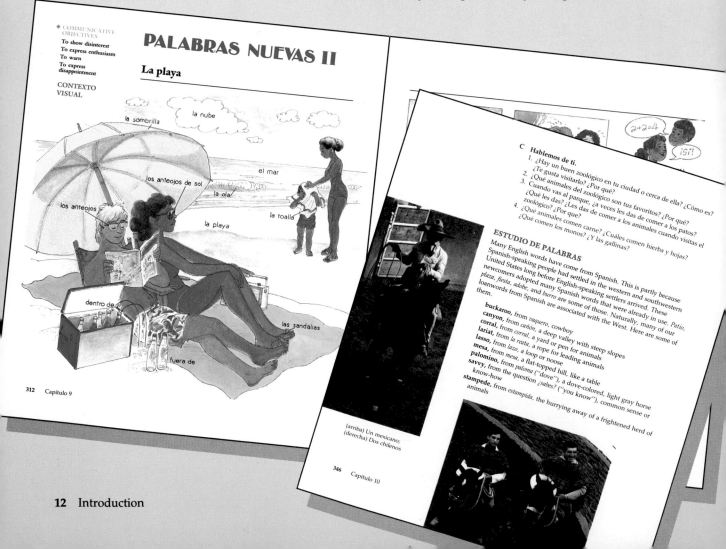

♦ COMMUNICATIVE OBJECTIVES
To show disinterest
To express enthusiasm
To warn
To express disappointment

CONTEXTO VISUAL

PALABRAS NUEVAS II

La playa

la sombrilla
la nube
el mar
la ola
los anteojos de sol
la toalla
los anteojos
la playa
dentro de
las sandalias
fuera de

312   Capítulo 9

C   Hablemos de ti.
1. ¿Hay un buen zoológico en tu ciudad o cerca de ella? ¿Cómo es?
2. ¿Te gusta visitarlo? ¿Por qué?
¿Qué animales del zoológico son tus favoritos? ¿Por qué?
3. Cuando vas al parque, ¿a veces les das de comer a los patos? ¿Y las das? ¿Les das de comer a los animales del zoológico? ¿Por qué?
4. ¿Qué animales comen carne? ¿Cuáles comen hierba y hojas? ¿Qué comen los monos? ¿Y las gallinas?

ESTUDIO DE PALABRAS
Many English words have come from Spanish. This is partly because Spanish-speaking people had settled in the western and southwestern United States long before English-speaking settlers arrived. These newcomers adopted many Spanish words that were already in use. *Patio, plaza, fiesta, adobe,* and *burro* are some of those. Naturally, many of our loanwords from Spanish are associated with the West. Here are some of them.

buckaroo, from *vaquero,* cowboy
canyon, from *cañón,* a deep valley with steep slopes
corral, from *corral,* a yard or pen for animals
lariat, from *la reata,* a rope for leading animals
lasso, from *lazo,* a loop or noose
mesa, from *mesa,* a flat-topped hill, like a table
palomino, from *paloma* ("dove"), a dove-colored, light gray horse
savvy, from the question *¿sabes?* ("you know"), common sense or know-how
stampede, from *estampida,* the hurrying away of a frightened herd of animals

(arriba) Un mexicano; (derecha) Dos chilenos

346   Capítulo 10

12   Introduction

3. EXPLICACIONES I and II

Here we will clarify any important grammatical structures for you through examples, charts, and easy explanations. There's nothing really new here. You will see that you have already been using the structures in the *Palabras nuevas.* But this section will explain them and give you many different kinds of activities to practice them with a classmate.

The **Communicative Objectives** show you how the grammatical structures will help you to communicate.

And, again, every *Explicaciones* section ends with **Hablemos de ti,** where you will use what you just learned to answer questions and to begin having conversations in Spanish about yourself and your own interests.

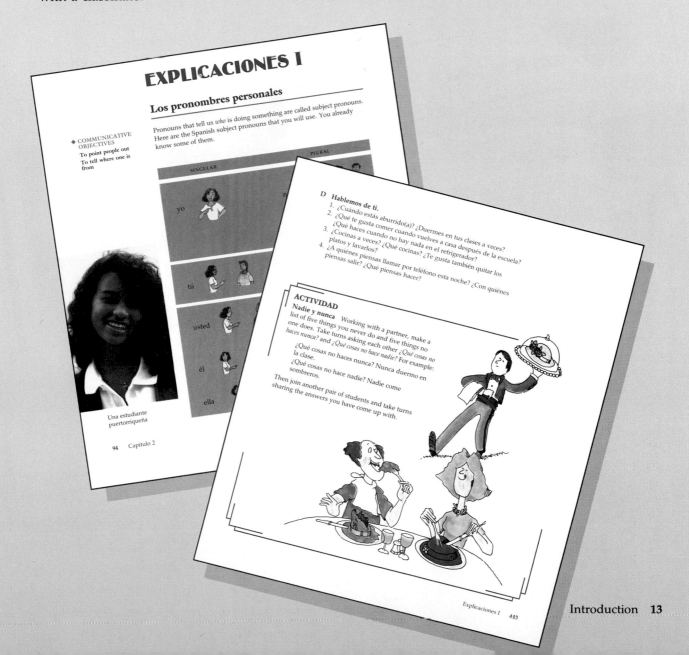

EXPLICACIONES I

Los pronombres personales

Pronouns that tell us *who* is doing something are called subject pronouns. Here are the Spanish subject pronouns that you will use. You already know some of them.

◆ COMMUNICATIVE
OBJECTIVES
To point people out
To tell where one is from

SINGULAR		PLURAL
yo		
tú		
usted		
él		
ella		

Una estudiante
puertorriqueña

94   Capítulo 2

D **Hablemos de ti.**
1. ¿Cuándo estás aburrido(a)? ¿Duermes en tus clases a veces?
2. ¿Qué te gusta comer cuando vuelves a casa clases a veces? ¿Qué haces cuando no hay nada en el refrigerador?
3. ¿Cocinas a veces? ¿Qué cocinas? ¿Te gusta también quitar los platos y lavarlos?
4. ¿A quiénes piensas llamar por teléfono esta noche? ¿Con quiénes piensas salir? ¿Qué piensas hacer?

ACTIVIDAD
Nadie y nunca   Working with a partner, make a list of five things you never do and five things no one does. Take turns asking each other *¿Qué cosas no haces nunca?* and *¿Qué cosas no hace nadie?* For example:
¿Qué cosas no haces nunca? Nunca duermo en la clase.
¿Qué cosas no hace nadie? Nadie come sombreros.
Then join another pair of students and take turns sharing the answers you have come up with.

Explicaciones I   413

4. APLICACIONES

There are three *Aplicaciones* sections in each chapter. They will help you apply what you have learned in new situations.

The **first** *Aplicaciones* section is always a **Diálogo,** a short dialogue with questions *(Preguntas)*. The dialogue will give you additional insights into Spanish-speaking cultures around the world.

Right after the questions there is a **Participación** activity. This will give you and your classmates an opportunity to create your own conversation related to a certain situation.

DIÁLOGO

APLICACIONES

Aquí no hay polleras

San Juan, Puerto Rico, delante de[1] una tienda de ropa.

VENDEDOR	¡Ropa bonita y barata! ¡Hay blusas, faldas, chaquetas!
CECILIA	¡Ah! ¿Qué desea Ud., señorita?
5 VENDEDOR	Una pollera.
	¿Una pollera? Aquí no hay polleras. Hay blusas, faldas, chaquetas . . .
CECILIA	¿No hay polleras aquí? Entonces, ¿qué es esto?[2]
VENDEDOR	Es una falda, señorita. Hay faldas de toda clase:[3]
10	cortas y largas, blancas y negras, rojas y azules.
CECILIA	Muy bonitas y baratas.
VENDEDOR	Pero esto es una pollera. ¿Cuánto cuesta?
	¿Una pollera? Es una *falda,* señorita. ¿Es Ud. de los Estados Unidos?
15 CECILIA	No, soy de la Argentina. En la Argentina las mujeres llevan polleras.
VENDEDOR	Pues en Puerto Rico llevan faldas.

[1]**delante de** *in front of*   [2]**esto** *this*   [3]**de toda clase** *of all kinds*

Una venta en Bogotá, Colombia

Preguntas
Contesta según el diálogo.
1. ¿Cómo es la ropa?   2. ¿Hay ropa cara?   3. ¿Qué desea Cecilia?
4. ¿Cómo se dice pollera en Puerto Rico?   5. ¿De dónde es Cecilia?
6. ¿Qué llevan las mujeres en Puerto Rico?

GRAN VENTA

$5.98

$6.98

Participación
Work with a partner to make up a four- to six-line dialogue in Spanish between a clothing store salesclerk and a customer. Be sure to mention what the customer wants to buy, the color, the price, and perhaps the customer's likes and dislikes in clothing.

PRONUNCIACIÓN
In Spanish, the letter *h* is never pronounced. Escucha y repite.

hoy   hasta

¡Hasta luego!   hablar   helado
Hoy no hay helado.   Héctor es de Honduras.
          Me encanta hablar con Horacio.

118   Capítulo 3

Aplicaciones   119

The **second** *Aplicaciones* section is of two types. In *odd-numbered* chapters it is a **¿Qué pasa?** This shows a scene that you and your classmates can use to create original conversations or skits.

In *even-numbered* chapters it is a **Lectura,** or reading, where you can practice the reading skills that you have been developing. The small paragraph called **Antes de leer** gives some questions or pointers that will help you as you read.

LECTURA

APLICACIONES

El deporte también es trabajo

ANTES DE LEER
What do you think the answers to these questions might be?
1. ¿Qué cosas hay que hacer para ser atleta?
2. Si su trabajo es el deporte, ¿qué hace un(a) atleta para divertirse?
3. ¿Es más difícil ser atleta o, por ejemplo, médico(a)? ¿Por qué?

¡Qué fabulosa es la vida[1] de los atletas! Viajar por todos los países del mundo,[2] ganar[3] mucho dinero y ser muy popular. ¡Qué divertido! Es lo que muchas personas creen.

Pero la vida de los atletas no es fácil. Todos los días se levantan muy
5 temprano para correr. Después practican su deporte de dos a cuatro horas. ¡Dos veces todos los días! Y para estar en excelentes condiciones físicas tienen que hacer ejercicio[4] y comer bien. Hay que ser fuerte y muy enérgico.

En la Argentina, la tenista Gabriela Sabatini es un ídolo nacional. Es
10 muy joven, pero ya es una de las mejores tenistas del mundo. Gabriela juega al tenis en muchas ciudades y muchos países. Viaja durante seis semanas y después regresa a su casa—pero no puede descansar[5] porque tiene que practicar cada día. Para divertirse, Gabriela monta en su moto. También le gustan[6] los juegos electrónicos y la música
15 de Lionel Richie. Gabriela canta muy bien.

Gabriela Sabatini todavía no es la jugadora de tenis número uno del mundo, pero, ¿en el futuro? ¡Tal vez! Por el momento, está contenta porque cada día juega un poco mejor.

[1]**la vida** *life* [2]**el mundo** *world* [3]**ganar** *here: to earn* [4]**hacer ejercicio** *to exercise* [5]**descansar** *to rest* [6]**le gustan** *she likes*

Gabriela Sabatini en Wimbledon, 1987

476 Capítulo 14

Preguntas
Match the sentence beginning on the left with the appropriate ending on the right. Then put the sentences in the proper sequence.

1. Gabriela practica el tenis
2. Para divertirse, Gabriela
3. La vida de un atleta
4. También escucha
5. Gabriela está contenta
6. Es muy joven, pero ya
7. En su país, Gabriela es
8. Una tenista tiene que ser
9. Los atletas se levantan

a. monta en su moto.
b. es una de las mejores tenistas del mundo.
c. fuerte y enérgica.
d. dos veces todos los días.
e. muy temprano.
f. es bastante difícil.
g. la música de Lionel Richie.
h. un ídolo nacional.
i. perezosa.
j. porque cada día juega mejor.
k. muy tarde.

(arriba, izquierda) Tony Armas; (arriba, ... Diego Maradona; (abajo) Roberto Clemente

Aplicaciones 477

¿QUÉ PASA?

APLICACIONES

¿Qué película vemos?

Julio y Lucía acaban de llegar al centro. ¿Qué van a hacer? ¿Qué películas dan esta noche? ¿Qué clase de película es *Mi guitarra y yo?*

Lucía thinks that she and Julio should have dinner before going to the movies. Make up a dialogue in which they decide which movie they will see, what time they will go, and where they will eat. You might want to use these words or phrases:

tener hambre   durar
comer   media hora
antes de   estupendo, -a

LUNA
EL POLICÍA AUSENTE 20:30 23:00
MI GUITARRA Y YO 18:00
17:30 19:45 22:00 24:15

El policía ausente

Mi guitarra y yo

CINE
EL MUSEO DEL MIEDO
16:10 18:00
19:50 21:40
23:30

MIL KILOS DE GUISANTES
17:30 19:45
22:00 24:15

Mil Kilos de guisantes

El museo del miedo

EL LABORATORIO DEL DR. ANTIPÁTICO 23:00
18:00 20:30
NO VEO NUBES 23:30
16:10 18:00 19:50 21:40

No veo nubes

El laboratorio del Dr. Antipático

322 Capítulo 9

The **third** *Aplicaciones* section is a three-part review that helps you communicate in writing.

b. The **Tema** guides you in the same way, but with a cartoon strip. (Your class can also use this cartoon strip for conversation practice.)

a. The **Repaso** guides you step by step to use Spanish word order, idioms, and expressions.

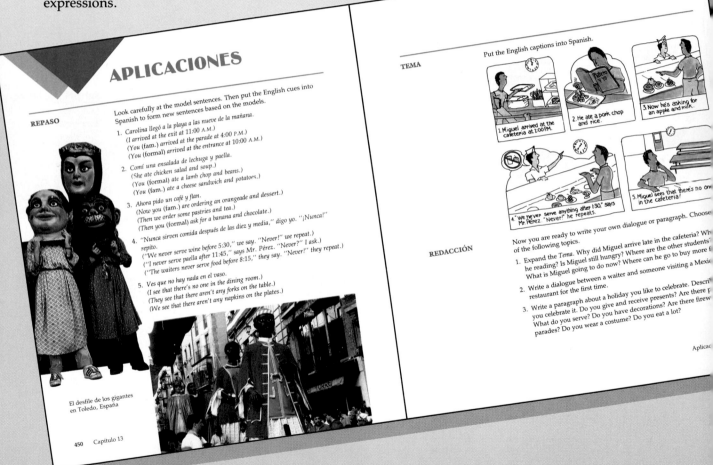

APLICACIONES

REPASO

Look carefully at the model sentences. Then put the English cues into Spanish to form new sentences based on the models.

1. Carolina llegó a la playa a las nueve de la mañana.
   (I arrived at the exit at 11:00 A.M.)
   (You (fam.) arrived at the parade at 4:00 P.M.)
   (You (formal) arrived at the entrance at 10:00 A.M.)

2. Comí una ensalada de lechuga y paella.
   (She ate chicken salad and soup.)
   (You (formal) ate a lamb chop and beans.)
   (You (fam.) ate a cheese sandwich and potatoes,)

3. Ahora pido un café y flan.
   (Now you (fam.) are ordering an orangeade and dessert.)
   (Then we order some pastries and tea.)
   (Then you (formal) ask for a banana and chocolate.)

4. "Nunca sirven comida después de las diez y media," digo yo. "¡Nunca!" repito.
   ("We never serve wine before 5:30," we say. "Never!" we repeat.)
   ("I never serve paella after 11:45," says Mr. Pérez. "Never?" I ask.)
   ("The waiters never serve food before 8:15," they say. "Never!" they repeat.)

5. Ves que no hay nada en el vaso.
   (I see that there's no one in the dining room.)
   (They see that there aren't any forks on the table.)
   (We see that there aren't any napkins on the plates.)

El desfile de los gigantes en Toledo, España

450 Capítulo 13

TEMA

Put the English captions into Spanish.

1. Miguel arrived at the cafeteria at 1:00 PM.

2. He ate a pork chop and rice.

3. Now he's asking for an apple and milk.

4. "We never serve anything after 1:30," says Mr. Pérez. "Never!" he repeats.

5. Miguel sees that there's no one in the cafeteria!

REDACCIÓN

Now you are ready to write your own dialogue or paragraph. Choose of the following topics.

1. Expand the *Tema*. Why did Miguel arrive late in the cafeteria? Wh he reading? Is Miguel still hungry? Where are the other students? What is Miguel going to do now? Where can he go to buy more f

2. Write a dialogue between a waiter and someone visiting a Mexic restaurant for the first time.

3. Write a paragraph about a holiday you like to celebrate. Descri you celebrate it. Do you give and receive presents? Are there p What do you serve? Do you have decorations? Are there firew parades? Do you wear a costume? Do you eat a lot?

Aplicac

c. In the **Redacción** you are on your own, writing in your own style, using the vocabulary and grammatical structures that you have learned.

At the very end of the chapter is a section called **Comprueba tu progreso**. This helps you check what you have learned in the chapter and gives you an idea of what you may need to review more carefully. For that reason, it's a good idea to do this page right before a chapter test.

The last page gives a complete list of all the vocabulary for the chapter. HINT: Make flash cards, and practice the words for a few minutes every night. You'll be amazed at how much you will remember.

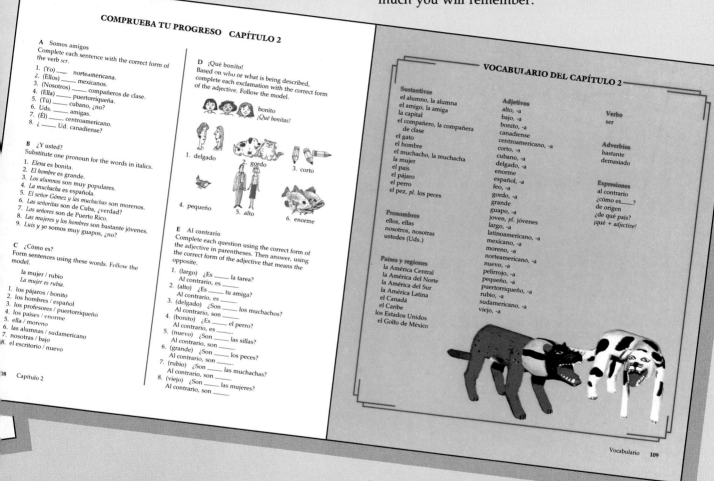

At the back of the book you will find verb charts for quick reference, a Spanish-English vocabulary (with the chapter noted in which each word was introduced), an English-Spanish vocabulary with chapter notations, and maps of the Spanish-speaking world.

Enjoy this year! And remember:
The more you participate and join in creating a Spanish-speaking classroom, the more fun you will have, the more you will learn, and the more proficient you will become in Spanish.

Scott, Foresman Spanish Program Book 1

Bernadette M. Reynolds
Montbello High School
Denver, Co

Carol Eubanks Rodríguez
Glen Crest Junior High School
Glen Ellyn, Il

Rudolf L. Schonfeld
Parsippany High School
Parsippany, NJ

VOCES Y VISTAS

ScottForesman

A Division of HarperCollins*Publishers*

Editorial Offices: Glenview, Illinois

Regional Offices: Sunnyvale, California • Atlanta, Georgia
Glenview, Illinois • Oakland, New Jersey • Dallas, Texas

The authors and editors would like to express their heartfelt thanks to the following team of reader consultants. Each of them read the manuscript of all three levels of the Scott, Foresman Spanish Program. Chapter by chapter, each offered suggestions and provided encouragement. Their contribution has been invaluable.

Senior Reader Consultants

Estella M. Gahala, Ph.D.
National Foreign Language
  Consultant
Scott, Foresman and Company
Glenview, IL

Barbara Snyder, Ph.D.
Parma Public Schools
Parma, OH

Reader Consultants

Sheila Starr Ashley
Radnor High School
Radnor, PA

Elaine W. Baer
Foreign Language Dept. Chairperson
John Bartram High School
Philadelphia, PA

Barbara M. Berry, Ph.D.
Foreign Language Dept. Chairperson
Ypsilanti Public Schools
Ypsilanti, MI

Anna Budiwsky
Cardinal O'Hara High School
Springfield, PA

Susan R. Cole
San Francisco USD
San Francisco, CA

J. Patricio Concha
Foreign Language Dept. Chairperson
Overbrook High School
Philadelphia, PA

Judith A. Dean
Mount Tabor High School
Winston-Salem/Forsyth Co.
  Schools
Winston-Salem, NC

Louis P. Díaz
Foreign Language Dept. Chairperson
Kirkwood High School
Kirkwood, MO

Marta Fernández, Ph.D.
Evanston Township High School
Evanston, IL

Raúl Fernández
Foreign Language Dept. Chairperson
Shiloh High School
Gwinnett Co., GA

Eugenio V. González
Eagle Pass ISD
Eagle Pass, TX

Cordelia R. Gutiérrez
Costa Mesa High School
Costa Mesa, CA

Karen L. James
Hilton Head High School
Hilton Head Island, SC

Sister Magdalena Kellner
Nazareth Academy High School
Rochester, NY

Mary Ann Kindig
Foreign Language Dept. Chairperson
Nimitz High School
Irving, TX

TABLA DE MATERIAS

EN CAMINO

CAPÍTULO 1

CAPÍTULO 2

CAPÍTULO 3

CAPÍTULO 4

CAPÍTULO 5

CAPÍTULO 6

CAPÍTULO 7

CAPÍTULO 8

CAPÍTULO 9

CAPÍTULO 10

CAPÍTULO 11

CAPÍTULO 12

CAPÍTULO 13

CAPÍTULO 16

Estudiantes en España

◆ COMMUNICATIVE
OBJECTIVES
To introduce oneself
To greet someone

EN CAMINO A

PALABRAS NUEVAS I

¿Cómo te llamas?

**CONTEXTO
VISUAL**

¡Hola!
Me llamo Juan.
¿Y tú?

Me
llamo
Susana.

¿Cómo
está usted?

Bien, gracias.
Y tú, ¿cómo
estás?

la clase
de es

la profesora   el profesor

la clase de español

la estudiante

el estudiante

When speaking to another person in English, we use the word "you,"
but in Spanish there are two words. You use *tú* when you speak to a
member of your family or to anyone you call by a first name. We call this
the familiar (fam.) use. You use *usted* when you speak to an adult, in
formal situations, and to show respect. We call *usted* formal. Adults who
do not know each other well usually use *usted*. In greeting someone you
address as *tú*, you should say *¿cómo estás?* or *¿qué tal?* Otherwise, you
should say *¿cómo está usted?*

CONTEXTO COMUNICATIVO

1   MARTA   **¿Cómo te llamas?**
    JUANA   Me llamo Juana. ¿Y tú?
    MARTA   Marta.

2   OLGA   ¿Cómo te llamas? . . . ¿Manuel?
    JOSÉ   **No,** me llamo José.

3   JAIME   ¡Hola! **¿Qué tal? ¿Bien?**
    MARTA   **Sí, muy** bien, **gracias.**

4   CARLOS   Hola, Teresa. **¿Cómo estás?**
    TERESA   **Así, así.**

    Variaciones:
    ■ ¿cómo estás? → ¿qué tal?
    ■ así, así → muy bien

5   JORGE   **Buenos días, señor* Arias.**
           ¿Cómo está usted?
    SR. ARIAS   Bien, Jorge. Y tú, ¿cómo estás?
    JORGE   Muy bien, gracias.

    ■ señor → profesor

¿cómo te llamas? *what's your name?*

no *no*

¿qué tal? *how's it going?*
bien *well*
sí *yes*
muy *very*
gracias *thank you, thanks*
¿cómo estás? *how are you?* (fam.)
así, así *so-so*

buenos días *good morning*
el señor (Sr.) *Mr.; sir*
¿cómo está usted? *how are you?* (formal)

---

* The abbreviation for *señor* is *Sr.* When *señor* is used alone, without a last name, it means *sir*.

Here is a list of common Spanish names. If the Spanish equivalent of your name is not on the list, this is your chance to choose any name you like.

Muchachas

Alicia	Concepción	Gloria	Lucía	Raquel
Ana	Consuelo	Graciela	Luisa	Rebeca
(Anita)	Cristina	Guadalupe	Luz	Rita
Andrea	Diana	(Lupe)	Magdalena	Rosa
Ángela	Dolores	Inés	Margarita	Sara
Bárbara	(Lola)	Irene	María	Silvia
Beatriz	Elena	Isabel	Mariana	Sofía
Carlota	Elisa	Josefina	Marta	Sonia
Carmen	Emilia	Juana	Mercedes	Susana
Carolina	Esperanza	Judit	Mónica	Teresa
Catalina	Ester	Julia	Norma	Verónica
Cecilia	Eugenia	Laura	Olga	Victoria
Clara	Eva	Leonor	Patricia	Virginia
Claudia	Georgina	Lourdes	Pilar	Yolanda

Muchachos

Agustín	Cristóbal	Gerardo	Leonardo	Raimundo
Alberto	Daniel	Gregorio	Luis	Ramón
Alejandro	David	Guillermo	Manuel	Raúl
Alfonso	Diego	Gustavo	Marcos	Ricardo
Alfredo	Eduardo	Héctor	Mario	Roberto
Andrés	Enrique	Horacio	Mateo	Rodolfo
Ángel	Ernesto	Ignacio	Mauricio	Rogelio
Antonio	Esteban	Jaime	Miguel	Samuel
Armando	Eugenio	Javier	Nicolás	Santiago
Arturo	Federico	Jesús	Oscar	Sergio
Benjamín	Felipe	Jorge	Pablo	Timoteo
Bernardo	Fernando	José (Pepe)	Patricio	Tomás
Carlos	Francisco	Juan	Pedro	Vicente
César	(Paco)	Julio	Rafael	Víctor

En Puerto Rico

PRÁCTICA

A Me llamo . . .   Your teacher will introduce himself or herself and ask your name. Answer in Spanish, using the name you have chosen.

> PROFESOR(A)   *Buenos días. Me llamo _____. ¿Cómo te llamas?*
> ESTUDIANTE   *Buenos días, profesor(a). Me llamo _____.*

B ¡Hola!   In groups of three or four, take turns introducing yourself and asking each of the others what his or her name is.

> ESTUDIANTE A   *¡Hola! Me llamo _____. Y tú, ¿cómo te llamas?*
> ESTUDIANTE B   *Me llamo _____.*

Now practice the dialogue with the whole class. Introduce yourself to the person next to you or immediately behind you.

C ¿Qué tal?   In groups of three or four, take turns asking one another how you are. You can ask either *¿Cómo estás?* or *¿Qué tal?* You can answer *Bien, Muy bien,* or *Así, así.* For example:

> ESTUDIANTE A   *¿Qué tal?*
> ESTUDIANTE B   *Muy bien, gracias. Y tú, ¿cómo estás?*
> ESTUDIANTE C   *Así, así. ¿Y tú, _____? ¿Qué tal?*

Now practice the dialogue with the whole class. Ask the person next to you or immediately behind you. If you have forgotten the person's name, ask for it in Spanish.

PALABRAS NUEVAS II

Buenos días

**CONTEXTO
VISUAL**

Buenos días, señora Gómez. ¿Cómo está usted?

Muy bien, señorita. ¿Y usted?

CONTEXTO COMUNICATIVO

1 SR. CANO   **Buenas tardes.** Me llamo Rafael Cano.

    SR. ÁVILA   **Mucho gusto.** Me llamo José Ávila.

    Variaciones:

    ■ buenas tardes → buenos días

buenas tardes	*good afternoon*
mucho gusto	*pleased to meet you*

2 LOLITA   **Buenas noches,** señora* Toledo.

    SRA. TOLEDO*   **Adiós,** Lolita.

    ■ buenas noches → **hasta mañana**

    ■ adiós → **hasta luego**

buenas noches	*good night, good evening*
adiós	*good-by*
hasta mañana	*see you tomorrow*
hasta luego	*see you later*

* We use *señora* when we speak to a married woman. We use *señorita* to address an unmarried woman or one whose marital status we don't know. The abbreviation for *señora* is *Sra.* The abbreviation for *señorita* is *Srta.* When they are used alone, without a last name, *señora* and *señorita* mean "ma'am."

PRÁCTICA

A Mucho gusto. In groups of three or four, practice introducing yourselves. This time add that you are pleased to meet one another. When you are finished, use any of the "good-by" words to end the conversation.

B Buenos días. According to the time of day shown on the clocks, what would you say to greet the person in each picture appropriately? Follow the model.

Buenos días, Sra. Montoya.

Sra. Montoya

1. Sr. Gómez

2. Pepe

3. Mónica

4. Sra. López

5. Profesora Ruiz

6. Profesor Ávila

C Hasta luego. Your teacher will say good-by to the first person in the first row, who will respond. Then that person will turn to the next person and do the same. Continue until the last person has said good-by (to the teacher). You may use any of the "good-by" expressions you wish. For example:

PROFESOR(A)	*Buenas noches. Hasta mañana.*
ESTUDIANTE A	*Adiós. Hasta luego.*
ESTUDIANTE B	*Buenas tardes, María.*
ESTUDIANTE C	*Buenas noches, Juan. Hasta mañana.*

EXPRESIONES PARA LA CLASE

The words and phrases in these cartoons will probably be used in class by your teacher. See how many you can figure out without any help. You may not be expected to use them, but you should be able to recognize and understand them.

PRONUNCIACIÓN

A Spanish vowel sounds are not like English ones. First, each vowel usually has only one sound. Spanish vowel sounds are quicker and tenser than those in English, and they aren't drawn out.

B The pronunciation of the letter *a* is similar to the vowel sound in the English word "pop."

C Escucha y repite.

adiós   Esteban   mañana   gracias   así, así

¿Qué tal, Andrea?   Buenas tardes, Clara.
¿Cómo estás, Catalina?   Hasta mañana, Ana María.

ACTIVIDAD

Buenas tardes, Sr. Presidente.   Work with a partner. One of you plays yourself while the other plays the role of one of the people listed below. You meet on the street, exchange greetings, ask each other how you are, and then say good-by. Then switch roles, choosing another character.

Buenas tardes, señores.
En España

PEOPLE YOU MEET	FORMAL PHRASES	INFORMAL
Sr. García, the mail carrier	Buenos días	¡Hola!
Sra. Rodríguez, the principal	Buenas tardes	¿Qué tal?
Pepito, the boy next door	Buenas noches	¿Cómo estás?
your best friend	¿Cómo está usted?	¿Y tú?
your teacher	¿Y usted?	Adiós
Sr. Presidente	Adiós	Hasta luego
	Hasta luego	

VOCABULARIO DE EN CAMINO A

Sustantivos
la clase (de español)
el/la estudiante
el profesor, la profesora
el señor
la señora
la señorita

Conjunción
y

Pronombres
tú
usted

Adverbios
bien
muy
no
sí

Expresiones
adiós
así, así
buenas noches
buenas tardes
buenos días
¿cómo está usted?
¿cómo estás?
¿cómo te llamas?

gracias
hasta luego
hasta mañana
¡hola!
me llamo
mucho gusto
¿qué tal?

◆ COMMUNICATIVE
OBJECTIVE
**To ask and tell where
one is from**

PALABRAS NUEVAS I

¿De dónde eres?

CONTEXTO
VISUAL

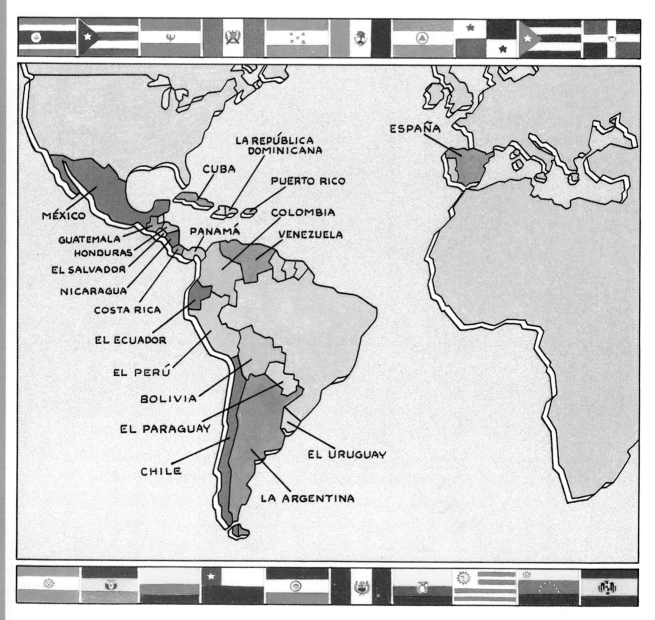

MÉXICO
GUATEMALA
HONDURAS
EL SALVADOR
NICARAGUA
COSTA RICA
EL ECUADOR
EL PERÚ
BOLIVIA
EL PARAGUAY
CHILE
LA ARGENTINA
EL URUGUAY
CUBA
LA REPÚBLICA DOMINICANA
PUERTO RICO
COLOMBIA
PANAMÁ
VENEZUELA
ESPAÑA

CONTEXTO
COMUNICATIVO

1 MARIO **¿De dónde eres?**
    ANDREA **Soy de** México. ¿Y tú?
    MARIO **Yo** soy de Costa Rica.

Variaciones:
■ México → Guatemala
■ Costa Rica → Honduras

¿de dónde eres? *where are you from?*
soy *I am, I'm*
de (del) *from*
yo *I*

2 LUISA **¿De dónde es** Bárbara?
    JORGE **Es** de Venezuela.
    LUISA ¿Y Pablo?
    JORGE **Él** es de Panamá.

■ Venezuela → Colombia
■ ¿y Pablo → ¿y él?
■ Panamá → España

¿de dónde es _____? *where is _____ from?*
es *he is (he's); she is (she's); it is (it's)*
él *he*

3 EVA **¿Eres de** Chile?
    CÉSAR Sí, soy de Chile. Y tú, ¿de dónde eres?
    EVA Yo soy del Ecuador.

■ Chile → Bolivia
■ del Ecuador → del Paraguay
■ del Ecuador → de El Salvador

¿eres de _____? *are you from _____?*

4 SARA La profesora Ruiz es de la Argentina.
    INÉS ¿Y Graciela Martínez? ¿Dé dónde es **ella**?
    SARA **No sé.**

■ la profesora → el profesor
■ de la Argentina → de la República Dominicana
■ Graciela → Raúl
   ella → él

ella *she*
no sé *I don't know*

When we talk about someone coming from a country whose name is preceded by *el*, we say *del: de + el → del.*

José es *del* Perú.

El Salvador is the only exception.

Martín es **de** El Salvador.

When *la* comes before the name of a country, we say *de la.*

Ana es **de la** Argentina.

When we talk *about* a person whose name includes a title, such as *señor, señora,* or *profesor(a),* we use *el* or *la* before the title.

¿De dónde es **la** profesora Ruiz?

El señor Ortega es de Chile.

We do not use *el* or *la* when we are talking directly *to* the person.

Buenos días, señor Ortega.

PRÁCTICA

A   La clase de español.   Benjamín took a photograph of some of the exchange students at his school. Working with a partner, take turns asking and answering where each person is from.

ESTUDIANTE A   *¿De dónde es Manuel?*
ESTUDIANTE B   *Es de Honduras.*

1. Andrea   3. Mercedes   5. Ramón
2. Mateo   4. Gloria   6. Luis

B **¿De dónde eres?**   It is a new semester at the International School, and everyone is getting acquainted. Working with a partner, find out where each classmate is from. Follow the model.

> Lola / el Perú   José / Chile
> JOSÉ   *¿Dé dónde eres, Lola?*
> LOLA   *Soy del Perú. ¿Y tú, José?*
> JOSÉ   *Yo soy de Chile.*

1. Carlos / Panamá   Juana / Colombia
2. Antonia / México   Ricardo / Venezuela
3. Eduardo / el Uruguay   María / el Paraguay
4. Rosa / Nicaragua   Laura / Bolivia
5. Juan / la Florida   Tomás / Colorado
6. Marta / la República Dominicana   Luis / el Ecuador

C **¿Dé dónde es?**   Now, using the information from Práctica B, take turns asking a partner where each student is from. In the final response, remember to use *él* for boys and *ella* for girls.

> ESTUDIANTE A   *¿De dónde es Lola?*
> ESTUDIANTE B   *Es del Perú.*
> ESTUDIANTE A   *¿Y José?*
> ESTUDIANTE B   *Él es de Chile.*

D **El club de ajedrez.**   The International School Chess Club is having a tournament between the seniors and the faculty. You recognize all of the teachers and know where they are from. But you don't know any of the older students. Working with a partner, take turns asking and answering. Use the correct words *el* or *la estudiante* and *él* or *ella*. For example:

> el profesor Ramírez / el Uruguay   Norma / Bolivia
> ESTUDIANTE A   *El profesor Ramírez es del Uruguay. Y la estudiante,*
>   *¿de dónde es ella?*
> ESTUDIANTE B   *Norma es de Bolivia.*

1. el profesor Gutiérrez / la Argentina   María / Guatemala
2. la profesora Fernández / Puerto Rico   Jorge / Chile
3. la profesora Zayas / España   Diego / el Ecuador
4. el profesor Rodríguez / Cuba   Marta / Honduras
5. la profesora Pérez / Chile   Marcos / California
6. el profesor Muñoz / Costa Rica   Isabel / El Salvador

PALABRAS NUEVAS II

¿Qué quiere decir . . . ?

CONTEXTO VISUAL

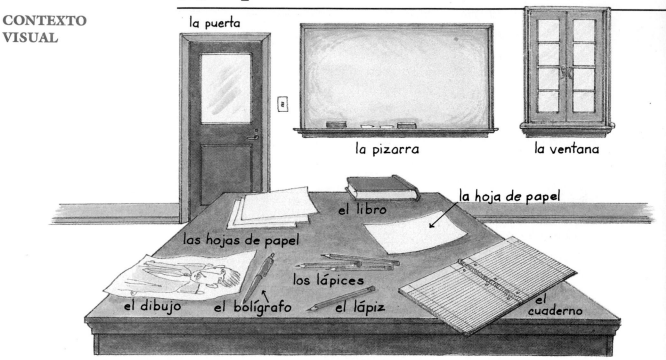

la puerta

la pizarra

la ventana

el libro

la hoja de papel

las hojas de papel

los lápices

el dibujo   el bolígrafo   el lápiz

el cuaderno

CONTEXTO COMUNICATIVO

1 DAVID   **¿Cómo se dice** *book* **en español?**
ELENA   Libro.
DAVID   Gracias, Elena.
ELENA   **De nada.**

Variaciones:
■ *book → chalkboard*   ■ *book → notebook*
   libro → pizarra   libro → cuaderno

¿cómo se dice ____? *how do you say ____?*

en español *in Spanish*

de nada *you're welcome*

2 TOMÁS   **No comprendo. ¿Qué quiere decir** ''bolígrafo''?
PROFESORA   ¿Bolígrafo? *Ballpoint pen.*
TOMÁS   Ah, **muchas gracias.**

no comprendo *I don't understand*

¿qué quiere decir ____? *what does ____ mean?*

muchas gracias *thanks a lot*

El alfabeto

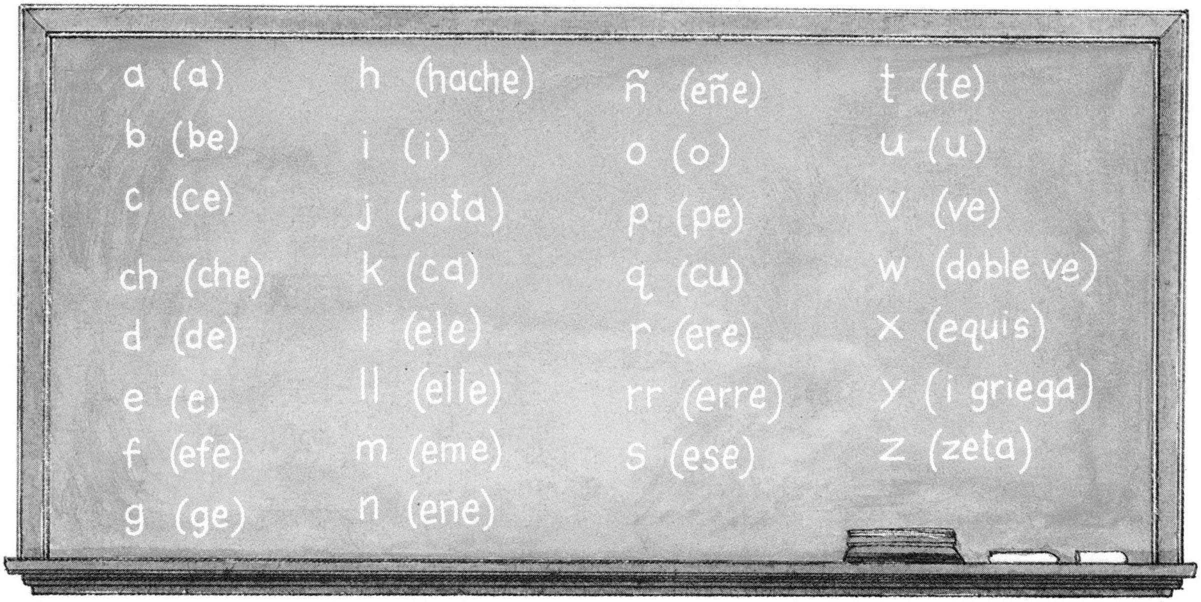

a (a)	h (hache)	ñ (eñe)	t (te)
b (be)	i (i)	o (o)	u (u)
c (ce)	j (jota)	p (pe)	v (ve)
ch (che)	k (ca)	q (cu)	w (doble ve)
d (de)	l (ele)	r (ere)	x (equis)
e (e)	ll (elle)	rr (erre)	y (i griega)
f (efe)	m (eme)	s (ese)	z (zeta)
g (ge)	n (ene)		

3 ESTER ¿Enrique?

ENRIQUE ¿Sí, Ester?

ESTER **Por favor, ¿cómo se escribe tu nombre?**

ENRIQUE E-N-R-I-Q-U-E

■ tu nombre → Enrique

por favor *please*
¿cómo se escribe ____? *how do you spell ____?*
tu *your*
el nombre *name*

The Spanish alphabet has four more letters than the English alphabet: *ch, ll, ñ,* and *rr.* The rest of the letters are the same, but their names and sounds are different. Listen carefully as your teacher reads them to you.

When you spell words out loud, you say *acento* when a vowel has an accent mark on it. For example, when spelling the word *lápiz,* you say: *ele–a* acento–*pe–i–zeta.*

PRÁCTICA

A ¿Cómo se escribe . . . ? With a partner, using the drawings as cues, take turns asking and answering. Follow the model.

ESTUDIANTE A   *¿Cómo se escribe ''puerta''?*
ESTUDIANTE B   *P-U-E-R-T-A.*

1.   2.   3.   4.

5.   6.   7.   8.

B ¿Y tu nombre? At a meeting of the Spanish Club, the faculty adviser asks each student what Spanish name he or she has selected to use and how that name is spelled. With a partner, take turns playing the roles of teacher and student. Follow the model.

PROFESOR(A)   *¿Cómo te llamas?*
ESTUDIANTE   *Me llamo Juanito.*
PROFESOR(A)   *¿Cómo se escribe tu nombre?*
ESTUDIANTE   *J-U-A-N-I-T-O.*

1. Federico
2. Josefina
3. Javier
4. Raquel

5. Carlota
6. Guillermo
7. Timoteo
8. Esperanza

9. Yolanda
10. Patricio
11. Y tú, ¿cómo se escribe tu nombre?

C No comprendo.   Imagine that you and some friends are attending an international youth conference in Latin America. You tell people who you are and what states you are from. They aren't familiar with the English pronunciations of the state names, and so you must spell them in Spanish. With a partner, take turns asking and answering. For example:

> Diana / Vermont
> ESTUDIANTE A   *¡Hola! Me llamo Diana y soy de Vermont.*
> ESTUDIANTE B   *¿De dónde?*
> ESTUDIANTE A   *De Vermont. V-E-R-M-O-N-T.*
> ESTUDIANTE B   *¡Ah! Vermont.*

1. David / Nebraska
2. Patricia / Utah
3. Kate / Texas
4. Daniel / Illinois
5. Julia / Washington
6. Bill / Maryland
7. Mónica / Arizona
8. Charles / Mississippi
9. Y tú, ¿de dónde eres?

Un grupo de estudiantes en Puerto Rico

EXPRESIONES PARA LA CLASE

PRONUNCIACIÓN

A The pronunciation of the letter *e* is similar to the sound of the *e* in the word "café."

B Escucha y repite.

de   te   me   él   ella   estudiante

No sé, José.   ¿Cómo se escribe Mercedes?
Elena es del Ecuador.   Me llamo Enrique Esteban Meléndez.

ACTIVIDAD

Buena memoria.   To play this memory game, form groups of four or five. One student in each group should act as secretary. The secretary begins the game by pointing to and identifying an object in the classroom. Another student points to the object, repeats the identification, and then points to another object and identifies it. Each student must remember and point to each item already identified and then point to a new one. No item can be repeated. For example, the game might begin:

SECRETARIO	*El libro.*
ESTUDIANTE A	*El libro. La ventana.*
ESTUDIANTE B	*El libro. La ventana. La hoja de papel.*

The secretary will keep a list of items in the order in which they have been called. When someone misidentifies an object, forgets the order, or repeats a word, the round ends. That person becomes the secretary for the next round.

VOCABULARIO DE EN CAMINO B

Sustantivos
el bolígrafo
el cuaderno
el dibujo
la hoja de papel,
   pl. las hojas de papel
el lápiz, *pl.* los lápices
el libro
el nombre
la pizarra
la puerta
la ventana

Países
la Argentina
   Bolivia
   Colombia

Costa Rica
Cuba
Chile
el Ecuador
   El Salvador
   España
   Guatemala
   Honduras
   México
   Nicaragua
   Panamá
el Paraguay
el Perú
   Puerto Rico
la República Dominicana
el Uruguay
   Venezuela

Pronombres
él
ella
yo

Verbos
eres
es
soy

Preposición
de (del)

Adjetivo posesivo
tu

Palabra interrogativa
¿de dónde?

Expresiones
¿cómo se dice?
¿cómo se escribe?
de nada
en español
muchas gracias
no comprendo
no sé
por favor
¿qué quiere decir?

◆ COMMUNICATIVE
OBJECTIVES
To ask and tell the date
To count to 31
To do simple arithmetic
To ask "How many?"

PALABRAS NUEVAS I

¿Qué día es hoy?

**CONTEXTO
VISUAL**

EL CALENDARIO

el día

lunes	martes	miércoles	jueves	viernes	sábado	domingo
1 uno	2 dos	3 tres	4 cuatro	5 cinco	6 seis	7 siete
8 ocho	9 nueve	10 diez	11 once	12 doce	13 trece	14 catorce
15 quince	16 dieciséis	17 diecisiete	18 dieciocho	19 diecinueve	20 veinte	21 veintiuno
22 veintidós	23 veintitrés	24 veinticuatro	25 veinticinco	26 veintiséis	27 veintisiete	28 veintiocho
29 veintinueve	30 treinta	31 treinta y uno				

el mes

la semana

**CONTEXTO
COMUNICATIVO**

1 EVA   ¿Qué quiere decir l-m-m-j-v-s-d?

    DAVID   **Son los** días **de** la semana: lunes, martes, miércoles, etc.

son *(they) are*
el, la, los, las *the*
de *here: of*

2 MARTA   **¿Qué** día es **hoy**?

    PABLO   Hoy es jueves.

    MARTA   ¿Y **mañana**?

    PABLO   Viernes.

¿qué? *what?*
hoy *today*
mañana *tomorrow*

Variaciones:

■ jueves → viernes   viernes → sábado

$1 - 1 = 0$
cero

3 TOMÁS   **¿Cuál es la fecha de hoy?**

IRENE   **Es el** trece **de** enero.

- el trece de enero → **el primero** de marzo
- el trece de enero → el cinco de octubre

4 ISABEL   **¿Cuántos días hay en** septiembre?

ANDRÉS   Hay treinta y uno.

JOSÉ   No. Hay **sólo** treinta.

- septiembre → junio   septiembre → abril

¿cuál es la fecha de hoy?
what's the date today?

es el ____ de ____   *it's the ____ of ____*

el primero   *the first*

¿cuántos días hay en ____?
how many days are there in ____?

¿cuántos, -as?   *how many?*

hay   *there is, there are*

en   *in*

sólo   *only*

5 MARÍA   ¿Cuántos meses hay en **un año**?

     JUAN   Hay doce.

   ■ meses → días
     un año → una semana
     doce → siete

un, una   *a, an; one*
el año   *year*

6 PROFESOR   ¿Cuántos son nueve **más** cinco?

     CLARITA   Catorce.

     PROFESOR   ¡Muy bien!

   ■ más → **menos**
     catorce → cuatro

más   *plus*

menos   *minus*

El calendario azteca

To give today's date, we say, *Hoy es el dos de octubre.*
For the *first* day of the month we use *primero: Hoy es el primero de octubre.*
To tell what day of the week it is, we say, *Hoy es lunes.*
To say *"on* Monday," we use *el: el lunes.*

In Spanish-speaking countries, calendars usually begin the week on
Monday *(lunes).* The names of the days and the months are not capitalized.

In counting, we say *uno* to mean "one." But when we use this word with
a noun, *lápiz* or *puerta,* for example, we say *un* or *una:*

> **un** lápiz $\begin{cases} \textit{a pencil} \\ \textit{one pencil} \end{cases}$ **una** puerta $\begin{cases} \textit{a door} \\ \textit{one door} \end{cases}$

The nouns that you are learning that have *el* before them are called
masculine nouns. When we use a number that ends in *uno* before
a masculine noun, we drop the *o: Hay* **treinta y un días** *en enero. Hay*
veintiún días *en tres semanas.* Notice the written accent on *veintiún.*

PRÁCTICA

A Más y menos. Solve and then write in Spanish the answers to these arithmetic problems.

> $2 + 1 = 3$ *Dos más uno son tres.*
> $6 - 2 = 4$ *Seis menos dos son cuatro.*

1. $2 + 3$
2. $4 + 8$
3. $7 + 2$
4. $13 + 7$
5. $25 + 6$
6. $10 - 4$
7. $4 - 1$
8. $30 - 7$
9. $18 - 2$
10. $27 - 21$

B ¿Qué día es hoy? After a three-day weekend, it's sometimes hard to remember what day it is. You're apt to be a day behind all week long. Working with a partner, take turns saying what day you think it is and then correcting the mistake by giving the following day.

> ESTUDIANTE A   *Hoy es martes.*
> ESTUDIANTE B   *¿Martes? No, es miércoles.*

1. jueves
2. domingo
3. miércoles
4. viernes
5. lunes
6. sábado

C La fecha de hoy. When Spanish speakers use only numbers to write the date, they show the day first and then the month. For example, when we show the date as 6/10 in the United States, we mean June 10. To a Spanish speaker 6/10 means October 6. Working with a partner, take turns asking and giving the date in Spanish.

> 6/10
> ESTUDIANTE A   *¿Cuál es la fecha de hoy?*
> ESTUDIANTE B   *Es el seis de octubre.*

1. 24/10
2. 15/3
3. 28/4
4. 23/1
5. 17/6
6. 1/7
7. 29/12
8. 13/9
9. 31/5
10. 4/8
11. 19/2
12. 11/11

D Uno, dos, tres . . . Find the pattern in these numbers, and continue writing them as far as you can go.

1. dos, cuatro, seis . . .
2. cero, cinco, diez . . .
3. tres, seis, nueve . . .
4. seis, doce, dieciocho . . .

E Series y más series. Now you develop a number pattern using numbers from 1 to 30, and give it to a classmate to complete.

Días de fiesta

ACTIVIDAD

Los días de fiesta.   With a partner, look at a calendar for next year. In Spanish, give the day and the date on which the following special days will occur. (You may not know all of the words, but the pictures should help you.)

1. el día de San Valentín
2. el Año Nuevo
3. el día de la independencia de los Estados Unidos
4. la Navidad
5. el cumpleaños de George Washington
6. el día de San Patricio
7. tu cumpleaños
8. Hanukkah
9. el día de la Raza
10. el cumpleaños de Martin Luther King, Jr.

1.

2.

3.

4.

5.

6.

7.

PALABRAS NUEVAS II

¡Felicidades!

CONTEXTO VISUAL

¿Cuándo es tu cumpleaños, Jorge?

Es hoy, María.

¡Felicidades!

CONTEXTO COMUNICATIVO

1 JOSÉ   **Mi** cumpleaños es el 11 de octubre.

ELISA   ¿Y **cuándo** es tu **santo**?

JOSÉ   Es mañana.

ELISA   ¡Felicidades!

Variaciones:

■ mañana → el viernes

mi *my*
¿cuándo? *when?*
el santo *saint's day*

2 RAMÓN   ¿Cuándo es el día de **Navidad**?

MARÍA   El domingo.

■ Navidad → **Año Nuevo**
■ el domingo → el martes

la Navidad *Christmas*
el Año Nuevo *New Year's Day*

3 ANITA   El 31 de diciembre es un **día de fiesta**.

DAVID   ¡Ah, sí! Es **el día de fin de año**.

ANITA   No, es mi cumpleaños.

■ mi cumpleaños → mi santo

el día de fiesta *holiday*
el día de fin de año *New Year's
Eve*

PRÁCTICA

A **¿Cuántos días hay?** The math teacher has offered to forget about the last exam, because everybody failed it. But this will happen only if someone in the class can answer eight simple questions—*in Spanish*. With a partner, play the roles of student and teacher.

> PROFESOR(A) *¿Cuántos días hay en febrero?*
> ESTUDIANTE *Hay veintiocho días en febrero.*

1. ¿Cuántos días hay en octubre?
2. ¿Cuántos días hay en noviembre?
3. ¿Cuántos días hay en tres semanas?
4. ¿Cuántos meses hay en un año?
5. ¿Cuántos meses hay en dos años?
6. ¿Cuántas semanas hay en seis meses?
7. ¿Cuántas semanas hay en febrero?
8. ¿Cuántos días hay en dos semanas?

B **Es mi santo.** You want to know when certain saint's days are. Working with a partner, take turns asking and answering the question.

> Jorge, 23/4
> ESTUDIANTE A *¿Cuándo es tu santo, Jorge?*
> ESTUDIANTE B *Es el veintitrés de abril.*

1. Mateo, 21/8
2. Bárbara, 4/12
3. Juan, 24/6
4. Inés, 9/10
5. Vicente, 14/2
6. Ana, 26/7
7. María, 15/8
8. Marcos, 25/4

In the Catholic church calendar, each day of the year is dedicated to one or more saints. In Spain and some other Spanish-speaking regions, many people celebrate both their birthday and their saint's day *(santo)*. Their saint's day is the day dedicated to the saint whose name they share. For example, a boy named Francisco would celebrate his *santo* on October 4, the feast day of San Francisco de Asís.

C Los días de la semana.   December has finally arrived, and you are looking at the calendar. Working with a partner, take turns asking and answering.

> ESTUDIANTE A   *¿Qué día de la semana es el Año Nuevo?*
> ESTUDIANTE B   *Es jueves.*

diciembre

L	M	M	J	V	S	D
1 *Sta. Florencia*	2	3	4 *Sta. Bárbara*	5	6 *San Nicolás*	7
8	9	10	11 *San Daniel*	12	13 *Sta. Lucía*	14
15	16 *Sta. Alicia*	17	18	19	20	21
22	23	24 *Sta. Adela*	25 *Navidad*	26 *San Esteban*	27	28
29 *San David*	30 *San Rogelio*	31				

1. ¿el primero de diciembre?
2. ¿el día de San Nicolás?
3. ¿el día de fin de año?
4. ¿el día de Santa Bárbara?
5. ¿la Navidad?
6. ¿el veintiocho de diciembre?
7. ¿el día de Santa Lucía?

ACTIVIDAD

¡Felicidades!   Make a chart listing the twelve months in Spanish. Then, one by one, each student asks the next student what day his or her birthday is. As each student answers, put a check mark in the appropriate month on your chart. Continue until all students have given their birthdays. Follow the model.

> ESTUDIANTE A   *¿Cuándo es tu cumpleaños?*
> ESTUDIANTE B   *Es el ____ de ____.*

When your chart is complete, answer these questions.
1. En tu clase de español, ¿hay cumpleaños en enero? ¿en febrero? etc. ¿Cuántos hay?
2. ¿Hay meses sin *(without)* cumpleaños? ¿Qué meses son?
3. ¿En qué mes hay más *(more)* cumpleaños?

PRONUNCIACIÓN

A The pronunciation of both the letter *i* and the word *y* is similar to the vowel sound in the English word "beet."

B Escucha y repite.

y   mi   sí   día

Mira la pizarra.   Hay cinco dibujos en el libro.
Así, así. ¿Y tú, Inés?   Mi santo es el quince de abril.

VOCABULARIO DE EN CAMINO C

Sustantivos
el año
el Año Nuevo
el calendario
el cumpleaños, *pl.* los cumpleaños
el día
el día de fiesta, *pl.* los días de fiesta
el día de fin de año
la fecha
el mes
la Navidad
el número
el primero
el santo
la semana

Verbos
hay
son

Adverbios
hoy
mañana
sólo

Preposiciones
de (del) *(of)*
en
más
menos

Días de la semana
lunes
martes
miércoles
jueves
viernes
sábado
domingo

Meses del año
enero
febrero
marzo
abril
mayo
junio
julio
agosto
septiembre
octubre
noviembre
diciembre

Números
cero
uno
dos
tres
cuatro
cinco
seis
siete
ocho
nueve
diez
once
doce
trece
catorce
quince
dieciséis
diecisiete
dieciocho
diecinueve
veinte
veintiuno (veintiún)
veintidós
veintitrés
veinticuatro
veinticinco
veintiséis
veintisiete
veintiocho
veintinueve
treinta
treinta y uno (un)

Adjetivo posesivo
mi

Artículos
un, una
el, *pl.* los
la, *pl.* las

Palabras interrogativas
¿cuándo?
¿cuántos, -as?
¿qué?

Expresiones
¿cuál es la fecha de hoy?
es el *(número)* de *(mes)*
¡felicidades!
¿qué día es hoy?

◆ COMMUNICATIVE
OBJECTIVES

To ask and give phone
numbers

To count to 100

EN CAMINO D

PALABRAS NUEVAS I

¿Cuál es tu número de teléfono?

**CONTEXTO
VISUAL**

¿Qué? and *¿cuál?* both mean "what?" or "which?" But *¿qué?* usually asks
for a definition or identification *(¿Qué quiere decir . . . ?)* and *¿cuál?* asks for
a choice among several possibilities *(¿Cuál es la fecha de hoy?)*.

CONTEXTO COMUNICATIVO

1 PILAR   ¿Cuántos **minutos** hay en una **hora**?

PABLO   Sesenta.

PILAR   ¿Y cuántos **segundos**?

PABLO   ¿En una hora? No sé.

Variaciones:

■ no sé → **¡Uf!**

2 GUSTAVO   Dolores, ¿**cuál** es tu **número de teléfono**?

DOLORES   Es el 555–45–37.*

■ 555–45–37 → 414–99–58

el minuto   *minute*
la hora   *hour*
el segundo   *second*

¡uf!   *ugh!, phew!*

¿cuál?   *what?*
el número de teléfono   *phone number*
el teléfono   *telephone*

PRÁCTICA

A **¿Cuántos minutos?**   The Jogging Club held a mini-marathon. Tell how many minutes and seconds it took each person to finish the race. Write your answers in order. List the fastest runner first. For example:

Magdalena: *sesenta y ocho minutos, veinticuatro segundos*

Isabel 92:52

Ignacio 85:39

Sonia 61:12

Sergio 57:33

Susana 73:18   Magdalena 68:24

Rafael 88:46

* People in Spanish-speaking countries usually pause twice when they say telephone numbers. Instead of saying 555–4537, they say 555–45–37 (*cinco, cinco, cinco, cuarenta y cinco, treinta y siete*).

B El teléfono. Each student should ask the next student what his or her phone number is. One person should write the numbers on the chalkboard. If the "secretary" makes a mistake, the person whose number it is should correct it and then act as the secretary. Continue until everyone in the room has asked for and given a phone number.

> ESTUDIANTE A *¿Cuál es tu número de teléfono?*
> ESTUDIANTE B *Es el ___.*

C Uno, dos, tres . . . Find the patterns in these numbers, and continue to write them as far as you can go.

1. diez, veinte, treinta . . .
2. ocho, dieciséis, veinticuatro . . .
3. nueve, dieciocho, veintisiete . . .
4. once, veintidós, treinta y tres . . .
5. quince, treinta, cuarenta y cinco . . .

D Series y más series. Now you develop a number pattern and give it to a classmate to complete.

E Mi número de teléfono es el . . . A five-car fender-bender on an icy stretch of the Pan-American Highway! Say what each driver is telling the police officer. (There is one word you haven't learned, but you can tell from the picture what it means.) Follow the model.

Me llamo Sergio Mendoza.
Mi número de placa es el 48WX99.
Mi número de teléfono es el 555–39–71.

1. Jorge Blanco
2. María Ruiz
3. Gloria Benito
4. Luis Montoya

PALABRAS NUEVAS II

◆ COMMUNICATIVE OBJECTIVE
To ask and tell the time

¿Qué hora es?

CONTEXTO VISUAL

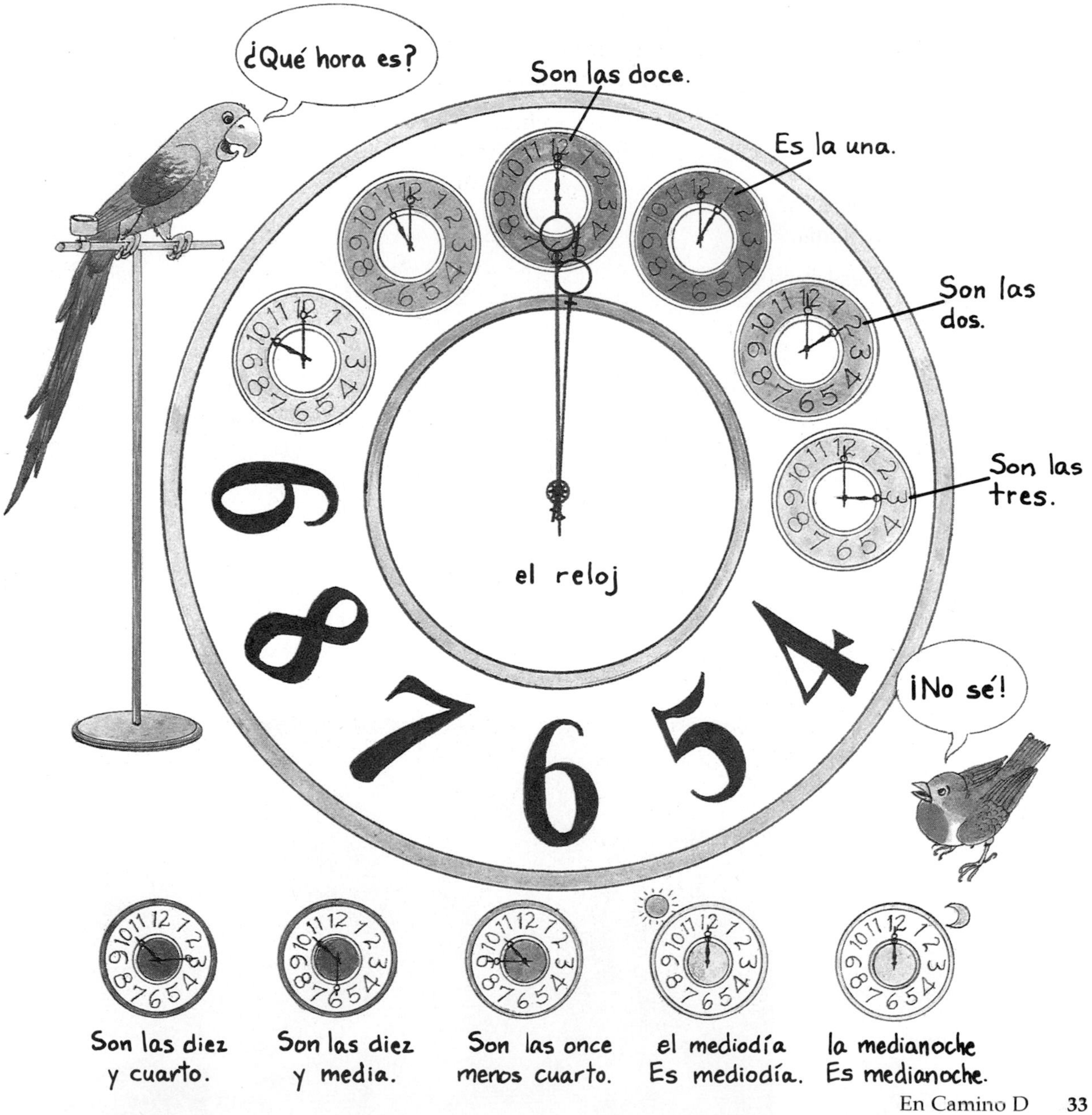

¿Qué hora es?
Son las doce.
Es la una.
Son las dos.
Son las tres.
el reloj
¡No sé!
Son las diez y cuarto.
Son las diez y media.
Son las once menos cuarto.
el mediodía
Es mediodía.
la medianoche
Es medianoche.

CONTEXTO COMUNICATIVO

1
GREGORIO Por favor, **¿qué hora es?**
SILVIA Son las diez y media **de la noche.**
GREGORIO ¿Las diez y media?
SILVIA Sí. Es **tarde.**

Variaciones:
- y media → y cuarto
- de la noche → **de la mañana**
  tarde → **temprano**

2
ANDRÉS ¿Qué hora es?
EMILIA Es mediodía.

- es mediodía → es la una **menos diez**
- mediodía → medianoche

3
CLARA Víctor, **¿a qué hora** es **la fiesta**?
VÍCTOR **A las tres de la tarde.**

- a las tres → **a la una**

4
MARÍA ¿Qué hora es **ahora**? ¿Son las doce?
JUAN No, es **más tarde.** Es la una.

- es la una → son las doce **y veinte**

¿qué hora es?	*what time is it?*
de la noche	*in the evening; P.M.*
tarde	*late*
de la mañana	*in the morning; A.M.*
temprano	*early*
menos diez	*ten (minutes) to*
¿a qué hora?	*(at) what time?*
la fiesta	*party*
a las ___	*at* ___ *(o'clock)*
de la tarde	*in the afternoon, early evening; P.M.*
a la una	*at one o'clock*
ahora	*now*
más tarde	*later*
y veinte	*twenty after*

Son las tres y veinticinco
de la tarde.
Viña del Mar, Chile

ESTUDIO DE PALABRAS

In Spanish, there is only one word for both "morning" and "tomorrow": *mañana*. (Do you remember what *hasta mañana* means?) When *mañana* is preceded by the word *la*, it means "morning." Can you guess what *mañana por la mañana* means?

The word *tarde* also has two meanings. You have used it to mean "afternoon" in the expression *buenas tardes*. The other meaning is "late" (like the English word "tardy"). When *tarde* is preceded by the word *la*, it means "afternoon."

PRÁCTICA

A   ¿Qué hora es?   Tell what time it is. Consider morning to be from midnight to noon, afternoon from noon to 7:00 P.M., and night from 7:00 P.M. to midnight.

 Son las dos de la tarde.

 1.   2.   3.   4.

 5.   6.   7.   8.

 9.   10.    11.   12.

B   ¿Tarde o temprano?   One person doesn't worry about time and never hurries. Another likes to be on time for everything. With a partner, create conversations between these two people. For example:

8:10 / 8:30

ESTUDIANTE A   *Son las ocho y diez. Es tarde.*
ESTUDIANTE B   *No. Es temprano. La fiesta es a las ocho y media.*

1. 2:20 / 2:30   3. 6:40 / 6:45   5. 1:05 / 1:15
2. 4:45 / 5:00   4. 11:50 / 12:30   6. 5:55 / 6:15

C El reloj roto. The kitchen clock is broken, and Julio's mother is baking a pie. It must come out of the oven at exactly 3:00. Every few minutes Julio's mother asks what time it is. Working with a partner, take turns playing the roles of Julio and his mother.

ESTUDIANTE A *¿Qué hora es ahora?*
ESTUDIANTE B *Son las tres menos veinticinco.*

1.   2.   3.   4.

5.   6.   7.

D ¿A qué hora? Pretend it's the first day of school, and you and a friend are checking your class schedule. (Though you haven't learned the names of school subjects, you should be able to understand them.) Take turns asking and answering.

ESTUDIANTE A *¿A qué hora es la clase de historia?*
ESTUDIANTE B *A las ocho y veinte.*

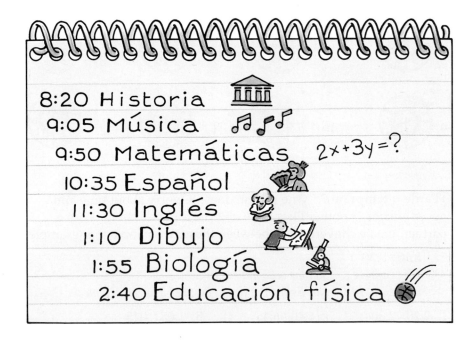

8:20 Historia
9:05 Música
9:50 Matemáticas $2x + 3y = ?$
10:35 Español
11:30 Inglés
1:10 Dibujo
1:55 Biología
2:40 Educación física

PRONUNCIACIÓN

A The pronunciation of the letter *o* is similar to the vowel sound in the English word "coat."

B Escucha y repite.

yo   no   los   cómo   noche   reloj

Hola, Dolores.   Son las ocho de la noche.
Yo soy de Colombia.   Me llamo Rodolfo Olmedo.

ACTIVIDAD

De diez en diez.   Get together in groups of four or five. One student should be the official scorekeeper. The student to the left of the scorekeeper begins the game by giving an addition problem with a sum of 100 or less. The first person to answer correctly gets 10 points *(puntos)*. Each time you gain 10 points, announce the *total* number of points you have. For example, if you already have 50 points and get a right answer, you might say something like this:

ESTUDIANTE A   *Treinta y dos más cuarenta y dos.*
ESTUDIANTE B   *¡Setenta y cuatro!*
ESTUDIANTE A   *¡Sí! ¡Muy bien! Diez puntos.*
ESTUDIANTE B   *Sesenta puntos en total.*

The scorekeeper should put a mark next to your name. The person who answers correctly gives the next problem. The game continues until one person earns a total of 100 points.

Son las cuatro y media.

VOCABULARIO DE EN CAMINO D

Sustantivos	Adverbios	Números	Expresiones	
la fiesta *(party)*	ahora	cuarenta	a la una	menos cuarto
la hora	más tarde	cincuenta	a las (+ *número*)	menos (+ *número*)
la medianoche	tarde	sesenta	¿a qué hora?	¿qué hora es?
el mediodía	temprano	setenta	de la mañana	son las (+ *número*)
el minuto		ochenta	de la noche	¡uf!
el número de		noventa	de la tarde	y cuarto
teléfono	**Palabra interrogativa**	cien	es la una	y media
el reloj	¿cuál?		es medianoche	y (+ *número*)
el segundo			es mediodía	
el teléfono				

◆ COMMUNICATIVE
OBJECTIVES

To express likes and
dislikes

To express agreement
and disagreement

PALABRAS NUEVAS I

¿Qué te gusta hacer?

jugar al béisbol

jugar
al básquetbol

montar
en bicicleta

nadar

la bicicleta

jugar al fútbol americano

CONTEXTO COMUNICATIVO

1   ARTURO   **Me encanta** jugar al básquetbol.
      MARÍA   ¿Sí?
      ARTURO   Sí. Y **me gusta** jugar al béisbol **también.**

Variaciones:

■ básquetbol → fútbol

me encanta	*I love (to)*
me gusta	*I like (to)*
también	*too, also*

esquiar

jugar al tenis

jugar al fútbol

2   ELENA   ¿Qué **te gusta hacer**? ¿Te gusta nadar?

      TOMÁS   Sí, me encanta.

- nadar → montar en bicicleta
- sí, me encanta → no, **no me gusta**

3   MÓNICA   ¿Te gusta jugar al fútbol?

      LEONARDO   No, **pero** me gusta jugar al béisbol.

- fútbol → fútbol americano
- béisbol → básquetbol

¿te gusta?   *do you like (to)?*
hacer   *to do*

no me gusta   *I don't like (to)*

pero   *but*

Deportes en España

PRÁCTICA

A Me gusta o ¡me encanta! Pretend you are in a sporting goods store that has posters of different sports activities. Say whether you love, like, or don't like to play the sport or do the activity shown.

Me encanta nadar.
o: *Me gusta nadar.*
o: *No me gusta nadar.*

1.   2.   3.   4.

5.   6.   7.   8.

B No, no, no. In any group there is always disagreement. In this case, whatever sport you ask about, someone dislikes. Working in a small group, take turns asking one another *¿Te gusta _____?* The person answering should always say no to that sport and then tell what he or she does like to do. For example:

ESTUDIANTE A   *¿Te gusta jugar al béisbol?*
ESTUDIANTE B   *No, no me gusta. Pero me encanta esquiar.*

C ¿Qué te gusta hacer? Ask someone in the class *¿Qué te gusta hacer?* He or she should answer by mentioning two activities, and then ask someone else. Continue until everyone in the class has asked and answered the question. For example:

TÚ   *María, ¿qué te gusta hacer?*
MARÍA   *Me gusta nadar y jugar al tenis también. Luis, ¿qué te gusta hacer?*
LUIS   *Me gusta jugar al fútbol y al fútbol americano también. Laura, ¿qué te gusta hacer?*

PALABRAS NUEVAS II

¡Me encanta hablar por teléfono!

CONTEXTO VISUAL

cantar

la guitarra

tocar la guitarra

ir a la escuela

cocinar

leer

¿Sí?

¡No!

hablar español

bailar

escuchar cintas   la cinta

comer

mirar la televisión (la tele)

escuchar la radio

el cine

escuchar discos
el disco

ir al cine

hablar por teléfono

CONTEXTO
COMUNICATIVO

1 SARA   ¿Qué te gusta hacer?

     LUIS   Me gusta cocinar. Y me gusta comer también.

     SARA   ¿Sí? ¿Te gusta comer **comida mexicana**?

     LUIS   Sí. Me encanta.

Variaciones:

■ comida mexicana → **comida americana**

2 ELISA   Te gusta escuchar la radio, **¿no?**

     CÉSAR   Sí, y también me gusta escuchar discos.

■ discos → cintas

3 PEPE   No me gusta **trabajar.**

     LUZ   Pero te gusta ir a la escuela, ¿no?

     PEPE   Sí, me gusta ir a la clase de español.

■ trabajar → leer libros

la comida mexicana   *Mexican food*

la comida americana   *American food*

¿no?   *don't you?*

trabajar   *to work*

¿Te gusta cantar y tocar la guitarra?

PRÁCTICA

A Sí y no. Everyone likes to do some things but not others. Working with a partner, take turns asking what the other person likes to do. Follow the model.

> bailar / cantar
>
> ESTUDIANTE A   *¿Qué te gusta hacer?*
> ESTUDIANTE B   *Me gusta bailar.*
> ESTUDIANTE A   *¿Y cantar?*
> ESTUDIANTE B   *No, no me gusta cantar.*

1. comer / cocinar
2. mirar la televisión / trabajar
3. nadar / jugar al básquetbol
4. hablar por teléfono / leer
5. esquiar / montar en bicicleta
6. ir al cine / escuchar la radio

La fiesta de San Juan
en Venezuela

B Sí, me gusta. Imagine that a new friend is showing you pictures of his family's activities during their vacation. Work with a partner. Ask if he or she likes to do those things.

> ESTUDIANTE A   *¿Te gusta jugar al fútbol americano?*
> ESTUDIANTE B   *Sí, me gusta.*
>   o: *No, no me gusta.*

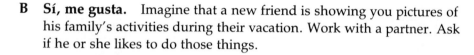

C ¿Te gusta? Appoint a secretary to write the Spanish names of different activities on the board as class members call them out. Then your teacher will ask a student if he or she likes to do a certain thing. The student will answer yes or no and then ask another student a similar question.

> PROFESOR(A)   *¿Te gusta jugar al béisbol?*
> ESTUDIANTE   *Sí, me gusta jugar al béisbol. Esteban, ¿te gusta escuchar discos?*
>   o: *No, no me gusta jugar al béisbol. Esteban, ¿te gusta escuchar discos?*

EXPRESIONES PARA LA CLASE

You may have noticed that your teacher gives directions one way when speaking to one person and in a slightly different way when speaking to more than one. Can you see the patterns in these commands? Again, you may not be expected to use them, but you should recognize and understand them.

PRONUNCIACIÓN

A The pronunciation of the letter *u* is similar to the vowel sound in the English word ''boot.''

B Escucha y repite.

tú   una   lunes   fútbol   minuto   número

Mucho gusto, Julio.   Tu cumpleaños es en junio, ¿no?
Hasta el lunes, Lupe.   Arturo es el número uno en fútbol.

ACTIVIDAD

Me gusta / me encanta.   The class chooses ten activities. Each student writes them on a sheet of paper with the headings *me encanta*, *me gusta*, and *no me gusta*. Interview one classmate, asking about all of the activities on the list. The other student answers truthfully. Then exchange roles.

ESTUDIANTE A   ¿Te gusta jugar al fútbol?
ESTUDIANTE B   No, no me gusta jugar al fútbol.
ESTUDIANTE A   ¿Te gusta cantar?
ESTUDIANTE B   Sí, me encanta cantar.

Mark each of your partner's answers in the appropriate space on your paper. Then, as a class, total the number of check marks under each heading for each activity.

¿Te gusta jugar al béisbol?

VOCABULARIO DE EN CAMINO E

Sustantivos
el básquetbol
el béisbol
la bicicleta
el cine
la cinta
la comida americana
la comida mexicana
el disco
la escuela
el español
el fútbol
el fútbol americano
la guitarra
la radio

la televisión (la tele)
el tenis

Adverbios
no *(not)*
también

Conjunción
pero

Verbos
bailar
cantar
cocinar
comer
escuchar
esquiar
hablar
hacer
ir a(l)
jugar al (+ *sports*)
leer
mirar
nadar
tocar (+ *musical instruments*)
trabajar

Expresiones
hablar español
hablar por teléfono
me encanta
(no) me / (no) te gusta
montar en bicicleta
¿no?

CAPÍTULO 1

PRÓLOGO CULTURAL

SOY AMERICANO

America is made up of many nations. In the same way that people from both Spain and England are all Europeans, citizens of Chile and Canada, of Uruguay and the United States are all Americans. To Spanish speakers, the people of the United States are *norteamericanos*. Remember, though, that Mexico and Canada are also in North America.

Ever since the time of Columbus, there has been a continuous flow of immigrants to the Americas. Spain paid for the first explorations and claimed the land as its own, so most of the early settlers were Spanish. They brought with them their language and culture. October 12, Columbus Day to us, is known as *El día de la hispanidad* in Spain and as *El día de la Raza* throughout Latin America. It is a celebration of pride in Hispanic culture.

The Americas were named for the man who first recognized them as a separate region. (Columbus, after all, had thought they were part of the Orient!) Amerigo Vespucci, an Italian navigator, used the Latin form of his name *(Americus Vespucius)* on his charts. Because they were the first ones made of the region, his name became associated with it, and so we have "America."

Many Spanish speakers live in the United States. The three largest groups have come from Puerto Rico, Mexico, and Cuba. Puerto Ricans have most often chosen to live in the Northeast. The majority of those from Mexico live in the Southwest. Most Cubans have made Florida and New York their home. Spanish speakers have a long history here. Consider the Spanish names of many of our states and cities. They stretch all the way from St. Augustine, Florida—originally called *San Agustín*—which is the oldest city in the United States, to *el Pueblo de Nuestra Señora, la Reina de Los Ángeles de Porciúncula*, in California. Today we know that city as Los Angeles.

PALABRAS NUEVAS I

To express preferences

To express agreement
and disagreement

To elicit agreement

To ask and explain why

To hesitate

To end a discussion

¿Qué te gusta más?

CONTEXTO
VISUAL

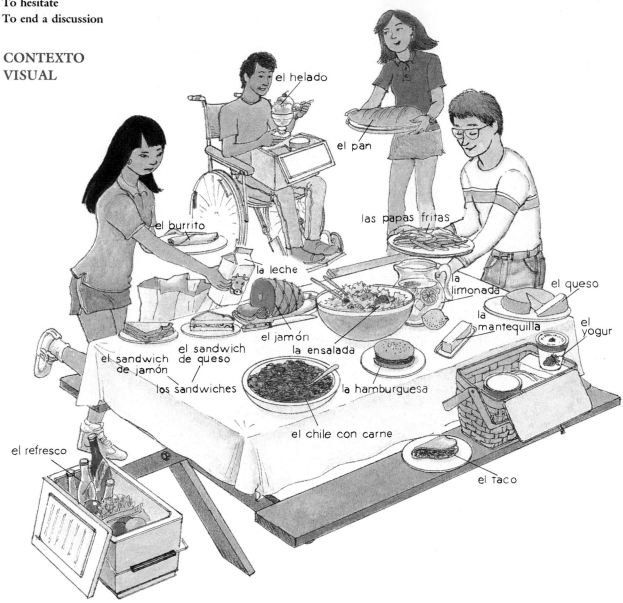

CONTEXTO COMUNICATIVO

1 PABLO   ¿Te gustan los tacos?

    LUCÍA   **¡Cómo no!** Pero **me gusta más** el chile con carne.

    Variaciones:

- los tacos → los burritos
- me gusta más → me encanta

¡cómo no! *of course!*

me gusta(n) más *I prefer, I like (something) more*

más *more*

2 PABLO   ¿Te gustan más los tacos **o** las hamburguesas?

    LUCÍA   Me encantan las hamburguesas.

    PABLO   **¿Con** papas fritas?

    LUCÍA   ¡Cómo no!

- los tacos → los sandwiches
- papas fritas → queso

o *or*

con *with*

3 PABLO   Te gusta cocinar, **¿verdad?**

    LUCÍA   Sí, **mucho.**

    PABLO   **¿Por qué?**

    LUCÍA   **¡Porque** me encanta comer!

- verdad → ¿no?
- mucho → ¡cómo no!

¿verdad? *isn't that so? right?*

mucho *a lot, very much*

¿por qué? *why?*

porque *because*

4 CARLOS   Buenas tardes. Chile con carne y una limonada, por favor.

    CAMARERO   ¿Y **para** la señorita . . . ?

    ANITA   **Pues,** un sandwich de jamón. **Sin** mantequilla, por favor.

- una limonada → un refresco
- de jamón → de queso

para *for*

pues *well*

sin *without*

5 MARCOS ¿Te gusta el yogur?
    IRENE No.
    MARCOS ¿Te gusta el helado?
    IRENE No.
    MARCOS **Entonces,** ¿qué te gusta?

- el yogur → el refresco
- el helado → el queso

entonces *then*

EN OTRAS PARTES

Though English is spoken throughout the United States, people in different parts of the country often use different words to refer to the same thing. For example, in some areas of the country, people call a soft drink a *soda*. In other areas, they call it *pop*. You may call a sandwich a *hero*, a *hoagie*, a *sub*, or a *submarine* depending on where you're from.

People in the United States and England also speak the same language, but we often use very different words to refer to the same things. For example, what we call an *apartment* the English call a *flat*, and they call an *apartment building* a *block of flats*. The English call an elevator a *lift* and a truck a *lorry*.

People who speak Spanish share the same basic language but, just as in English, there are different expressions and vocabulary used in different regions. For example, you are learning the word *el sandwich*. However, some Spanish speakers say *emparedado* to mean "sandwich." *Refresco* is understood to mean "soda" wherever Spanish is spoken, even though some people call it *gaseosa*.

The words you will learn in this book are generally understood throughout the Spanish-speaking world. But in the *En otras partes* sections, we will point out words that you might hear if you went to a particular Spanish-speaking country. All are equally correct, but you will need *to learn* only the ones we present in the *Palabras nuevas*.

Here are some words you have learned that you might hear other words for:

Se dice también *jugar al baloncesto*.

En México se dice *la nieve*.

Se dice también *la pluma*.

Se dice también *el pizarrón*.

PRÁCTICA

A En la cafetería. Imagine that you and a friend are in the cafeteria trying to decide what to have for lunch. Take turns asking each other what you like. Follow the model.

ESTUDIANTE A	*Te gusta el helado, ¿verdad?*
ESTUDIANTE B	*¡Sí, me encanta el helado!*
o:	*¿El helado? No, no me gusta.*

B ¡Me encanta comer! Some people like everything. With a partner, take turns asking and answering.

ESTUDIANTE A *¿No te gustan las papas fritas?*
ESTUDIANTE B *¡Cómo no! Me encantan las papas fritas.*

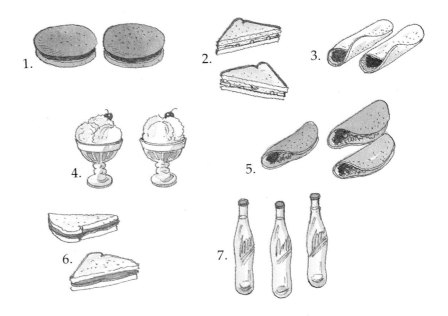

C ¿Qué te gusta más? Imagine it's Saturday morning, and you and a friend are trying to decide what to do. Take turns asking which activity the other prefers. Follow the model.

nadar / jugar al tenis
ESTUDIANTE A *¿Qué te gusta más, nadar o jugar al tenis?*
ESTUDIANTE B *Me gusta más nadar.*
    o: *Me gusta más jugar al tenis.*

1. jugar al béisbol / jugar al básquetbol
2. ir al cine / mirar la tele
3. escuchar discos / montar en bicicleta
4. cocinar / leer
5. cantar / tocar la guitarra
6. esquiar / escuchar cintas
7. jugar al fútbol / jugar al fútbol americano

D Hablemos de ti.

1. ¿Te gusta más comer comida mexicana o comida americana?
2. ¿Te gustan más las hamburguesas o los tacos?
3. ¿Te gustan más las hamburguesas con queso o los sandwiches de jamón y queso?

Sirve paella en Málaga, España

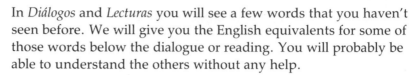

APLICACIONES

Entonces, ¿qué te gusta?

In *Diálogos* and *Lecturas* you will see a few words that you haven't seen before. We will give you the English equivalents for some of those words below the dialogue or reading. You will probably be able to understand the others without any help.

Un sábado en Laredo, Texas.

LAURA	¿Qué te gusta hacer, Eduardo? ¿Jugar al béisbol? Me encanta el béisbol.
EDUARDO	No, no me gusta el béisbol.
5 LAURA	¿Te gusta más jugar al tenis, entonces?
EDUARDO	No.
LAURA	¡Ah! No te gustan los deportes.[1] ¿Te gusta ir al cine, entonces?
EDUARDO	No, no me gusta el cine.
10 LAURA	No te gustan los deportes, no te gusta el cine. Entonces, ¿qué te gusta?
EDUARDO	Pues, me gusta tocar la guitarra.
LAURA	Ah, me encanta la música. Te gustan los conciertos,[2] ¿verdad?
15 EDUARDO	No, no me gustan.
LAURA	¡Uf!

---

[1]**el deporte**   *sport*   [2]**el concierto**   *concert*

Preguntas

Which person might say the following? *Contesta según* ("according to") *el diálogo.*

1. Me gusta jugar al béisbol. ¿Laura o Eduardo?   2. No me gusta ir al cine. ¿Laura o Eduardo?   3. No me gustan los deportes. ¿Laura o Eduardo?   4. Me encantan los conciertos. ¿Laura o Eduardo?   5. No me gustan los conciertos. ¿Laura o Eduardo?

Participación

Working with a partner, make up a four-line dialogue about what you like to do and don't like to do on Saturdays. The opening line of your dialogue should include the question, *¿Qué te gusta hacer los sábados?*

Una profesora y dos estudiantes en Punta Santiago, Puerto Rico

PRONUNCIACIÓN

When you speak Spanish, you stress some syllables more than others, just as you do in English. There are a few simple rules that tell you which syllable of a Spanish word to stress.

A When a word ends in a vowel or in *n* or *s*, the stress normally falls on the *next-to-last* syllable.
Escucha y repite.

taco	para	gusta	helado	hamburguesa
tenis	encantan	entonces	papas	fritas

B When a word ends in any consonant other than *n* or *s*, the stress normally falls on the *last* syllable.
Escucha y repite.

papel	hacer	yogur	español	trabajar

C There are exceptions. In those cases an accent mark indicates where the stress falls.
Escucha y repite.

lápiz	béisbol	bolígrafo	número	teléfono

D Escucha y repite.

Nicolás es del Perú.   Me gusta escuchar discos.
Mónica es de Panamá.   No me gusta trabajar el sábado.

PALABRAS NUEVAS II

En la clase

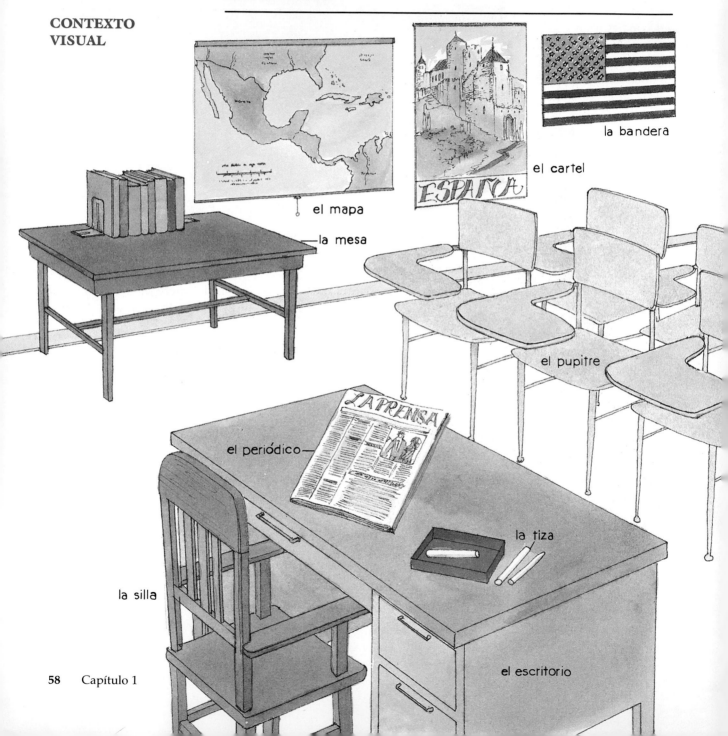

la bandera

el cartel

el mapa

la mesa

el pupitre

el periódico

la tiza

la silla

el escritorio

CONTEXTO COMUNICATIVO

1 JUDIT   ¿Hay **muchos** estudiantes en tu clase?
    ARTURO   No, hay **pocos**.
    JUDIT   ¿Cuántos hay?
    ARTURO   Hay sólo once.

Variaciones:
- estudiantes → pupitres
- estudiantes → libros
- once → diez

muchos, -as   *many, a lot of*
pocos, -as   *a few, not many*

2 SUSANA   ¿Cuántas sillas hay?
    ANTONIO   Muy pocas. Sólo dos o tres.

- sillas → mesas
- sillas → banderas

3 MARIO   ¿**Con quién** te gusta hacer **la tarea**? ¿Con Carlos?
    EVA   No, con Isabel.

- hacer la tarea → **estudiar** para **exámenes**
- hacer la tarea → ir a la escuela
- hacer la tarea → hablar por teléfono

¿con quién?   *with whom?*
¿quién?   *who?*
la tarea   *homework*
estudiar   *to study*
el examen, *(pl.)* **los exámenes**
   test, exam

4 PILAR   ¿Te gusta **ayudar en casa**?
    CÉSAR   Me gusta cocinar pero no me gusta **lavar los platos**.

- ayudar → trabajar

ayudar   *to help*
en casa   *in the house, at home*
lavar   *to wash*
el plato   *dish*

5 ANITA   ¿Te gusta **practicar deportes?**
    TOMÁS   **¡Ah, sí!** Me gustan mucho el tenis y el fútbol.

- ¡ah, sí! → ¡cómo no!
- el tenis → el béisbol
  el fútbol → el básquetbol

practicar   *to practice*
el deporte   *sport*
¡ah, sí!   *oh, yes!*

6 LUIS   Me encanta escuchar la radio.
   DIANA   ¿Qué **música** te gusta más?
   LUIS   La música **popular**.

- la radio → discos
- popular → **clásica**

la **música**   *music*
popular   *popular*

clásico, -a   *classical*

EN OTRAS PARTES

Se dice también *el afiche* y *el póster*.

Se dice también *el diario*.

Discos de música popular

PRÁCTICA

A **¿Cuántos hay?** Imagine that the Board of Education has asked for an inventory of every classroom. The teacher has asked you and a partner to do that job. Using the picture, take turns asking and answering how many of each item there are.

ESTUDIANTE A   *¿Cuántos periódicos hay?*
ESTUDIANTE B   *Tres.*

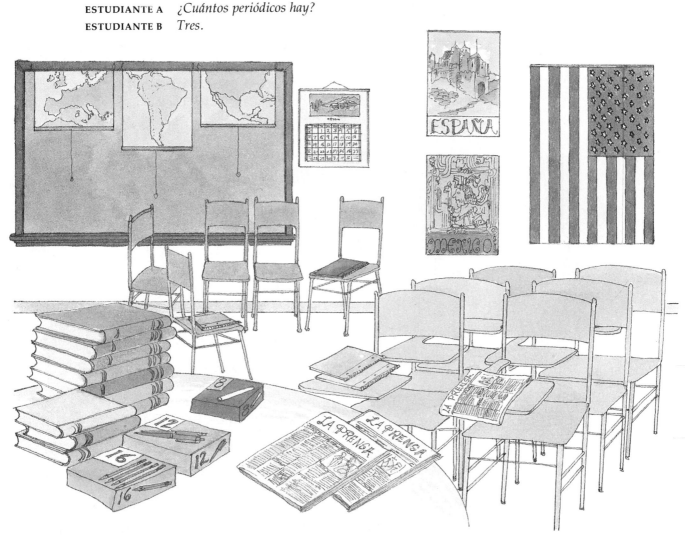

1. ¿Cuántos libros hay?	7. ¿Cuántos calendarios hay?
2. ¿Cuántos pupitres hay?	8. ¿Cuántas pizarras hay?
3. ¿Cuántos carteles hay?	9. ¿Cuántos bolígrafos hay?
4. ¿Cuántos mapas hay?	10. ¿Cuántos lápices hay?
5. ¿Cuántas sillas hay?	11. ¿Cuántas tizas hay?
6. ¿Cuántas banderas hay?	12. ¿Cuántos cuadernos hay?

B **¿Te gusta o no?** Express your preferences by saying whether you love, like, or dislike the following activities.

1. hacer la tarea
2. lavar los platos
3. hablar español
4. escuchar música popular
5. comer comida mexicana
6. bailar
7. practicar deportes
8. estudiar para exámenes
9. ayudar en casa
10. leer el periódico

C **Hablemos de ti.**

1. ¿Te gustan los deportes? ¿Qué deporte te gusta más?
2. ¿Te gusta escuchar discos y cintas? ¿Qué te gusta más, la música clásica o la música popular?
3. ¿Con quién te gusta hablar por teléfono?
4. ¿Te gusta ayudar en casa? ¿Qué te gusta más, cocinar o lavar los platos? ¿Cocinar o comer?

ACTIVIDAD

Me gusta la música. Get together with a partner and ask which kinds of music and which performers he or she likes. Then switch roles. Your conversation might go like this:

ESTUDIANTE A	¿Qué música te gusta?
ESTUDIANTE B	Me gusta la música popular.
ESTUDIANTE A	¿Quién te gusta?
ESTUDIANTE B	Me gusta Julio Iglesias y me encanta Bruce Springsteen.
ESTUDIANTE A	¿Te gusta más Iglesias o Springsteen?

Write the name of your favorite performer on a slip of paper. Now get together as a class, and choose a secretary who will read the slips and add up votes on the chalkboard. Who is the most popular performer?

ESTUDIO DE PALABRAS

You can easily recognize some Spanish words because they look like English words. For example, *sandwich*, which the Spanish language borrowed from English, is called a loanword.

Some loanwords from English are the names of sports or activities:

béisbol   fútbol   básquetbol   camping

Some loanwords are the names of things. Can you recognize these? It will help if you say them aloud.

saxofón   suéter   champú   líder

You have also learned some Spanish words that are loanwords in English:

taco   chile

And you know others. For example:

patio   plaza   chocolate

¿Te gustan los waffles?

EXPLICACIONES I

Los sustantivos

♦ COMMUNICATIVE
OBJECTIVE
**To identify common
objects**

We use nouns to name people, places, and things. In Spanish, nouns have gender: some are masculine, and some are feminine. Nouns that name males are generally masculine: *el señor, el profesor*. Nouns that name females are generally feminine: *la señorita, la señora, la profesora*.

1   Almost all nouns that end in *-o* are masculine. Almost all nouns that end in *-a* are feminine.

MASCULINE	FEMININE
el disco	la música
el libro	la semana

There are very few exceptions to this rule. You know two of these: *el mapa* and *el día*.

2   Many nouns end in consonants or in vowels other than *-o* or *-a*. It is a good idea to learn a noun with its definite article, *el* or *la*, because that will always tell you the gender. *El* is used with masculine singular nouns and *la* with feminine singular nouns.

el mes   el deporte   la leche   la clase

PRÁCTICA

¿El o la?   Identify the item in each picture. Be sure to include the correct definite article.

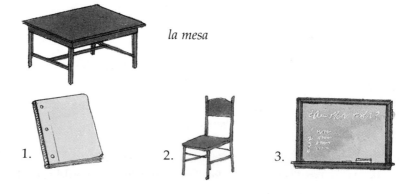

la mesa

1.   2.   3.

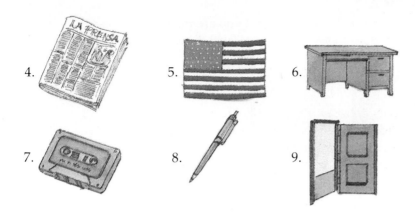

4. 5. 6.

7. 8. 9.

Singular y plural

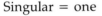

Singular = one   Plural = more than one

◆ COMMUNICATIVE
OBJECTIVE

To identify groups of objects

To make a noun plural we generally add:

-s to words ending in a vowel: el libro, los libro**s**
la mesa, las mesa**s**

-es to words ending in a consonant: el señor, los señor**es**
el cartel, los cartel**es**

The definite article *los* is used with masculine plural nouns. *Las* is used with feminine plural nouns.

1   Singular nouns that end in the letter *z* change the *z* to *c* in the plural:

el lápi**z** → los lápi**ces**

2   To keep the stress on the correct syllable, we sometimes have to add or take away an accent mark in the plural:

el exa**m**en → los ex**á**menes
la explica**ción** → las explica**cion**es

3   When we are talking about a mixed group of males and females, we always use the masculine plural form. For example, we would refer to a male and a female teacher together as ***los*** *profesores.*

PRÁCTICA

Singular y plural.   Pretend that you are making flash cards to help you learn vocabulary. How would you label these flash cards?

el disco   *los discos*

Una tienda de discos en Colombia

1.     2.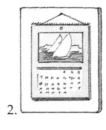

3.     4.

5.     6.

7.     8.

El uso del artículo definido

In English the definite article is "the." But we sometimes use definite articles in Spanish where we wouldn't use "the" in English.

1 In Spanish, when we speak about a thing in general terms, we use the definite article. In English, we do not.

Me encanta **la música.**   *I love **music.***
¿Te gustan **los deportes**?   *Do you like **sports**?*

2 We also use the definite article with titles of respect, such as *profesor(a)*, *señor(a)*, and *señorita*, when we are talking *about* the person, *not to* the person:

Buenos días, **señor Díaz.**   *Good morning, **Mr. Díaz.***
¿De dónde es **el señor Díaz**?   *Where is **Mr. Díaz** from?*

3 Definite articles mean "on" when we use them with days of the week.

El sábado ⎫   ***On** Saturday* ⎫
Los sábados ⎭ me gusta nadar.   *Saturdays* ⎭ *I like to swim.*

Days of the week that end in *s* have the same form in both the singular and the plural: *el lunes → los lunes*.

◆ COMMUNICATIVE
OBJECTIVES
To express likes and dislikes
To refer to adults
To refer to things you do on certain days

PRÁCTICA

A **El menú.**   Pretend that you are reading a school menu. Indicate whether or not you like a particular food by saying *¡Ah, sí!* if you like it or *no* if you don't. Always include the correct definite article: *el, la, los,* or *las*. For example:

chile con carne
¿El chile con carne? ¡Ah, sí! Me encanta.
o: *¿El chile con carne? No, no me gusta.*

1. leche
2. refrescos
3. papas fritas
4. yogur
5. sandwiches de jamón y queso
6. helado
7. tacos
8. pan con mantequilla
9. hamburguesas
10. ensalada

B Los lunes me gusta . . . Victoria asks Pedro what he likes to do on different days of the week and with whom. With a classmate, alternate roles, choosing words or expressions from the lists below.

ESTUDIANTE A *¿Qué te gusta hacer los martes?*
ESTUDIANTE B *Me gusta estudiar español.*
ESTUDIANTE A *¿Con quién?*
ESTUDIANTE B *Con el profesor Morales.*

lunes	hacer la tarea	profesor Morales
martes	jugar al *(deporte)*	señor Díaz
miércoles	practicar deportes	Francisco y Graciela
jueves	escuchar música popular	señora Álvarez
viernes	ir al cine	Guillermo
sábado	hablar por teléfono	Mónica
domingo	estudiar español	profesora Benítez
	escuchar cintas (o discos)	

C Hablemos de ti.
1. ¿Qué te gusta comer al mediodía?
2. ¿Qué te gusta hacer los sábados? ¿Con quién?

APLICACIONES

¿Qué te gusta hacer?

Pretend that you are either Héctor or Teresa. Tell what you like and don't like to do. Afterwards, work with a partner to make up a brief dialogue between Héctor and Teresa. Ask each other about what you like to do.

EXPLICACIONES II

Me gusta y no me gusta

◆ COMMUNICATIVE
OBJECTIVES
To express likes and
dislikes about leisure,
school, and home
activities

To give reasons for
liking and disliking
things

We use *me gusta(n)* and *te gusta(n)* to talk about things we like.

¿**Te gusta** la música popular?	*Do you like popular music?*
¿Qué deportes **te gustan**?	*What sports do you like?*
Me gustan el tenis y el béisbol.	*I like tennis and baseball.*

We use *gusta* with singular nouns and *gustan* with plural nouns or with
more than one noun.

1 We use *no me gusta(n)* and *no te gusta(n)* to talk about things we don't
like.

¿**No te gusta** la música popular?	*Don't you like popular music?*
No me gustan los deportes.	*I don't like sports.*

To answer no to a question, we say *no* twice.

¿**Te gusta** la música clásica?	*Do you like classical music?*
No, no me gusta (la música clásica).	*No, I don't (like classical music).*

2 We use *me encanta(n)* to express a very strong liking.

¡**Me encanta** el cartel!	*I love the poster!*
Me encantan las fiestas.	*I love parties.*

3 Verbs name actions or activities. For example, *jugar, estudiar, leer,* and
comer are verbs. We always use the singular form *gusta* or *encanta* with
verbs.

Me gusta cantar y **bailar.**	*I like to sing and dance.*

PRÁCTICA

A No, pero . . . Working with a partner, ask and answer according to
the model.

cantar / bailar
ESTUDIANTE A *¿Te gusta cantar?*
ESTUDIANTE B *No, pero me gusta bailar.*

los discos / la televisión

ESTUDIANTE A   *¿Te gustan los discos?*
ESTUDIANTE B   *No, pero me gusta la televisión.*

1. lavar los platos / cocinar
2. esquiar / jugar al tenis
3. tocar la guitarra / escuchar música
4. el queso / el jamón
5. los refrescos / la limonada
6. los deportes / la música
7. nadar / el béisbol y el fútbol
8. los burritos / el chile con carne

B La fiesta.   Imagine that you and a friend are talking about what you want to buy for a party on Saturday night. Take turns asking and answering, using *gusta(n)* and *encanta(n)*.

refrescos

ESTUDIANTE A   *Te gustan los refrescos, ¿no?*
ESTUDIANTE B   *Pues sí, me encantan.*
       o: *No, no me gustan.*

1. limonada
2. música popular
3. tacos y burritos
4. discos de rock
5. sandwiches de jamón y queso
6. helado
7. hamburguesas con papas fritas
8. ensalada

C ¿Por qué? Porque . . .   Working with a partner, ask why he or she likes certain things. Take turns asking and answering.

fiestas / bailar

ESTUDIANTE A   *Me gustan las fiestas.*
ESTUDIANTE B   *¿Por qué?*
ESTUDIANTE A   *Porque me gusta bailar.*

1. hamburguesas / comida americana
2. clase de español / profesor
3. escuchar discos / música
4. cocinar / comer
5. libros / leer
6. burritos / comida mexicana
7. ir a la escuela / estudiar
8. jugar al béisbol y al básquetbol / deportes

D **¿Por qué no?**   Now it's the opposite. With a different partner, ask why he or she doesn't like certain things. Take turns asking and answering.

> fiestas / bailar
> ESTUDIANTE A   *No me gustan las fiestas.*
> ESTUDIANTE B   *¿Por qué no?*
> ESTUDIANTE A   *Porque no me gusta bailar.*

1. tacos / comida mexicana
2. hacer la tarea / trabajar
3. sandwiches / pan
4. jugar al fútbol americano / deportes
5. libro / dibujos
6. cantar y bailar / música
7. hamburguesas con queso / queso
8. exámenes / estudiar

Hay / ¿cuántos? / muchos / pocos

◆ COMMUNICATIVE
OBJECTIVE
**To ask about and
express quantity**

Hay can mean either "there is" or "there are."

> **Hay** helado.   *There's ice cream.*
> **Hay** sillas.   *There are chairs.*

1   In a question, *hay* means "Is there . . . ?" or "Are there . . . ?"

> **¿Hay** ensalada hoy?   *Is there salad today?*
> **¿Hay** papas fritas?   *Are there French fries?*

No hay means "there isn't any" or "there aren't any." In a question it means "Isn't there any?" or "Aren't there any?"

> **No hay** helado.   *There isn't any ice cream.*
> **No hay** sillas.   *There aren't any chairs.*
> **¿No hay** helado?   *Isn't there any ice cream?*
> **¿No hay** sillas?   *Aren't there any chairs?*

2 We use *¿cuántos?* with masculine plural nouns and *¿cuántas?* with feminine plural nouns.

¿Cuántos libros hay?	*How **many** books are there?*
Hay tres.	*There are three.*
¿Cuántas banderas hay?	*How **many** flags are there?*
Hay dos.	*There are two.*

3 When we ask the question *¿Cuántos?* or *¿Cuántas?*, the answer will sometimes include the word *muchos, -as* or *pocos, -as.*

¿Cuántos periódicos hay?	*How **many** newspapers are there?*
Hay **muchos.**	*There are **a lot.***
¿Cuántas guitarras hay?	*How **many** guitars are there?*
Hay **pocas.**	*There are **a few.*** *There are**n't many.***

PRÁCTICA

A **¿Muchos o pocos?** Pretend that you have asked your friends to help set up for a party. Tell them whether there are a lot or only a few of the items shown. (Consider anything under six as few.)

Hay pocas sillas.

B **¿Cuántos hay?** Working with a partner, take turns asking and answering how many of each item are shown in the picture for Práctica A.

ESTUDIANTE A *¿Cuántas sillas hay?*
ESTUDIANTE B *Hay cinco.*

C Hablemos de ti.

1. ¿Hay carteles en tu clase de español? ¿Cuántos?
2. ¿Hay dibujos? ¿Cuántos?
3. ¿Hay mapas en tu clase? ¿Cuántos? ¿Y cuántas banderas?
4. ¿Hay muchos o pocos estudiantes en tu clase? ¿Cuántos hay?

ACTIVIDAD

¡Me encantan las hamburguesas!   Take a poll to find out which foods your classmates like. The entire class should choose from a list of foods taken from the vocabulary of this chapter. Each student writes the names of the foods on a sheet of paper. Across the top, write these headings: *me encanta(n), me gusta(n) mucho, me gusta(n),* and *no me gusta(n).* Then interview a classmate, asking about all of the foods on the list. Your partner should answer truthfully. Then exchange roles. For example:

ESTUDIANTE A	¿Te gusta el pan con mantequilla?
ESTUDIANTE B	Sí, me gusta.
ESTUDIANTE A	¿Te gusta el yogur?
ESTUDIANTE B	No, no me gusta el yogur.
ESTUDIANTE A	¿Te gustan los burritos?
ESTUDIANTE B	¡Cómo no! Me encantan los burritos.

Mark each of your partner's answers in the appropriate space on your chart. Then, as a class, total the number of votes for each food under each heading.

	me encanta(n)	me gusta(n) mucho	me gusta(n)	no me gusta(n)
los refrescos	IIII	II		
el helado	HHH II	III	I	
los tacos	IIII	I	I	
la leche	I			
el yogur	II			

REPASO

Look carefully at the model sentences. Then put the English cues into Spanish to form new sentences based on the models.

1. *¿Te gustan más los libros o los periódicos?*
   (Do you prefer sandwiches or salads?)
   (Do you prefer parties or exams?)

2. *¿Te gusta la música?*
   (Do you like ham?)
   (Do you like cheese?)

3. *¿Te gustan los refrescos?*
   (Do you like sports?)
   (Do you like maps?)

4. *¿Cuántas banderas hay?*
   (How many pencils are there?)
   (How many chairs are there?)

5. *¡No me gusta cocinar!*
   (I don't like to read!)
   (I don't like to study!)

En la Alameda en México

TEMA

Now put the English captions into Spanish.

1. Do you prefer tacos or hamburgers?

2. Do you like yogurt?

3. Do you like French fries?

4. How many students are there?

5. I don't like to work!

REDACCIÓN

Now you are ready to write your own dialogue or paragraph. Choose one of the following topics.

1. Write a paragraph of four to six sentences about what you like and don't like about your school life and your home life. Do you like to study, to work a lot, to do homework, to speak Spanish in class? At home, do you like to wash the dishes, help around the house, watch TV, listen to records?

2. Look at the pictures in the *Tema*. Expand the poll taker's job by writing four additional questions that she might ask about the cafeteria food.

3. Using the *Tema*, imagine the answers that the students shown in the first three pictures might give the poll taker. Then write the complete dialogue, including the poll taker's questions and the students' answers.

A   ¿Te gusta?

Tell whether or not you like the following food items. Use *me gusta* or *me gustan*.

Me gusta el helado.
o: No me gusta el helado.

1.
2.

3.
4.

5.
6.

7.
8.

9.
10.

B   ¿El o la?

Write the correct definite article for each of these words.

1. puerta
2. mes
3. pizarra
4. bolígrafo
5. lápiz
6. hoja de papel
7. pupitre
8. clase
9. cartel
10. examen
11. día de fiesta
12. lunes

C   ¿Los o las?

Write each word in **B** in the plural form. Be sure to include the correct definite article.

D   Me encanta . . . pero . . .

Form sentences using the cues, as in the model.

escuela / estudiar para exámenes
Me encanta la escuela, pero no me gusta estudiar para exámenes.

1. música / cantar
2. deportes / jugar al tenis
3. clase de español / hacer la tarea
4. tacos / cocinar
5. fiestas / bailar
6. comer / sandwiches de jamón
7. leer y estudiar / hacer la tarea

E   La clase de español

Ask and answer according to the model.

cartel / 3
¿Hay muchos carteles?
No, hay pocos.
¿Cuántos hay?
Tres.

1. profesor / 9
2. estudiante / 14
3. pupitre / 11
4. silla / 13
5. mesa / 2
6. mapa / 4
7. ventana / 5

VOCABULARIO DEL CAPÍTULO 1

Sustantivos
la bandera
el burrito
el cartel
el chile con carne
el deporte
la ensalada
el escritorio
el examen, *pl.* los exámenes
la hamburguesa
el helado
el jamón
la leche
la limonada
la mantequilla
el mapa
la mesa
la música
el pan
las papas fritas
el periódico
el plato
el pupitre
el queso
el refresco
el sandwich (de jamón,
   de queso)
la silla
el taco
la tarea
la tiza
el yogur

Adjetivos
clásico, -a
muchos, -as
pocos, -as
popular

Verbos
ayudar
estudiar
lavar
practicar

Adverbios
entonces
más
mucho

Preposiciones
con
para
sin

Conjunciones
o
porque
pues

Palabras interrogativas
¿con quién?
¿por qué?
¿quién?

Expresiones
¡ah, sí!
¡cómo no!
en casa
me encantan
me/te gusta(n) más
¿verdad?

CAPÍTULO 2

PRÓLOGO CULTURAL

¿UN LATINOAMERICANO TÍPICO?

Suppose you are the casting director for a movie and the script calls for a "Latin American." What do you look for? A specific style of clothing? A particular color of hair, skin, or eyes? You'd better ask the director for a more detailed description.

Meet Mario Antonioni from Argentina, Cecilia Chang from Puerto Rico, and Lucía Díaz from Mexico. As you can tell from their names, their ancestors came from all parts of the world. Though they all share a common language—Spanish—they lead very different lives.

Mario's family originally came from Italy and Spain. Many Latin American families in Argentina, Uruguay, and Chile are of European descent. After school, Mario and his friends often sit for hours in a café on one of the wide, tree-lined avenues in Buenos Aires, talking and drinking coffee.

While Mario chats, Cecilia works through the warm Puerto Rican evening in her parents' restaurant. After the first Spaniards arrived in the Caribbean, this region became a melting pot of Europeans, Africans, and Asians. The Changs' customers are tall, short, thin, heavyset, darkest brown, and palest white. They're all Puerto Rican, and they are there for the food—the unique Caribbean cuisine that includes savory rice and beans and sweet, fried plantains.

Lucía eats at home, and her mother's recipes are hundreds of years old. The Díaz family are direct descendants of the Aztecs of Mexico. Not far from the ancient pyramids of Teotihuacán, Lucía's family grows *maíz* and grinds corn the same way her ancestors did five centuries ago. Mario, Cecilia, and Lucía are all *latinoamericanos*. Different as they are, if they were to meet they would have little trouble communicating, for they all share a basic tool—the Spanish language.

PALABRAS NUEVAS I

¿De qué país eres?

**CONTEXTO
VISUAL**

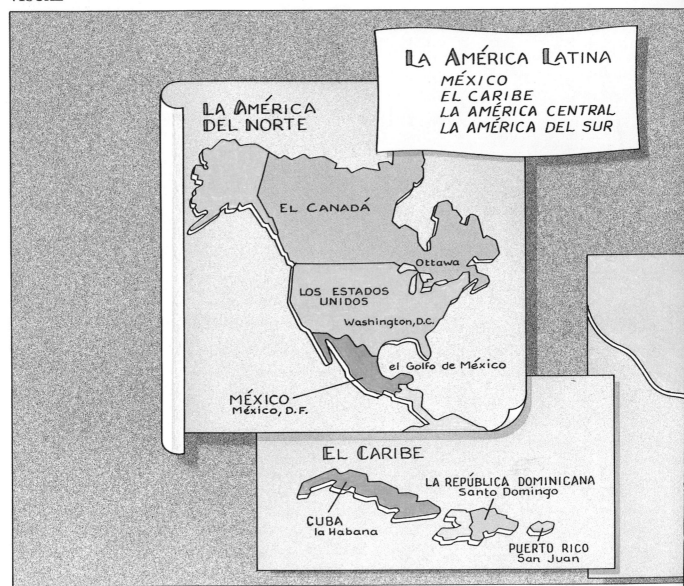

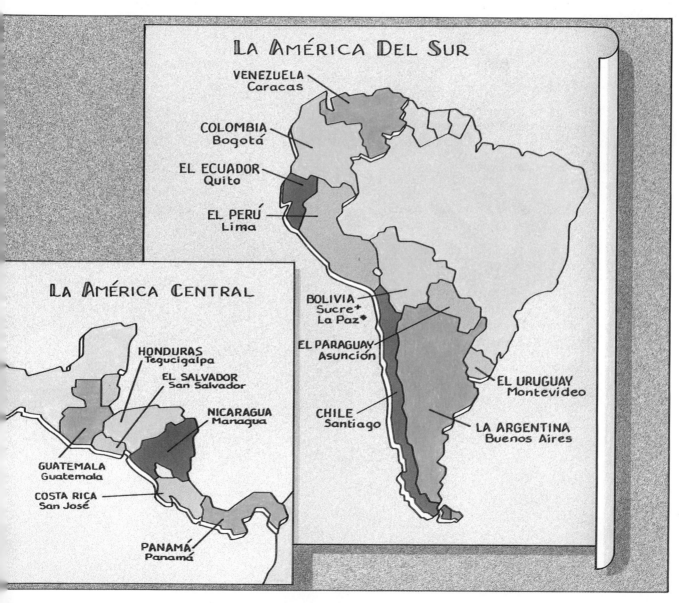

LA AMÉRICA DEL SUR

VENEZUELA
Caracas

COLOMBIA
Bogotá

EL ECUADOR
Quito

EL PERÚ
Lima

BOLIVIA
Sucre✝
La Paz✱

EL PARAGUAY
Asunción

CHILE
Santiago

EL URUGUAY
Montevideo

LA ARGENTINA
Buenos Aires

LA AMÉRICA CENTRAL

HONDURAS
Tegucigalpa

EL SALVADOR
San Salvador

NICARAGUA
Managua

GUATEMALA
Guatemala

COSTA RICA
San José

PANAMÁ
Panamá

* Though Sucre is the official capital of Bolivia, only the Supreme Court meets there. Most
government offices were moved to La Paz in 1898, because it was less remote than Sucre
and had better transportation facilities to other parts of the country.

CONTEXTO
COMUNICATIVO

1 JULIA   **¿De qué país** eres, Carlos?

     CARLOS   Soy de Cuba.

     JULIA   ¡Ah, eres **cubano**! Pues, yo soy **mexicana**.

Variaciones:

■ ¿de qué país? → ¿de dónde?

■ Cuba → Puerto Rico
    cubano → **puertorriqueño**

■ mexicana → **española**

2 TERESA   **¿Es usted norteamericano?**

     PATRICIO   Sí, de Santa Fe. Pero soy **de origen** español.

■ español → **latinoamericano**

3 JORGE   ¿Es usted de los Estados Unidos?

     ANITA   No, soy del Canadá.

■ de los Estados Unidos → del Caribe

■ del Canadá → del Perú

4 DANIEL   Nicole es mi **compañera de clase**.

     YOLANDA   ¿Es **canadiense**?

     DANIEL   No, es **sudamericana**.

■ mi compañera de clase → mi **amiga**

■ mi compañera de clase → una **alumna**

5 LAURA   Honduras es un país **centroamericano**, ¿verdad?

     LUIS   Sí.

     LAURA   ¿Cuál es **la capital**?

     LUIS   Tegucigalpa.

■ Honduras → Nicaragua
    Tegucigalpa → Managua

■ Honduras → Costa Rica
    Tegucigalpa → San José

¿de qué país? *from what country*

el país *country*

cubano, -a *Cuban*

mexicano, -a *Mexican*

puertorriqueño, -a *Puerto Rican*

español, -a *Spanish*

¿es usted? *are you?*

norteamericano, -a *North American*

de origen *of ____ origin*

latinoamericano, -a *Latin American*

el compañero, la compañera de clase *classmate*

canadiense *Canadian*

sudamericano, -a *South American*

el amigo, la amiga *friend*

el alumno, la alumna *pupil*

centroamericano, -a *Central American*

la capital *capital*

PRÁCTICA

A De origen latinoamericano. Tell where the following people are from and what their backgrounds are. Work with a partner. Take turns asking and answering. Follow the model.

> Marta / El Paso / Cuba
> ESTUDIANTE A *¿De dónde es Marta?*
> ESTUDIANTE B *Es de El Paso. Pero es de origen cubano.*

1. Lola / Philadelphia / Puerto Rico
2. José / San Diego / México
3. María / Albuquerque / América del Sur
4. Ángel / Denver / América Central
5. Eva / San Antonio / América Latina
6. Tomás / Chicago / Cuba
7. Sara / Detroit / Canadá
8. Pedro / Asunción / América del Norte
9. tu amiga / Kansas City / España

B Hablemos de ti.
1. ¿De qué país eres? ¿Eres de los Estados Unidos? ¿De qué estado?
2. ¿Cuál es la capital de tu estado? ¿Eres de la capital?

APLICACIONES

¿Hay O'Briens en la América del Sur?

En Santiago, la capital de Chile.

El libertador de Chile

FELIPE   Hola. Me llamo Felipe O'Brien. ¿Y tú?

LOLITA   Lolita Crespo.

FELIPE   Tú no eres de Chile, ¿verdad?

5 LOLITA   No, soy puertorriqueña. Y tú, ¿de qué país eres? ¿De Irlanda?

FELIPE   No. ¿Por qué?

LOLITA   Porque te llamas O'Brien.

FELIPE   Soy de Chile, pero mi familia es de origen irlandés.[1]

10   En Chile hay muchos O'Briens, O'Neils, O'Higgins, O' . . .

LOLITA   ¿O'Higgins? ¿Como[2] Bernardo O'Higgins,* el libertador[3] de Chile?

FELIPE   Sí, y también como Carlitos O'Higgins, mi compañero de

15   clase.

---

[1]**irlandés** *Irish*   [2]**como** *like*   [3]**el libertador** *liberator*
*Bernardo O'Higgins (1778–1842) liberated Chile from Spain in 1818.

Preguntas

Contesta según el diálogo.

1. ¿Cuál es la capital de Chile?   2. ¿De dónde es Lolita?   3. ¿De qué país es Felipe?   4. ¿Es Felipe de origen irlandés o puertorriqueño?   5. ¿Es Carlitos O'Higgins el libertador de Chile?

Participación

With a partner, make up a four- or five-line dialogue telling where you and one or two of your classmates are from.

PRONUNCIACIÓN

The pronunciation of the letter *ll* is similar to the sound of the *y* in the English word "yard."

Escucha y repite.

ella	ellos	silla	llamo	mantequilla

Ella es de Sevilla.
Me llamo Guillermo Llanos.
Hay mantequilla en la silla.

◆ COMMUNICATIVE
OBJECTIVES
To express degree
To exclaim
To contradict

CONTEXTO
VISUAL

PALABRAS NUEVAS II

¿Cómo es?

el pájaro
Es muy bonito.

el perro

Es joven.
rubio

rubia

Es joven.

corto, -a

moreno

morena

Es vieja.

Es viejo.

la mujer

el hombre

largo, -a

Es feo.

el pez
pl. los peces

Es bonito.

Es enorme.

Bajo, -a means "short" in height. *Corto, -a* means "short" in length.
So *alto/bajo* are opposites and *largo/corto* are opposites.

CONTEXTO COMUNICATIVO

1 PATRICIA ¿**Cómo es** tu profesor de español?

JORGE ¿Mi profesor? No es un hombre, es una mujer.

PATRICIA Pues, ¿cómo es?

JORGE Es alta y pelirroja.

Variaciones:
- alta → baja
- pelirroja → rubia

¿**cómo es** _____? *what's _____ like?*

2 MARTA Silvia, tu amigo Paco es moreno, ¿verdad?

SILVIA Sí, y muy **guapo.**

- moreno → rubio
- muy → **bastante**

guapo, -a *good-looking*
bastante *rather, fairly, kind of*

3 MARCO ¿Cómo es la tarea de español? ¿Corta?

ANITA **Al contrario,** es **demasiado** larga.

MARCO ¡Uf!

- la tarea → el examen
  corta → corto
  larga → largo
- demasiado → bastante

al contrario *on the contrary*
demasiado *too*

4 CECILIA Me gusta tu cartel. ¡**Qué** bonito! ¿Es nuevo?

CARLOS ¿Mi cartel de España? No, es muy viejo.

- bonito → enorme

¡**qué** (+ adjective)! *how (+ adjective)!*

EN OTRAS PARTES

En México se dice también
güero, -a.

En Chile se dice también
colorín, colorina.

PRÁCTICA

A ¡Qué grande! Imagine that you are trying to describe someone or something, but you're at a loss for words. A friend, however, always knows just the right adjective. Working with a partner, take turns helping each other come up with the right word. Follow the model.

> pájaro / grande
> ESTUDIANTE A *Es un pájaro muy . . . muy . . .*
> ESTUDIANTE B *¿Grande?*
> ESTUDIANTE A *¡Sí! ¡Qué grande!*

1. perro / alto
2. muchacha / guapa
3. pez / pequeño

4. mujer / rubia
5. gato / gordo
6. hombre / delgado

7. libro / enorme
8. dibujo / feo
9. guitarra / bonita

B ¿Cómo es? With a partner, take turns asking and answering the questions according to the illustrations. Follow the model.

ESTUDIANTE A *¿Es la silla vieja o nueva?*
ESTUDIANTE B *Es vieja.*

¿vieja o nueva?

1. ¿rubia o morena?

2. ¿gordo o delgado?

3. ¿joven o viejo?

4. ¿bonito o feo?

5. ¿grande o pequeño?

6. ¿alto o bajo?

7. ¿corto o largo?

8. ¿nueva o vieja?

C Al contrario.
Imagine that you and a friend are talking about people and pets you have just seen. You constantly disagree about what you saw. With another student, take turns asking and answering.

> La muchacha es rubia / alta
>
> ESTUDIANTE A *La muchacha es rubia, ¿no?*
> ESTUDIANTE B *Al contrario, es morena. Y muy alta.*
> ESTUDIANTE A *No es alta. Es baja.*

1. El perro es grande / joven
2. El pájaro es feo / grande
3. El hombre es moreno / delgado
4. La mujer es bonita / baja

5. El muchacho es gordo / guapo
6. El pez es largo / feo
7. El gato es pequeño / viejo
8. La muchacha es grande / fea

D Hablemos de ti.
1. ¿Qué te gustan más, los perros o los gatos?
2. ¿Cómo es tu perro (gato, pájaro, pez)?
3. ¿Cómo es tu profesor(a)?
4. Y tú, ¿cómo eres?

En Colombia y en México

ACTIVIDAD

El hombre invisible. He may be invisible, but you can use your imagination and describe him. Write your description of the invisible man on a sheet of paper. Include at least four or five adjectives. For example: *Es rubio y muy joven. Es alto y bastante guapo, pero es demasiado delgado.* Put everyone's description in a bag, but *keep a copy of the one you wrote.* Each person then takes one of the descriptions and makes a portrait based on it.

When everyone has finished, each artist exchanges his or her drawing with another student. Then students take turns reading aloud from their own copies of the descriptions they wrote. Whoever thinks he or she has that picture of the invisible man should hold it up. Can a picture be found for every description?

ESTUDIO DE PALABRAS

In Spanish, adjectives are related to the names of countries just as they are in English. For example, in English we call a person from Cuba a Cuban. In Spanish we say *cubano* or *cubana.* Notice that the adjective is not capitalized in Spanish and that it usually has an *o* ending for males and an *a* ending for females.

Many adjectives of nationality end in *-no* and *-na:*
> Perú → perua*no*, perua*na*
> Colombia → colombia*no*, colombia*na*
> Chile → chile*no*, chile*na*

Some adjectives of nationality have other endings:
> España → españ*ol*, españ*ola*
> Canadá → canad*iense*
> Guatemala → guatemal*teco*, guatemal*teca*
> Panamá → panam*eño*, panam*eña*

If you see words such as these in a dialogue or reading, look for the root—the main part of the word. It may give you a clue. For example, where do you think an *estadounidense* comes from?

El presidente del Perú, Alberto Fujimori

EXPLICACIONES I

Los pronombres personales

◆ COMMUNICATIVE
OBJECTIVES
To point people out
To tell where one is
from

Pronouns that tell us *who* is doing something are called subject pronouns. Here are the Spanish subject pronouns that you will use. You already know some of them.

Una estudiante
puertorriqueña

SINGULAR		PLURAL	
yo		nosotros	
		nosotras	
tú			
usted		ustedes	
él		ellos	
ella		ellas	

1 You have learned that we use *tú* or *usted* when speaking to one person. When speaking to more than one person we use *ustedes*. In writing we usually abbreviate *usted* as *Ud.* and *ustedes* as *Uds.* Note that the abbreviations are capitalized.

2 There are two forms for "we" in Spanish: *nosotros* for males or for a mixed group of males and females, and *nosotras* for females.

3 *Ellos* and *ellas* mean "they." *Ellos* refers to a group of males or to a mixed group of males and females. *Ellas* refers to a group of females only.

4 There are two other pronouns that are used in Spain: *vosotros* and *vosotras*. They are the familiar plural: *tú* + *tú* = *vosotros* or *vosotras*. We will include these pronouns when we present new verb forms, and we will use them occasionally in dialogues or readings that take place in Spain. So you should learn to recognize them.

Compañeros de clase en México y en España

PRÁCTICA

A Los amigos de Ana.   What subject pronouns would Ana use to speak to or about these people?

1.
2.
3.
4.
5.
6.
7.
8.
9.
10.

B ¿De dónde es usted?   Pretend you are helping register people at the Language Fair. You must ask both students and teachers where they are from. Follow the models.

> Federico / de México   *¿Eres de México?*
> el señor Valdés / de Cuba   *¿Es Ud. de Cuba?*
> Paco y Tomás / de la Argentina   *¿Son Uds. de la Argentina?*

1. Teresa / de España
2. la señora de Ruiz / de México
3. Arturo / de Puerto Rico
4. la señorita Alba / de la República Dominicana
5. Alejandro y el señor Marín / de los Estados Unidos
6. el señor Villaloz / del Canadá
7. Alfredo / de Panamá
8. Manuel y la señora Torres / del Uruguay
9. Isabel y Enrique / de Venezuela

El verbo *ser*

The verb *ser* means "to be." You already know the three singular forms.

Soy de México.   *I am* from Mexico.
¿De dónde **eres**?   *Where are you from?*
Mi amigo **es** guapo.   *My friend is handsome.*

Here are all of the forms of *ser* in the present tense:

INFINITIVO   **ser**

	SINGULAR			PLURAL	
1	(yo) **soy**	*I am*	(nosotros) (nosotras) } **somos**	*we are*	
2	(tú) **eres**	*you are*	(vosotros) (vosotras) } **sois**	*you are*	
3	Ud. (él) (ella) } **es**	*you are* *he* *she* } *is*	Uds. (ellos) (ellas) } **son**	*you are* *they are*	

1   We use the verb *ser* to tell where someone or something is from.

Julio Iglesias **es de** España.   *Julio Iglesias is from Spain.*
Los carteles **son de** México.   *The posters are from Mexico.*
¿**Son Uds. del** Ecuador?   *Are you from Ecuador?*

2   We also use *ser* with adjectives to tell what someone or something is like.

El pájaro **es bonito**.   *The bird is pretty.*
Eres muy **bonita**, María.   *You're very pretty, María.*
La mesa **es nueva**.   *The table is new.*

Eres muy bonita, María.

3 We usually don't have to use subject pronouns with verbs because most Spanish verb forms indicate who the subject is.

Soy de California.	*I'm from California.*
Somos de Guatemala.	*We're from Guatemala.*
¿Cómo es el libro? **Es** largo.	*What's the book like? It's long.*

But we do use subject pronouns for emphasis or if the subject is not clear.

Tú eres joven, pero **él** es viejo.	*You're young, but he's old.*
¿De dónde son Carlos y Ana?	*Where are Carlos and Ana from?*
Él es de San Juan, y **ella** es de Los Ángeles.	*He's from San Juan, and she's from Los Angeles.*

Because several different pronouns are used with *es* and *son*, we generally do use the pronouns *usted (Ud.)* and *ustedes (Uds.)*.

PRÁCTICA

A ¿De dónde somos? At a large international gathering, people are telling where they and others are from. Sometimes they have to ask. Follow the models.

de Puerto Rico

Ella es de Puerto Rico.

¿de la República Dominicana?

Eres de la República Dominicana, ¿no?

1. de Costa Rica

2. ¿de Panamá?

3. de Guatemala

4. ¿de El Salvador?

5. de Honduras

6. ¿de Nicaragua?

7. de los Estados Unidos

8. ¿del Canadá?

B Son sudamericanos. Here is a map of South America. Working with a partner, take turns pointing to countries on the map and asking where people are from. For each country, use the pronoun shown on the map. For example, pointing to Ecuador:

ESTUDIANTE A *¿De dónde son Uds.?*
ESTUDIANTE B *Somos del Ecuador.*

COLOMBIA
él

VENEZUELA
(tú)

EL ECUADOR
Uds.

EL PERÚ
ellos

BOLIVIA
ella

EL PARAGUAY
(tú)

EL URUGUAY
Ud.

CHILE
Uds.

LA ARGENTINA
ellas

C Hablemos de ti.

1. ¿Hay estudiantes de origen latinoamericano en tu clase o en tu escuela? ¿De qué países son?
2. ¿De qué país es tu profesor(a)? ¿De qué país eres tú?

En España

APLICACIONES

El nuevo "Pen Pal"

Teresa has received a letter from Eduardo, a new pen pal.

Querida[1] Teresa:

    Me llamo Eduardo Rivera. Soy puertorriqueño, de San Juan, la capital. Soy alto, delgado y bastante guapo.

    Me gustan los deportes—el béisbol, el básquetbol y el tenis. También
5 me gusta nadar, pero no me gusta el fútbol americano. ¡Uf!

    Me gusta ir a la escuela y tengo[2] muchos amigos. Y me encantan las fiestas. ¿Te gusta bailar, Teresa? Me gustan mucho la música popular de mi país y el rock norteamericano.

    Teresa, quizás[3] soy demasiado curioso pero . . . ¿Qué te gusta hacer?
10 ¿Nadar, leer, montar en bicicleta? ¿Eres rubia o morena? ¿Gorda o delgada? ¿Alta o baja? ¿Te gusta hablar español? ¿Cómo es Chicago? Es enorme, ¿verdad?

    Por favor, Teresa, contesta mis preguntas.

Hasta pronto,[4]
Eduardo

---

[1]**querido, -a** *dear*   [2]**tengo** (*from* **tener**) *I have*   [3]**quizás** *perhaps*
[4]**hasta pronto** *so long*

ANTES DE LEER

Try not to look at the English equivalents of words you don't know. See how many of them you can understand from the context. As you read, look for the answers to these questions.

1. ¿De dónde es Eduardo?
2. ¿Cómo es Eduardo?
3. ¿De dónde es Teresa?

Preguntas
Choose the word or words that best complete each of these statements.

1. Me llamo Eduardo Rivera y soy _____.
   a. de Puerto Rico   b. de San José   c. de Chicago
2. Soy alto y bastante _____.
   a. gordo   b. guapo   c. bajo
3. Me gustan el tenis, el básquetbol y el _____.
   a. fútbol   b. béisbol   c. fútbol americano
4. Me gusta la música de _____.
   a. la América del Sur   b. México   c. la América del Norte
5. Quizás soy _____.
   a. enorme   b. muy gordo   c. muy curioso

EXPLICACIONES II

Sustantivos y adjetivos con el verbo *ser*

◆ COMMUNICATIVE
OBJECTIVES

To describe personal
characteristics

To describe things that
are alike or opposite

Adjectives describe people and things. An adjective that describes a male
or a masculine noun must have a masculine ending. An adjective that
describes a female or a feminine noun must have a feminine ending.
Many adjectives end in *-o* in the masculine and *-a* in the feminine.

MASCULINE	FEMININE
El hombre es rubi**o**.	La mujer es rubi**a**.
José es guap**o**.	Josefina es guap**a**.
El disco es nuev**o**.	La cinta es nuev**a**.

1   Adjectives that end in *e* or in a consonant usually have the same
masculine and feminine forms.

MASCULINE	FEMININE
El Golfo de México es grand**e**.	La América del Sur es grand**e**.
Mi amigo es jov**en**.	Mi amiga es jov**en**.
<u>BUT</u>: Él es españo**l**.	Ella es españo**la**.

2   When the noun is plural, the adjective must also be plural. To make
an adjective plural, we add *-s* to a final vowel or *-es* to a final
consonant.

SINGULAR	PLURAL
El pez es fe**o**.	Los peces son fe**os**.
La muchacha es mexican**a**.	Las muchachas son mexican**as**.
El periódico es popula**r**.	Los periódicos son popula**res**.

3   When an adjective is describing both a masculine and a feminine
noun, we use a masculine plural ending.

El hombre y la mujer son gord**os**.
(El hombre es gord**o** y la mujer también es gord**a**. Son gord**os**.)

Most adjectives have four forms.

	SINGULAR	PLURAL
MASCULINE	nuevo	nuevos
FEMININE	nueva	nuevas

Some adjectives have only two forms.

	SINGULAR	PLURAL
MASCULINE & FEMININE	enorme	enormes
	joven	jóvenes

PRÁCTICA

A **Rubio y rubia.** These brothers and sisters are all alike. Describe them. Follow the model.

Juan es guapo. / Alicia
Alicia es guapa también.

1. María es alta. / Rafael
2. Luis es rubio. / Ana
3. José es moreno. / Marta
4. Pilar es baja. / Eduardo
5. Isabel es delgada. / Francisco
6. Clara es pelirroja. / Esteban
7. Paco es muy pequeño. / Sara
8. Guillermo es joven. / Luisa

B **La familia García.** The Garcías are an interesting family. The boys are all like their father and the girls are like their mother. Tell what they are like, following the models.

El señor García es alto.
Y los muchachos son altos también.
La señora García es pequeña.
Y las muchachas son pequeñas también

1. El señor García es gordo.
2. La señora García es rubia.
3. El señor García es moreno.
4. La señora García es baja.
5. El señor García es grande.
6. La señora García es delgada.
7. El señor García es guapo.
8. La señora García es bonita.

C **La familia López.** The López family is different. The boys are the opposite of their father, and the girls aren't like their mother at all. Use the cues in Práctica B to describe the López family. Follow the model.

> El señor López es alto.
> *Pero los muchachos son bajos.*
> La señora López es pequeña.
> *Pero las muchachas son grandes.*

D **Los marcianos.** Martians have landed! They don't even look alike! Working with a partner, take turns asking and answering questions about the various creatures. Continue until your partner can guess which one you are describing. Your partner should guess by saying *Es el número* _____. Then switch and let the other person give a description.
For example:

ESTUDIANTE A	*¿Cómo es? ¿Es una mujer?*
ESTUDIANTE B	*No sé.*
ESTUDIANTE A	*¿Es gordo o delgado?*
ESTUDIANTE B	*Es bastante gordo.*

E Hablemos de ti.
1. ¿Cómo eres?
2. En tu clase de español, ¿cuántos muchachos son rubios? ¿Cuántos
   son morenos? ¿Pelirrojos? ¿Cuántas muchachas son rubias?
   ¿Morenas? ¿Pelirrojas? ¿Cuántos estudiantes en total son rubios?
   ¿Morenos? ¿Pelirrojos?

ACTIVIDAD

¿Cómo son?   Five people sit in a circle. One person starts a sentence by
saying a definite article—*el, la, los,* or *las.* The next person must say a
noun that agrees with the article. The third person adds the correct form
of the verb *ser.* The fourth person finishes the sentence by saying the
correct form of an adjective. For example, a completed sentence might be
like these:

Las pizarras son grandes.
El perro es gordo.

Continue until everyone has had a turn starting a sentence. Then try it
with the first person saying a subject pronoun. The second person then
says the correct form of *ser.* The third person says the correct form of an
adjective. For example:

Yo soy grande.
Ella es pequeña.

Dos mexicanas

APLICACIONES

REPASO

Look carefully at the model sentences. Then put the English cues into Spanish to form new sentences based on the models.

1. *Me llamo David. Soy de la América del Norte.*
   (*My name's Irene. I'm from Canada.*)
   (*My name's Jaime. We're from South America.*)
   (*My name's Sonia. We're from Central America.*)

2. *La señora Vilas es mi profesora. Es mexicana.*
   (*Mr. Vilas is my teacher. He's Cuban.*)
   (*Marcos is my friend. He's South American.*)
   (*Laura is my friend. She's North American.*)

3. *Es bajo y moreno.*
   (*They (masc.) are small and blond.*)
   (*You (pl.) are young and good-looking.*)
   They (fem.) are dark-haired and pretty.)

4. *También son demasiado pequeños, ¿verdad?*
   (*You (fam.) are also rather old, right?*)
   (*You (pl.) are also too young, right?*)
   (*They (masc.) are also very ugly, right?*)

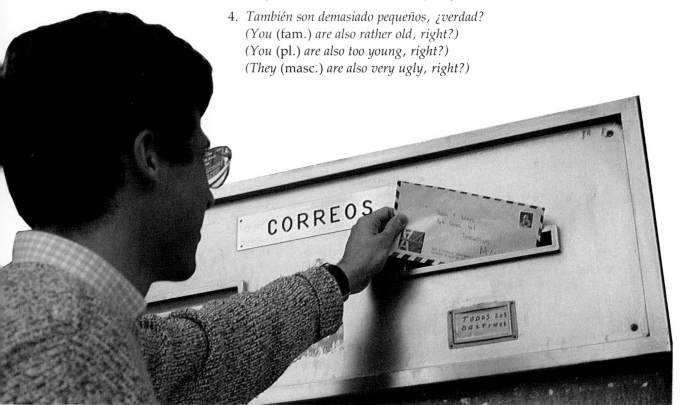

TEMA

Put the English captions into Spanish.

1. My name's Ted. I'm from the United States.

2. Rita is my friend. She's Puerto Rican.

3. She's tall and thin.

4. She's also very good-looking, right?

REDACCIÓN

Now you are ready to write your own dialogue or paragraph. Choose one of the following topics.

1. Write a four-sentence paragraph about yourself. Give your name, say where you are from, and describe yourself.

2. In the *Tema*, suppose that Rita is describing Ted instead of the other way around. Write the three or four sentences that she might use to describe him.

3. Create a six-line dialogue between Ted and Rita. Pretend that Rita has just arrived from Puerto Rico. She and Ted are telling each other a little about their likes and dislikes.

COMPRUEBA TU PROGRESO   CAPÍTULO 2

A   Somos amigos

Complete each sentence with the correct form of the verb *ser*.

1. (Yo) _____ norteamericana.
2. (Ellos) _____ mexicanos.
3. (Nosotros) _____ compañeros de clase.
4. (Ella) _____ puertorriqueña.
5. (Tú) _____ cubano, ¿no?
6. Uds. _____ amigas.
7. (Él) _____ centroamericano.
8. ¿ _____ Ud. canadiense?

B   ¿Y usted?

Substitute one pronoun for the words in italics.

1. *Elena* es bonita.
2. *El hombre* es grande.
3. *Los alumnos* son muy populares.
4. *La muchacha* es española.
5. *El señor Gómez y las muchachas* son morenos.
6. *Las señoritas* son de Cuba, ¿verdad?
7. *Los señores* son de Puerto Rico.
8. *Las mujeres y los hombres* son bastante jóvenes.
9. *Luis y yo* somos muy guapos, ¿no?

C   ¿Cómo es?

Form sentences using these words. Follow the model.

> la mujer / rubio
> *La mujer es rubia.*

1. los pájaros / bonito
2. los hombres / español
3. los profesores / puertorriqueño
4. los países / enorme
5. ella / moreno
6. las alumnas / sudamericano
7. nosotras / bajo
8. el escritorio / nuevo

D   ¡Qué bonito!

Based on who or what is being described, complete each exclamation with the correct form of the adjective. Follow the model.

bonito
¡Qué bonitas!

1. delgado 2. gordo 3. corto

4. pequeño 5. alto 6. enorme

E   Al contrario

Complete each question using the correct form of the adjective in parentheses. Then answer, using the correct form of the adjective that means the opposite.

1. (largo)   ¿Es _____ la tarea?
   Al contrario, es _____.
2. (alto)   ¿Es _____ tu amiga?
   Al contrario, es _____.
3. (delgado)   ¿Son _____ los muchachos?
   Al contrario, son _____.
4. (bonito)   ¿Es _____ el perro?
   Al contrario, es _____.
5. (nuevo)   ¿Son _____ las sillas?
   Al contrario, son _____.
6. (grande)   ¿Son _____ los peces?
   Al contrario, son _____.
7. (rubio)   ¿Son _____ las muchachas?
   Al contrario, son _____.
8. (viejo)   ¿Son _____ las mujeres?
   Al contrario, son _____.

VOCABULARIO DEL CAPÍTULO 2

Sustantivos
el alumno, la alumna
el amigo, la amiga
la capital
el compañero, la compañera
  de clase
el gato
el hombre
el muchacho, la muchacha
la mujer
el país
el pájaro
el perro
el pez, *pl.* los peces

Pronombres
ellos, ellas
nosotros, nosotras
ustedes (Uds.)

Países y regiones
  la América Central
  la América del Norte
  la América del Sur
  la América Latina
  el Canadá
  el Caribe
los Estados Unidos
  el Golfo de México

Adjetivos
alto, -a
bajo, -a
bonito, -a
canadiense
centroamericano, -a
corto, -a
cubano, -a
delgado, -a
enorme
español, -a
feo, -a
gordo, -a
grande
guapo, -a
joven, *pl.* jóvenes
largo, -a
latinoamericano, -a
mexicano, -a
moreno, -a
norteamericano, -a
nuevo, -a
pelirrojo, -a
pequeño, -a
puertorriqueño, -a
rubio, -a
sudamericano, -a
viejo, -a

Verbo
ser

Adverbios
bastante
demasiado

Expresiones
al contrario
¿cómo es＿＿？
de origen
¿de qué país?
¡qué + *adjective*!

CAPÍTULO 3

PRÓLOGO CULTURAL

ESPAÑA, PAÍS DE CONTRASTES

If you could pick up the entire country of Spain and put it on top of the state of Texas, there would still be a lot of space left around the edges. Spain is only about three-quarters the size of Texas, but it is a land full of surprises.

In northern Spain, the land is green with forests. There are mountains, too: the Pyrenees *(los Pirineos)*, which form the border between Spain and France. On the eastern coast, along the Mediterranean Sea, you will find some of the world's most beautiful beaches. The central part of Spain is flat, brown, and dry, while in the southern part there are areas of sandy desert that are somewhat like the American Southwest. Filmmakers often take advantage of this fact and make westerns or shoot desert scenes there. Somewhere in Spain you can find a landscape that resembles just about any place on earth.

We don't usually think of Spain as being cold. After all, in Madrid the average temperature in the *coldest* month of the year is 4.5° Celsius. That would seem quite warm to most North Americans in January. But the *madrileños*—the people of Madrid—think that during the winter their city is almost unbearable to live in. They do realize, however, that it is nice to be able to ski all winter long in the Sierra de Guadarrama, only an hour's drive away.

How, then, did Spain get a reputation for being a land of warmth and sunshine? Because it is very close to Africa, separated from the African nation of Morocco only by the very narrow Strait of Gibraltar. Winds that blow across the Sahara Desert carry dry heat into Spain and keep the southern coastline sunny and pleasant all year long. Why else would that area be called *la Costa del Sol* (the Sun Coast)?

PALABRAS NUEVAS I

To shop for clothing

To ask and tell how
much something costs

To describe things in
terms of color

To express preferences

¿Qué desea Ud., señorita?

**CONTEXTO
VISUAL**

la blusa

la falda

el zapato

la vendedora

el vestido

las pantimedias

**CONTEXTO
COMUNICATIVO**

1   VENDEDORA   **¿Qué desea Ud.**, señor?
     FRANCISCO   **¿Cuánto cuestan** los jeans?
     VENDEDORA   Cien pesos.*
     FRANCISCO   Son muy **caros.**

Variaciones:
- los jeans → los pantalones
- cien → ochenta
- caros → **baratos**

¿qué desea Ud.? *may I help
you?*

¿cuánto? *how much?*

¿cuánto cuesta(n)? *how much is
(are)?*

caro, -a *expensive*

barato, -a *cheap, inexpensive*

* The *peso* is the monetary unit in seven Spanish-speaking countries: Bolivia, Chile,
Colombia, Cuba, the Dominican Republic, Mexico, and Uruguay.

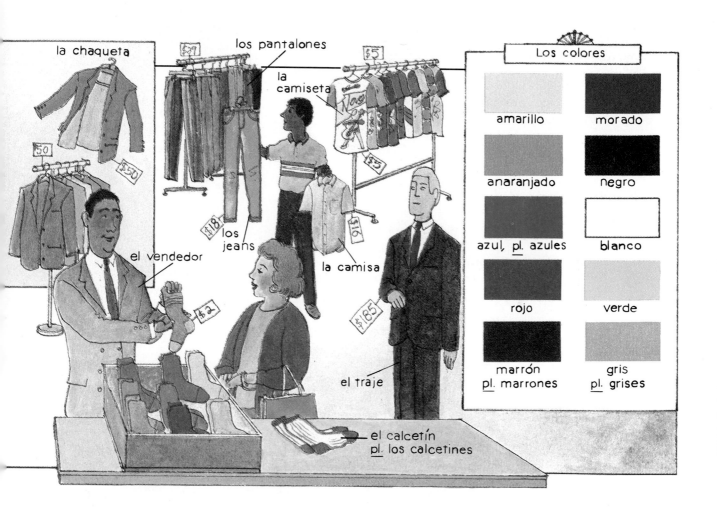

la chaqueta

los pantalones

la camiseta

Los colores

amarillo   morado

anaranjado   negro

azul, pl. azules   blanco

rojo   verde

marrón
pl. marrones   gris
pl. grises

el vendedor

los jeans

la camisa

el traje

el calcetín
pl. los calcetines

2 MAGDALENA **La ropa aquí** es muy bonita. Me gusta mucho
el vestido blanco.

    ALICIA   Pues, ¿por qué no **preguntas** cuánto cuesta?

■ blanco → verde
■ el vestido blanco → la chaqueta blanca

la ropa *clothing*
aquí *here*
**preguntar (yo pregunto, tú
preguntas)** *to ask*

3	CARLOS	**Busco** zapatos.
	VENDEDOR	**¿De qué color?**
	CARLOS	**Prefiero** zapatos negros.

- zapatos → calcetines
- negros → marrones

4	ELENA	Rosa, ¿por qué no **contestas la pregunta**?
	ROSA	¿Quién, yo?
	ELENA	Sí, tú. ¿Qué blusa prefieres **llevar** con la falda gris?
	ROSA	No sé, Elena. No sé.

- la falda → el traje
- gris → azul

5	EVA	Me encanta **comprar** ropa.
	LUIS	¿Por qué no **entras en la tienda,** entonces?
	EVA	Porque aquí la ropa es muy cara.

- cara → fea

---

buscar (yo busco, tú buscas) *to look for*

¿de qué color? *what color?*

(yo) prefiero, (tú) prefieres (from **preferir**) *to prefer*

contestar (yo contesto, tú contestas) *to answer*

la pregunta *question*

llevar (yo llevo, tú llevas) *to wear; to carry*

comprar (yo compro, tú compras) *to buy*

entrar (en) (yo entro, tú entras) *to go in, to enter*

la tienda *store*

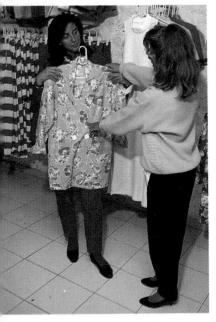

Almacenes grandes en Madrid

EN OTRAS PARTES

En la Argentina y el Perú se dice *la media*.

En la América Latina se dice también *el saco*, y en España se dice también *la americana*.

En Puerto Rico y la República Dominicana se dice *los mahones*, en España se dice *el pantalón vaquero* o *los vaqueros*.

En la Argentina y el Uruguay se dice *la pollera*.

En España se dice *los panty*. También se dice *la media pantalón* y *las medias pantalón*.

En México y en partes de la América del Sur se dice *de color café*.

PRÁCTICA

A **¿De qué color?**   Pretend that you are shopping with a friend who has difficulty telling colors apart. Ask and answer according to the model.

ESTUDIANTE A   *¿De qué color son los pantalones?*
ESTUDIANTE B   *Son marrones.*

1.

2.

3.

4.

5.

6.

7.

8.

9.

B ¿Cuánto cuesta?   Imagine that you are shopping in Mexico and need to ask the salesclerk how much things cost. With a partner, take turns playing the roles of the salesclerk and the customer.

ESTUDIANTE A   *¿Qué desea Ud., señor(ita)?*
ESTUDIANTE B   *¿Cuánto cuesta la camisa?*
ESTUDIANTE A   *Dieciséis pesos.*

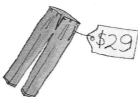

ESTUDIANTE A   *¿Qué desea Ud., señor(ita)?*
ESTUDIANTE B   *¿Cuánto cuestan los pantalones?*
ESTUDIANTE A   *Veintinueve pesos.*

1.   2.   3.

4.   5.   6.

7.   8.   9.

C ¿Cuál prefieres? In each case, tell which color item of clothing you prefer. Follow the model.

Prefiero los pantalones azules.

o: *Prefiero los pantalones negros.*

1. 2. 3.

4. 5. 6.

7. 8. 9.

D Hablemos de ti.

1. ¿Qué ropa llevas hoy?
2. ¿De qué color es?

ACTIVIDAD

¿Quién soy? On a sheet of paper, write a description of what the person to your right or immediately behind you is wearing. Begin the description, *Hoy llevo . . .* End the description, *¿Quién soy?* When everyone in the room has finished writing, put the papers into a bag. Each student then takes one out. One by one, each person reads aloud the description he or she has picked. The rest of the class guesses whose clothing is being described.

APLICACIONES

Aquí no hay polleras

San Juan, Puerto Rico, delante de[1] una tienda de ropa.

SIGA...CONOZCA EL EMBRUJO DE NUESTROS PRECIOS BAJOS

BLUSAS 799.
SLACKS 999.

SIGA Conozco NuesTros Precios BaJos

Una venta en Bogotá, Colombia

VENDEDOR	¡Ropa bonita y barata! ¡Hay blusas, faldas, chaquetas! ¡Ah! ¿Qué desea Ud., señorita?
CECILIA	Una pollera.
5 VENDEDOR	¿Una pollera? Aquí no hay polleras. Hay blusas, faldas, chaquetas . . .
CECILIA	¿No hay polleras aquí? Entonces, ¿qué es esto?[2]
VENDEDOR	Es una falda, señorita. Hay faldas de toda clase:[3] cortas y largas, blancas y negras, rojas y azules.
10	Muy bonitas y baratas.
CECILIA	Pero esto es una pollera. ¿Cuánto cuesta?
VENDEDOR	¿Una pollera? Es una *falda*, señorita. ¿Es Ud. de los Estados Unidos?
CECILIA	No, soy de la Argentina. En la Argentina las mujeres
15	llevan polleras.
VENDEDOR	Pues en Puerto Rico llevan faldas.

---

[1]**delante de**   *in front of*   [2]**esto**   *this*   [3]**de toda clase**   *of all kinds*

Preguntas

Contesta según el diálogo.

1. ¿Cómo es la ropa?   2. ¿Hay ropa cara?   3. ¿Qué desea Cecilia?
4. ¿Cómo se dice pollera en Puerto Rico?   5. ¿De dónde es Cecilia?
6. ¿Qué llevan las mujeres en Puerto Rico?

GRAN VENTA

$5 98

Participación

Work with a partner to make up a four- to six-line dialogue in Spanish between a clothing store salesclerk and a customer. Be sure to mention what the customer wants to buy, the color, the price, and perhaps the customer's likes and dislikes in clothing.

PRONUNCIACIÓN

In Spanish, the letter *h* is never pronounced.
Escucha y repite.

hoy   hasta   hablar   helado

¡Hasta luego!   Héctor es de Honduras.
Hoy no hay helado.   Me encanta hablar con Horacio.

◆ COMMUNICATIVE
OBJECTIVES

To ask about and
describe the weather
and climate

To express frequency

To offer a choice

CONTEXTO
VISUAL

PALABRAS NUEVAS II

¿Qué tiempo hace?

Las cuatro estaciones

la primavera

el verano

el otoño

el invierno

¿Qué tiempo hace?

Hace fresco.

Hace mal tiempo.

Hace calor.

Hace sol.

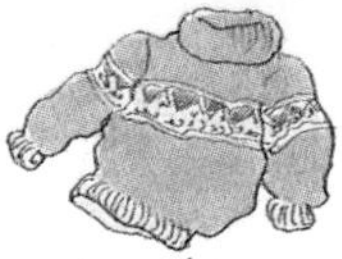

el suéter

la bota

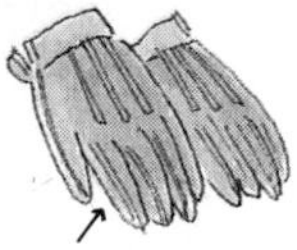

el guante

el sombrero

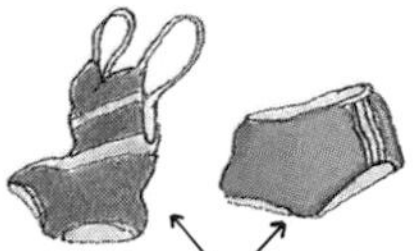

el traje de baño

la bufanda

pl. los trajes de baño

el abrigo

el paraguas

el impermeable

Hace buen tiempo.

Hace frío.

Nieva.

Llueve.

Hace viento.

CONTEXTO
COMUNICATIVO

1 CONSUELO **¿Qué tiempo hace** hoy?
ROBERTO Hace mal tiempo. Llueve.
CONSUELO ¿Hace viento también?
ROBERTO No, pero hace fresco.

Variaciones:
- mal → muy mal
- hace viento → hace mucho frío

2 EVA **Cuando** es verano aquí, es invierno en Chile.
MATEO ¿En qué meses hace calor, entonces?
EVA En enero y febrero.

- es verano → hace calor
- es invierno → hace frío

3 FELIPE ¿En qué estación llueve mucho aquí?
JORGE En la primavera. Pero llueve **a menudo** en el otoño también.

- la primavera → el verano
- a menudo → **a veces**

4 OLGA ¿Qué **haces** en el verano?
SERGIO Me gusta ir **de vacaciones.** Y tú, ¿qué haces?
OLGA **Nada. Tomo el sol** y no hago nada.

- ir de vacaciones → jugar al tenis

5 JAIME Me gustan los días de fiesta de diciembre.
LUISA **¿Cuáles?**
JAIME Oh, la Navidad . . . el fin de año . . . mi cumpleaños . . .

- diciembre → enero
  la Navidad → el Año Nuevo
  el fin de año → el cumpleaños de M. L. King

6 TOMÁS **¿Quiénes** son Mariana y Laura?
ÁNGELA Son estudiantes de Guatemala.

- estudiantes → muchachas

---

el tiempo *weather*
¿qué tiempo hace? *what's the weather like?*

cuando *when*

a menudo *often*

a veces *sometimes*

(yo) hago, (tú) haces (from hacer) *to do*
de vacaciones *on vacation*
(no...) nada *nothing, not anything*
tomar el sol (yo tomo, tú tomas) *to sunbathe*

¿cuál?, ¿cuáles? *which one(s)?*

¿quién?, ¿quiénes? *who?*

EN OTRAS PARTES

En España se dice *el jersey*,
y en Bolivia, Chile y el Perú
se dice *la chompa*.

En España se dice *el bañador*,
en la Argentina se dice
la malla, en Cuba se dice
la trusa, y en el Perú se
dice *la ropa de baño*.

En España se dice
la gabardina.

En la Argentina se dice
el sobretodo.

PRÁCTICA

A   ¿Qué tiempo hace?   Tell what the weather is according to the picture.

1.

2.

3.

4.

5.

6.

7.

8.

B **La ropa y el tiempo.** Different weather conditions influence your choice of clothes. Ask and answer based on the pictures.

cuando nieva

ESTUDIANTE A *¿Qué llevas cuando nieva?*
ESTUDIANTE B *Llevo botas y una bufanda.*

1. cuando hace frío   2. cuando hace calor

3. cuando hace fresco   4. cuando llueve

5. cuando hace mal tiempo 6. cuando hace frío

7. cuando llueve   8. Y tú, ¿cuándo llevas botas y guantes?

C **¿En qué estación?** With a partner, discuss in which season or seasons you prefer to do the following activities. Take turns asking and answering.

>   nadar
>   ESTUDIANTE A *¿En qué estación te gusta nadar?*
>   ESTUDIANTE B *En el verano.*

1. esquiar
2. montar en bicicleta
3. jugar al fútbol americano
4. jugar al tenis

5. jugar al béisbol
6. tomar el sol
7. jugar al básquetbol
8. ir de vacaciones

D **¿Cuándo llueve?** Imagine that a pen pal has asked about the weather in your hometown. Answer the questions based on the weather where you live.

1. ¿Qué tiempo hace en el verano?
2. ¿Qué tiempo hace en el invierno?
3. ¿En qué estación hace buen tiempo?
4. ¿Nieva mucho?
5. ¿Hace mucho calor en el verano?
6. ¿Hace mucho frío en el invierno?
7. ¿Llueve mucho? ¿Cuándo?
8. ¿Qué tiempo hace en la primavera y en el otoño?

E **Hablemos de ti.**
1. ¿Qué tiempo hace hoy?
2. ¿Qué estación del año te gusta más? ¿Por qué?
3. ¿Qué estaciones o meses no te gustan? ¿Por qué?
4. ¿Cuándo te gusta ir de vacaciones?

ESTUDIO DE PALABRAS

There are many words that are similar in Spanish and English. They usually have the same meaning. Some are loanwords, but some came into both Spanish and English from other languages. Words in different languages that come from the same source are called *cognates*.

1. Some cognates are spelled alike but are pronounced differently.

>   capital   popular   radio   color

2. Some are less similar but are still recognizable.

>   clase   plato   tenis   música   teléfono   guitarra

EXPLICACIONES I

Verbos que terminan en *-ar*

◆ COMMUNICATIVE
OBJECTIVES

**To express what you
and others do regularly
or are doing now**

**To explain why or
why not**

Most verbs name actions. To sing, to talk, to dance are all verbs. If you
look up a verb in a Spanish dictionary, the form you will find is called the
infinitive. In English, the infinitive has the word "to" in front of the verb.
In Spanish, the infinitive always ends in *-ar*, *-er*, or *-ir*. *Cantar*, *hablar*,
bailar are all infinitives.

Ser, which you learned in Capítulo 2, is called an irregular verb. No other
verb is like it. But many Spanish verbs are regular, that is, they follow a
pattern. There are three groups of regular verbs. The infinitive of the first
group ends in *-ar*. For example:

$$cantar \ = \ cant \ + \ ar \qquad\qquad hablar \ = \ habl \ + \ ar$$

Here are all of the forms of *cantar* in the present tense. The main part of
the verb—the stem—does not change. But notice how the endings change
according to which person does the action.

Un concierto de rock
en Madrid, España

INFINITIVO **cantar**

SINGULAR			PLURAL		
1	(yo)	cant**o** — *I sing / I'm singing*	(nosotros) (nosotras) } cant**amos**		*we sing / we're singing*
2	(tú)	cant**as** — *you sing / you're singing*	(vosotros) (vosotras) } cant**áis**		*you sing / you're singing*
3	Ud. }	canta — *you sing / you're singing*	Uds. }	cant**an**	*you sing / you're singing*
	(él) }	canta — *he sings / he's singing*	(ellos) }		*they sing / they're singing*
	(ella) }	— *she sings / she's singing*	(ellas) }		*they sing / they're singing*

Look at the English equivalents.

A veces **canta**.   *Sometimes he **sings**.*
Canta ahora.   *He**'s singing** now.*

The Spanish present tense is equivalent to *both* "I sing, you sing, he or she sings," etc., *and* to "I'm singing, you're singing, he's or she's singing," etc.

1 Here are all of the regular *-ar* verbs that you know:

ayudar	*to help*	**hablar**	*to speak, to talk*
bailar	*to dance*	**lavar**	*to wash*
buscar	*to look for*	**llevar**	*to wear; to carry*
cantar	*to sing*	**mirar**	*to look at, to watch*
cocinar	*to cook*	**montar (en)**	*to ride*
comprar	*to buy*	**nadar**	*to swim*
contestar	*to answer*	**practicar**	*to practice*
entrar (en)	*to enter, to go in (to)*	**preguntar**	*to ask*
escuchar	*to listen (to)*	**tocar**	*to play (an instrument)*
esquiar	*to ski*	**tomar el sol**	*to sunbathe*
estudiar	*to study*	**trabajar**	*to work*

2 The verb *esquiar* has an accent mark in all its present-tense forms except the *nosotros* form.

esquío	esquiamos
esquías	esquiáis
esquía	esquían

Un concierto de música popular en San Juan, Puerto Rico

PRÁCTICA

A ¿Qué haces? Imagine that every Saturday you do the activities shown in each picture. Ask and answer based on the picture.

ESTUDIANTE A *¿Qué haces los sábados?*
ESTUDIANTE B *Canto.*

B ¿Por qué? Ask and answer based on the model.

bailar / escuchar la radio
ESTUDIANTE A *¿Por qué no bailas?*
ESTUDIANTE B *Porque prefiero escuchar la radio.*

1. hablar / escuchar música
2. nadar / tomar el sol
3. entrar en la tienda / hablar con mi amiga
4. comprar comida mexicana / cocinar
5. preguntar / buscar en el libro
6. esquiar / mirar la tele
7. ayudar en casa / jugar al fútbol
8. cantar / tocar la guitarra

C Ellos también. Imagine that someone else always does the same things as you. Follow the model.

>   tocar la guitarra / Juan
>   ESTUDIANTE A *Toco la guitarra.*
>   ESTUDIANTE B *Juan toca la guitarra también.*

1. cantar en español / Ester
2. nadar cuando hace calor / él
3. trabajar en casa / Manuel
4. estudiar español / ella

5. buscar una bicicleta / Teresa
6. comprar zapatos grises / Tomás
7. bailar mucho / ella
8. llevar un suéter / él

D ¿Y Ud., profesor(a)? How do you think your teacher would answer these questions? With a partner, take turns playing the roles of student and teacher. Give any answers you choose, but say more than just *sí* or *no*.

>   cocinar sólo comida mexicana
>   ESTUDIANTE *Ud. cocina sólo comida mexicana, ¿verdad?*
>   PROFESOR(A) *Sí. (Me encanta la comida mexicana.)*
>   o: *No. (Cocino comida americana también.)*

1. llevar un paraguas cuando llueve
2. trabajar mucho
3. hablar español muy bien
4. tocar la guitarra

5. escuchar sólo música clásica
6. practicar deportes los sábados
7. tomar el sol cuando hace calor
8. mirar la tele a menudo
9. contestar muchas preguntas

E ¿Y Uds.? Now pretend the tables are turned and the teacher is asking the class the questions in Práctica D. With a partner, take turns playing the roles of teacher and student. The "student" should answer according to how he or she thinks the majority of the class would answer.

>   cocinar sólo comida mexicana
>   PROFESOR(A) *Uds. cocinan sólo comida mexicana, ¿verdad?*
>   ESTUDIANTE *Sí. (Cocinamos sólo comida mexicana.)*
>   o: *No. (Cocinamos comida americana también.)*
>   o: *No, no cocinamos.*

F **¿Qué verbo?** Complete the sentences using the correct form of the appropriate verb in parentheses.

1. Los muchachos de Colombia *(escuchar, hablar)* español.
2. Cuando llueve, tú *(cocinar, llevar)* botas, pero yo sólo *(llevar / mirar)* un paraguas.
3. ¿Qué *(escuchar, mirar)* Uds.? ¿Música clásica?
4. Hace buen tiempo. ¿Por qué no *(entrar / montar)* nosotros en bicicleta?
5. Los profesores *(comprar / entrar en)* la tienda a menudo pero no *(comprar / contestar)* discos.
6. Él *(lavar / llevar)* un traje de baño cuando *(tocar / tomar)* el sol.
7. Cuando yo *(buscar / preguntar)* cuánto cuesta el vestido, la vendedora no *(contestar / practicar)*.
8. Los sábados las muchachas *(estudiar / trabajar)* en una tienda de ropa.
9. Aquí nieva mucho y los estudiantes *(esquiar / nadar)* a menudo.

Estudiantes en la Universidad de Puerto Rico

Sujetos compuestos

In Spanish, just as in English, we can use two subject pronouns together or a subject pronoun with a noun. For example, when you are talking about yourself and someone else, you really mean "we," and in Spanish we use the *nosotros* form of the verb.

Tomás y yo (= nosotros) estudiamos. *Tomás and I (= we)* } *study.*
are studying.

Tú y yo (= nosotros) escuchamos. *You and I (= we)* } *listen.*
are listening.

◆ COMMUNICATIVE OBJECTIVES

To express what more than one specific person is doing

To contradict

1 When you are speaking to more than one person—even if you call one of them *tú*—you use the *ustedes* form of the verb.

Tú y Luz (= ustedes) trabajan aquí, ¿no?   *You and Luz (= you pl.) work here, don't you?*

2 When you are talking about more than one person or thing, you use the *ellos / ellas* form.

María y él (= ellos) hablan.   *María and he (= they) are talking.*
María y ella (= ellas) hablan.   *María and she (= they) are talking.*
La blusa y la falda (= ellas) son azules.   *The blouse and skirt (= they) are blue.*

PRÁCTICA

A **¿Quiénes?** Complete each sentence using the correct form of the verb. Follow the model.

> Roberto, Ana y yo _____ en casa. *(ayudar)*
> *Roberto, Ana y yo ayudamos en casa.*

1. Arturo y yo _____ con José. *(hablar)*
2. María, Ana y tú _____ a menudo. *(bailar)*
3. Ella y yo _____ en la fiesta. *(cantar)*
4. Tú y Lucía _____ básquetbol. *(practicar)*
5. Luis, Carmen y yo _____ zapatos rojos. *(llevar)*
6. Esteban y él _____ guantes. *(comprar)*
7. Usted, Olga y yo _____ en el cine. *(entrar)*
8. Ella y Luisa _____ en la tienda de ropa. *(trabajar)*

En Córdoba, España

B **¿Qué hacen Uds. los sábados?** With a partner, take turns asking what each of you might do with a friend on Saturdays. Use the verbs in the list below. Follow the model.

ESTUDIANTE A *Tú y tu amigo(a) cocinan los sábados, ¿no?*
ESTUDIANTE B *Sí, cocinamos.*
         o: *No, no cocinamos. Estudiamos.*

ayudar en casa
cocinar
comprar (discos, etc.)
esquiar
estudiar (para exámenes)
tocar la guitarra
lavar (la ropa, etc.)

mirar la tele
montar en bicicleta
nadar
practicar (básquetbol, etc.)
tomar el sol
escuchar (cintas, etc.)
trabajar (en la tienda o en casa)

C **Hablemos de ti.**
1. ¿Qué haces en el verano?
2. ¿Qué haces los sábados?

ACTIVIDAD
Ustedes y yo hablamos . . . Get together in groups of three or four to play this sentence-building card game. First write all of the 22 regular -*ar* verbs that you know on separate index cards. Write them in the infinitive form. (The complete list is on page 127.) On another set of 22 cards write 10 subject pronouns (*yo, tú, Ud., él, ella, nosotros, nosotras, Uds., ellos, ellas*) plus 12 compound subjects, such as *Ana y yo*.

Take turns drawing one card from each set and making up a sentence of at least four words. A player who makes up a correct sentence keeps those two cards. Otherwise, he or she puts those cards at the bottom of the appropriate pile. When all of the cards have been taken, the person who has the most cards wins.

APLICACIONES

¿Qué tiempo hace?

¿Qué pasa en el dibujo? ¿Qué tiempo hace? ¿Qué haces tú cuando hace mal tiempo?

Make up a four- to six-line dialogue in which two students talk about what they like to do on Sundays when it's raining and cold.

EXPLICACIONES II

Preguntas

◆ COMMUNICATIVE
OBJECTIVES
To request information
To ask for clarification
To express opinions

1   When we ask a question in Spanish, we usually put the subject after the verb, or sometimes at the end of the sentence. An upside down question mark indicates where the question begins.

¿Lleva Norma una blusa azul?   *Is Norma wearing a blue blouse?*
¿Es rojo el vestido?   *Is the dress red?*
¿Trabaja mucho Luis?   *Does Luis work a lot?*

2   You can also ask a question by adding *¿verdad?* or *¿no?* at the end of a statement. We usually do that when we expect the answer to be yes.

Hace calor, ¿verdad?   *It's hot, isn't it?*
Él estudia mucho, ¿no?   *He studies a lot, doesn't he?*

3   Here is a list of question words that you know.

¿Qué? *What?, Which?*   **¿Quién? ¿Quiénes?** *Who?, Whom?*
¿Por qué? *Why?*   **¿Cuál?** *Which one?, What?*
¿Cuándo? *When?*   **¿Cuáles?** *Which ones?, What?*
¿Dónde? *Where?*   **¿Cuánto?** *How much?*
¿Cómo? *How?*   **¿Cuántos? ¿Cuántas?** *How many?*

Notice that all of the words have accent marks. When we are not using them in a question, we do not use the accent mark.

Cuando es verano aquí, es invierno en Chile.   ***When** it's summer here, it's winter in Chile.*

4   Notice that Spanish has a plural word for "who?"—*¿quiénes?* We use the plural form when we know or are pretty sure that the answer will be plural.

¿**Quiénes** bailan?   *Who is dancing?*
¿**Con quiénes** te gusta jugar al básquetbol?   *Whom do you like to play basketball with?*

PRÁCTICA

A **¿Y ellos?** Gabriela is telling a friend how well and how often she does things. Ask and answer based on the model. Choose your final comment from the list at the right.

> bailar bien / Carlos
> ESTUDIANTE A *Bailo bien.*
> ESTUDIANTE B *¿Y Carlos? ¿Baila bien él?*
> ESTUDIANTE A *Bastante bien.*

1. estudiar mucho / Leonor
2. cocinar a veces / Raúl
3. cantar bien / Consuelo y Elena
4. ayudar en casa / Olga
5. esquiar bien / Andrés
6. nadar a menudo / Daniel y Raquel
7. tocar bien la guitarra / Gustavo
8. trabajar mucho / Antonio y Diego

¡Ah, sí!
Bastante bien.
¡Cómo no!
No sé.
¡Uf!

B **Te gusta, ¿verdad?** Pretend that you and a friend are in a store, pointing out things you like. Use any adjectives that make sense.

> ESTUDIANTE A *El vestido es bonito, ¿verdad?*
> ESTUDIANTE B *Sí, y la chaqueta también.*

1. 2. 3. 4.

5. 6. 7. 8.

C Por teléfono. Imagine that you are talking on the phone and the connection is very bad. You must keep asking your friend to repeat certain words. Follow the model.

> ESTUDIANTE A *Carolina y yo estudiamos español. (¿Quiénes?)*
> ESTUDIANTE B *¿Quiénes estudian español?*
> ESTUDIANTE A *Carolina y yo.*

1. Carolina toca ahora la guitarra. (¿Qué?)
2. Ella canta con César. (¿Con quién?)
3. César es un muchacho guapo y simpático de Colombia. (¿Cómo?)
4. César y Carolina cantan muy bien. (¿Cómo?)
5. Ellos practican en la escuela los lunes. (¿Cuándo?)
6. Los sábados trabajo en una tienda muy grande. (¿Dónde?)
7. En la tienda hay cinco vendedoras. (¿Cuántas?)
8. La ropa es muy bonita y barata. (¿Cómo?)
9. Hoy hace mal tiempo aquí. (¿Dónde?)
10. Prefiero el invierno porque me gusta esquiar. (¿Por qué?)

D Otra vez, por favor. The telephone connection was so bad during the previous conversation that you couldn't concentrate on what your friend was saying. Ask new questions about the parts of each statement that are in italics. Follow the model.

> Carolina y yo estudiamos *español.*
> *¿Qué estudian Uds.?*
> *Español.*

1. *Carolina* toca ahora la guitarra.
2. *Ella* canta con César.
3. César es un muchacho guapo y simpático *de Colombia.*
4. *César y Carolina* cantan muy bien.
5. Ellos practican *en la escuela* los lunes.
6. Los sábados trabajo en una tienda *muy grande.*
7. *En la tienda* hay cinco vendedoras.
8. *La ropa* es muy bonita y barata.
9. *Hace mal tiempo* hoy.
10. Prefiero *el invierno* porque me gusta esquiar.

Frases negativas

To make a sentence negative, we put *no* before the verb.

◆ COMMUNICATIVE
OBJECTIVES
To say no
To explain why not
To contradict

> Ana María **no** trabaja.   *Ana María doesn't work.*
> **No** busco los guantes.   *I'm **not** looking for the gloves.*

1   To answer no to a question in Spanish, we usually use the word *no* twice. The first *no* answers the question, and the second *no* makes the sentence negative.

> ¿Es española tu profesora?   *Is your teacher Spanish?*
> **No, no** es española. Es cubana.   *No, she isn't Spanish. She's Cuban.*
>
> ¿No llevas un abrigo?   *Aren't you wearing a coat?*
> **No, no** hace frío.   *No, it's **not** cold.*

2   We also put *no* before the verb when we use *nada.*

> **No** hago **nada.**   *I'm **not** doing **anything.***
> **No** estudiamos **nada.**   *We aren't studying **anything.***

Una mujer mexicana y su hija cocinan en Guadalajara.

PRÁCTICA

A **Hoy no.** Adults never seem to think teenagers are dressed right for the weather. Ask and answer in the negative, giving a reason based on the weather. Follow the model.

> paraguas
> ESTUDIANTE A   *¿No llevas el paraguas?*
> ESTUDIANTE B   *No, no llueve.*

1. ¿botas?
2. ¿un abrigo?
3. ¿pantalones cortos?
4. ¿un suéter?

5. ¿una bufanda?
6. ¿un impermeable?
7. ¿guantes?
8. ¿un sombrero?

B **¿Sí o no?** Some of your friends do certain things but not others. With a partner, ask each other and answer truthfully whether you do the following sometimes, often, or not at all. Follow the model.

> ESTUDIANTE A   *¿Trabajas los domingos?*
> ESTUDIANTE B   *Sí, trabajo a veces los domingos.*
> o: *No, no trabajo los domingos.*

1. trabajar los sábados
2. tocar música clásica
3. mirar la tele a las tres de la mañana
4. esquiar en el invierno
5. montar en bicicleta cuando nieva
6. comprar helados cuando hace frío
7. llevar un paraguas cuando hace viento
8. tomar el sol cuando hace calor

C **Hoy no hago nada.** Some people don't do anything. Ask and answer in the negative based on the model.

> estudiar español
> ESTUDIANTE A   *¿No estudias español?*
> ESTUDIANTE B   *No, no estudio nada.*

1. cocinar comida mexicana
2. tocar la guitarra
3. mirar la televisión
4. cantar "Cielito lindo"
5. comprar discos
6. lavar las ventanas
7. preguntar cuánto cuesta
8. hacer la tarea

D Hablemos de ti.

1. ¿Qué tiempo hace hoy?
2. ¿Qué ropa llevas cuando hace mal tiempo? ¿Qué llevas cuando hace mucho calor?
3. ¿Practicas deportes? ¿Cuáles? ¿Cuál te gusta más?

ACTIVIDAD

¿Por qué? ¡Porque . . . !   Divide the class into two teams. The teacher assigns each student one of the question words: *qué, por qué, cuándo, dónde, cómo, quién, quiénes, cuál, cuáles, cuánto, cuántos,* or *cuántas.* Students then take turns asking members of the other team questions using the words they have been given. For example, if you are given the word *¿qué?*, you might ask *¿Qué tiempo hace?* or *¿Qué llevas hoy?* or *¿Qué día es hoy?* A student on the other team must answer your question. Teams get one point for a correct question and one point for a correct answer. If a student forms an incorrect question or makes a mistake in answering, the other team gets a chance to try for the point. The game continues until everyone has had at least one turn. The team that has the most points wins.

APLICACIONES

REPASO

Tiendas en la Ciudad de
México y en Buenos Aires

Look carefully at the model sentences. Then put the English cues into
Spanish to form new sentences based on the models.

1. *Hoy nieva. Rogelio y yo escuchamos discos.*
   (*It's hot today. You* (fam.) *and she are looking for hats.*)
   (*It's cold now. Marta and I are wearing jackets.*)
   (*It's sunny today. You* (formal) *and he are buying bathing suits.*)

2. *Una mujer entra en la tienda y pregunta: "¿Cuánto cuestan las faldas
   blancas?"*
   (*I go into the store and ask: "How much does the purple dress cost?"*)
   (*We go into the store and ask: "How much does the brown coat cost?"*)
   (*They go into the store and ask: "How much do the red socks cost?"*)

3. *Ud. contesta: "Ochenta pesos, señor."*
   (*We answer: "Fifty pesos, ma'am."*)
   (*They answer: "Seventy pesos, sir."*)
   (*You* (fam.) *answer: "Twenty-five pesos, miss."*)

4. *"¡Es bastante barato!"*
   (*"It's very old* (fem.)*!"*)
   (*"They're rather short* (masc.)*!"*)
   (*"They're too yellow* (fem.)*!"*)

5. *Los hombres no escuchan nada.*
   (*You* (fam.) *don't study anything.*)
   (*You* (pl.) *don't cook anything.*)
   (*We don't sing anything.*)

140

TEMA

Put the English captions into Spanish to form a paragraph.

1. It's raining today. Elena and Clara are looking for raincoats.

2. The girls go into the store and ask, "How much does the yellow raincoat cost?"

3. The salesclerk answers, "Ninety pesos, miss."

4. "It's too expensive."

5. Clara and Elena don't buy anything.

REDACCIÓN

Now you are ready to write your own dialogue or paragraph. Choose one of the following topics.

1. Write a brief paragraph of four to six lines based on the *Tema*. Describe Clara and Elena. What do they look like? What are they wearing?

2. Write a four- to six-line paragraph describing the items in the store pictured on pages 112–113. Tell what some of them are, what colors they are, their prices, and which ones you like.

3. Write a four- to six-line dialogue between a teenager and his or her parent in a clothing store.

COMPRUEBA TU PROGRESO   CAPÍTULO 3

A   La ropa
Write sentences that tell what each person is
wearing and the color of each item of clothing.

1.
Leonor

2.
Federico

B   Los verbos -*ar*
Complete each sentence using the correct form of
the verb in parentheses.

1. Elena _____ muchas blusas.   *(comprar)*
2. (Yo) _____ el sol en el verano.   *(tomar)*
3. Las señoras _____ en la escuela.   *(entrar)*
4. ¿No _____ (tú) un abrigo?   *(llevar)*
5. (Nosotros) _____ el gato.   *(buscar)*
6. Tú y Jaime _____ el teléfono.   *(contestar)*
7. Pepe y yo _____ muy bien.   *(bailar)*
8. Ud. _____ la televisión.   *(mirar)*
9. David y Luisa _____ en bicicleta.   *(montar)*
10. Ud. y Ana _____ discos.   *(escuchar)*

C   ¿Qué tiempo hace?
Tell what the weather is like in each picture.

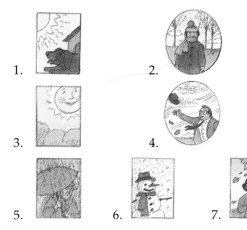

1.   2.

3.   4.

5.   6.   7.

D   Pregúntas
Make each statement into a question.

María habla español.
¿Habla María español?

1. Ud. trabaja en el verano.
2. Los muchachos escuchan la radio.
3. Él toca la guitarra.
4. Uds. miran el mapa.
5. Luz lleva un paraguas.
6. Ud. compra un traje de baño.

E   ¿Verdad?
Now, using the items in Exercise D, form
questions using *¿no?* for the first three and
¿verdad? for the last three.

F   Más preguntas
For each statement, form a question asking about
the part of the sentence that is in italics.

Estudio *español*.
¿Qué estudias?

1. *La profesora* lleva botas.
2. Eduardo monta en bicicleta *ahora*.
3. Nado *muy bien*.
4. Hay *dos* bolígrafos en la mesa.
5. Somos *de los Estados Unidos*.
6. Canto *porque me gusta la música*.
7. El abrigo cuesta *cien pesos*.
8. Prefiero *los gatos negros*.

G   No
Answer each question in the negative using a
complete sentence.

1. ¿Entra la Sra. Arias en la tienda?
2. ¿Tomas el sol en el invierno?
3. ¿Lleva pantimedias Ana cuando hace calor?
4. ¿Te gustan los zapatos rojos?
5. ¿Compran Uds. un impermeable?
6. ¿Son gordos los gatos?

VOCABULARIO DEL CAPÍTULO 3

Sustantivos

el abrigo
la blusa
la bota
la bufanda
el calcetín, *pl.* los calcetines
la camisa
la camiseta
el color
la chaqueta
la estación, *pl.* las estaciones
la falda
el guante
el impermeable
el invierno
los jeans
el otoño
los pantalones
las pantimedias
el paraguas
el peso
la pregunta
la primavera
la ropa
el sombrero
el suéter
el tiempo
la tienda (de + *noun*)
el traje
el traje de baño
el vendedor, la vendedora
el verano
el vestido
el zapato

Pronombres

(no…) nada

Adjetivos

amarillo, -a
anaranjado, -a
azul
barato, -a
blanco, -a
caro, -a
gris, *pl.* grises
marrón, *pl.* marrones
morado, -a
negro, -a
rojo, -a
verde

Verbos

buscar
comprar
contestar
entrar (en)
llevar
preguntar

llueve
nieva

(yo) hago
(tú) haces

(yo) prefiero
(tú) prefieres

Adverbios

a menudo
a veces
aquí
cuando

Palabras interrogativas

¿cuál, -es?
¿cuánto?
¿quién, -es?

Expresiones

¿cuánto cuesta(n)?
¿de qué color…?
de vacaciones
hace buen tiempo
hace calor
hace fresco
hace frío
hace mal tiempo
hace sol
hace viento
¿qué desea Ud.?
¿qué tiempo hace?
tomar el sol

CAPÍTULO 4

PRÓLOGO CULTURAL

EL TRANSPORTE PÚBLICO

Getting around in Latin America can be more of an adventure than you might imagine. It can mean hanging on to your seat as the train barrels down the mountain pass known as *La nariz del diablo* (the Devil's Nose) on the way to Guayaquil, Ecuador. Or it can mean sharing your seat with a crate of chickens on a bus ride through rural areas. If you travel by plane, you will find that some airports are located in regions so mountainous that planes are forced to make almost vertical takeoffs and landings.

The bus is by far the most popular means of travel in Latin America. Buses go wherever there are roads—and even a few places where roads probably won't ever be built.

In large cities, public transportation is usually very good. Countless taxis zoom along the crowded streets, but they are too expensive for most people. Collective taxis—*colectivos*—operate in many cities. These are vans or minibuses that pick up and drop off passengers along a fixed route. Because they are shared by several travelers, *colectivos* are very inexpensive.

There are up-to-date subway systems in Buenos Aires, Santiago, Caracas, and Mexico City. Mexico City's subway is one of the most interesting in the world. Construction was begun during preparations for the 1968 Olympic Games. When workers began to dig, they struck buried treasure: artifacts and ruins of the ancient Aztec civilization whose capital had stood there centuries before. Archeologists, engineers, and builders worked night and day to complete the subway while preserving this fantastic discovery. Today some subway stations are mini-museums. If you used the Pino Suárez station, for example, you would pass right by a temple dedicated to the Aztec god of the wind.

◆ COMMUNICATIVE
OBJECTIVES
To express frequency
To express desires

PALABRAS NUEVAS I

¿Adónde vas?

**CONTEXTO
VISUAL**

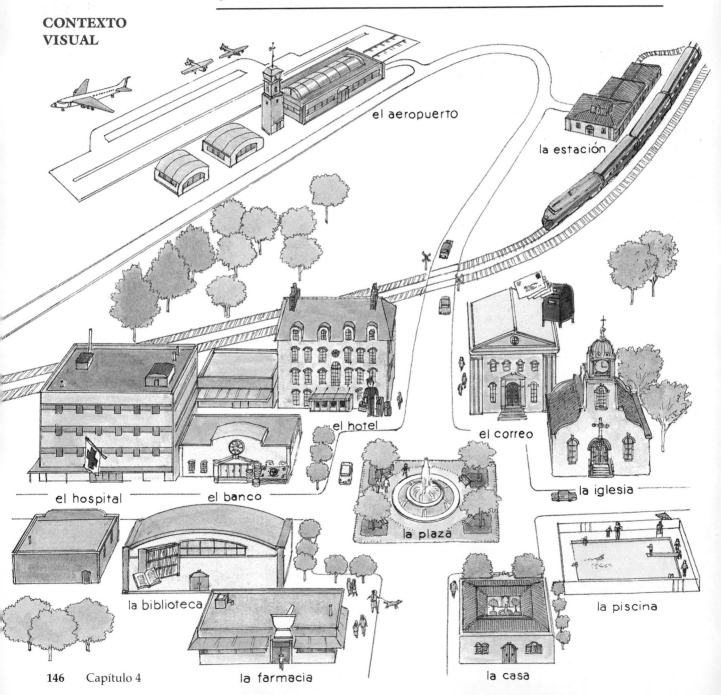

el aeropuerto

la estación

el hotel

el correo

la iglesia

el hospital

el banco

la plaza

la biblioteca

la piscina

la farmacia

la casa

146   Capítulo 4

CONTEXTO
COMUNICATIVO

1 JUDIT   ¿Qué haces **durante el fin de semana**?
ALFREDO   A veces **voy al** cine. Pero prefiero ir **a la** piscina.
JUDIT   ¿Con quién vas al cine?
ALFREDO   Con **mis** amigos.

Variaciones:
- el fin de semana → el verano
- a la piscina → **al campo**

2 ENRIQUE   **¿Quieres** jugar al fútbol?
DANIEL   Ahora no. Voy **al centro.**
ENRIQUE   ¿Al centro? ¿Por qué?
DANIEL   Porque quiero comprar una camisa.
ENRIQUE   ¿Y **después**?
DANIEL   Después voy **a casa.**

- al centro → a **la ciudad**
- a casa → al correo
- después → más tarde

3 JORGE   **¿Adónde** vas **esta noche**?
PILAR   Voy a una fiesta. ¿Y tú?
JORGE   Yo también. Voy a tocar mi guitarra.
PILAR   ¡Ah! Y la semana **próxima** hay una fiesta en la escuela.

- esta noche → mañana
- la semana próxima → el viernes
- la semana próxima → el mes próximo
- en la escuela → en la plaza

4 MARGARITA   **Vamos juntas** a la biblioteca, Laura.
LAURA   No, no quiero. Prefiero estudiar más tarde en casa.

---

durante   *during*
el fin de semana, *pl.* **los fines de semana**   *weekend*
(yo) voy, (tú) vas (from **ir**) *to go*
a   *to*
a la, al (a + el)   *to the*
mis (with pl. nouns)   *my*

el campo   *country, countryside*

(yo) quiero, (tú) quieres (from **querer**)   *to want*
el centro   *downtown*
al centro   *(to) downtown*
después   *afterwards, later*
a casa   *(to one's) home*
la ciudad   *city*

¿adónde?   *(to) where?*
esta noche   *tonight*

próximo, -a   *next*

vamos   *let's go*
juntos, -as   *together*

5 ELISA ¿**Siempre** vas a la escuela con **tus** amigas?

JUANA No, **nunca**. Prefiero ir **sola**.

■ a la escuela → al centro

siempre *always*
tus (with pl. nouns) *your*
nunca *never*
solo, -a *alone*

EN OTRAS PARTES

También se dice *la botica*.

En la Argentina se dice *la pileta* y en México, *la alberca*.

PRÁCTICA

A ¿Adónde vas? Imagine that you have a list of places you must go. Ask and answer each question according to the model. Be careful! With masculine nouns use *al*, and with feminine nouns use *a la*.

ESTUDIANTE A *¿Adónde vas ahora?*
ESTUDIANTE B *Voy al banco.*
ESTUDIANTE A *¿Y después?*
ESTUDIANTE B *A la biblioteca.*

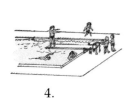

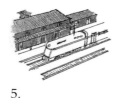

1. 2. 3.

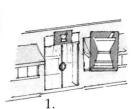

4. 5. 6.

148 Capítulo 4

B **¿Por qué?** Working with a partner, take turns asking and answering why you go to a certain place. Choose your reasons from the column at the right (or give other reasons if you can).

¿Por qué vas . . .
a la biblioteca?
a la piscina?
a la estación?
a la tienda?
a la escuela?
al centro?
al aeropuerto?
al campo?
a casa?

Porque quiero . . .
ir de vacaciones
mirar la tele
trabajar
ir a *(nombre de un país)*
ir a la clase de español
hacer la tarea
leer (libros, el periódico)
estudiar
nadar
comprar ropa (o una chaqueta, discos, etc.)
tomar el sol

C **Hablemos de ti.**
1. ¿Te gusta ir al centro? ¿Por qué? ¿Qué haces cuando vas al centro?
2. ¿Hay muchos o pocos hoteles en tu ciudad? ¿Hay muchas o pocas iglesias? ¿Sabes *(do you know)* cuántas bibliotecas hay? ¿Hay una estación o un aeropuerto? ¿Es pequeño o grande el aeropuerto?
3. ¿Qué quieres hacer esta noche?
4. ¿Adónde quieres ir durante el fin de semana? ¿Con quién?
5. ¿Qué quieres hacer durante el verano próximo?

ACTIVIDAD

¿Adónde quieres ir? Working with a partner, draw a map of an imaginary town. In the center put *la plaza.* Then use symbols, not words, for the various locations. Include at least ten of the buildings and locations that you have learned.

When you have finished, tell your partner where you are going. Begin at the *plaza* and name at least four places. For example:

Voy al cine. Después quiero ir a la farmacia. Más tarde voy a la estación y después a casa.

As you tell where you are going, your partner should use a colored pencil to draw your route on the map. Check to make sure your partner drew the route correctly. Then switch roles and use a different color to draw the route your partner describes. Remember: Use *al* with masculine nouns and *a la* with feminine nouns.

APLICACIONES

Vamos a la piscina

El sábado a las tres de la tarde en Miami, Florida.

ALBERTO	Hola, Cecilia, ¿adónde vas?
CECILIA	Voy a nadar en la piscina de Andrea.[1] ¿Quieres ir?
ALBERTO	¿A la piscina de Andrea? ¡Nunca!
CECILIA	¿Por qué no? Su[2] piscina es pequeña, pero muy bonita.
ALBERTO	Sí, pero su perro es enorme y muy feo.
CECILIA	Entonces, voy sola.
ALBERTO	Pues, yo voy al cine. Allí[3] no hay perros.

En México

---

[1]**de Andrea** *Andrea's*   [2]**su** *her*   [3]**allí** *there*

Preguntas
Contesta según el diálogo.

1. ¿Qué día es?   2. ¿Qué hora es?   3. ¿Cómo es la piscina de Andrea?   4. ¿Cómo es su perro?   5. ¿Adónde va Cecilia?   6. Y Alberto, ¿adónde va? ¿Por qué?

Participación

Working with a partner, make up a dialogue of four to six lines in which one of you wants to do one thing and the other doesn't. You end up going to different places. Where does each of you want to go? Why doesn't the other want to go there?

PRONUNCIACIÓN

A Except at the beginning of a word or after *l* or *n*, you pronounce the letter *r* by tapping the tip of your tongue once on the ridge behind your upper teeth. The sound is similar to the *dd* in the English word "ladder."

Escucha y repite.

para	tarea	número	americano	periódico
grande	centro	abrigo	pupitre	escritorio
ser	color	leer	hablar	popular

B To make the sound of the letter *rr*, you tap your tongue several times on the ridge behind your front teeth.

Escucha y repite.

churro	perro	burrito	pizarra	guitarra

C When *r* is the first letter of a word or comes after *l* or *n*, it is pronounced like the *rr*.

Escucha y repite.

rojo	ropa	radio	rubio	reloj
Enrique	enrolar	alrededor		

D Escucha y repite

El hombre es rubio.   Enrique compra un abrigo amarillo.
El aeropuerto es enorme.   El pájaro es rojo, pero el perro es negro.

To ask and tell how someone is going somewhere

PALABRAS NUEVAS II

¿Cómo vas?

CONTEXTO VISUAL

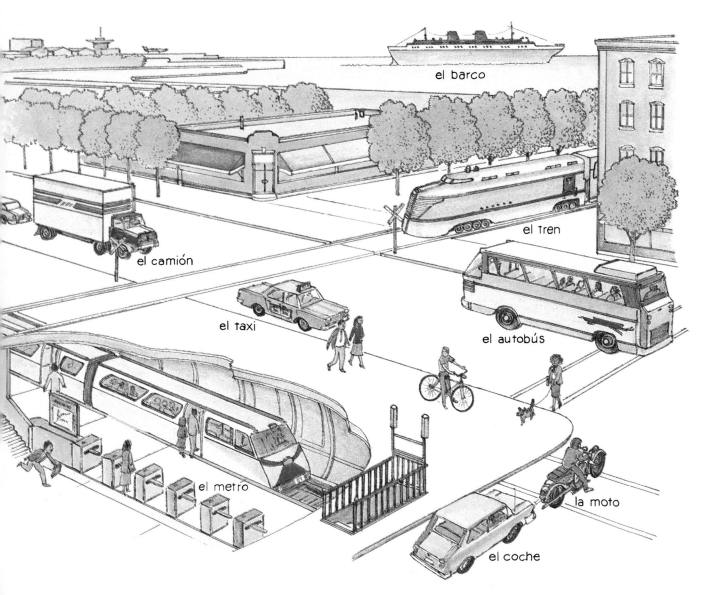

el avión

el barco

el tren

el camión

el taxi

el autobús

el metro

la moto

el coche

CONTEXTO COMUNICATIVO

1   Cuando hace buen tiempo, siempre voy a la escuela **a pie.**
    Cuando hace mal tiempo, voy **en** autobús. Y tú, ¿cómo vas a
    la escuela?

a pie	*on foot, walking*
en + vehicle	*by*

Variaciones:
- a pie → en bicicleta
- a pie → en moto
- hace buen tiempo → hace sol
- hace mal tiempo → llueve

2   SR. GÓMEZ   En España los trenes son muy **buenos,** ¿no?
    SRA. COLÓN   Sí, y muy **rápidos** también.
    SR. GÓMEZ   Aquí son **malos** y demasiado **lentos.**

bueno (buen), -a	*good*
rápido, -a	*fast*
malo (mal), -a	*bad*
lento, -a	*slow*

- los trenes → los autobuses

3   GLORIA   ¿Vas a **viajar** a España?
    RAFAEL   Sí, mañana voy a **tomar** el **primer** avión.
    GLORIA   **¡Bueno!**

viajar	*to travel*
tomar	*to take*
primero (primer), -a	*first*
¡bueno!	*okay, fine*

- España → México
- primer → próximo

4   GLORIA   ¿Vamos a tomar el autobús del aeropuerto al
             centro?
    RAFAEL   No quiero **esperar** el autobús.
    GLORIA   Entonces vamos en metro. Es muy rápido.

esperar	*to wait (for)*

- del aeropuerto → de la estación
- en metro → en taxi

5   JAIME   Quiero comprar **unos** libros clásicos.
    LUCÍA   ¿Por qué no compras *Don Quijote?* Es un **gran**
            libro.

unos, unas	*some, a few*
gran	*great*

EN OTRAS PARTES

También se dice *el auto* (*el automóvil*) y *el carro*.

En México se dice *el camión;* en Puerto Rico y Cuba, *la guagua;* en la Argentina, *el ómnibus* o *el colectivo;* en Bolivia y el Perú, *el microbús* o *el micro.*

También se dice *el subte* (*el subterráneo*).

Una calle en México, D.F.

PRÁCTICA

A **¿Cómo quieres ir?**   Two people are talking about their preferred
ways of getting places. Ask and answer according to the model.

>   al centro / autobús / coche
>   ESTUDIANTE A   *¿Quieres ir al centro en autobús?*
>   ESTUDIANTE B   *No, prefiero ir en coche.*

1. al banco / taxi / metro
2. a la escuela / pie / bicicleta
3. a la biblioteca / moto / coche
4. al aeropuerto / autobús / tren

5. a la tienda / coche / taxi
6. a la estación / metro / moto
7. a la iglesia / pie / autobús
8. a Puerto Rico / barco / avión

B **¿Cómo vas tú?**   Ask and answer based on the pictures. Follow the
model.

>   a la escuela
>   ESTUDIANTE A   *¿Cómo vas a la escuela?*
>   ESTUDIANTE B   *Siempre voy a pie. ¿Y tú?*
>   ESTUDIANTE A   *Yo nunca voy a pie. Voy en autobús.*

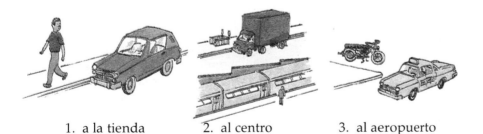

1. a la tienda   2. al centro   3. al aeropuerto

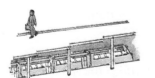  

4. a la plaza   5. a la farmacia   6. al correo

C ¿Cuál prefieres?   Pretend that you and a friend are window-shopping. Working with a partner, take turns saying which items you prefer.

ESTUDIANTE A   *¿Cuál prefieres?*
ESTUDIANTE B   *El coche rojo y negro.*
         o: *La moto negra.*

1.
2.
3.
4.
5.
6.

D Hablemos de ti.

1. ¿Cómo vas a la escuela? ¿Cómo prefieres ir cuando hace mal tiempo?
2. ¿Cómo prefieres ir al centro?
3. ¿Hay autobuses en tu ciudad? ¿Cómo son? ¿Buenos o malos? ¿Rápidos o lentos?
4. Cuando vas de vacaciones, ¿cómo prefieres viajar? ¿Por qué? ¿Adónde vas de vacaciones?

ESTUDIO DE PALABRAS

You already know several words that have more than one meaning. For example: *mañana* ("morning" and "tomorrow") and *tarde* ("afternoon" and "late"). Some words have an accent mark to show a difference in meaning:

| tu | *your* | el | *the* | solo, -a | *alone* |
| tú | *you* | él | *he* | sólo | *only* |

Estación has two very different meanings: "season" and "station." The **verb** *llevar* means both "to wear" and "to carry."

Sometimes there are two Spanish words where in English we usually use only one. For example, *el país* means "country" or "nation." The Spanish word for *country* meaning "countryside" or "rural area" is *el campo*. We cannot use *el país* and *el campo* interchangeably.

EXPLICACIONES I

El verbo *ir*

The verb *ir* ("to go") is irregular. Here are its present-tense forms.

INFINITIVO   **ir**

SINGULAR		PLURAL	
1 (yo) **voy**	*I go* / *I'm going*	(nosotros) (nosotras) } **vamos**	*we go* / *we're going*
2 (tú) **vas**	*you go* / *you're going*	(vosotros) (vosotras) } **vais**	*you go* / *you're going*
3 Ud. }	*you go* / *you're going*	Uds.	*you go* / *you're going*
(él) } **va**	*he goes* / *he's going*	(ellos) } **van**	*they go* / *they're going*
(ella) }	*she goes* / *she's going*	(ellas) }	*they go* / *they're going*

1 When we use the preposition *a* with verbs of motion such as *ir* or *viajar*, it means "to." With the masculine definite article *el*, it contracts to *al*: *a* + *el* = *al*.

Nunca van **al** cine.   *They never go **to the** movies.*
Voy **a** Quito con Eduardo.   *I'm going **to** Quito with Eduardo.*
¿Vas **a** la estación?   *Are you going **to** the station?*

2 Just as we say "going to" in English to talk about the future, we can use a form of *ir* + *a* + infinitive in Spanish.

Van a tomar el avión mañana.   ***They're going to take** the plane tomorrow.*

¿Cuándo **vas a ir** al centro?   *When **are you going to go** downtown?*

3 *Vamos a* + infinitive means "let's."

Vamos a bail**ar**.   ***Let's** dance.*
Vamos a com**er**.   ***Let's** eat.*

PRÁCTICA

A Nosotros también. Some people always want to do what someone else is doing, no matter what it is. With a partner, take turns making statements about what others are going to do and suggesting that the two of you do the same.

> David / estudiar
> ESTUDIANTE A *David va a estudiar.*
> ESTUDIANTE B *¡Vamos a estudiar también!*

1. (ellos) / jugar al béisbol
2. Raquel / esperar el tren
3. Alejandro / comer
4. los alumnos / bailar
5. los hombres / viajar a España
6. Carlos y ella / nadar
7. Gloria / tomar el metro
8. (ellas) / cantar

B ¿Adónde van Uds.? Imagine that you are on a tour and have some free time. The tour leader wants to know where everyone is going. Ask and answer according to the model.

> Uds. / el centro
> ESTUDIANTE A *¿Adónde van Uds.?*
> ESTUDIANTE B *Vamos al centro.*

> Ud. / la farmacia
> ESTUDIANTE A *¿Adónde va Ud.?*
> ESTUDIANTE B *Voy a la farmacia.*

1. Ud. / la plaza
2. Uds. / el hotel
3. Ud. / el cine
4. Ud. / la biblioteca
5. Uds. / la iglesia
6. Uds. / la piscina
7. Ud. / el banco
8. Uds. / el correo

C ¿Cómo van? Using the picture cues, tell how each person or group goes to certain places.

Voy al cine en coche.

1.

D **¿Qué haces durante el mes de diciembre?** December looks like a busy month. Pretend that this is your calendar. Write sentences telling what you are going to be doing. Then, working with a partner, take turns asking and answering the questions.

1. ¿Qué vas a hacer el 8 de diciembre a las 8 de la mañana?
2. ¿Qué vas a hacer el 17?
3. ¿Cuándo vas a lavar el coche?
4. ¿Qué vas a hacer el primero de diciembre? ¿A qué hora?
5. ¿Con quién vas a hablar el 5? ¿Qué vas a hacer el próximo día?
6. ¿Qué vas a hacer el 24?
7. ¿Adónde vas a ir el día de fin de año? ¿A qué hora?
8. ¿Qué van Uds. a hacer del 19 al 23?

E   Hablemos de ti.

1. ¿Qué vas a hacer mañana?
2. ¿Adónde vas a ir durante el fin de semana? ¿Van a ir al cine tú y tus amigos? ¿Cuándo?
3. ¿Cuántas horas vas a estudiar esta noche?
4. ¿Te gusta viajar? ¿Viaja mucho tu familia? ¿En qué estación del año viajan Uds.? ¿Adónde van Uds.?

ACTIVIDAD

Frases fantásticas.   Get together in groups of three or four students. Your teacher will give three letters of the alphabet to each group. Your group's job is to make up as many correct alliterative sentences as you can. A group secretary should write the sentences on a piece of paper. (In alliterative sentences, most of the words begin with the same sound.) For example, if your group has the letters *A, G,* and *V,* some of your sentences might be:

> Ahora no hay abrigos aquí.
> El gato grande lleva guantes.
> Víctor y Verónica van a viajar a Venezuela.

After a time your teacher will ask groups to exchange papers. Take turns reading the other group's sentences aloud. Choose two or three favorites and read them to the class.

APLICACIONES

Un día muy largo

El señor López es taxista. A las seis de la mañana va al garaje en moto, busca su[1] taxi y empieza a[2] trabajar. Durante el día muchas personas viajan en su taxi. Van a diferentes partes de la ciudad: al centro, al aeropuerto, a los hoteles, a las dos estaciones de tren, etc. El señor López
5 vuelve[3] a casa a las ocho y media de la noche.

La señora López trabaja en el centro. Va a su trabajo en autobús. ¡Cuántas personas hay en el autobús a las ocho de la mañana! ¡Viajan como[4] sardinas! A veces la señora López toma el autobús a las siete de la mañana, porque hay pocas personas en el autobús cuando es temprano.
10 A las cinco de la tarde toma el autobús otra vez[5] y vuelve a casa. Pero siempre hay muchas personas en el autobús.

Pablo López trabaja también. Él trabaja en la escuela y en casa. Es estudiante. Pero Pablo no toma el autobús. Va a la escuela a pie. A las tres de la tarde vuelve a casa, donde hace la tarea y a veces mira la
15 televisión. Su mamá vuelve alrededor de[6] las seis menos cuarto y Pablo y ella cocinan. Después esperan juntos al señor López.

---

[1]**su** *his, her*　　[2]**empieza a** *(from* **empezar***)　begins*　　[3]**vuelve** *(from* **volver***)　returns*
[4]**como** *like*　　[5]**otra vez** *again*　　[6]**alrededor de** *around*

Preguntas

Contesta según la lectura.

1. ¿Cómo va el señor López a su trabajo?
2. ¿Cuál es su trabajo?
3. ¿Adónde va el señor López durante el día?
4. ¿A qué hora vuelve a casa?
5. ¿Dónde trabaja la señora López?
6. ¿Cómo va ella a su trabajo?
7. ¿Cómo viajan las personas en los autobuses a las ocho de la mañana y a las cinco de la tarde?
8. ¿Adónde va Pablo?
9. ¿Cómo va él?
10. ¿A qué hora vuelve Pablo a casa?
11. ¿Qué hace entonces?

Unas policías en la capital
mexicana

Un estudiante mexicano
toma el autobús.

EXPLICACIONES II

El artículo indefinido

◆ COMMUNICATIVE
OBJECTIVES
To identify people and
things
To plan a shopping trip

The singular indefinite articles in Spanish are *un* and *una*. Their English equivalents are "a" and "an." *Un* is used with masculine singular nouns, *una* with feminine singular nouns.

un aeropuerto	*an airport*
una estación	*a station*

The plural indefinite articles are *unos* and *unas*. They mean "some" or "a few."

Quiero **unas** papas fritas.	*I want some French fries.*
Vamos a esperar **unos** minutos.	*Let's wait a few minutes.*

Note that in English we often omit the word "some."

Busco unos jeans.	*I'm looking for jeans.*

PRÁCTICA

A Yo quiero. Two people are planning a shopping trip. What do they want to buy?

blusa / camisetas
ESTUDIANTE A *Quiero comprar una blusa.*
ESTUDIANTE B *Y yo quiero comprar unas camisetas.*

1. abrigo / guantes
2. falda / pantalones
3. traje / zapatos
4. suéter / camisas

5. chaqueta / vestidos
6. vestido / camisetas
7. traje de baño / calcetines
8. impermeable / blusas

B ¿Qué es . . . ? Imagine that you are baby-sitting for two small Spanish-speaking children. They have a new picture book. Can you help them identify the objects on page 165? Use *es* or *son*, the correct indefinite article, and the noun.

La posición de los adjetivos

◆ COMMUNICATIVE
OBJECTIVE

To describe people and things

You have been using adjectives of color with nouns. You may have noticed that these adjectives came *after* the nouns. In Spanish, adjectives usually come after the noun they describe.

un barco **amarillo**	unos camiones **verdes**
una moto **blanca**	unas bicicletas **rojas**

1 *Bueno* and *malo* come either before or after the noun. *Primero* almost always comes before. Before a masculine singular noun we drop the final *-o* of these three adjectives.

un **buen** profesor	unos **buenos** profesores
una **buena** profesora	unas **buenas** profesoras
un **mal** día	unos **malos** días
una **mala** noche	unas **malas** noches
el **primer** examen	los **primeros** exámenes
la **primera** clase	las **primeras** clases

2 *Grande* may come either before or after a noun. But the meaning is different depending upon its position. After a noun it means "large" or "big." Before a noun it means "great." We shorten *grande* to *gran* before *both* masculine and feminine singular nouns.

Es un hombre **grande.**	Son hombres **grandes.**
Es una ciudad **grande.**	Son ciudades **grandes.**
Es un **gran** hombre.	Son **grandes** hombres.
Es una **gran** ciudad.	Son **grandes** ciudades.

El metro en Santiago, Chile

PRÁCTICA

A ¿Cómo es?   Ask and answer according to the model. Always use the correct masculine or feminine form of the adjective—and be careful! Some adjectives will go before the noun, and some will follow the noun.

un autobús / lento / rápido
ESTUDIANTE A   *¿Es un autobús lento?*
ESTUDIANTE B   *No, es un autobús rápido.*

1. una tienda / nuevo / viejo
2. una profesora / malo / grande
3. una moto / caro / barato
4. el tren / primero / rápido

5. un libro / malo / bueno
6. una cinta / largo / corto
7. un barco / pequeño / grande
8. una casa / blanco / rojo

B Mi tienda de ropa.   Pretend that you are writing a radio commercial for a clothing store called *Así, Así.* Rewrite the commercial using the correct forms of the adjectives.

(Bueno) días, señoras y señores. Me llamo Manolo Mentiroso. Yo trabajo en la *(grande)* tienda de ropa *Así, Así.* En mi tienda *(grande)* hay ropa *(bonito)* y muy *(barato).* En mi tienda hay jeans *(negro, gris, marrón y azul).* ¡Y sólo cuestan 99 pesos! Para el invierno hay *(bueno)* suéteres
5 *(canadiense)* para las noches *(largo)* cuando hace mucho frío. ¡Y no son *(caro)!* ¿Esquían Uds.? En mi tienda hay bufandas *(largo)* y guantes de muchos colores. Hay ropa para muchachos y muchachas *(alto y bajo).* Para *(bueno)* ropa *(bonito y barato),* la tienda *Así, Así* es la *(primero)* tienda de la ciudad.

C Hablemos de ti.
1. ¿Qué ropa llevas hoy? ¿Qué ropa lleva tu profesor(a)?
2. ¿Qué tiempo hace? ¿Hace mal tiempo?
3. ¿Cómo es tu escuela?
4. ¿Eres un(a) buen(a) estudiante? ¿Siempre haces la tarea o sólo a veces?

Joven mamá y su niño en Bogotá, Colombia

APLICACIONES

Look carefully at the model sentences. Then put the English cues into Spanish to form new sentences based on the models.

1. *Tú y yo vamos juntos a la escuela.*
   (She and Ana are going to the post office together.)
   (He and I are going to the drugstore together.)
   (You (formal) and Víctor are going to the country together.)

2. *Va a nadar en la piscina.*
   (He's going to read in the library.)
   (We're going to work in the bank.)
   (They're going to wait in the station.)

3. *Viajo en barco.*
   (He's traveling by car.)
   (You're (fam.) traveling by bike.)
   (You're (pl.) traveling by train.)

4. *Busco unos periódicos viejos. Él va a comprar un gran libro.*
   (We're looking for some red jackets. I'm going to buy a good suit.)
   (They're waiting for a slow bus. You (fam.) are going to take the first train.)
   (You (formal) are listening to some old records. We're going to look for a good tape.)

5. *Mañana voy a tomar un autobús del hotel a la estación.*
   (Tonight she's going to take a taxi from the swimming pool to the party.)
   (Afterwards we're going to carry the flag from the school to the plaza.)
   (On Sunday you (fam.) are going to take the subway home from church.)

Un domingo en Cali, Colombia

TEMA

Put the English captions into Spanish to form a paragraph.

1. Pablo and Enrique are going to the airport together.

2. They're going to study in Mexico.

3. They're traveling by plane.

4. Pablo is listening to some new tapes. Enrique is going to read a good book.

5. Later they're going to take a taxi from the airport to downtown.

REDACCIÓN

Now you are ready to write your own dialogue or paragraph. Choose one of the following topics.

1. Expand the *Tema* by adding four to six sentences about Pablo and Enrique. What are they like? Where are they from? What are they going to do on weekends in Mexico?

2. Imagine a conversation between Pablo and Enrique, and create a series of talk balloons for pictures 1 through 5.

3. Write a four- to six-sentence paragraph about what you are going to do next summer. Are you going to travel? Are you going to go to the country? Tell some of the things you want to do during the summer. Do you like vacations? Or do you prefer to go to school?

COMPRUEBA TU PROGRESO   CAPÍTULO 4

A   ¿Qué es . . . ?
Identify each of the following places. Use *es* or *son* and the correct indefinite article.

1.   2.   3.

4.   5.   6

B   Ir a la ciudad
Complete each sentence using the correct form of the verb *ir*.

1. Ella _____ a la estación.
2. Después (yo) _____ a casa.
3. ¿_____ Ud. a la piscina ahora?
4. Paco y yo _____ a la farmacia.
5. Ellos nunca _____ al centro.
6. (Tú) _____ a la biblioteca, ¿no?
7. ¿_____ Uds. a llevar botas?

C   ¿Adónde vas?
Answer each question by writing a complete sentence. Follow the model.

> ¿Adónde van Uds.? (iglesia)
> *Vamos a la iglesia.*

1. ¿Adónde va Ud.?   (centro)
2. ¿Adónde van tus amigas?   (campo)
3. ¿Adónde vas?   (hotel)
4. ¿Adónde van Luis y tú?   (ciudad)
5. ¿Adónde va la muchacha?   (hospital)
6. ¿Adónde van tus compañeros de clase?   (banco)

D   Mañana
Rewrite each sentence, changing it from the present to the future using *ir a*. Follow the model.

> Entro en la escuela.   (más tarde)
> *Voy a entrar en la escuela más tarde.*

1. ¿Compras una falda nueva?   (mañana)
2. Ellos toman el sol.   (hoy)
3. Esquiamos en Chile.   (el año próximo)
4. Él escucha las cintas.   (después)
5. No canto en la fiesta.   (la semana próxima)
6. ¿Ud. habla por teléfono?   (esta noche)

E   ¿Cómo vas?
Ask and answer. Follow the model.

> ¿Quieres ir a pie?
> *No, prefiero ir en taxi.*

1.   2.

3.   4.

5.   6.

F   Bueno y malo
Rewrite the sentences using the correct form of the adjective either before or after the noun.

1. El señor Marcos es un *profesor*.   (bueno)
2. El lunes es el *día* de la semana.   (primero)
3. Hace *tiempo* hoy.   (malo)
4. Es un *bolígrafo*.   (bueno)
5. Es una *noche*, ¿no?   (malo)
6. Madrid es una *ciudad*.   (grande)
7. Don Quijote y Lazarillo de Tormes son *libros* españoles.   (grande)

Sustantivos
el aeropuerto
el autobús, *pl.* los autobuses
el avión, *pl.* los aviones
el banco
el barco
la biblioteca
el camión, *pl.* los camiones
el campo
la casa
el centro
la ciudad
el coche
el correo
la estación, *pl.* las estaciones
   (*station*)
la farmacia
el fin de semana, *pl.* los fines de
   semana
el hospital
el hotel
la iglesia
el metro
la moto
la piscina
la plaza
el taxi
el tren

Adjetivos
bueno (buen), -a
gran
juntos, -as
lento, -a
malo (mal), -a
primero (primer), -a
próximo, -a
rápido, -a
solo, -a

Adjetivos posesivos
mis
tus

Artículos indefinidos
unos, -as

Verbos
esperar
tomar
viajar

(yo) quiero
(tú) quieres

Adverbios
después
nunca
siempre

Preposiciones
a(l)
durante

Palabra interrogativa
¿adónde?

Expresiones
a casa
a pie
¡bueno!
en + *vehicles*
esta noche
ir a + *infinitive*
vamos
vamos a + *infinitive*

CAPÍTULO 5

DOS CULTURAS INDIAS

A thousand years ago the Incan emperor could send a message from Cuzco, in the south of Peru, to northern Colombia in just one week. Today it might even take a bit longer. The Incan postal service was a lot like the pony express of the American West—but without ponies. A runner carried the information for a short distance and passed it on to another runner. They traveled along a highly developed system of roads and bridges that extended for 2,000 miles, most of it high in the Andes Mountains.

The Incas were not only excellent road builders, but they were also marvelous architects and engineers. They built gigantic fortresses and palaces using carefully cut boulders, many of which were the size of trucks. They fit these huge boulders together so perfectly and so tightly that today—many hundreds of years later—you cannot slip a piece of paper between one boulder and the next.

The Mayas of Central America lived in an entirely different kind of world—the hot, dense rain forests of Guatemala, Belize, and southeastern Mexico. Every foot of the land had to be hacked out of the jungle. As soon as a space had been cleared, the jungle began to overrun it again. After the Mayas were conquered by neighboring tribes around 1450, their cities disappeared under thick vegetation. Many of them were not seen again until the nineteenth century, and others may still lie hidden.

The Incan civilization suffered the impact of the Spanish conquest and was finally destroyed around 1572. And yet even today something of those worlds remains. Go to the modern city of Cuzco, with its automobiles and tall buildings, and you can still find people who speak Quechua, the language of the Incas. Go to the jungles of the Yucatán, a few miles from popular tourist resorts, and you will still hear Maya being spoken.

PALABRAS NUEVAS I

To ask for and give an
address

To ask and tell where
something is

CONTEXTO
VISUAL

¿Dónde está?

el estadio

el almacén
pl. los almacenes

el museo

el restaurante

la oficina

el policía

el teatro

el parque

la fuente

la esquina

la policía

Él está allá.

Yo estoy aquí.

Ud. está allí.

la calle

el café

Es divertido.

Es aburrido.

Está aburrido.

inteligente

tonto, –a

CONTEXTO COMUNICATIVO

1 RAÚL   **Perdón,** señor. ¿**Dónde está** el Teatro Colón?

      POLICÍA   Allí **en** la esquina, **a la izquierda de** la biblioteca.

Variaciones:
- a la izquierda de → **a la derecha de**
- de la biblioteca → **del** restaurante

2 LUIS   Hay una **obra de teatro** bastante divertida **en** el Teatro Colón.

      ESTER   Al contrario. Es muy aburrida.

- divertida → **interesante**
- bastante divertida → nueva
  aburrida → vieja

perdón *pardon me*

¿dónde está? *where is?*

en here: *on*

(a) la izquierda (de) *(to) the left (of)*

(a) la derecha (de) *(to) the right (of)*

de(l) *of the, from the*

la obra de teatro *play*

en here: *at*

interesante *interesting*

3	SERGIO	¿Cuál es **la dirección** del museo?	**la dirección,** *pl.* **las direcciones** *address*
	RAQUEL	**Avenida** Juárez 89. **Está** allá, **a la vuelta de la esquina.**	**la avenida** *avenue*
	SERGIO	¿**Enfrente del** parque?	**está** *it's*
	RAQUEL	Sí.	**a la vuelta de la esquina** *around the corner*

- enfrente del → **al lado del**
- enfrente del → **cerca del**

enfrente de *across from, opposite*

al lado de *next to, beside*

cerca de *near, close to*

4	PEDRO	¿Quieres ir al parque?	
	NORMA	¿Está **lejos de** aquí?	**lejos de** *far from*
	PEDRO	Pues, está **detrás del** hotel, **entre** el museo y el estadio.	**detrás de** *behind*
	NORMA	Entonces, prefiero ir al **partido de** fútbol.	**entre** *between*

- lejos de → cerca de
- detrás del → enfrente del
- partido de fútbol → partido de tenis

el partido (de + deporte**)** *game; match*

5	ARTURO	¿**De quién** es el coche nuevo?	**¿de quién?** *whose?*
	ANITA	Es **de la señorita Miranda.**	**de** + noun ____'s; ____s'
	ARTURO	¿Quién es ella?	**simpático, -a** *nice, pleasant*
	ANITA	Es mi profesora de español. Es muy **simpática.**	

- nuevo → azul y blanco
- la señorita → la señora
- simpática → interesante

6	CARMEN	Nunca voy a la tienda San José.	
	OSCAR	¿Por qué no?	
	CARMEN	Porque los vendedores allí son **antipáticos.**	**antipático, -a** *unpleasant, not nice*

- a la tienda → al almacén
- antipáticos → tontos
- antipáticos → lentos

7	ANITA	¿Dónde está tu moto?	
	PABLO	Está allí, **delante de** la farmacia.	**delante de** *in front of*

- delante de → detrás de
- de la farmacia → del café

En El Retiro en Madrid

PRÁCTICA

A ¿Dónde están? Mira el mapa. Pregunta y contesta según el modelo.

ESTUDIANTE A *¿Está la farmacia al lado o enfrente del museo?*
ESTUDIANTE B *Está al lado del museo.*

1. ¿Está el almacén cerca o lejos de la fuente?
2. ¿Está el teatro enfrente del restaurante o entre el restaurante y el cine?
3. ¿Está el cine enfrente o detrás del almacén?
4. ¿Está el estadio lejos o cerca del centro?
5. ¿Está el parque detrás o enfrente del almacén?
6. ¿Está el banco enfrente o al lado del cine?
7. ¿Está el cine en la esquina o al lado del restaurante?
8. ¿Está el museo detrás de o entre la farmacia y el almacén?
9. ¿Está el museo al lado o enfrente del teatro?
10. ¿Está la farmacia enfrente o detrás del restaurante?
11. ¿Está el camión delante o detrás del restaurante?

B ¿Qué hay? Contesta según el mapa.

1. ¿Qué hay al lado del museo?
2. ¿Qué hay enfrente de la farmacia?
3. ¿Qué hay entre el restaurante y el cine?
4. ¿Qué hay lejos del centro?
5. ¿Qué hay cerca del estadio?
6. ¿Qué hay detrás del almacén?
7. ¿Qué hay al lado del teatro?
8. Estás en el teatro. ¿Qué hay a la izquierda del museo?
9. ¿Qué hay enfrente del teatro?
10. Estás en el museo. ¿Qué hay a la derecha del restaurante?
11. ¿Qué hay en la esquina de la Calle 5 de Mayo y la Avenida Juárez?

C Hablemos de ti.

1. ¿Cómo es tu casa?
2. ¿Cuál es tu dirección?
3. ¿En qué calle está tu escuela? ¿Está tu casa cerca o lejos de la escuela? ¿Qué hay enfrente de la escuela? ¿Hay una bandera delante de la escuela? ¿De qué color es?
4. ¿Te gusta ir a partidos de fútbol americano o de béisbol? ¿Con quién vas? ¿Cómo vas?

Casas en Quito y en México

APLICACIONES

¿Dónde está El Morro?*

Las aventuras de dos estudiantes de Nuevo México en Puerto Rico.

LAURA   Allí hay un policía. Vamos a preguntar dónde está el famoso Morro de San Juan.

5 ANDRÉS   No, voy a mirar el mapa.

LAURA   Prefiero hablar con el policía. Buenas tardes, señor, ¿dónde está El Morro?

POLICÍA   No muy lejos, señorita. A la vuelta de la esquina.

ANDRÉS   ¿Cómo vamos? ¿A pie?

10 POLICÍA   ¡Por supuesto![1] Sigan por[2] aquí. En la esquina, a la izquierda, está la calle San Sebastián. Sigan por San Sebastián. Al lado del café, van a la derecha. Después, a la izquierda y después a la derecha. El Morro está allí, junto al mar.[3]

15 ANDRÉS   Muchas gracias, señor.

LAURA   ¡Taxi, taxi! ¿Cuánto cuesta ir de aquí a El Morro?

---

[1]**por supuesto** *of course*   [2]**sigan por** *follow along*
[3]**junto al mar** *by the sea*

* El Morro is a fortress built by the Spaniards between 1539 and 1787 to guard the Bay of San Juan against attacks by English, French, and Dutch pirates.

Preguntas
Contesta según el diálogo.
1. ¿De dónde son los estudiantes?   2. ¿Adónde van?   3. ¿En qué ciudad está El Morro?   4. Según el policía, ¿está El Morro cerca o lejos?
5. ¿Van a ir a El Morro a pie? ¿Por qué?   6. ¿Cómo van a ir?

Participación
Working with a partner, prepare directions describing how to get to a nearby place. Use your school as a starting point. For example:

ESTUDIANTE A   Perdón, señor(ita). ¿Dónde está el parque?
ESTUDIANTE B   A la vuelta de la esquina y enfrente del museo.
ESTUDIANTE A   Muchas gracias.

PRONUNCIACIÓN

In Spanish the letters *b* and *v* are pronounced alike.

A Except after a vowel, both are pronounced like the *b* in the English word "mob."
Escucha y repite.

bien   bailar   vamos   ¿verdad?

B When *b* and *v* come after a vowel, make the sound by bringing your lips together until they *almost* touch. This sound is softer than *b* or *v* in English.
Escucha y repite.

hablar	rubio	Cuba	sábado	autobús
nuevo	joven	avión	lavar	primavera
la blusa	la bicicleta	a veces	ella va	

C Escucha y repite.

Llevan un vestido nuevo.   El autobús blanco es nuevo.
Vamos a viajar en avión.   A veces bailamos los sábados.

El Morro en San Juan,
Puerto Rico

◆ COMMUNICATIVE OBJECTIVES

PALABRAS NUEVAS II

¿Cómo estás?

CONTEXTO VISUAL

555-12-12

la cabina telefónica

la guía telefónica

cansado, -a

triste

loco, -a

enfermo, -a

preocupado, -a

contento, -a

CONTEXTO COMUNICATIVO

1 ALICIA   ¿**Qué pasa**, Jorge?

JORGE   Quiero hablar con mi **novia**, pero **la línea** está **ocupada**.

ALICIA   ¡**Qué mala suerte!**
(*Un poco* más tarde)

JORGE   ¡**Qué lástima!** La línea **todavía** está ocupada.

Variaciones:

■ novia → amiga

¿**qué pasa?**   *what's going on?, what's happening?*

el novio, la novia   *boyfriend, girlfriend*

la línea   *line*

ocupado, -a   *busy*

¡**qué (mala) suerte!**   *what (bad) luck!*

un poco   *a little*

¡**qué lástima!**   *that's too bad!, that's a shame!*

todavía   *still*

2 SRA. MUÑOZ **¿Aló?**
RICARDO Buenos días, señora. ¿Está Tomás en casa?
SRA. MUÑOZ Sí, **un momento,** por favor. . . . Tomás está ocupado. ¿Quieres esperar?
RICARDO Sí, señora. **Por supuesto.**

- buenos días → buenas tardes
- por supuesto → ¡cómo no!

3 PATRICIA ¿Aló?
ÁNGEL ¡Hola, Pati! ¿Qué tal? ¿Cómo estás?
PATRICIA **Estoy mal,** Ángel.
ÁNGEL **¡No me digas!** ¿Qué pasa?
PATRICIA Hay un examen mañana y estoy muy preocupada.

- ¡no me digas! → ¡qué lástima!

¿aló?	*hello?* (on phone)
un momento	*just a moment*
por supuesto	*of course*
estar (yo estoy, tú estás)	*to be*
mal	*not well*
¡no me digas!	*you don't say!*

EN OTRAS PARTES

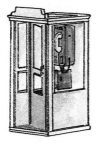

También se dice *la cabina de teléfono* o *la casilla telefónica.*

También se dice *la guía de teléfonos.*

¿Aló?

También se dice *Bueno* (México), *Diga* o *Dígame* (España), *Hola* (Argentina y Uruguay), *Oigo* (Cuba y Puerto Rico) y *A ver* (Colombia).

A ¿Cómo estás? Imagina que hablas por teléfono con varios amigos. Pregunta y contesta según *(according to)* el modelo.

ESTUDIANTE A *¿Cómo estás, Luisa?*
ESTUDIANTE B *Estoy enferma. No voy a ir a la escuela mañana.*

1. Cristina	3. Vicente	5. Federico	7. Teresa
2. Ernesto	4. Ángela	6. Eduardo	8. Pedro

B **¿Quieres comer tacos?** Imagina que tú y un(a) amigo(a) son turistas y que miran una guía turística *(tourist guide)*. Pregunta y contesta según el modelo.

¿Quieres comer comida mexicana?

ESTUDIANTE A *Quiero comer comida mexicana.*
ESTUDIANTE B *Vamos a buscar el número de El Taco Picante.*
ESTUDIANTE A *Bueno. Es el dos ocho tres, cero cinco, veintitrés.*

1. ¿Quieres leer un libro de horror?
2. ¿Quieres comprar zapatos?
3. ¿Quieres comer comida cubana?
4. ¿Quieres comprar un vestido?
5. ¿Quieres tomar un taxi al museo?
6. ¿Quieres ir al hotel donde hablan inglés?
7. ¿Quieres ir al Canadá en autobús?

C ¿Y la dirección? Ahora busca en la guía turística de la Práctica B para indicar *(tell)* la dirección. Pregunta y contesta según el modelo.

> ¿Quieres comer comida mexicana?
>
> ESTUDIANTE A *Quiero comer comida mexicana. ¿Cuál es la dirección de El Taco Picante?*
>
> ESTUDIANTE B *Calle Santa Marta 9.*

D ¡Qué suerte! ¿Cómo reaccionas *(do you react)*? Escoge *(choose)* una expresión de la lista. Contesta según el modelo.

> Mario está enfermo.
>
> ESTUDIANTE A *Mario está enfermo.*
>
> ESTUDIANTE B *¡Qué mala suerte!*

1. Mis amigas(os) van a viajar al Caribe.
2. Vamos a la fiesta, ¿no?
3. No me gusta estudiar para exámenes.
4. Pablo va a ir al aeropuerto a pie.
5. La línea todavía está ocupada.
6. Soy muy guapo(a), ¿no?
7. Mañana es mi cumpleaños.
8. No hay pan.
9. El restaurante está muy lejos de aquí.
10. Nieva.
11. Voy a casa. Es tarde y estoy muy cansado(a).
12. El tren está todavía en la estación.
13. Mi novio(a) está enfermo(a).

¡Al contrario!
¡Cómo no!
¡Felicidades!
¡No me digas!
¡Por supuesto!
¡Qué lástima!
¡Qué mala suerte!
¡Qué suerte!
¡Uf!

E Hablemos de ti.

1. ¿Cómo estás hoy? ¿Estás contento(a)? ¿Triste? ¿Estás preocupado(a)? ¿Por qué?
2. ¿Te gusta hablar por teléfono? ¿Hablas mucho por teléfono? ¿Con quién hablas?

ACTIVIDAD

¡No me digas!   You and a partner should imagine that a friend has called to tell you something surprising or exciting. Without conferring, each of you should write down *your* half of the conversation. Write only your responses to what the caller is saying. Write three or four questions or exclamations. Begin with *¿Qué pasa?* For example:

TÚ	¿Qué pasa?
TÚ	¡Qué mala suerte!
TÚ	¡No me digas!

Show your surprise or excitement by saying such things as *¡Felicidades!*, *¡Por supuesto!*, and *¡Cómo no!* Leave two blank lines between responses. Now exchange papers with your partner. Each of you will then fill in what the person who called might have said. For example:

TÚ	¿Qué pasa?
TU AMIGO	*Hay un gato negro en la piscina.*
TÚ	¡Qué mala suerte!
TU AMIGO	*¡Sí! Pero nada muy bien.*
TÚ	¡No me digas!
TU AMIGO	*Sí. Él y yo vamos a nadar juntos. Hasta luego.*

Afterward you may want to read your conversations to the class.

ESTUDIO DE PALABRAS

Many words that begin with *s* + a consonant in English begin with *es* in Spanish.

estadio	*stadium*	España	*Spain*	estación	*station*
estudiante	*student*	escuela	*school*	estudiar	*to study*

Can you guess what these Spanish words mean?

estricto   espléndido   especial   espectacular

Words that are spelled with a double *s* in English are spelled with a single *s* in Spanish.

clase   clásico   profesor

What do you think these words mean?

profesión   pasar   pasaporte   pesimista   necesario

EXPLICACIONES I

Usos del verbo *ser*

◆ COMMUNICATIVE
OBJECTIVES
**To describe people and
tell who they are**
To give reasons

You already know that the verb *ser* means "to be" and many of the ways it is used.

1   To tell the time of day and the date.

Son las dos.	*It's two o'clock.*
Es el 3 de julio.	*It's July 3.*

2   To tell where someone or something comes from.

Somos de los Estados Unidos.	*We're from the United States.*

3   To tell what someone's nationality is.

Carlos **es** puertorriqueño.	*Carlos is Puerto Rican.*

4   To describe characteristics that are usually associated with a certain person or thing.

Laura **es** muy simpática.	*Laura is very nice.*
Los camiones **son** grandes.	*The trucks are big.*

5   To connect a noun or a pronoun to another noun or pronoun.

Carlota **es** mi amiga.	*Carlota is my friend.*
¿**Son** ellas tus profesoras?	*Are they your teachers?*

6   After the verb *ser*, we usually do not use the indefinite article (*un, una*) with occupations or professions unless we are using an adjective.

El Sr. Cárdenas **es profesor.**	*Mr. Cárdenas is a teacher.*
Soy estudiante.	*I'm a student.*

But:

El Sr. Cárdenas **es un buen profesor.**	*Mr. Cárdenas is a good teacher.*
Soy un estudiante inteligente.	*I'm a smart student.*

PRÁCTICA

A **¿Quién eres?** Contesta las preguntas.

1. ¿Cuál es la fecha de hoy?
2. ¿Qué día es hoy?
3. ¿Qué hora es?
4. ¿De dónde eres?
5. ¿Eres español(a)?
6. ¿Eres pelirrojo(a)?
7. ¿Cuántos estudiantes en tu clase de español son morenos?
8. ¿Cómo eres?
9. ¿Eres profesor(a) o estudiante?
10. ¿Eres un(a) buen(a) estudiante?
11. Y ahora, ¿qué hora es?

B **¿Cómo es?** Imagina que tú no recuerdas (remember) cómo son estas personas (these people). Pregunta y contesta según el modelo.

> ¿David? / alto
> ESTUDIANTE A *¿Es alto David?*
> ESTUDIANTE B *No. Es bajo.*

1. ¿la señorita Díaz? / fea
2. ¿Pedro? / rubio
3. ¿Bárbara? / joven
4. ¿Leonardo? / delgado
5. ¿el señor Torres? / tonto
6. ¿Alicia? / antipática

C **¿Por qué?** Imagina que tú y un(a) amigo(a) hablan de (about) unos compañeros. Pregunta y contesta según el modelo. Usa la forma correcta del adjetivo.

| aburrido | bonito | inteligente | simpático |
| antipático | guapo | joven | tonto |

> estudiar / Pedro
> ESTUDIANTE A *¿Por qué estudias con Pedro?*
> ESTUDIANTE B *Porque es muy inteligente.*

1. hablar por teléfono / Tomás
2. ir a la fiesta / Andrea y Sara
3. trabajar / Carmen
4. no hablar / Ramón y Víctor
5. no ir al cine / Pilar
6. no ir a jugar al tenis / Silvia y Esteban
7. ir a comer / Victoria
8. no bailar / Raúl
9. no ir al centro / Beatriz y Sonia

La preposición *de*

◆ COMMUNICATIVE
OBJECTIVE

To identify ownership

You know that we use *de* to mean "from" or "of."

¿**De** dónde es Ud.?	*Where are you **from**?*
Viajan **de** México al Canadá.	*They're traveling **from** Mexico to Canada.*
Hoy es el primer día **de** la semana.	*Today is the first day **of** the week.*

1 We use *de* in many expressions

la América del Norte (del Sur)	el número de teléfono
la clase de español	la obra de teatro
el día de fiesta	el partido de fútbol
el fin de semana	la tienda de ropa
la hoja de papel	el traje de baño

and as part of many prepositions: *al lado de, cerca de, detrás de,* and so forth.

2 We also use *de* with nouns to show possession. If there are two nouns we usually repeat *de*.

Es la casa **de Luis y de Ana.**	*It's **Luis and Ana's** house.*
Las botas **de la profesora** son nuevas.	***The teacher's** boots are new.*

3 Remember that *de* + *el* → *del*.

¿Son Uds. **del** Perú?	*Are you **from** Peru?*
La oficina **del** Sr. Cabrera es grande.	*Mr. Cabrera's office is large.*

4 To ask "whose?" we say *¿de quién es?* or *¿de quién son?* If we think something belongs to more than one person, we say *¿de quiénes son?*

¿**De quién es** la guitarra?	***Whose** guitar is it?*
Es de Juan.	*It's Juan's.*
¿**De quién son** los carteles?	***Whose** posters are they?*
Son de Silvia.	*They're Silvia's.*
¿**De quiénes son** las motos?	***Whose** motorcycles are they?*
Son de los profesores.	*They're the teachers'.*

PRÁCTICA

A Después de la fiesta.   The party is over,
but a lot of guests have left things behind.
The hosts are trying to figure out what belongs
to whom. *Pregunta y contesta según el modelo.*
Usa "¿de quién . . . ?" o "¿de quiénes . . . ?"

ESTUDIANTE A   *¿De quién es el abrigo?*
ESTUDIANTE B   *Es de Silvia.*

Silvia

1. Bárbara   2. Tomás y Luz   3. Roberto   4. Beatriz

5. Susana y Jorge   6. Guillermo   7. Eduardo   8. Julia

B Después de las clases.   Pretend that you and a classmate are
straightening up the classroom. One of you recognizes to whom
various things belong. *Pregunta y contesta según el modelo. Usa "¿de
quién . . . ?" o "¿de quiénes . . . ?"*

los periódicos / los muchachos
ESTUDIANTE A   *¿De quiénes son los periódicos?*
ESTUDIANTE B   *¿Los periódicos? Son de los muchachos.*

1. los lápices / el Sr. Vera
2. el mapa / la Sra. Díaz
3. las hojas de papel / Ana
4. el bolígrafo / el Sr. Arias
5. los cuadernos / Elena y Luz
6. las cintas / María y Pepe
7. el calendario / Luis
8. los dibujos / Pedro y Juan

El verbo *estar*

◆ COMMUNICATIVE
   OBJECTIVES

**To tell where things are
located**

To tell where people are

**To give and understand
directions**

You know that *ser* means "to be." But Spanish has another verb—*estar*—
that also means "to be." They are used differently, though. Here are all of
the forms of *estar* in the present tense. Note that the *yo* form is irregular
and that the letter *a* has a written accent in all except the *nosotros* form.

INFINITIVO **estar**

	SINGULAR	PLURAL
1	(yo) **estoy**	(nosotros) (nosotras) } **estamos**
2	(tú) **estás**	(vosotros) (vosotras) } **estáis**
3	Ud. (él) (ella) } **está**	Uds. (ellos) (ellas) } **están**

One of the ways we use the verb *estar* is to tell where someone or
something is located.

| **Estoy** en la escuela. | *I'm at school.* |
| San Juan **está** en Puerto Rico. | *San Juan **is** in Puerto Rico.* |

Here are some of the words you know that are used with the verb *estar* to
show location.

en *in, at, on*	delante de *in front of*
cerca de *near, close to*	detrás de *behind*
lejos de *far from*	entre *between*
al lado de *next to, beside*	a la izquierda de *to the left of*
enfrente de *across from, opposite*	a la derecha de *to the right of*

PRÁCTICA

A **¿Dónde están?** Mira el dibujo. Pregunta y contesta según el modelo.

> ¿el cine? / el parque
> ESTUDIANTE A *¿Dónde está el cine?*
> ESTUDIANTE B *Está al lado (a la derecha o cerca) del parque.*

1. ¿la escuela? / la biblioteca y el museo
2. ¿la biblioteca? / la escuela
3. ¿la moto? / el teatro
4. ¿el autobús? / el parque
5. ¿el autobús? / el coche
6. ¿la cabina telefónica? / la esquina
7. ¿la cabina telefónica? / el teatro
8. ¿los muchachos? / el parque
9. ¿tu oficina? / el parque

En el Paseo de Gracia, una calle de Barcelona

B **¿Dónde? ¿Dónde?** Imagina que cuidas a un niño *(baby-sitting)*. El niño pregunta dónde están estas personas y ciudades. Pregunta y contesta según el modelo.

> Diego y Andrés / Madrid / España
> ESTUDIANTE A *¿Dónde están Diego y Andrés?*
> ESTUDIANTE B *Están en Madrid.*
> ESTUDIANTE A *¿Y dónde está Madrid?*
> ESTUDIANTE B *Está en España.*

1. Cecilia / Guadalajara / México
2. Luis y Marcos / La Paz / Bolivia
3. los amigos de Luz / Bogotá / Colombia
4. Georgina / Laredo / Texas
5. el señor Santos / Las Vegas / Nevada
6. las amigas de Julia / Tegucigalpa / Honduras
7. tu novio(a) / San José / Costa Rica
8. Yolanda / Viña del Mar / Chile
9. (nosotros) / _____ / _____

C **Hablemos de ti.**
1. Describe dónde estás en la clase de español con relación a dos o tres compañeros. Por ejemplo, ¿entre qué estudiantes estás? ¿Hay un estudiante a tu izquierda? ¿Quién es?
2. ¿Qué te gusta hacer cuando estás solo(a) en casa?
3. ¿A veces estás aburrido(a)? ¿Qué haces cuando estás aburrido(a) o triste?

Un café en Buenos Aires

APLICACIONES

El centro

La plaza está en el centro de la ciudad. ¿Dónde está la farmacia?
¿Dónde está la cabina telefónica? ¿Cuántas tiendas hay en el dibujo?

Pilar and Héctor want to go shopping. Create a dialogue in which they
talk about what they are going to buy and how they are going to get to
the stores. You may want to use these words or phrases:

la tienda de ropa o de música	¿Cómo vamos?	en la calle
¿Vamos a comprar . . . ?	¿Dónde está?	prefiero

EXPLICACIONES II

Ser y estar

◆ COMMUNICATIVE
OBJECTIVES

**To describe how people
are feeling**

**To describe origin and
location**

You have a pretty good idea when to use *ser*, and you know that we use *estar* to talk about location: *Pedro es de Madrid, pero ahora está en Sevilla.* You also know that we use *ser* with adjectives to describe characteristics that are usually associated with a certain person or thing: tall, short, pretty, ugly, fat, thin, intelligent, and so on. We use *estar* to describe conditions that are *not* usually associated with that person or thing. It is often the equivalent of "to be" in the sense of "to feel."

Carmen está enferma.	*Carmen is sick. (She feels sick.)*
Pedro está muy contento.	*Pedro is very happy. (He feels happy.)*
Estás un poco triste hoy.	*You're a little sad today. (You feel sad.)*

Notice how the following sentences differ depending on whether we use *ser* or *estar*.

¿Cómo es Clara?	*What's Clara like? (her usual characteristics)*
¿Cómo está Clara?	*How is Clara? (how she feels)*
Tomás es aburrido.	*Tomás is boring. (He's a boring person.)*
Tomás está aburrido.	*Tomás is bored. (He feels bored.)*

PRÁCTICA

A Un año en la América Latina. Estos *(these)* estudiantes de los Estados Unidos pasan *(are spending)* el año en otros *(other)* países. Pregunta y contesta según el modelo.

> Laura / San Antonio / Venezuela
> ESTUDIANTE A *Laura es de San Antonio, ¿verdad?*
> ESTUDIANTE B *Sí, pero ahora está en Venezuela.*

1. David / Nueva York / Santo Domingo
2. Diana y Julia / Denver / Bolivia
3. Gloria y Sara / Chicago / Costa Rica
4. Claudia / Tampa / la Argentina
5. Samuel y Patricia / Richmond / el Ecuador
6. Norma / Albuquerque / Panamá
7. Mario y Virginia / San Francisco / el Uruguay
8. Daniel / Cleveland / Colombia

B Un fin de semana largo.   Es lunes por la noche después de *(after)* un fin de semana largo. ¿Cómo están estas personas? Usa adjetivos de la lista. No uses ningún adjetivo más de dos veces. *(Don't use any adjective more than twice)*. Sigue *(Follow)* el modelo.

aburrido   contento   ocupado   triste
cansado   enfermo   preocupado

> (tú y yo)
> *Estamos cansados.*

1. Susana
2. Tomás
3. Carlos y César
4. Luisa y Alicia
5. tú y Alberto
6. Anita
7. (nosotras)
8. Uds.
9. (yo)
10. Ud.
11. Olga y yo
12. tú y ella

La ciudad de Sevilla al lado del Guadalquivir

C En la agencia de viajes. Completa la conversación con la forma correcta de *ser* o *estar*.

SR. PÉREZ	Buenos días, señor Díaz. ¿Cómo _____ Ud.?
SR. DÍAZ	Muy bien, gracias. ¿_____ Ud. ocupado?
SR. PÉREZ	No. ¿Qué desea Ud.?
SR. DÍAZ	Quiero ir a España. Me gusta mucho viajar.
5 SR. PÉREZ	Bueno. Madrid y Barcelona _____ ciudades muy grandes y bonitas.
SR. DÍAZ	Prefiero ir a Madrid.
SR. PÉREZ	El Hotel Cervantes _____ muy popular y no _____ demasiado caro. _____ en el centro, cerca de las tiendas y
10	los museos.
SR. DÍAZ	Y los teatros, ¿dónde _____? Me encantan las obras de teatro españolas.
SR. PÉREZ	Muchos teatros también _____ cerca del hotel.
SR. DÍAZ	¡Qué suerte! (Yo) _____ muy contento. Muchas gracias,
15	señor Pérez.

D Hablemos de ti.

1. ¿Cómo es tu ciudad? ¿Hay muchos parques? ¿Hay fuentes bonitas en los parques? ¿Hay muchos almacenes en tu ciudad? ¿Están cerca de tu casa?
2. ¿Cómo son los restaurantes en tu ciudad? ¿Hay buenos restaurantes cerca de tu casa? ¿Dónde están?
3. ¿Vas al teatro a veces? ¿Te gustan las obras de teatro? ¿Hay un teatro o un cine muy cerca de tu casa? ¿Dónde está?

Un ballet en el Teatro Colón de Buenos Aires

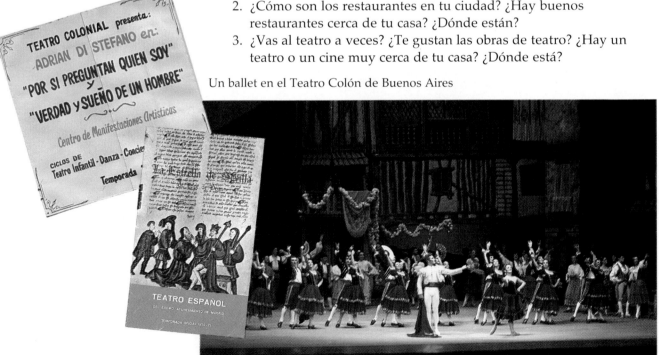

ACTIVIDAD

Soy guapo y estoy contento. Divide the class into groups of four or five. The first person should describe himself or herself accurately or imaginatively by making one statement that includes *ser* and one that includes *estar*. For example:

> Soy guapo(a) y estoy contento(a).

The next person must repeat that person's self-description and then give his or her own. For example:

> Tú eres guapo(a) y estás contento(a).
> Yo soy inteligente y estoy preocupado(a).

After each person has had a turn, begin a new round.

El Teatro Español
en Madrid

REPASO

Look carefully at the model sentences. Then put the English cues into Spanish to form new sentences based on the model.

1. *Aquí están los amigos de la profesora.*
   (Here is Daniel's office.)
   (There are Miss Márquez's chairs.)
   (Over there is the police officer's (masc.) *hat.)*

2. *La mujer baja es la Sra. Martínez. Es estudiante.*
   (The red-haired woman is Mrs. Castillo. She's a teacher.)
   (The sad woman is Miss Rivera. She's a police officer.)
   (The crazy woman is Miss González. She's a salesclerk.)

3. *Roberto es simpático, pero hoy está muy ocupado.*
   (Miguel is young, but today he's a little tired.)
   (My cats are good, but today they're rather crazy.)
   (My boyfriend is smart, but today he's a little bored.)

4. *Uds. están lejos de la iglesia vieja.*
   (You (fam.) *are near the new theater.)*
   (It's across from the large department store.)
   (We're behind the tall fountain.)

5. *¿Dónde están María y Jorge? Están a la izquierda de Jaime.*
   (Where are they (fem.)*? They're between the boys.)*
   (Where are you (pl.)*? We're next to Patricio.)*
   (Where are you (fam.)*? I'm in front of the flag.)*

6. *¿Cuál es ella? Es la policía rubia y joven, por supuesto.*
   (Which one is she? She's the dark-haired, unpleasant woman, right?)
   (Which one is he? He's the dumb, boring boy, isn't he?)
   (Which ones are they (fem.)*? They're the nice, pretty girls, aren't they?)*

Fuentes en México y España

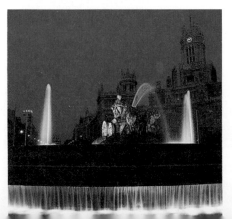

TEMA

Put the English captions into Spanish.

1.

Here's Pedro's class.

2.

The tall man is Mr. García. He's a teacher.

3.

Pilar is pretty, but today she's a little worried.

4.

Ricardo is next to the dark haired boy.

5.

Where is Pedro? He's to the right of the teacher.

6.

Which one is he? He's the tall, handsome boy, of course.

REDACCIÓN

Now you are ready to write your own dialogue or paragraph. Choose one of the following topics.

1. Write four to six more lines based on the *Tema*. How many students are there in the class? What is the teacher like? Is he nice? Describe Pilar. Describe Ricardo. Why is he tired? Does he work a lot?

2. Write a six- to eight-line paragraph about your town or city. Is it big or small, old or new? Is there a stadium? Are there many movie theaters? Museums? Where are they? Do you go to restaurants? Are they good? Are they cheap or expensive?

3. Write a four- to six-line phone conversation between a new student and someone who has been in the Spanish class all year. The new student wants to know what you are like or what someone else in the class is like and how you (or they) are today.

A   Al contrario

Complete each sentence with a word or expression to make it mean the opposite of the first sentence.

1. La obra de teatro no es divertida. Es muy _____.
2. El restaurante no está a la izquierda de la oficina. Está _____ de la oficina.
3. José no es muy simpático. Es _____.
4. El estadio no está cerca de la esquina. Está _____ de la esquina.
5. Elena no es tonta. Al contrario, es muy _____.
6. El museo no está detrás del café. Está _____ del café.
7. La profesora no está triste. Está _____.
8. La farmacia no está enfrente del almacén. Está _____ del almacén.

B   ¿Qué está . . . ?

Look at the picture and answer the questions according to the model.

¿Qué está a la izquierda del banco?
El café está a la izquierda del banco.

1. ¿Qué está entre el restaurante y la farmacia?
2. ¿Qué está a la derecha del banco?
3. ¿Qué está a la derecha del hotel?
4. ¿Qué está enfrente del hotel?
5. ¿Qué está entre el correo y el café?
6. ¿Qué está al lado de la escuela?
7. ¿Qué está delante de la escuela?
8. ¿Qué está enfrente del museo?
9. ¿Qué está al lado del museo?

C   ¿De quién es?

Answer each question according to the model.

¿De quién es el lápiz? (profesora)
El lápiz es de la profesora.

1. ¿De quiénes son las botas?   (los muchachos)
2. ¿De quién es el coche?   (las señoritas García)
3. ¿De quién es la moto?   (el policía)
4. ¿De quién es la guía telefónica?   (Anita)
5. ¿De quién es el traje de baño?   (Elena)
6. ¿De quiénes son los paraguas?   (Rita y Víctor)

D   El verbo *estar*

Complete each sentence with the correct form of *estar*.

1. Ignacio y David _____ muy cansados.
2. (Yo) _____ en la cabina telefónica.
3. Los policías _____ en la esquina.
4. María _____ triste.
5. Las señoras _____ muy ocupadas.
6. Paco _____ enfermo.
7. (Nosotros) _____ en la escuela.
8. Uds. _____ en el aeropuerto.
9. Ud. _____ preocupada.
10. Y tú, ¿cómo _____?

E   *¿Ser* o *estar*?

Complete each sentence with the correct form of *ser* or *estar*.

1. La iglesia _____ enfrente de la plaza.
2. ¿_____ Uds. de Cuba?
3. Ella _____ muy bonita.
4. La línea _____ ocupada.
5. Luisa _____ la novia de Eduardo.
6. Las muchachas _____ un poco preocupadas.
7. Ramón no _____ en casa.
8. El hotel _____ demasiado pequeño.

Sustantivos
el almacén, *pl.* los almacenes
la avenida
la cabina telefónica
el café
la calle
la dirección, *pl.* las direcciones
la esquina
el estadio
la fuente
la guía telefónica
la línea
el museo
el novio, la novia
la obra de teatro
la oficina
el parque
el partido (de + *deporte*)
el/la policía
el restaurante
el teatro

Adjetivos
aburrido, -a
antipático, -a
cansado, -a
contento, -a
divertido, -a
enfermo, -a
inteligente
interesante
loco, -a
ocupado, -a
preocupado, -a
simpático, -a
tonto, -a
triste

Verbos
estar

Adverbios
allá
allí
mal
todavía
un poco

Preposiciones
a la derecha de
a la izquierda de
al lado de
cerca de
delante de
detrás de
en (*on; at*)
enfrente de
entre
lejos de

Expresiones
a la vuelta de la esquina
¿aló?
¿de quién?, ¿de quiénes?
¿dónde está?
¡no me digas!
perdón
por supuesto
¡qué lástima!
¡qué (mala) suerte!
¿qué pasa?
un momento

CAPÍTULO 6

LA FAMILIA

Imagine that you're attending a teenager's party in Latin America. You might be surprised to see a ten-year-old girl dancing with her grandfather, or two school friends chatting with the host's aunt. Both school friends and family members are often invited to the same party, because the Spanish-speaking world places greater importance on family ties than on age.

To most people in the United States, the word "family" means parents and children. But in Spanish-speaking countries, the family includes cousins, aunts and uncles, grandparents, and godparents as well. Older children help take care of younger ones, and as a rule, sons and daughters continue to live at home until they marry and set up their own households.

One of the daily traditions in many Spanish-speaking homes is the gathering of the family for the midday meal. The largest meal of the day is usually served between 1:00 and 2:00 P.M. Schoolchildren come home to eat, and many businesses still provide a two-hour break so that working parents can join their families. Because of modern business schedules, however, this tradition is dying out in many large cities.

Family celebrations of all kinds are important events in the Spanish-speaking world. Birthdays, saints' days, weddings, and first communions are joyous occasions with plenty of food and fun. A baptism (*bautizo*) is another important family celebration. A godmother (*madrina*) and godfather (*padrino*) are selected to be responsible for the child in case anything happens to the parents. The godparents help to make sure that the child has a good religious upbringing, and they often help with the cost of education as well. It is a great honor to be chosen godparents, who then become members of the extended family.

To identify rooms in a
house
To discuss household
chores
To say what one can or
can't do

CONTEXTO
VISUAL

PALABRAS NUEVAS I

El apartamento

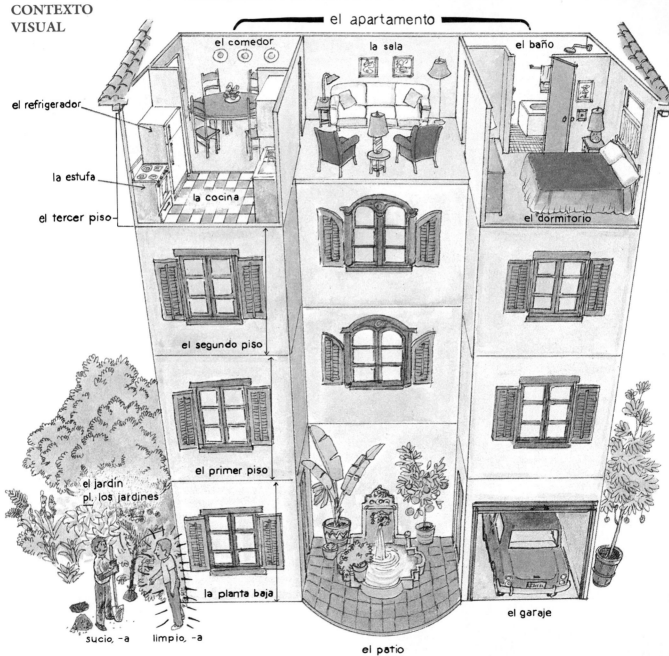

el apartamento

el comedor

la sala

el baño

el refrigerador

la estufa

la cocina

el dormitorio

el tercer piso

el segundo piso

el primer piso

el jardín
pl. los jardines

la planta baja

sucio, -a   limpio, -a

el garaje

el patio

CONTEXTO
COMUNICATIVO

1 **Tengo** una casa grande y muy **cómoda.** En la planta baja* hay una sala, un comedor y una cocina. En el primer piso hay tres dormitorios y un baño.

Variaciones:

- grande → pequeña
  cómoda → **incómoda**
  tres dormitorios → sólo un dormitorio

tener (yo tengo, tú tienes)   *to have*
cómodo, -a   *comfortable*
incómodo, -a   *uncomfortable*

2 ERNESTO **Tengo ganas de** ir al cine, pero no **puedo.**
  ISABEL ¿Por qué no?
  ERNESTO **Tengo que** ayudar en casa.
  ISABEL ¡Qué lástima! Pero puedes ir mañana, ¿no?
  ERNESTO ¡Por supuesto! Pero quiero ir hoy.

- ayudar en casa → **ayudar a** cocinar
- ayudar en casa → **limpiar** la cocina
- mañana → esta noche
  hoy → ahora

tener ganas de + infinitive   *to feel like (doing something)*
(yo) puedo, (tú) puedes (from **poder**)   *to be able to, can*
tener que + infinitive   *to have to (do something)*
ayudar a + infinitive   *to help*
limpiar   *to clean*

3 DIEGO ¿**Vienes** a la fiesta, Gloria?
  GLORIA No, no puedo ir. Tengo que limpiar el apartamento. Está sucio.
  DIEGO ¿Y después?
  GLORIA **Tampoco** puedo ir después. Tengo que **cuidar a los niños** de Emilia y Pablo.

- a la fiesta → al partido de básquetbol
- el apartamento → mi dormitorio
- cuidar a los niños → **dar de comer al** gato

venir (yo vengo, tú vienes)   *to come*
tampoco   *neither, not either*
cuidar a los niños   *to baby-sit, to take care of the children*
dar de comer a(l)   *to feed*

---

* Spanish speakers refer to the first floor as the ground floor *(la planta baja)*. What we call the second floor, they call the first floor *(el primer piso),* and so on.

EN OTRAS PARTES

También se dice *el departamento*. En España se dice *el piso*.

También se dice *la alcoba* y *la habitación*. En Puerto Rico se dice *el cuarto (de dormir)*. En México se dice *la recámara*.

En España y en otros países también se dice *la nevera*. En la Argentina se dice *la heladera*.

PRÁCTICA

A ¿Quieres limpiar la casa? Imagina que ayudas a la familia García a limpiar la casa. ¿Qué hace cada persona? *(What is each person doing?)* Sigue *(Follow)* el modelo.

el señor García y Daniel
El señor García y Daniel limpian el garaje.

1. Juan Carlos

2. Yo

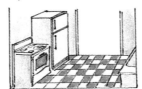

3. Teresa

4. La señora García y Bernardo

5. Diego y yo

6. Bernardo y Francisco

B Una casa nueva. Imagina que tu familia compra una casa muy grande. ¿Puedes describir la casa? Contesta según el dibujo.

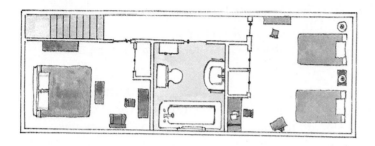

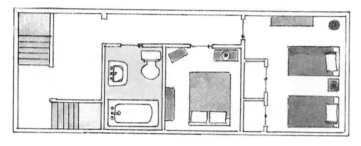

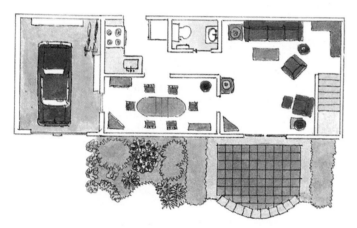

1. ¿Cuántos pisos hay?
2. ¿Cuántos dormitorios hay? ¿En qué pisos están?
3. ¿Cuántos baños hay?
4. ¿Dónde está el baño del segundo piso?
5. ¿Dónde está la sala?
6. ¿Dónde está el comedor?
7. ¿Qué hay detrás del comedor?
8. ¿Dónde está el garaje?
9. ¿Dónde está el jardín?

C **Ahora no puedo.** Imagina que no puedes ir con tus amigos porque siempre tienes que hacer algo *(something)*. Escoge *(Choose)* una expresión de la izquierda para preguntar y otra *(another)* de la derecha para contestar. Sigue el modelo.

ESTUDIANTE A *¿Puedes ir al cine?*
ESTUDIANTE B *Ahora no puedo. Tengo que hacer mi tarea.*

1. ir al cine
2. ir a la biblioteca
3. ir al centro
4. ir al partido de fútbol
5. ir al teatro
6. ir a la casa de Jorge
7. ir al campo
8. ir al museo
9. ir a la fiesta

cuidar a los niños
limpiar los dormitorios
ayudar a lavar el coche
estudiar para exámenes
practicar la guitarra
lavar la ropa
hacer mi tarea
dar de comer al perro de *(nombre)*
ayudar en la cocina

D **Yo tampoco / yo también.** Hay personas que siempre están de acuerdo *(in agreement)*. Sigue los modelos.

no ir al teatro
ESTUDIANTE A *No tengo ganas de ir al teatro.*
ESTUDIANTE B *Yo tampoco.*

mirar la tele
ESTUDIANTE A *Tengo ganas de mirar la tele.*
ESTUDIANTE B *Yo también.*

1. comer burritos
2. no ir a la piscina
3. jugar en el parque
4. no escuchar cintas españolas

5. tomar el sol
6. hablar español
7. no hacer la tarea
8. no viajar en metro

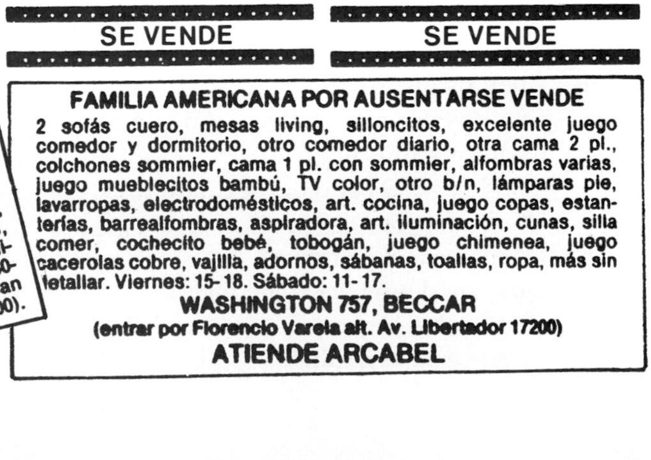

E El fin de semana. Es sábado y estás aburrido(a). Un(a) amigo(a) quiere hacer algo que *(something that)* tú no quieres hacer. Con un(a) compañero(a) de clase, pregunta y contesta según el modelo. *(The questioner should choose activities that he or she thinks are undesirable.)*

> ESTUDIANTE A   *¿Tienes ganas de ____?*
> ESTUDIANTE B   *No, no tengo ganas de ____. Prefiero ____.*

ir a la plaza	montar en bicicleta
trabajar en el jardín	lavar las ventanas
ir a bailar	ir a esquiar
limpiar el garaje	ayudar a limpiar la casa
ir a nadar	jugar al tenis
limpiar el refrigerador	ir a comer en el centro
escuchar música clásica	ir al museo
tomar el sol	mirar la tele

F Hablemos de ti.
1. ¿Tienes que hacer mucha tarea? ¿Cuándo haces la tarea?
2. ¿Tienes que ayudar en casa los fines de semana? ¿Qué tienes que hacer?
3. ¿Cómo es tu dormitorio?

ACTIVIDAD

Un apartamento cómodo With one or more classmates, draw a picture or a floor plan of *un apartamento cómodo* and of *un apartamento incómodo*. For instance, the comfortable apartment might have a big kitchen, and the uncomfortable apartment might have very small bedrooms; one might have three telephones and the other might have only one. Label in Spanish all the rooms, appliances, and furniture that you can name. Exchange your drawings with another group. Ask *¿Por qué es cómodo tu apartamento?* and *¿Por qué es incómodo?* about the two apartments that the other group drew. They will answer and then ask the same questions about your drawings.

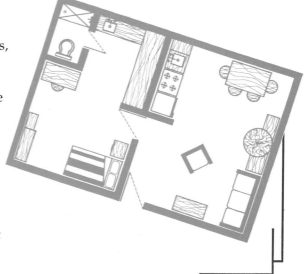

APLICACIONES

Sonia, la Cenicienta[1]

Durante las vacaciones de verano, en una casa en la isla de San Andrés.*

SONIA   Mamá, voy a nadar. Hasta luego.

MAMÁ   ¡Un momento! Primero tienes que ayudar aquí en casa.
5   La criada[2] está enferma hoy.

SONIA   Más tarde, mamá. Ahora tengo que ir a nadar con mis amigas.

MAMÁ   No, Sonia. Tienes ganas de ir a nadar, pero tienes que ayudar a limpiar. Primero tu dormitorio y después la
10   sala. Luego[3] puedes ir a nadar.

SONIA   ¿Más tarde, mamá? ¿Mañana?

MAMÁ   Mañana, no. Más tarde, no. Ahora, sí. Y también tienes que dar de comer al perro.

SONIA   Bueno, mamá. Limpiar mi dormitorio . . . la sala . . . dar
15   de comer al perro. Entonces puedo ir a nadar. Ya[4] estoy cansada. Soy Sonia, la Cenicienta . . .

---

[1]**Cenicienta** *Cinderella*   [2]**la criada** *maid*   [3]**luego** *then*   [4]**ya** *already*

* San Andrés is a Caribbean island and a popular beach resort. It is about 150 miles northeast of Nicaragua and belongs to Colombia.

En España

Preguntas

¿Quién habla, Sonia o Mamá? Contesta según el diálogo.

1. Quiero ir a nadar.   2. Tengo que ayudar en casa.   3. Tu dormitorio está sucio.   4. Puedo nadar más tarde.   5. Tengo que dar de comer al perro.   6. No tengo ganas de limpiar la casa.   7. Tampoco tengo ganas de dar de comer al perro.   8. Tú nunca ayudas en casa.

Participación
Working with a partner,
make up a dialogue of four
to six lines in which you
play the roles of student
and teacher. Using the
expression *tener que*,
the teacher says what the
student should do.
The student responds
and says what he or she
feels like doing instead.

PRONUNCIACIÓN

A Except after a vowel, the letter *d* is pronounced almost like the
English *d*, but the tip of the tongue touches the inside of the upper
teeth.
Escucha y repite.

de   día   después   donde   segundo   dormitorio

B After a vowel, *d* is pronounced almost like the ''th'' in the English
word ''mother.''
Escucha y repite.

adiós   ayudar   cómodo   cuidar   mediodía   refrigerador

C When we pronounce the letter *t* in English, it is often followed by a
little puff of air. In Spanish, the letter *t* is pronounced without this
puff of air. The tongue is right behind the upper teeth.
Escucha y repite.

tengo   triste   hotel   estufa   tampoco

D Escucha y repite.

Todavía tengo que estudiar.
¿Dónde están los vendedores?
El dormitorio de David está en el tercer piso.

◆ COMMUNICATIVE
  OBJECTIVES
  To ask and tell how old
  someone is
  To congratulate
  someone

PALABRAS NUEVAS II

La familia

mi abuelo   mi abuela
    mis abuelos

mi madre mi padre
    mis padres

mi tía   mi tío
   mis tíos

mi hermano mi hermana
    mis hermanos

yo

mi primo   mi prima
    mis primos

Mi familia

CONTEXTO COMUNICATIVO

1 CECILIA   **Los quince años*** es una fiesta muy **especial.**
ANDRÉS   ¿Y quién es **la quinceañera**?
CECILIA   Alejandra. Aquí está.
ANDRÉS   **¡Felicitaciones,** Alejandra!

Variaciones:
- una fiesta → un cumpleaños
- especial → **importante**
- la quinceañera → **la chica**

los quince años   *fifteenth birthday (party)*
especial   *special*
la quinceañera   *fifteen-year-old birthday girl*
felicitaciones   *congratulations*
importante   *important*
el chico, la chica = el muchacho, la muchacha

2 MARÍA   ¿Quién es la señora rubia?
HÉCTOR   Es mi **esposa.**
MARÍA   Y **el niño** rubio, ¿es tu **hijo**?
HÉCTOR   No, él es mi **sobrino.**

- la señora → la mujer
- el niño → el chico

el esposo, la esposa   *husband, wife*
el niño, la niña   *little boy, little girl*
el hijo, la hija   *son, daughter*
el sobrino, la sobrina   *nephew, niece*

3 DAVID   Tus abuelos están aquí, ¿verdad?
EVA   Sí, y mis tíos también.
DAVID   ¿Con **sus hijos**?
EVA   ¡Por supuesto!

- tus abuelos → tus padres
- sus hijos → tus primos

su, sus   *his, her, your (formal), their*
los hijos   *sons, son(s) and daughter(s), children*

4 ANA   ¿Dónde están los padres de Alejandra?
PEDRO   Allí están sus padres.
ANA   Y los **niños** pelirrojos, ¿quiénes son?
PEDRO   Sus primos.

- sus padres → su **papá** y su **mamá**
- los niños → los chicos
- primos → **sobrinos**

los niños   *children*

el papá   *dad*
la mamá   *mom*
los sobrinos   *nephews, nephew(s) and niece(s)*

* In a Spanish-speaking country, when a girl reaches her fifteenth birthday *(los quince años),* her parents often throw a huge party to celebrate. This is a girl's most important birthday. After her *quince años,* she won't be considered a child any longer, but a young woman.

5	OLGA	¿Tienes hermanos?	
	FELIPE	Sí, tengo dos. Una hermana **mayor** y un hermano **menor.** ¿Y tú?	
	OLGA	Soy **hija única.**	

■ hermano menor → **hermanito**

mayor   *older*
menor   *younger*
el hijo único, la hija única   *only child*
el hermanito, la hermanita *little brother, little sister*

6	PROFESOR	¿Cuál es tu nombre?	
	ESTUDIANTE	Elisa María.	
	PROFESOR	¿Y tu **apellido**?	
	ESTUDIANTE	Velázquez Díaz.* Soy Elisa María Velázquez Díaz.	

■ ¿cuál es tu nombre? → ¿cómo te llamas?

el apellido   *last name*

7	SARA	**¿Cuántos años tienes,** Luis?	
	LUIS	**Tengo** veinte **años.**	
	SARA	¡Ay, qué viejo eres! Yo sólo tengo dieciséis.	

■ veinte → veintiún
■ veinte → treinta y un

¿cuántos años tienes?   *how old are you?*
tener _____ años   *to be _____ years old*

EN OTRAS PARTES

También se dice *el marido*.   También se dice *la mujer*.

* In Spanish-speaking countries people frequently use two last names. The first is the father's last name, and the second is the mother's maiden name. In this case, Elisa's father is Sr. Velázquez, and her mother's maiden name is Díaz.

Familias latinoamericanas en:
(arriba, izquierda) Oruro,
Bolivia; (arriba, derecha)
St. Paul, Minnesota; (derecha)
Bogotá, Colombia; (abajo)
Piriápolis, Uruguay

217

PRÁCTICA

A Mi familia. Me llamo Lola. Aquí está mi familia. ¿Quién es quién?
Completa las frases (*sentences*).

1. María es la _____ de Eduardo y Yolanda.
2. Marcos es el _____ de Raúl y Sara.
3. Sergio es el _____ de Claudia.
4. Lupe es mi _____.
5. Ana y yo somos las _____ de Marcos y las _____ de Sara y Raúl.
6. Eduardo es el _____ de Andrés.
7. Andrés, Claudia y Elena son los _____ de Sara y Raúl.
8. Sergio y Lupe son mis _____.
9. María y Sergio son los _____ de mi madre.
10. Claudia y Elena son mis _____.
11. Elena es la _____ de mis padres.
12. Sara, María y Sergio son los _____ de mis abuelos.

B La familia de Sergio.   Mira el dibujo de la Práctica A. Imagina que
tú eres Sergio. Contesta según el modelo.

> María   *María es mi hermana.*

1. Lupe
2. Sara
3. Lola
4. Eduardo y Yolanda
5. Elena
6. Marcos y Ana
7. Andrés
8. María y Sara

C ¿Cuántos años tienes?   Quieres saber *(to know)* cuántos años tienen
los niños de la familia Díaz. Pregunta y contesta según el modelo.

> Juan (7)
> ESTUDIANTE A   *Juan, ¿cuántos años tienes?*
> ESTUDIANTE B   *Tengo siete años.*

1. Teresa (16)
2. Bernardo (17)
3. Miguelito (3)
4. Francisco (19)
5. Diego (14)
6. Daniel (21)

D Hablemos de ti.

Puedes contestar según tu familia o según una familia ideal o
imaginaria.

1. ¿Cuál es tu apellido? ¿Cuál es tu nombre? ¿Cuántos años tienes?
   ¿Cuál es tu dirección? ¿Cuál es tu número de teléfono?
2. ¿Tienes una familia grande o eres hijo(a) único(a)?
3. ¿Tienes hermanos? ¿Cuántos? ¿Cómo son? ¿Cuáles son sus
   nombres? ¿Cuántos años tienen ellos?
4. ¿Tienes hermanas? ¿Cuántas? ¿Cómo son? ¿Cuáles son sus
   nombres? ¿Cuántos años tienen ellas?
5. ¿Tienes muchos tíos y primos? ¿Cuáles son sus nombres?

ACTIVIDAD

Tu árbol genealógico. Work with a partner to create a family tree like the one on page 214. You can base it on your own family, on an ideal family, or on a famous family that you know of. Name each of the relatives—for example, *mi abuelo Carlos, mi tía Elena,* and so forth—and then practice asking and answering questions such as *¿Quién es tu abuela? ¿Quiénes son tus primos?*

Next, each of you should pick a different relative to describe. For example: *¿Cómo es tu primo Paco? Es alto, moreno y guapo. Toca la guitarra. Es muy inteligente y simpático.* You can make up anything you would like to about this relative.

ESTUDIO DE PALABRAS

We can use the endings *-ito, -ita* with nouns to show affection or to indicate that someone or something is small. If the word ends in *-o* or *-a*, we drop the final vowel before adding *-ito, -ita.*

hermano → hermanito *brother → little brother*	abuela → abuelita *grandmother → grandma*
perro → perrito *dog → little dog, puppy*	muchacha → muchachita *girl → little girl*
momento → momentito *moment → a tiny moment*	casa → casita *house → cozy little house*

If the word ends in *-co* or *-ca*, we change the *c* to *qu: chico → chiquito.*

How would you say *grandpa, little cat, little table* in Spanish?

EXPLICACIONES I

El verbo *tener*

The verb *tener* means "to have." You already know two forms of *tener*: *(yo) tengo* and *(tú) tienes*. Here are all of the present-tense forms.

INFINITIVO: **tener**

	SINGULAR		PLURAL	
1	(yo)	**tengo**	(nosotros) (nosotras)	**tenemos**
2	(tú)	**tienes**	(vosotros) (vosotras)	**tenéis**
3	Ud. (él) (ella)	**tiene**	Uds. (ellos) (ellas)	**tienen**

1   In a negative sentence, we generally don't use the indefinite article after the verb *tener* unless there is an adjective.

No tenemos **jardín.**   *We don't have **a garden.***
But: No tengo **un perro negro.**   *I don't have **a black dog.***

2   We use *tener* in many common expressions. For example:

¿Cuántos años tienes?   *How old are you?*
Tengo catorce años.   *I'm fourteen (years old).*
Tienen ganas de mirar la tele. *They feel like watching TV.*
Tenemos que estudiar ahora.   *We have to study now.*

PRÁCTICA

A Algo nuevo. Todo el mundo tiene algo nuevo. *(Everyone has something new.)* ¿Qué tienen? Sigue el modelo.

José
José tiene un suéter.

1. Ud.

2. Paco y Jaime

3. María y yo

4. Ana

5. (yo)

6. Uds.

7. (él)

8. (tú)

9. (ella)

B ¿Qué tienen que hacer? Yo no puedo cocinar. ¿Por qué estoy solo(a) aquí en la cocina? Sigue el modelo.

Cristóbal / ir a su oficina
Cristóbal tiene que ir a su oficina.

1. María / estudiar para un examen
2. Ud. / ir a la farmacia
3. Jorge y tú / lavar las ventanas
4. Héctor y Ana / trabajar en el jardín
5. Uds. / cuidar a sus hermanitos
6. las chicas / hacer la tarea
7. (tú) / limpiar el garaje
8. Y tú, ¿qué tienes que hacer en casa?

C ¿Qué tienen ganas de hacer? Hoy es domingo. Cada miembro *(each member)* de la familia de Pedro quiere hacer algo especial. Escoge *(choose)* actividades de la columna a la derecha. Sigue el modelo.

> ¿Y su mamá?
> ESTUDIANTE A *Su hermano tiene ganas de _____.*
> ESTUDIANTE B *¿Y su mamá?*
> ESTUDIANTE A *Su mamá tiene ganas de _____.*

1. ¿Y su abuelo?
2. ¿Y sus tíos?
3. ¿Y su hermana Luz?
4. ¿Y el esposo de Luz?
5. ¿Y su hermana menor?
6. ¿Y su sobrino?
7. ¿Y su hermano mayor y su esposa?
8. ¿Y Uds.?
9. Y tú, Pedro, ¿qué tienes ganas de hacer?

montar en bicicleta
jugar en el parque
ir al museo
escuchar música clásica
estar en casa
jugar al tenis
cocinar en el patio
ir al partido de béisbol
ir al café
nadar en la piscina
ir al cine
viajar al campo
no hacer nada

El verbo *venir*

The verb *venir* means "to come." Here are its present-tense forms.

INFINITIVO **venir**

	SINGULAR		PLURAL	
1	(yo)	**vengo**	(nosotros) (nosotras)	**venimos**
2	(tú)	**vienes**	(vosotros) (vosotras)	**venís**
3	Ud. (él) (ella)	**viene**	Uds. (ellos) (ellas)	**vienen**

◆ COMMUNICATIVE OBJECTIVES

To tell or find out who is (or is not) coming to an event

To make excuses

PRÁCTICA

A **¿Cómo vienen a la escuela?** ¿Cómo vienen los estudiantes a la escuela? Contesta según los dibujos.

Pablo
Pablo viene a pie.

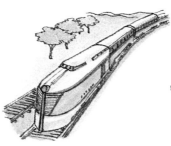  

1. Elena   2. Javier y Laura   3. Uds.

  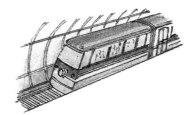

4. (tú)   5. Patricia y José   6. ellos

7. los hermanos   8. (nosotras)   9. Y tú, ¿cómo vienes?
   Mendoza

B **¿Quiénes vienen?**   Imagina que estás en el estadio. Los miembros de tu familia y tus amigos están todos *(all)* ocupados y no pueden venir al partido. ¿Por qué no? ¡Tú puedes inventar el porqué *(reason)*! Pregunta y contesta según el modelo.

> Catalina
>
> ESTUDIANTE A   ¿Viene Catalina al partido?
> ESTUDIANTE B   No, no viene.
> ESTUDIANTE A   ¿Por qué?
> ESTUDIANTE B   Porque tiene que _____.

1. Ángela
2. Juana y Norma
3. Rogelio
4. tú y Sonia
5. Rodolfo y Ester
6. Esperanza y su hermano
7. tú
8. Uds.
9. tus padres
10. tus primos

C **Hablemos de ti.**
1. ¿Qué tienes ganas de hacer esta noche? ¿Qué tienes que hacer?
2. ¿Quién tiene que limpiar tu casa o apartamento? ¿Tienes que ayudar a limpiar la casa? ¿Cuándo?
3. ¿Quién cocina en tu casa? ¿Quién lava la ropa? ¿Ayudas a cocinar y a lavar la ropa?
4. ¿A qué hora vienes a la escuela? ¿Cómo vienes? ¿Con quién?

ACTIVIDAD

¿Qué tenemos que hacer?   Work with a partner to make two lists, one headed *Tenemos que hacer . . .* and the other headed *Tenemos ganas de hacer . . . .* Share ideas about things you have to do and things you feel like doing. The first list might include such things as *Tenemos que lavar la ropa . . . ayudar en casa . . . .* The second list might begin with *Tenemos ganas de escuchar discos de música popular . . . montar en bicicleta . . . .* Write at least ten activities on each list. When you have finished, join another pair of students. Take turns pantomiming activities from your lists. Can you guess all of the activities on each other's lists?

APLICACIONES

¡Feliz cumpleaños, Julia!

ANTES DE LEER

As you read, look for the answers to the following questions.

1. ¿Cuál es el apellido de la familia?
2. ¿De qué habla la familia?
3. ¿Cuántos años tiene Julia?
4. ¿Qué sugieren su mamá, su tía y su hermana?
5. ¿Qué quiere hacer Julia?

La familia Hernández está en la sala—los padres de Julia y su hermanito Jorge, sus abuelos, sus tíos, sus primos y su hermana mayor. Todos hablan a la vez.[1] ¿Qué pasa?

5   El mes próximo van a celebrar los quince años de Julia, pero, ¿qué desea la quinceañera para su cumpleaños? Su tía sugiere[2] un viaje a Acapulco. Su mamá sugiere un collar de perlas,[3] y su hermana un video.

    ¿Y dónde está Julia? ¿Qué quiere ella? Julia está sola en su dormitorio. Quiere tener una gran fiesta. Tiene ganas de cantar y bailar con su familia y con sus amigos. Quiere llevar un bonito vestido blanco y zapatos de

10 tacón alto.[4] ¡Y tienen que ser de tacón muy alto! Va a ser un día importante, un día muy especial, y Julia quiere estar muy guapa. ¡Una muchacha celebra sus quince años sólo una vez![5]

_____

[1]**todos hablan a la vez**   _they're all talking at once_   [2]**sugiere** (_from_ **sugerir**)   _suggests_
[3]**el collar de perlas**   _pearl necklace_   [4]**de tacón alto**   _high-heeled_   [5]**una vez**   _once_

Preguntas

Escoge la palabra (_word_) o expresión correcta para completar cada frase (_each sentence_).

1. La familia de Julia está _____.
   a. en el dormitorio   b. en la sala   c. en la cocina
2. Jorge es el _____ de Julia.
   a. hermano mayor   b. primo   c. hermano menor
3. La mamá de Julia tiene ganas de comprar un _____.
   a. collar de perlas   b. video   c. vestido blanco
4. Julia está _____.
   a. con su familia   b. en la sala   c. en su dormitorio
5. Julia prefiere _____.
   a. viajar a Acapulco   b. mirar videocintas   c. tener una fiesta
6. Julia tiene ganas de llevar _____.
   a. un collar de perlas   b. un vestido blanco   c. botas de tacón alto
7. Julia tiene ahora _____.
   a. 14 años   b. 15 años   c. 16 años

Fiesta de cumpleaños en
Buenos Aires, Argentina

227

EXPLICACIONES II

Adjetivos posesivos

◆ **COMMUNICATIVE OBJECTIVES**

To show ownership

To identify possessions

To express family relationships

You know that we use *de* + a noun to show possession.

Es el cuaderno **de** María. *It's Maria's notebook.*

Another way to show possession is by using possessive adjectives. You already know some of them.

Aquí está **tu** bicicleta. *Here's **your** bike.*

Mi hermanita tiene diez años. ***My** little sister is ten years old.*

Here are all of the possessive adjectives. Like other adjectives, they always agree with the nouns that follow them.

POSSESSIVE ADJECTIVE + SINGULAR NOUN

mi { tío / tía	*my* { *uncle* / *aunt*	**nuestro** tío / **nuestra** tía	*our* { *uncle* / *aunt*
tu { tío / tía	*your* { *uncle* / *aunt*	**vuestro** tío / **vuestra** tía	*your* { *uncle* / *aunt*
su { tío / tía	*your* / *his* / *her* { *uncle* / *aunt*	**su** { tío / tía	*your* / *their* { *uncle* / *aunt*

POSSESSIVE ADJECTIVE + PLURAL NOUN

mis { tíos / tías	*my* { *uncles* / *aunts*	**nuestros** tíos / **nuestras** tías	*our* { *uncles* / *aunts*
tus { tíos / tías	*your* { *uncles* / *aunts*	**vuestros** tíos / **vuestras** tías	*your* { *uncles* / *aunts*
sus { tíos / tías	*your* / *his* / *her* { *uncles* / *aunts*	**sus** { tíos / tías	*your* / *their* { *uncles* / *aunts*

1. Only the *nuestro* and *vuestro* forms have different masculine and feminine endings. Like the *vosotros* form of verbs, *vuestro(s), -a(s)* is used in Spain.

2. Both *tu/tus* and *su/sus* mean "your." Use *tu/tus* when speaking with someone you call *tú*. Use *su/sus* with someone you call *usted* or with more than one person *(ustedes)*.

PRÁCTICA

A ¿Dónde está? Imagina que estás muy distraído(a) *(absent-minded)*. Pregunta y contesta según el modelo.

ESTUDIANTE A   *¿Dónde está mi sombrero?*
ESTUDIANTE B   *¿Tu sombrero? Está en la sala, ¿no?*

1.
2.
3.
4.
5.
6.
7.
8.
9.

B **¿Quiénes son?** Imagina que miras el álbum de fotos de dos chicos puertorriqueños que acaban de llegar *(who just arrived)* a tu ciudad. Pregunta y contesta según el modelo.

> ¿padres? / no / tíos de San Juan
> ESTUDIANTE A *¿Son sus padres?*
> ESTUDIANTE B *No, son nuestros tíos de San Juan.*

1. ¿coche? / sí / primer coche
2. ¿perro? / sí / perro Camilo
3. ¿bicicletas? / sí / bicicletas viejas
4. ¿casa? / sí / casa de verano cerca del Cabo San Juan
5. ¿primos? / no / compañeros de clase
6. ¿abuela? / no / profesora de guitarra
7. ¿apartamento? / sí / apartamento en Ponce
8. ¿barco? / sí / barco "El Colón"

C **¿De qué color es . . . ?** Hay mucha ropa en el Depósito de objetos perdidos *(Lost and Found)*. ¿De quién es? Pregunta y contesta según el modelo. ¡Cuidado! *(Watch out!)* ¿Usas *su* o *tu?*

> Pedro / suéter / rojo
> ESTUDIANTE A *Pedro, ¿de qué color es tu suéter? ¿Rojo?*
> ESTUDIANTE B *No, no tengo un suéler rojo.*

1. profesora Díaz / paraguas / verde
2. Sofía / impermeable / morado
3. Julia / botas / amarillas
4. profesor Marín / bufanda / gris
5. Jaime / abrigo / marrón
6. Rebeca / calcetines / anaranjados
7. profesor Suárez / guantes / negros
8. Arturo / camisetas / azules

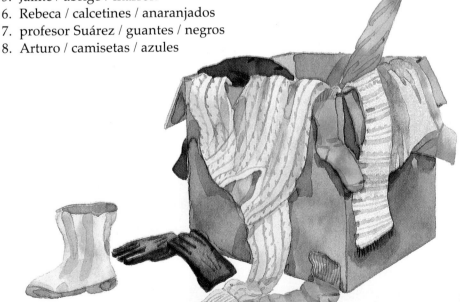

D Nuestra familia. Imagina que tu tarea para mañana es entrevistar a *(to interview)* la familia Pérez. Pregunta y contesta según el modelo.

ESTUDIANTE A Sra. García de Pérez, ¿es la Sra. Pérez de Enríquez su sobrina?

ESTUDIANTE B *No, es mi hija.*

1. Marta, ¿es el Sr. Pérez García tu abuelo?
2. Ignacio e Isabel, ¿es el Sr. Pérez López su tío?
3. Sr. Enríquez, ¿es Luisa su hermana?
4. Sra. Pérez de Enríquez, ¿es el Sr. Pérez García su primo?
5. Isabel, ¿es Marta tu hermana?
6. Marta e Ignacio, ¿es la Sra. García de Pérez su tía?
7. Sra. Pérez de Enríquez, ¿son Ignacio e Isabel sus hijos?
8. Ignacio e Isabel, ¿son Marta y Mateo sus hermanos?

E Hablemos de ti.
1. Cuando tienes que estudiar para exámenes, ¿dónde estudias? ¿Estudias a veces en la biblioteca? ¿Prefieres estudiar en casa o en la biblioteca?
2. ¿Tienes un perro, un gato o un pájaro? ¿Cuál es su nombre? Si tienes peces, ¿tienen nombres? ¿Cuáles son?

APLICACIONES

REPASO

Look carefully at the model sentences. Then put the English cues into Spanish to form new sentences based on the models.

1. *Hoy es la fiesta de Carmen. Mi hermano y yo vamos a ayudar en la cocina.*
   (Tomorrow is the Spanish test. He and his cousin (f.) are going to study in the dining room.)
   (Today is the baseball game. My friends and I are going to practice in the park.)
   (Tomorrow is the fifteenth birthday party. She and her parents are going to eat in the garden.)

2. *Sus abuelos vienen al estadio a las ocho.*
   (Our parents are coming downtown at 5:00.)
   (His sister comes to school at 7:30.)
   (Your (fam.) aunt and uncle are coming to the hotel at 2:00.)

3. *Los niños tienen ganas de comer en el restaurante.*
   (I feel like reading in the library.)
   (We feel like working in the garage.)
   (Do you (fam.) feel like singing at the party?)

4. *Pero no puedes jugar ahora. Tienes que trabajar.*
   (But I can't talk now. I have to eat.)
   (But you (fam.) can't listen now. We have to practice.)
   (But I can't wait now. I have to cook.)

Tres hermanas en Madrid

TEMA

Put the English captions into Spanish.

1. Today is Silvia's birthday. She and her friends are going to dance on the patio.

2. Her friends are coming to the party at 7:00.

3. Pedro feels like swimming in the pool.

4. "But I can't swim now. I have to dance."

REDACCIÓN

Now you are ready to write your own dialogue or paragraph. Choose one of the following topics.

1. Write a paragraph of four to six sentences about the pictures. How many friends are coming to the party? What are they wearing? What do Pedro and Silvia look like?

2. Expand the story in the *Tema* by writing four to six sentences describing three or four of Silvia's friends and telling what they want to do at the party.

3. Write a brief dialogue of six to eight lines between Silvia and some of her guests.

A   La familia
Complete each sentence with the correct word.

1. Los padres de mi padre son mis _____.
2. La hija de mi tía es mi _____.
3. La esposa de mi padre es mi _____.
4. Los hijos de mi hermana son mis _____.
5. Las hermanas de mi madre son mis _____.
6. El hijo de mis padres es mi _____.

B   ¿Qué tienen que hacer?
Write sentences describing what different people have to do. Follow the model.

Arturo / ir a la tienda
Arturo tiene que ir a la tienda.

1. mi primo y yo / ayudar en casa
2. Clara / limpiar la cocina
3. Ricardo y Lourdes / lavar la ropa sucia
4. mi hermanito / dar de comer al perro
5. Ud. / cocinar
6. (nosotros) / practicar béisbol
6. (yo) / viajar a Chicago
8. Héctor y tú / cuidar a los niños

C   No, no tengo
Answer negatively in a complete sentence.

1. ¿Tienes un jardín?
2. ¿Tienen ellos un garaje?
3. ¿Tiene Ud. una oficina?
4. ¿Tengo una clase a las dos?
5. ¿Tenemos un examen hoy?
6. ¿Tienen Uds. un apartamento?
7. ¿Tiene Alicia un barco?

D   No tengo ganas
Answer each question according to the model.

¿Vas a lavar los platos?
No, no tengo ganas de lavar los platos.

1. ¿Van a cuidar ellos a los niños?
2. ¿Va a cantar Ud. en la iglesia?
3. ¿Va a ayudar Pablo en casa?

4. ¿Van a estudiar Uds. en la biblioteca?
5. ¿Van a limpiar ellas la estufa?
6. ¿Vas a lavar el coche?

E   *¿Tener o venir?*
Complete each sentence with the correct form of *tener* or *venir*.

1. ¿_____ Ud. los periódicos de hoy?
2. ¿_____ tú en autobús o a pie?
3. (Nosotros) _____ que limpiar el baño.
4. (Nosotras) _____ a la escuela en coche.
5. Juan y María no _____ a mi casa.
6. Nuestro apartamento no _____ comedor.
7. (Yo) _____ dos hermanas.

F   Los adjetivos posesivos
Answer each question with a complete sentence. Use a possessive adjective.

¿Tienes el libro de Julia?
Sí, tengo su libro.

1. ¿Es Alicia tu tía?
2. ¿Son Inés y Paco los sobrinos de la señora Hernández?
3. ¿Buscan Uds. sus suéteres?
4. Mamá, ¿tienes mis cuadernos?
5. ¿Es la señora alta la abuela de Gloria?
6. ¿Tiene Jorge tus guantes?
7. ¿Tienes el mapa de los chicos?
8. Marta, ¿tienes nuestra dirección?

G   ¿Qué haces allá?
Write logical answers to each question.

1. ¿Qué tienes ganas de hacer hoy?
2. ¿Qué haces en la cocina?
3. ¿Cuántos dormitorios tiene tu casa o apartamento?
4. ¿Cuántos baños tiene?
5. ¿Cuántas sillas hay en tu sala?
6. ¿Qué tienes en tu garaje?
7. ¿Tiene tu familia un jardín?
8. ¿Tienen tú y tu familia una casa o un apartamento?

VOCABULARIO DEL CAPÍTULO 6

Sustantivos

el abuelo, la abuela
los abuelos
el apartamento
el apellido
el baño
la cocina
el comedor
el chico, la chica
el dormitorio
el esposo, la esposa
la estufa
la familia
el garaje
el hermanito, la hermanita
el hermano, la hermana
los hermanos
el hijo, la hija
los hijos
el jardín, *pl.* los jardines
la madre
la mamá
el niño, la niña
los niños
el padre
los padres
el papá
el patio

el piso
la planta baja
el primo, la prima
la quinceañera
los quince años
el refrigerador
la sala
el sobrino, la sobrina
los sobrinos
el tío, la tía
los tíos

Adjetivos

cómodo, -a
especial
importante
incómodo, -a
limpio, -a
mayor
menor
sucio, -a
único, -a

Adjetivos posesivos

nuestro, -a, -os, -as
su, sus

Verbos

ayudar a + *inf.*
limpiar
tener
venir

(yo) puedo
(tú) puedes

Adverbio

tampoco

Expresiones

¿cuántos años tienes?
cuidar a los niños
dar de comer a(l)
el primer (segundo, tercer) piso
¡felicitaciones!
tener _____ años
tener ganas de + *inf.*
tener que + *inf.*

CAPÍTULO 7

PRÓLOGO CULTURAL

LA EDUCACIÓN SECUNDARIA

I f you got a grade of 10 on your report card, you'd probably be very upset! But many Latin American *escuelas secundarias* or *colegios* use a grading system that goes from 1 (lowest) to 10 (highest).

An *escuela secundaria* has a lot in common with your high school, but there are some important differences. For example, in many Spanish-speaking countries, the year is divided into three terms, or trimesters, of three months each. The classes in your school are probably held in different rooms. In an *escuela secundaria*, students usually stay in the same room and a different teacher comes in for each subject. School is often more formal than in the United States. In many countries, such as Mexico and Nicaragua, students may be required to wear uniforms.

An even bigger difference is that the course of study in an *escuela secundaria* takes five years rather than four. The first three years are called the *ciclo básico* or *ciclo común*. During those three years students take basic courses, just as you do: national and world history, literature, grammar, mathematics, science, and another language, usually English or French. Unlike schools in the United States, there are no elective courses.

Students spend their last two years in specialized training. If they want to become teachers, they attend an *escuela normal*. If they want to go into business or become skilled laborers, they go to an *escuela técnica*. Students who plan to go to college continue taking courses leading to a *bachillerato* (an academic high school degree).

Students graduate only after they have passed a certain number of required courses. In addition, they often have to take a series of difficult oral and written exams. And after all that hard work it still isn't party time. Big graduation parties are not usual in Spanish-speaking countries.

PALABRAS NUEVAS I

El colegio

**CONTEXTO
VISUAL**

borrar

¿Cómo está Ud.?

el borrador

3 de marzo de 1989
Querida María

la carta

escribir

dibujar

la papelera

la página

el acento

la palabra

¿Cómo está Ud.?
Estoy muy bien.

la frase

el inglés

I think that
I shall never
see
A poem lovely
as a tree.

el poema

el colegio

llamar

¡Juanita!

llamar

la cafetería

el laboratorio

el francés

BONJOUR!

The word for "high school" *(escuela secundaria)* varies throughout the Spanish-speaking world. In Spain *el colegio* is a public high school, while in Latin America it often refers to a private school. The word for a public high school in Latin America might be *la escuela*, *la escuela secundaria*, *la escuela preparatoria*, *el instituto*, or *el colegio*.

Palabras Nuevas I   **239**

CONTEXTO
COMUNICATIVO

1 PROFESORA ¿Quién está **ausente** hoy?

PABLO **Nadie. Todos** los estudiantes están **presentes.**

PROFESORA Muy bien. Es importante **asistir a** la clase de español **todos los días.**

Variaciones:
- presentes → aquí
- a la clase de español → al colegio

2 MARÍA **Vivo** en México, pero en mi casa hablamos inglés y español.

LUIS ¡Ah! Tu familia es **bilingüe.** ¿Qué te gusta más, el inglés o el español?

MARÍA Prefiero hablar inglés, pero me gusta escribir en español.

- México → San Antonio
- escribir → leer

3 ANA ¿Qué tenemos que **aprender** para mañana?

JORGE **Según** Marta, tenemos que **aprender** todo el poema **de memoria.**

- aprender para mañana → estudiar para el lunes
- todo el poema → toda la página

4 ANDREA Aquí hay una carta de mi primo Carlitos.

FELIPE ¡Sólo hay dibujos! ¿Dónde están las palabras?

ANDREA Pues, Carlitos sólo tiene cinco años. Pero dibuja muy bien, ¿no?

FELIPE ¡Ah! Ahora **comprendo** por qué te gusta **recibir** sus cartas. Son muy divertidas.

- primo Carlitos → prima Elenita
  Carlitos → Elenita

5 JUAN ¿Tiene acento la palabra *cafetería*?

EMILIA ¡Por supuesto!

JUAN Gracias. Ahora tengo **la respuesta correcta.**

- cafetería → página
- ¡por supuesto! → ¡cómo no!

---

ausente *absent*

nadie *no one, nobody, not anyone*

todo, -a, -os, -as *every; all; the whole*

presente *present*

asistir a *to attend*

todos los días *every day*

vivir (yo vivo, tú vives) *to live*

bilingüe *bilingual*

aprender (yo aprendo, tú aprendes) *to learn*

según *according to*

aprender ___ de memoria *to memorize*

comprender (yo comprendo, tú comprendes) *to understand*

recibir (yo recibo, tú recibes) *to receive, to get*

la respuesta *answer*

correcto, -a *correct*

---

6 GLORIA   Tengo un examen de francés mañana y no estoy **preparada.** Tengo que estudiar dos **capítulos** del libro.

LOLA   ¿Por qué no llamas a mi tía Norma?

GLORIA   **¿A quién?**

LOLA   A mi tía Norma. Ella **enseña** francés y es muy simpática.

GLORIA   ¡Qué suerte! Muchas gracias, Lola.

- capítulos → **lecciones**
- ¡qué suerte! → ¡no me digas!

preparado, -a *prepared, ready*
el capítulo *chapter*

¿a quién(es)? *(to) who(m)*
enseñar *to teach*

la lección, *pl.* **las lecciones**
  lesson

NOTE: We use the definite article with the names of languages except after *en, de,* and the verbs *aprender, enseñar, estudiar,* and *hablar.* We also usually use the definite article with the names of school subjects except after those same words.

We use *todo el / toda la / todos los / todas las* + noun to mean ''all'' or ''every'': *toda la noche, todas las lecciones.* We can also use the plural forms as pronouns to mean ''everyone'': *Todos están presentes.*

Lecciones de inglés en España

PRÁCTICA

A ¿Qué hacen?   Contesta las preguntas según el dibujo.

1. ¿Qué dibuja el muchacho?
2. ¿Con qué dibuja?
3. ¿En qué dibuja?
4. ¿Dibuja también la muchacha?
5. ¿Qué palabras en la pizarra tienen acento?
6. ¿A quién llama la profesora?
7. ¿Qué capítulo estudia Andrés? ¿Qué página?
8. ¿Hablan francés o español en la clase?
9. ¿Qué hay en la papelera?
10. ¿Cuántos estudiantes están presentes?
11. ¿Quién está en la puerta?

B **¿Cuál es la tarea?** Imagina que tú enseñas la clase de español hoy. ¿Qué tarea vas a dar *(to give)* a los estudiantes? Escoge palabras de las dos columnas. Sigue el modelo.

Uds. tienen que aprender la página 75 de memoria.

aprender	un poema corto
aprender ____ de memoria	unas frases en inglés
buscar	el periódico en casa
contestar	todas las preguntas en español
dibujar	un mapa de España
escribir	una carta en español
estudiar	la lección 7
leer	la página 75
practicar	un capítulo aburrido
	un cartel tonto
	todas las respuestas correctas
	la bandera española
	las palabras nuevas
	unos libros en la biblioteca

C **Hablemos de ti.**

1. ¿Te gusta dibujar? ¿Qué dibujas? ¿Son buenos tus dibujos? ¿Qué estudiantes en tu clase dibujan bien?
2. ¿Están todos presentes en tu clase de español hoy? ¿Quién(es) está(n) ausente(s)?
3. ¿Quiénes enseñan español en tu escuela? ¿Quiénes enseñan francés?

ACTIVIDAD

Cadenas *(chains)* Play this association game with two or three other students. One person starts by saying a noun or a verb: *dibujar,* for example. Another person must say a word that is connected in some way to the first word. For example:

el dibujo / el lápiz / la hoja de papel / etc.

See how many words you can link together logically in a chain. When no one can think of another word, someone else should begin a new chain. Here are some words you might use to begin chains:

el almacén	la familia	limpiar
la ciudad	comer	llamar
el deporte	escribir	
la escuela	leer	

la nota

la prueba

el horario

la escuela

la clase

APLICACIONES

Señorita, no comprendo

En un colegio de San José, Costa Rica.

PROFESORA	Buenos días, alumnos. ¿Están todos preparados hoy?
ALUMNOS	Sí, Sra. Rivera.
5 PROFESORA	Muy bien . . . Carlos, ¿quieres escribir la palabra *bilingüe* en la pizarra?
CARLOS	No comprendo. ¿Qué quiere decir *bilingüe*?
PROFESORA	¿Cómo? ¿Y dónde está tu tarea? La palabra *bilingüe* está en la lección de hoy.
10 CARLOS	No tengo mi tarea, señora.
PROFESORA	¿Por qué no?
CARLOS	Porque ahora no tengo tiempo.[1] Mi abuela de California está en casa.
PROFESORA	¡Ah! Tu abuela es de los Estados Unidos. ¿Habla inglés?
15	
CARLOS	¡Por supuesto, señora!
PROFESORA	¿Y habla español también?
CARLOS	¡Cómo no!
PROFESORA	Entonces, tu abuela es bilingüe. Habla dos lenguas,[2] el inglés y el español. ¿Comprendes ahora?
20	
CARLOS	¡Ah, sí! ¡Ahora comprendo! Una persona que[3] habla dos lenguas es bilingüe.

Estudiantes en Buenos Aires

---

[1] **el tiempo** here: *time*   [2] **la lengua** *language*   [3] **que** *who*

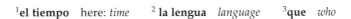

Preguntas
Contesta según el diálogo.

1. ¿Dónde están la profesora y Carlos?   2. ¿Qué palabra tiene que escribir Carlos?   3. ¿Por qué no tiene Carlos su tarea?   4. ¿Quién está en la casa de Carlos?   5. ¿De dónde es su abuela?   6. ¿Cuántas lenguas habla ella? ¿Cuáles son?   7. ¿Qué quiere decir la palabra *bilingüe*? (Quiere decir que . . . .)

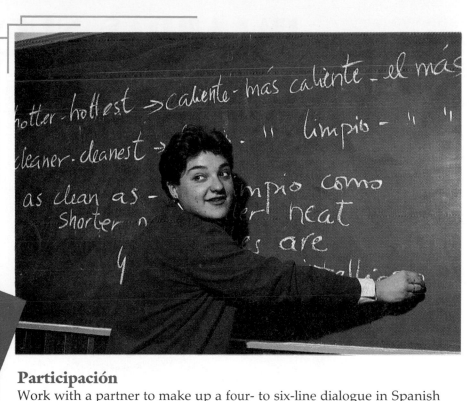

Participación

Work with a partner to make up a four- to six-line dialogue in Spanish between a teacher and a student who is not prepared for class. For example, the student might say *Mi madre está enferma* or *No tengo un lápiz*. What does the teacher say? It might begin *Tienes que . . . .*

PRONUNCIACIÓN

A The pronunciation of the letter *p* in English is often followed by a little puff of air. If you put your hand close to your mouth, you can feel the air when you say the word "popular." In Spanish, *p* is pronounced without this puff of air.

Escucha y repite.

por   papa   palabra   poema   papelera

B Escucha y repite.

Pablo siempre está preocupado.
¿Por qué no aprendes el poema?
Pepe está preparado para el partido.
No comprendo las palabras del primer capítulo.

To discuss school subjects, class schedules, assignments, tests, and grades

To express hope

CONTEXTO VISUAL

PALABRAS NUEVAS II

¿Qué materias tienes hoy?

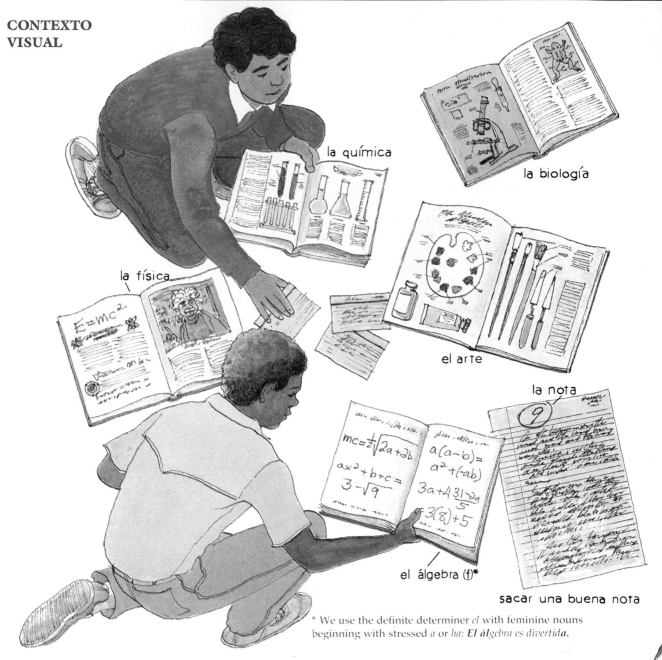

la química

la biología

la física

el arte

la nota

el álgebra (f)*

sacar una buena nota

* We use the definite determiner *el* with feminine nouns beginning with stressed *a* or *ha*: **El** *álgebra es divertida*.

la educación física

el gimnasio

la geometría

la historia

la computadora

sacar una mala nota

la clase de computadoras

el horario

CONTEXTO COMUNICATIVO

1 LUIS ¿Cuál es tu **materia favorita**?

ESTER La química o la física. **Estoy** muy **fuerte en las ciencias.**

Variaciones:
- física → biología
- estoy muy fuerte → saco buenas notas

la materia	*school subject*
favorito, -a	*favorite*
estar fuerte en	*to be good in*
las ciencias	*science*

2 RAÚL Sacas muy buenas notas en geometría. ¡Qué **lista** eres!

ANDREA Sí, pero **estoy floja en** historia. Es muy **difícil** para **mí.** Voy a **salir mal en** el examen.

- ¡qué lista eres! → ¡qué suerte tienes!
- historia → inglés
- es muy difícil → no es muy **fácil**
- salir mal → sacar una mala nota

listo, -a	*smart, clever*
estar flojo, -a en	*to be poor in*
difícil	*hard, difficult*
mí	*me*
salir mal en	*to do badly on (exams)*
fácil	*easy*

3 JAVIER No voy a **salir bien en la prueba** de biología.

SONIA ¿Quieres **repasar** el capítulo 14 **conmigo**?

JAVIER **¿Contigo?** ¡Nunca! Siempre sacas malas notas.

SONIA ¡Qué antipático eres!

- salir bien → sacar una buena nota
- repasar → estudiar

salir bien en	*to do well on (exams)*
la prueba	= el examen
repasar	*to review*
conmigo	*with me*
contigo	*with you* (fam.)

4 MATEO ¿Tienes biología **por la mañana**?

INÉS Sí. A las diez.

MATEO ¿Cuándo tienes **matemáticas**?

INÉS **Después de** biología.

MATEO ¿Y a qué hora **terminan** tus clases?

INÉS A las doce.

- biología → ciencias
- por la mañana → **por la tarde**
  a las diez → a las dos
  a las doce → a las cuatro

por la mañana	*in the morning*
las matemáticas	*mathematics*
después de	(+ noun) *after;* (+ infinitive) *after* + verb + *-ing*
terminar	*to end, to finish*
por la tarde	*in the afternoon*

5 LUIS ¿Quieres **aprender a usar** la computadora?

JUDIT ¡Cómo no! ¿Cuándo es la clase? ¿Por la mañana?

LUIS No, es por la tarde. A las 4:30.

JUDIT ¡Qué lástima! Estoy ocupada por la tarde.

■ por la tarde → **por la noche**
  a las 4:30 → a las 7:45
  la tarde → la noche

aprender a + inf. *to learn (how) to*

usar *to use*

por la noche *in the evening, at night*

6 BEATRIZ ¿**Para quién** es el libro de arte? ¿Para **ti**?

CÉSAR ¡**Ojalá!** Pero no sé para quién es.

■ ti → él
■ ti → Ud.
■ ti → mí

¿para quién? *for whom?*

ti *you* (object)

¡ojalá! *I hope so!, let's hope so!*

EN OTRAS PARTES

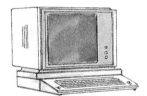

En España se dice
el ordenador.

la materia

En España se dice
la asignatura.

Una clase de computadoras
en España

PRÁCTICA

A El horario. Mira el horario. Pregunta y contesta según el modelo.

HORARIO		
HORA	MATERIA	PROFESOR(A)
8:15–8:55	computadoras	Srta. Burgos
9:00–9:40	química (laboratorio)	Sra. Pedernera
9:45–10:25	historia (biblioteca)	Sr. Galván
10:30–11:10	álgebra	Srta. Burgos
11:15–11:55	español	Sra. Fernández
12:00–12:25	hora de comer (cafetería)	
12:30–13:10	inglés	Sr. Castro
13:15–13:55*	educación física (gimnasio)	Sra. Herrera (muchachas)
		Sr. González (muchachos)

ir a la clase de historia
ESTUDIANTE A *¿A qué hora tienes que ir a la clase de historia?*
ESTUDIANTE B *A las diez menos cuarto.*

1. ir al laboratorio de química
2. estar en la biblioteca
3. asistir a la clase de español
4. ir a la prueba de álgebra
5. ir a la clase de computadoras
6. estar en la escuela para tu primera clase
7. ir al gimnasio
8. ir a comer

Dos alumnos de una
escuela en Buenos Aires,
Argentina

* In Spanish-speaking
countries, schedules and
timetables often use a 24-hour
clock rather than A.M. and P.M.
Therefore, 13:15 is the
equivalent of 1:15 P.M., and
14:00 is the equivalent
of 2:00 P.M.

B ¿A qué clase van? ¿A qué clase va cada *(each)* estudiante? ¿Cuándo es la clase? ¿Por la mañana, por la tarde o por la noche? Contesta según el modelo.

la muchacha
La muchacha va a la clase de física por la mañana.

1. Miguel

2. sus amigas

3. la profesora

4. Ana

5. el primo de José

6. la tía de Nicolás

7. el hermano de Lucía

8. el sobrino del profesor

9. Pepe

C Hablemos de ti.

1. ¿En qué materias estás fuerte? ¿En cuáles estás flojo(a)?
2. ¿Quién es tu profesor(a) favorito(a)? ¿Por qué?
3. ¿Te gustan o no te gustan las pruebas de español? ¿Por qué? Si quieres salir bien en las pruebas, ¿qué haces?
4. ¿Estás siempre preparado(a) para tus clases? ¿Para tus pruebas? ¿Qué nota sacas cuando no estás preparado(a)?

ESTUDIO DE PALABRAS

Many Spanish words that end in *-ia* and *-ía* have English equivalents that end in *-y*.

la farmacia	*pharmacy*	la biología	*biology*
la historia	*history*	la geografía	*geography*
la comedia	*comedy*	la geometría	*geometry*

What do you think the following words mean?

memoria	democracia	filosofía
tragedia	compañía	psicología

EXPLICACIONES I

Verbos que terminan en *-er* y en *-ir*

◆ **COMMUNICATIVE OBJECTIVE**

To tell what you do in school

You already know the present tense of *-ar* verbs. There are two other groups of regular verbs—one with infinitives ending in *-er*, the other in *-ir*. Here are the present-tense forms of the *-er* verb *aprender* (''to learn'').

INFINITIVO	**aprender**		
	SINGULAR		PLURAL
1	(yo) aprend**o**		(nosotros) (nosotras) } aprend**emos**
2	(tú) aprend**es**		(vosotros) (vosotras) } aprend**éis**
3	Ud. (él) } aprend**e** (ella)		Uds. (ellos) } aprend**en** (ellas)

Aprendemos muchas palabras.   *We learn a lot of words.*
¿**Aprendes** a hablar español?   *Are you learning to speak Spanish?*

Other regular *-er* verbs that you know are *comer*, *leer*, and *comprender*.

Now look at the present tense of verbs that end in *-ir*. *Escribir* ("to write")
is an example:

INFINITIVO   **escribir**

	SINGULAR		PLURAL	
1	(yo)	escrib**o**	(nosotros) (nosotras)	escrib**imos**
2	(tú)	escrib**es**	(vosotros) (vosotras)	escrib**ís**
3	Ud. (él) (ella)	escrib**e**	Uds. (ellos) (ellas)	escrib**en**

Mi amigo **escribe** poemas.   *My friend **writes** poems.*
¿Qué **escriben** Uds.?   *What **are you writing**?*

Other regular *-ir* verbs that you know are *vivir*, *recibir*, and *asistir*.

Regular *-er* and *-ir* verbs have identical endings in the present tense
except in the *nosotros* and *vosotros* forms.

PRÁCTICA

A **¿Quién no comprende?** Di *(tell)* quién comprende y quién no comprende. Sigue el modelo.

> Arturo / no / la frase
> *Arturo no comprende la frase.*

1. Graciela / las palabras
2. Uds. / la frase
3. nosotros / no / el capítulo
4. los muchachos / no / las lecciones
5. yo / el poema

6. tú / no / la respuesta
7. nadie / la pregunta
8. Ud. / no / la tarea
9. mis hermanas / el horario
10. Anita y tú / la lección

B **Regalos de Navidad.** Cada *(each)* miembro de la familia Herrera recibe la misma clase de regalo *(the same kind of present)* todos los años. Pregunta y contesta según el modelo.

tu hermano Carlitos

ESTUDIANTE A *¿Qué recibe tu hermano Carlitos?*
ESTUDIANTE B *Siempre recibe un reloj.*

1. tus hermanas

2. (tú)

3. tu prima Luz

4. tu hermano mayor

5. (tú)

6. Uds.

7. tus abuelos

8. tu mamá

9. tu papá

C Tengo muchas preguntas.   Imagina que hablas con unos amigos
que asisten a otro *(another)* colegio. Pregunta y contesta según el
modelo.

> aprender a hablar inglés / francés
> ESTUDIANTE A   *¿Aprenden Uds. a hablar inglés?*
> ESTUDIANTE B   *No, aprendemos a hablar francés.*

1. vivir cerca de la escuela / lejos de la escuela
2. escribir mucho en su clase de inglés / muy poco
3. aprender poemas de memoria / nada de memoria
4. leer periódicos en inglés / periódicos en español
5. comer en la cafetería / en casa
6. recibir notas muy buenas / notas buenas y malas
7. asistir al colegio por la tarde / sólo por la mañana

En Oruro, Bolivia

D **Para sacar buenas notas.** Escribe la forma correcta de cada verbo entre paréntesis para completar este anuncio (*this advertisement*).

¿(*Recibir*) tú malas notas en el colegio, y no (*comprender*) por qué? Nosotros (*tener*) la respuesta. Con nuestro libro *El estudiante perfecto*, puedes (*aprender*) todas las materias en sólo una semana. Nuestros estudiantes (*aprender*) ciencias, matemáticas, historia, inglés y
5 francés. Después de una semana, ellos (*comprender*) las lecciones, (*escribir*) las respuestas correctas a preguntas muy difíciles y (*leer*) en inglés, francés y español. ¿Por qué no (*aprender*) tú con nosotros?

En un colegio español

La a personal

A direct object is the person or thing that receives the action of a verb. The following sentences have direct objects. They tell *what* and *who* I understand.

| Comprendo **mi libro de matemáticas.** | *I understand **my math book.*** |
| Comprendo { **al profesor.** / **a la profesora.** | *I understand **the teacher.*** |

◆ COMMUNICATIVE OBJECTIVE

To describe doing things that involve other people—looking for, waiting for, watching them, and so forth

In Spanish we use *a* before the direct object when it is a specific person or group of people. That's why it's called the personal *a*. Remember that *a* + *el* → *al*.

| **¿A quién** miras? | ***Whom** are you looking at?* |
| Miro **a mi hermana.** | *I'm looking at **my sister.*** |

| **¿Qué** miras? | ***What** are you looking at?* |
| Miro **el reloj.** | *I'm looking at **the clock.*** |

1 We use the personal *a* before *¿quién?* and *¿quiénes?* when they are direct objects.

| **¿A quién** esperas? | ***Whom** are you waiting for?* |
| **¿A quiénes** dibujan? | ***Whom** are they drawing?* |

2 When more than one person is mentioned, we usually repeat the *a*.

| Esperamos **a Graciela y a su mamá.** | *We're waiting for **Graciela and her mother.*** |

3 We can also use the personal *a* when the direct object is a pet.

| Busco **a mi perro.** | *I'm looking for **my dog.*** |

4 We usually do not use the personal *a* after the verb *tener*.

| Tengo muchos tíos. | *I have a lot of aunts and uncles.* |

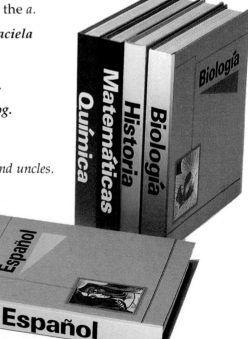

PRÁCTICA

A ¿A quiénes buscan?   En el aeropuerto hay muchas personas que buscan a sus amigos o a sus parientes *(relatives)*. ¿Cómo van a encontrarlos *(to find them)*? Pregunta y contesta según el modelo.

Andrea / su hermana Rita

ESTUDIANTE A   *¿A quién busca Andrea?*
ESTUDIANTE B   *Busca a su hermana Rita. Lleva zapatos rojos.*

1. el Sr. García / su hijo Ernesto
2. Roberto y David / Pedro y Yolanda
3. la Sra. Marín / su sobrina Rosa
4. Julio Cruz / sus padres
5. Sofía / Lucía y su mamá
6. los estudiantes / la profesora Díaz
7. (tú) / mi primo Ricardo
8. la Sra. Muñoz / su esposo

B **Un viaje interesante.** Felipe está en México, su ciudad favorita. Está delante del hotel—y está muy contento. ¿Qué mira él? Sigue el modelo.

> una chica pelirroja
> *Mira a una chica pelirroja.*

1. los chicos en el parque
2. una avenida grande
3. los estudiantes del colegio
4. el museo de historia
5. el policía en la esquina
6. la fuente de la plaza
7. una niña y su mamá
8. muchos autobuses y taxis
9. Gloria, su prima
10. un vendedor de ropa

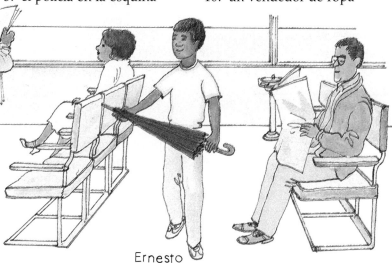

Ernesto

C **Tienes mucho que hacer.** Imagina que cuando llegas a casa hay muchos recados *(messages)* para ti. Escribe ocho de los recados que recibes. Usa una palabra o expresión de cada columna. Sigue el modelo.

> *Tienes que llamar a tu padre a las ocho.*

buscar	tus primos	a las ocho
mirar	el autobús	por la tarde
esperar	tu padre	esta noche
llamar	la carta	para mañana
dibujar	tu gato	ahora
contestar	la lección	en el laboratorio
repasar	tu hermanita	en el libro de francés
escuchar	las preguntas	en casa
ayudar	Isabel y Luis	enfrente del colegio
tomar	los profesores	al centro
escribir	las respuestas	de la profesora

D Hablemos de ti.

1. ¿Cuál es tu materia favorita? ¿Por qué? ¿Es fácil o difícil para ti? ¿Sacas buenas o malas notas?
2. ¿Te gustan todas tus clases? ¿Qué materias no te gustan? ¿Por qué?
3. ¿Tiene tu escuela una cafetería? ¿Es buena la comida? ¿Comes allí todos los días? ¿Qué comes al mediodía?
4. ¿A veces tienes que aprender poemas de memoria? ¿Escribes poemas? ¿Son largos o cortos tus poemas? ¿Escribes poemas en español?
5. ¿Recibes muchas cartas? ¿De quiénes?
6. ¿Escribes cartas? ¿A quiénes? ¿Contestan ellos tus cartas?
7. ¿Usan tú y tus compañeros computadoras? ¿Te gustan las computadoras? ¿Por qué?
8. ¿Vives en la ciudad o en el campo? ¿Cuál es tu dirección?

ACTIVIDAD

¿A qué hora comes? Get together in groups of three or four students to ask one another questions. One person begins by picking a question word or a phrase from the left-hand column. The next person picks a verb from the right-hand column that continues the question and addresses it to *tú*. The third person thinks up an ending to the question, and the fourth person must answer the question. For example:

ESTUDIANTE A ¿De quién . . . ?
ESTUDIANTE B ¿De quién recibes . . . ?
ESTUDIANTE C ¿De quién recibes cartas?
ESTUDIANTE D Recibo cartas de mis abuelos.

¿de quién(es)?	asistir a
¿a quién(es)?	comer
¿dónde?	contestar
¿por qué?	escribir
¿con quién(es)?	hablar
¿cuándo?	ir
¿a qué hora?	recibir
	ser
	terminar
	usar
	vivir

APLICACIONES

En la escuela

Los alumnos asisten a sus clases. ¿Qué materias estudian hoy?
¿Qué hacen? ¿Qué clases son difíciles? ¿Cuáles son fáciles?

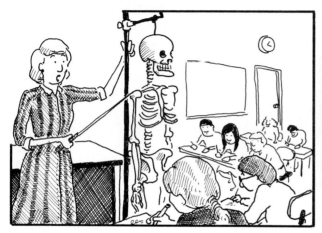

Clara and Alberto are studying for a mathematics exam. Make up a four–
to six-line dialogue in which they talk about how well prepared they are,
what they have to review, and how they think they are going to do on
the exam. You may want to use some of these words or phrases:

aprender (de memoria)	¡ojalá!
estar flojo, -a en	sacar una buena / mala nota
estar fuerte en	salir bien / mal en la prueba

EXPLICACIONES II

Las preposiciones y los pronombres prepositivos

◆ COMMUNICATIVE
OBJECTIVES

**To express doing things
with and for other
people**

**To compare likes and
dislikes**

Here is a list of prepositions that you have learned so far:

a	*at, to*	detrás de	*behind*
de	*of, from*	delante de	*in front of*
en	*in, on, at*	enfrente de	*opposite, across from*
para	*for*	cerca de	*near*
con	*with*	lejos de	*far away from*
sin	*without*	después de	*after*
al lado de	*next to, beside*	según	*according to*
entre	*between*		

Pronouns that come after prepositions are called "prepositional
pronouns." You have already used most of them.

SINGULAR	PLURAL
para **mí** *for me*	para { **nosotros** / **nosotras** } *for us*
para **ti** *for you*	para { **vosotros** / **vosotras** } *for you*
para **usted (Ud.)** *for you*	para **ustedes (Uds.)** *for you*
para **él** *for him, it* para **ella** *for her, it*	para { **ellos** / **ellas** } *for them*

Note that these pronouns are identical to the subject pronouns except for
mí and *ti*. Remember that *mí* has an accent, but *ti* does not.

1 After the preposition *con*, there are special forms for *mí* and *ti*: *conmigo*
and *contigo*.

¿Viene Ud. **conmigo**?	*Are you coming **with me**?*
¿Puedo ir **contigo**?	*May I go **with you**?*

2 You know the expressions *me/te gusta(n)* and *me encanta(n)*. To emphasize the *me* and *le* we add the phrase *a mí* and *a ti*.

No me gusta el álgebra. **¿A ti** te gusta?

*I don't like algebra. Do **you** like it?*

¡Ah, sí! **A mí** me gusta mucho.

*Oh, yes! **I** like it a lot.*

3 When we ask a question using a preposition we put the preposition before the question word.

¿Con quién repasas el capítulo?

***With whom** are you reviewing the chapter?*

Con Uds.

With you.

¿Para quién es el vestido largo?

***Whom** is the long dress **for**?*

Es para mí.

It's for me.

Delante de una escuela en el Perú

PRÁCTICA

A **Es para ti.** Después de la subasta del barrio *(neighborhood auction)*, buscas a las personas que compraron estos artículos *(who bought these items)*. Pregunta y contesta según el modelo.

ESTUDIANTE A *¿Para quién son los bolígrafos?*
ESTUDIANTE B *Son para él.*

1.

2.

3.

4.

5.

6.

B **¿Con quién?** Jorge es una persona muy curiosa. Tiene muchas preguntas sobre *(about)* todos sus compañeros de clase. Pregunta y contesta según el modelo. Usa una de las expresiones de la lista a la derecha.

María / repasar el capítulo / con Juan
ESTUDIANTE A *¿Con quién repasa María el capítulo?*
ESTUDIANTE B *Con Juan.*
ESTUDIANTE A *¿Con él? ¡Qué suerte!*

1. Julia / dibujar el cartel / conmigo
2. (tú) / escribir la tarea / con Julio y Silvia
3. Diana / entrar en la clase / con Pedro
4. Federico y Norma / usar la computadora / con nosotros
5. Judit / borrar la pizarra / con Rosa
6. los muchachos / venir aquí / con sus novias

¡Qué lástima!
¡Qué bueno!
¡Qué suerte!
¡No me digas!
¡Ojalá!

7. Uds. / hablar del horario / con nuestro profesor
8. Timoteo / leer el libro de biología / con Olga y Sonia
9. (tú) / comer al mediodía / contigo
10. Ud. / tomar el metro / con Ud.

C Hablemos de ti.

1. ¿Quién vive contigo?
2. ¿Cuáles de tus amigos viven cerca de ti?
3. ¿Qué hay delante de ti en este (this) momento?
4. ¿A qué hora termina la clase de español? ¿Adónde vas después de la clase? ¿Está cerca o lejos de aquí? ¿Cuántos minutos hay entre tus clases?
5. Te gusta sacar buenas notas, ¿verdad? ¿Por qué? ¿Quieres sacar buenas notas para tus profesores, tus padres o para ti?

En la Universidad Católica de Lima

APLICACIONES

REPASO

Look carefully at the model sentences. Then put the English cues into Spanish to form new sentences based on the models.

1. *Julio asiste a una clase difícil. Comprende las primeras lecciones.*
   (I attend a bilingual school. I'm waiting for the first test.)
   (We're reading an easy lesson. I'm studying the next pages.)
   (Federico and I are writing a long poem. We're using the small computer.)

2. *Me gusta el libro de historia. ¿A ti te gusta la historia también?*
   (I like the algebra lessons. Do you like algebra too?)
   (I like the physics class. Do you like science too?)
   (I like the chemistry laboratory. Do you like chemistry too?)

3. *Sí, cuando estamos ocupados. Estamos muy ocupados en abril.*
   (Yes, when she's absent. She's rather poor in geometry.)
   (Yes, when I'm present. I'm very good in French.)
   (Yes, when he's tired. He's very poor in phys. ed.)

4. *Escucho mis cintas, pero a menudo no escucho a la profesora.*
   (We look at our drawings, but sometimes we don't look at the teacher (m.)*.)*
   (We understand their questions, but sometimes we don't understand the teachers (m.)*.)*
   (I look for my grades, but I never look for the teachers (f.)*.)*

5. *¿Puedes escribir las palabras para nosotros? ¡Cómo no!*
   (Do you want to get a letter from him? I hope so!)
   (Can I finish the lesson with you (pl.)*? Why not?)*
   (Do you want to look at the schedule with me? Of course!)

En una plaza

TEMA

Put the English captions into Spanish.

1. Marta and Ana attend an enormous high school. They're waiting for the next class.

2. I like the math class. Do you like math too?

3. Yes, when I'm prepared. I'm rather poor in math.

4. I read my lessons, but sometimes I don't understand the teacher.

5. Do you want to review the chapter with me? Of course.

REDACCIÓN

Now you are ready to write your own dialogue or paragraph. Choose one of the following topics.

1. Expand your story by writing four to six sentences about the pictures in the *Tema*. Describe Marta and Ana. What subjects are they good in? Which ones are they poor in? Do they get good grades? Are they going to do well on the algebra test?

2. Write a paragraph of four to six sentences about your school. What time does your first class begin? How many classes do you have? Which classes are easy? Which ones are hard? What's your favorite class? Is there a science lab in your school? A gym? A cafeteria? Do you like your school? Why?

COMPRUEBA TU PROGRESO   CAPÍTULO 7

A   Notas buenas y malas
What are these students' grades in each subject?

Alberto: 6 *Alberto tiene un seis en español.*

1. Lucía: 8   2. Agustín: 5   3. César: 6

4. Luz: 3   5. Diana: 10   6. Raimundo: 4

7. Ernesto: 7   8. Olga: 5   9. Héctor: 4

B   Contesta las preguntas
Answer the questions in complete sentences using the correct word.

1. ¿Qué lee Susana?   *(un horario / un laboratorio / una papelera)*
2. ¿Qué recibe el Sr. Rodríguez? *(una carta / un colegio / la materia)*
3. ¿Qué borra Marta? *(el capítulo / el borrador / la respuesta)*
4. ¿Qué enseña la Sra. Gómez? *(ciencias / notas / pruebas)*
5. ¿Qué escribes? *(el dibujo / la papelera / las respuestas)*
6. ¿Cuándo tienen Uds. pruebas en su clase de álgebra? *(nadie / ojalá / todas las semanas)*
7. ¿Qué repasan Carlos y Silvia? *(la cafetería / la computadora / la lección)*

C   Completa, por favor
Complete the sentences with the correct form of the verb in parentheses.

1. Elena y yo _____ en el primer piso.   *(vivir)*
2. ¿_____ (tú) a esquiar?   *(aprender)*
3. Ellos _____ muchas cartas.   *(recibir)*
4. Uds. _____ bien la materia.   *(comprender)*
5. Ud. no _____ mucho.   *(comer)*
6. Luis y tú _____ la página 11.   *(leer)*
7. (Yo) siempre _____ a la clase de educación física.   *(asistir)*
8. Mi padre _____ poemas muy bonitos. *(escribir)*
9. Tú y yo _____ todo el capítulo.   *(comprender)*

D   La *a* personal
Rewrite those sentences that require the personal *a*.

1. ¿Llamas (?) tu hermana?
2. Tenemos (?) muchos amigos.
3. Espero (?) el autobús de la escuela.
4. No comprendo (?) todas las respuestas.
5. ¿(?) quién buscas en la cocina?
6. Raquel va a esperar (?) Diego.
7. Él busca (?) su profesor de francés.
8. ¿Miras (?) el horario?
9. ¿(?) quién termina la prueba?
10. Dibujo (?) mi guitarra.

E   ¿Qué haces?
Answer each question with *sí* and the correct pronoun.

¿Hablas de Pepe?
Sí, hablo de él.

1. ¿Vienes conmigo?
2. ¿Hablan Uds. de mí?
3. ¿Es para nosotros el refrigerador?
4. ¿Trabaja Enrique para Ud.?
5. ¿Son para María los poemas?
6. ¿Viajan ellos contigo?
7. ¿Vives cerca de la profesora?
8. ¿Viene María después de Gustavo?

VOCABULARIO DEL CAPÍTULO 7

Sustantivos
el acento
el álgebra (f.)
el arte
la biología
el borrador
la cafetería
el capítulo
la carta
las ciencias
el colegio
la computadora
la educación física
la física
el francés
la frase
la geometría
el gimnasio
la historia
el horario
el inglés
el laboratorio
la lección, pl. las
   lecciones
las matemáticas
la materia
la nota
la página
la palabra
la papelera
el poema
la prueba
la química
la respuesta

Pronombres
conmigo
contigo
mí
nadie
ti
todos, -as

Adjetivos
ausente
bilingüe
correcto, -a
difícil
fácil
favorito, -a
listo, -a
preparado, -a
presente
todo, -a

Verbos
aprender (a + inf.)
asistir a
borrar
comprender
dibujar
enseñar
escribir
llamar
recibir
repasar
terminar
usar
vivir

Preposiciones
después de (+ noun / inf.)
según

Expresiones
aprender ____ de
   memoria
¿a quién(es)?
estar flojo, -a en
estar fuerte en
¡ojalá!
¿para quién?
por la mañana (la noche /
   la tarde)
sacar una buena / mala
   nota
salir bien / mal en (un
   examen / una prueba)
todos los días

CAPÍTULO 8

PRÓLOGO CULTURAL

COMIDA AMERICANA

King Ferdinand and Queen Isabella of Spain were disappointed by the results of Columbus's first voyage. They had not sent him to look for new lands, not even for gold and silver. What they had *really* wanted were spices from the Orient.

In those days, without refrigeration, meat was preserved by drying or salting. Spices that would hide the taste were very valuable. A pound of pepper cost as much as the average farmer earned in several weeks.

What Columbus *did* bring back from the Americas was a great variety of foods that no European had ever seen: Indian corn, sweet potatoes, papayas, and pineapples. On his later trips, he did the reverse: he brought European wheat, chickpeas, and sugar cane to the Caribbean. In time, other important crops were brought to America, including bananas from India and coffee from Arabia.

Within fifty years, many more Spanish explorers followed Columbus's route. And they, too, discovered new and exotic foods. The first Spaniard to explore Mexico, Hernán Cortés, was the first European to taste tomatoes, avocados, turkey, chili peppers, vanilla, and chocolate. The Aztecs of Mexico even knew about chewing gum. In Peru, another Spaniard, Francisco Pizarro, found potatoes, squash, and lima beans.

In the end, the foods of Latin America have proved more valuable than all the gold and silver that were found there. Chocolate, the beverage of the Aztec aristocracy, soon became the preferred drink of European royalty. Potatoes became a staple of the European diet, and today corn, peppers, and tomatoes are grown throughout the world. So when you eat your next Thanksgiving dinner, remember that turkey, mashed potatoes, corn, tomatoes, cranberries, and pumpkins really are *comida americana*.

271

PALABRAS NUEVAS I

La comida

**CONTEXTO
VISUAL**

las frutas
el limón
pl. los limones
la manzana
el plátano
la naranja

el café con leche
el café

el huevo
el té
el chocolate
los churros*

el pan tostado
el azúcar
la mermelada

el mantel

el jugo de manzana

el jugo de naranja
el jugo
el vaso
la taza

la servilleta
el tenedor

el plato

el platillo

el cuchillo
la cuchara

* *Churros* are deep-fried
pastries that are similar to
doughnuts. They are often
eaten for breakfast, usually
with hot chocolate.

CONTEXTO COMUNICATIVO

1 CLARA   Vamos a poner la mesa para **la cena.**
   TOMÁS   ¿Dónde **pongo** la servilleta?
   CLARA   Sobre el plato.
   TOMÁS   ¿Y el platillo?
   CLARA   ¡Debajo de la taza, por supuesto!

   Variaciones:
   ■ sobre el → al lado del

2 MAMÁ   ¿Qué quieres para **el desayuno** hoy?
   PEDRO   Chocolate con churros, por favor.*

   ■ chocolate → café con leche
   ■ churros → pan tostado

3 GLORIA ¿Qué hay en el refrigerador?
   JAIME   Tenemos hamburguesas, queso, ensalada, frutas.
           ¿Cuál prefieres?
   GLORIA **Un poco de todo.**

   ■ en el refrigerador → para **el almuerzo**
   ■ un poco de todo → una hamburguesa con queso

---

la cena   *dinner; supper; evening meal*
poner (yo pongo, tú pones)   *to put, to place*

el desayuno   *breakfast*

un poco (de)   *a little*
todo (pron.)   *everything*
el almuerzo   *lunch*

---

* In Spain and some Latin American countries, *el desayuno* traditionally consists of *café con leche* with churros, a roll, or bread.

4 MATEO   Hola, Marta. Ahora **salgo de** la oficina.
    MARTA   ¿Cuándo **llegas** a casa?
    MATEO   **Pronto,** ¿por qué?
    MARTA   Porque tengo que salir **para** comprar comida.*
            No tenemos nada en casa.

- salgo de → voy a salir de
- no tenemos → no hay
- en casa → aquí

salir (de) (yo **salgo,** tú **sales**)
   to leave, to go out, to come out
llegar   *to arrive*
pronto   *soon*
para + inf.   *to, in order to*

5 PILAR   Laura, ¿qué **haces** hoy **al mediodía**?
    LAURA   No hago nada especial.
    PILAR   ¿Quieres ir conmigo a un restaurante mexicano?
          Tengo ganas de comer burritos.
    LAURA   ¡Bueno! Hasta luego entonces.

- hoy al mediodía → después de clase

hacer (yo **hago,** tú **haces**)
   to make, to do
al mediodía   *at noon*

* The names of the meals vary from country to country. In Spain and Mexico, for example, *la comida* means ''lunch.'' We will use *la comida* to mean ''food'' or ''meal'' in general. *El desayuno* is ''breakfast,'' *el almuerzo* is ''lunch,'' and *la cena* is ''supper'' or ''dinner''—the evening meal.

Una señora compra comestibles
en Caracas, Venezuela.

EN OTRAS PARTES

También se dice *la banana.* En Colombia, el Ecuador y Panamá se dice *el guineo.*

En Puerto Rico y la República Dominicana se dice *la china.*

En España se dice *el zumo.*

PRÁCTICA

A ¿Dónde pongo todo? Imagina que los sábados trabajas en un restaurante. Tienes que poner las mesas. El gerente quiere ver si sabes hacerlo. *(The manager wants to see if you know how.)* Pregunta y contesta según el modelo.

> ESTUDIANTE A   *¿Qué pones sobre el plato?*
> ESTUDIANTE B   *¿Sobre el plato? Pongo la servilleta.*

1. ¿Qué pones en la mesa debajo de todo?
2. ¿Qué pones sobre el platillo?
3. ¿Qué pones a la izquierda del plato?
4. ¿Qué pones al lado del cuchillo?
5. ¿Qué frutas pones delante del plato?
6. ¿Qué pones al lado de la taza y del platillo?
7. ¿Qué pones a la derecha del plato?

B **¿Qué quieres?** ¿Qué vas a comer para el desayuno o el almuerzo? Usa el menú para escoger dos cosas *(to choose two things)*. Pregunta y contesta cinco veces *(times)*. Sigue el modelo.

ESTUDIANTE A *¿Qué vas a comer para el almuerzo?*
ESTUDIANTE B *Un sandwich de jamón y queso y un té. ¿Y tú?*
ESTUDIANTE A *Carne con papas fritas y un jugo de naranja.*

MENÚ

DESAYUNO

Huevos con jamón
Pan tostado con mantequilla
y mermelada
Pan tostado con queso

ALMUERZO

Sandwich de queso
Sandwich de jamón
Hamburguesa
Hamburguesa con queso
Carne con papas fritas

BEBIDAS

Limonada
Jugo de naranja
Jugo de manzana
Leche
Té (con leche o con limón)
Café
Café con leche
Chocolate

POSTRES

Ensalada de frutas
Plátanos
Manzanas
Yogur de limón
Helado

C Hablemos de ti.

1. ¿Qué prefieres comer para el desayuno?
2. ¿Qué te gusta beber para el desayuno? ¿Para el almuerzo? ¿Para la cena?
3. ¿Te gusta el té? ¿El café? ¿Prefieres el té con limón? ¿Con leche? ¿Pones azúcar en el té o en el café?
4. ¿A qué hora llegas a la escuela por la mañana? ¿A qué hora sales de la escuela por la tarde? ¿A qué hora llegas a casa?

ACTIVIDAD

Aliteración. Alliteration is the repetition of initial consonant sounds in a sentence. For example, if you use the letters *c*, *m*, and *t*, you can create sentences such as these:

Clara y Carmen comen carne con cucharas.
Mamá, hay mermelada de manzanas en el mantel.
Todavía tengo tres tazas de té.

With a partner, make up ten sentences that use alliteration. Then get together with another pair of students and read your sentences to each other.

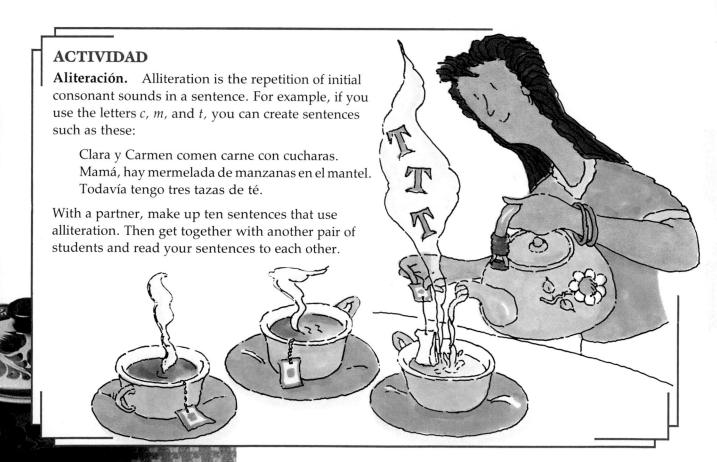

APLICACIONES

La cena es a las nueve

Kevin, un chico de los Estados Unidos, está en Sevilla para
estudiar español. Hoy es su primer día en casa de los Martín,* su
nueva "familia."

SRA. MARTÍN ¡Arturo, Kevin! Son las dos y media. Tenéis que
5   poner la mesa para la comida.[1] Ya[2] llega vuestro
             padre.

ARTURO Sí, mamá. Kevin, tú pones los platos, las servilletas
             y los vasos y yo pongo los cuchillos, los tenedores y
             las cucharas. Aquí está todo. Y después de la
10   comida quitamos los platos.

KEVIN Pero, Arturo, si[3] comemos ahora, ¿cuándo vamos a
             comer la cena?

ARTURO Kevin, aquí la cena es a las nueve o las diez de la
             noche. En la cena no comemos mucho.

15   KEVIN ¡A las diez! ¿El desayuno a las nueve, la comida a
             las tres y la cena a las diez?

ARTURO Sí, hombre, es así[4] aquí en España.

KEVIN ¡Entonces vamos a comer!

---

[1]En España *la comida* quiere decir el almuerzo.   [2]**ya** *already*   [3]**si** *if*
[4]**es así** *it's that way*

* In Spanish we do not use a plural form for people's last names:
la familia García = *los García*.

Preguntas
Contesta según el diálogo.
1. ¿En qué ciudad está el chico norteamericano?   2. ¿Por qué está en
España?   3. ¿Quiénes tienen que poner la mesa para la comida? ¿A qué
hora?   4. ¿Quién llega?   5. ¿Quiénes van a quitar los platos?
¿Cuándo?   6. ¿A qué hora es la comida en España?   7. ¿A qué hora es
la cena?   8. ¿Cuál es la comida más importante del día en los Estados
Unidos?   9. ¿A qué horas comes tú las tres comidas del día?

Participación

With a classmate, make up a dialogue of four to six lines on how you're going to set the table for breakfast or lunch. What items do you use? What foods are you having? At what time is the meal?

PRONUNCIACIÓN

The pronunciation of the letter *ñ* is similar to the sound of the *ny* in the English word "canyon." In fact, "canyon" is a loanword from the Spanish *cañón*.

Escucha y repite.

niño   mañana   pequeño   español   enseñar

El señor Muñoz enseña español.
Mañana es el cumpleaños del niño.
Mi compañera de clase es puertorriqueña.

To shop for food

To make a grocery list

To ask and tell how
much something costs

To ask and tell about
where one went

CONTEXTO
VISUAL

Ir de compras

El Mercado

la panadería   la carnicería   el supermercado

Las Verduras

el agua

la zanahoria

la papa   el tomate

la lechuga

la docena

los guisantes

la cebolla

los frijoles

el maíz

el pollo   el pavo

la botella

el litro $10

la carne

el agua mineral

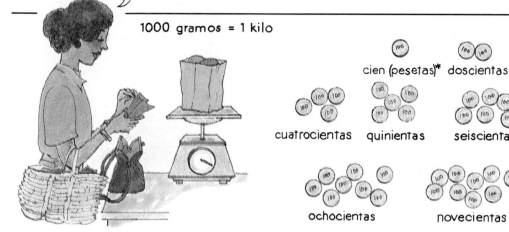

Cien, doscientos, trescientos, cuatrocientos, quinientos, seiscientos, setecientos, ochocientos, novecientos, mil.

1000 gramos = 1 kilo

cien (pesetas)* doscientas trescientas

cuatrocientas quinientas seiscientas setecientas

ochocientas novecientas mil

CONTEXTO COMUNICATIVO

1 MAMÁ ¿Cuándo vas **de compras,** hija? **Necesito** unas **cosas.**

LUZ Yo **las** compro, mamá. ¿Qué necesitas?

MAMÁ Quinientos gramos† de café y una docena de huevos.

LUZ Bien, mamá. Salgo ahora.

Variaciones:

■ unas cosas → unos **comestibles**
   las → **los**

2 EVA ¿Quieres ir al supermercado?

FELIPE **Ya fui** al mercado del **barrio.**

EVA ¿Cuándo **fuiste**?

FELIPE **Ayer por la tarde.** Y Tomás **fue** conmigo.

■ ayer por la tarde → ayer por la noche
■ ayer por la tarde → **anoche**

de compras *shopping*
necesitar *to need*
la cosa *thing*
las *you* (f. pl.); *them* (f. pl.)
los comestibles *groceries*
los *you* (m. pl. / m. & f. pl.); *them* (m. pl. / m. & f. pl.)
ya *already*
(yo) fui *I went*
el barrio *neighborhood*
(tú) fuiste *you went; did you go?*
ayer *yesterday*
ayer por la tarde (mañana / noche) *yesterday afternoon (morning / evening)*
Ud. / él / ella fue *you* (formal) / *he / she went*
anoche *last night*

* The *peseta* is the monetary unit of Spain. Note that the following hundreds words are in the feminine form to agree with *peseta: doscientos pesos,* but *doscientas pesetas.*

† All Spanish-speaking countries use the metric system. They measure food in grams and kilograms and liquids in liters.

3 SRA. ROCHA ¿Cuánto cuestan los frijoles?
  VENDEDOR Los **vendo a ciento dos** pesetas el kilo.
  SRA. ROCHA ¡Ay, qué caros son!

- los frijoles → las zanahorias
  los → las
  caros → caras
- ciento dos pesetas → **ciento una** pesetas

vender (a + amount of money)
  to sell (for)
ciento dos *102*

ciento un(o), -a *101*

4 MAMÁ ¿Qué haces con el pan, Pepe?
  PEPE **Lo** necesito, mamá. Voy a hacer un sandwich.

- el pan → la mantequilla
  lo → **la**

lo *you* (m. formal) / *him* / *it*
  (m. sing.)
la *you* (f. formal) / *her* / *it*
  (f. sing.)

EN OTRAS PARTES

En España se dice *la patata.*

También se dice *los chícharos* y *las arvejas.*

También se dice *las habichuelas.* En la Argentina, el Perú y Chile se dice *los porotos.*

En México se dice *el guajolote;* en Cuba, *el guanajo* y en la América Central, *el chompipe.*

También se dice *las legumbres* y *las hortalizas.*

En México se dice *el jitomate.*

PRÁCTICA

A **¿Cuánto necesito?** Imagina que vas de compras con un(a) amigo(a). Sigue el modelo.

gramos de jamón / 250 / 400 pesetas

ESTUDIANTE A *¿Cuántos gramos de jamón necesitamos?*
ESTUDIANTE B *Doscientos cincuenta gramos. ¿Cuánto cuestan?*
ESTUDIANTE A *Cuatrocientas pesetas el kilo.*

1. kilos de carne / 2 / 600 pesetas
2. kilos de papas / 3 / 50 pesetas
3. gramos de frijoles / 300 / 100 pesetas
4. kilos de cebollas / 2 / 60 pesetas
5. kilos de zanahorias / 1 / 75 pesetas
6. gramos de café / 500 / 250 pesetas
7. gramos de azúcar / 750 / 125 pesetas
8. kilos de manzanas / 3 / 120 pesetas
9. kilos de naranjas / 4 / 80 pesetas
10. kilos de plátanos /·1 / 135 pesetas

B **¿Adónde fuiste?** Imagina que preguntas a tu amigo(a) adónde fue —y con quién. Escoge *(choose)* una expresión de cada columna. Pregunta y contesta según el modelo.

ESTUDIANTE A *¿Adónde fuiste ayer por la tarde?*
ESTUDIANTE B *Fui al cine.*
ESTUDIANTE A *¿Quién fue contigo?*
ESTUDIANTE B *Mi hermana mayor.*

anoche	a la panadería	mis tíos
el viernes por la noche	a casa	mi amigo(a) *(nombre)*
ayer por la mañana	a la fiesta de *(nombre)*	mi mamá
el sábado por la tarde	a la iglesia	mi hermano(a) mayor
el domingo por la mañana	a la biblioteca	mi padre
	al supermercado	mi tía *(nombre)*
ayer por la tarde	de compras	mi hermanito(a)
el domingo por la noche	al campo	mi novio(a)
	al gimnasio	mis primos
el sábado por la noche	al teatro	mi primo(a) *(nombre)*
después de la fiesta	al partido de ___	nadie

C El menú. Imagina que escribes los menús para tu familia para el fin de semana. Usa los dibujos para completar las frases.

1. Para la comida del domingo, necesito . . .

2. Para los sandwiches, necesito . . .

3. Para la cena del sábado, necesito . . .

4. Para la ensalada del mediodía, necesito . . .

5. Para la carne, necesito . . .

6. Para la cena del viernes, necesito . . .

Un puesto *(stand)* de frutas en Cali, Colombia

D Hablemos de ti.

1. ¿Adónde fuiste ayer por la tarde? ¿Quién fue contigo?
2. ¿Te gusta ir de compras con tus amigos? ¿Adónde van Uds.? ¿Qué buscan Uds.? Cuando vas al supermercado, ¿qué compras?
3. ¿Hay una panadería cerca de tu casa o de tu escuela? ¿Es buena? ¿A veces compras pan en la panadería o siempre lo compras en el supermercado?
4. ¿Te gustan las verduras? ¿Cuál es tu verdura favorita?
5. ¿Te gustan las ensaladas? ¿Qué pones en tu ensalada favorita?

En Caracas, Venezuela

ACTIVIDAD

Buscapalabras With a partner, create a *buscapalabras* puzzle. Include at least 15 words from this chapter. You will probably have to make a box 20 letters wide by 20 high. *Buscapalabras* look like the illustration. (But do not, of course, circle the words when you create the puzzle.) When you have finished, exchange puzzles with another team and try to solve them.

Chicos españoles delante de una pastelería

ESTUDIO DE PALABRAS

The noun ending -*ería* usually means a place where certain items are sold. For example, you buy *carne* in a *carnicería*. Here are some other items and the names of the stores in which they are sold.

Puedes comprar **leche** en una **lechería**.
Puedes comprar **libros** en una **librería**.
Puedes comprar **papel** en una **papelería**.
Puedes comprar **frutas** en una **frutería**.

English has borrowed this ending for some words. Think of "pizzeria." The meaning of *cafetería*, on the other hand, has changed. It was originally a store where coffee was sold.

¿En qué tienda puedes comprar helado?

EXPLICACIONES I

Los verbos *hacer, poner* y *salir*

You have already used the *yo* and *tú* forms of *hacer, poner* and *salir*.

¿Qué **haces**?   *What **are you doing**?*
Pongo los platos en la mesa. *I'm **putting** the plates on the table.*
¿A qué hora **sales**?   *What time **are you leaving**?*
Salgo a las ocho.   *I'm **leaving** at eight.*

◆ COMMUNICATIVE
OBJECTIVES
To arrange for picnics
and meals at home
To describe daily
routine

1 Here are the forms of *hacer* and *poner* in the present tense.

INFINITIVO **hacer**

	SINGULAR	PLURAL
1	(yo) ha**go**	(nosotros) (nosotras) } hac**emos**
2	(tú) hac**es**	(vosotros) (vosotras) } hac**éis**
3	Ud. (él) (ella) } hac**e**	Uds. (ellos) (ellas) } hac**en**

INFINITIVO **poner**

	SINGULAR	PLURAL
1	(yo) pon**go**	(nosotros) (nosotras) } pon**emos**
2	(tú) pon**es**	(vosotros) (vosotras) } pon**éis**
3	Ud. (él) (ella) } pon**e**	Uds. (ellos) (ellas) } pon**en**

Hacer and *poner* take the same endings as regular *-er* verbs. The only difference is the *g* in the *yo* form.

2 Here are the forms of *salir* in the present tense.

INFINITIVO **salir**

	SINGULAR		PLURAL	
1	(yo)	sal**go**	(nosotros) (nosotras)	sal**imos**
2	(tú)	sal**es**	(vosotros) (vosotras)	sal**ís**
3	Ud. (él) (ella)	sal**e**	Uds. (ellos) (ellas)	sal**en**

Salir takes the same endings as regular *-ir* verbs. Again, the only difference is the *g* in the *yo* form.

Una familia mexicana

PRÁCTICA

A **En el campo.** Los Ramírez van a comer en el campo. ¿Qué hace cada persona? Sigue el modelo.

Papá   *Papá hace los sandwiches.*

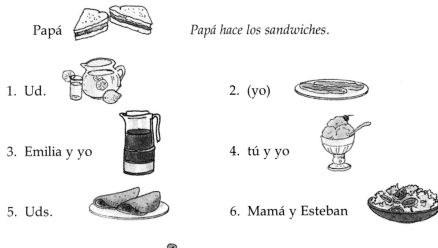

1. Ud.

2. (yo)

3. Emilia y yo

4. tú y yo

5. Uds.

6. Mamá y Esteban

7. Raquel y Dolores

8. ¿Y qué haces tú cuando comes en el campo?

B ¿A qué hora salen? ¿Cuándo salen estas (*these*) personas? Con un(a) compañero(a) de clase, pregunta y contesta según el modelo. Añade (*add*) una hora apropiada (*appropriate*).

> (tú) de casa / siempre
> ESTUDIANTE A *¿A qué hora sales de casa?*
> ESTUDIANTE B *Siempre salgo a las ocho y cuarto.*

1. los estudiantes de la escuela / siempre
2. Uds. del almacén / a veces
3. tú y Olga de la oficina / siempre
4. (tú) del gimnasio / a menudo
5. tu hermana de la tienda de comestibles / a veces
6. el profesor Vidal de la biblioteca / siempre
7. tus padres de la tienda / a menudo
8. (él) del museo / a veces

C ¿Qué hacen Uds.? Imagina que tu familia espera a invitados (*guests*). Toda la familia ayuda a preparar la cena y a poner la mesa. Usa la forma correcta de los verbos *hacer* y *poner*. Escoge (*choose*) una palabra o expresión de cada columna para preguntar y contestar. Sigue el modelo.

> Uds.
> ESTUDIANTE A *¿Qué hacen Uds.?*
> ESTUDIANTE B *Ponemos la limonada en la mesa.*

1. ¿Jorge?   la botella de leche   a la derecha de los platos
2. ¿mamá?   los platos   a la izquierda de los platos
3. ¿tu abuela?   las cucharas   entre los tenedores y el
4. ¿papá?   las servilletas   cuchillo
5. ¿tus hermanas?   los tenedores   en la mesa
6. (¿tú?)   las frutas   en la estufa
7. ¿Uds.?   los vasos
8. ¿Ud.?   los guisantes
                    el mantel
                    el pavo

D En mi casa.   Usa la forma correcta de cada verbo entre paréntesis para completar el párrafo *(paragraph)*.

En mi casa, nosotros *(salir)* todos los días para *(ir)* a la escuela o al trabajo. Por la mañana, mamá *(cocinar)* huevos, yo *(poner)* la mesa, y mi hermanita *(ir)* a la panadería. Entonces papá *(hacer)* pan tostado con mermelada para todos. Yo *(salir)* a las 7:30 y mi hermana *(salir)* a
5 las 7:45. ¡Ella siempre *(llegar)* tarde! Mis padres *(salir)* a las ocho. Mi papá *(trabajar)* en una oficina en el centro y mamá en una tienda bastante cerca de nuestra casa. Ella *(vender)* ropa para niños. Mi hermana y yo *(llegar)* a casa a las cuatro de la tarde. Yo *(hacer)* mi tarea, pero generalmente mi hermana y su amiga Elena *(salir)* para jugar en
10 el parque. Más tarde, cuando mis padres *(llegar)* a casa, la primera cosa que ellos *(hacer)* es ir a la cocina. Yo *(ayudar)* a mi hermana a *(poner)* el mantel en la mesa, y entonces nosotros *(poner)* juntos la mesa. Después de la comida, yo *(quitar)* los platos y mi hermanita y yo *(lavar)* todo.

E Hablemos de ti.
1. ¿Qué haces para ayudar en casa? ¿Quién pone la mesa en tu casa?
2. ¿Qué hacen tú y tus amigos después de las clases? ¿Qué hacen Uds. juntos los fines de semana? Cuando Uds. salen juntos, ¿adónde van? ¿Cómo van allí?
3. ¿Cómo es tu barrio? ¿Hay muchas tiendas? ¿Hay supermercados? ¿Hay farmacias? ¿panaderías?

Una plantación de cacao en México

Dulces de chocolate en la Argentina

APLICACIONES

¿Qué es el chocolate?

Piensa en[1] la taza de chocolate que bebes por la mañana o cuando hace mucho frío. Piensa en el helado de chocolate que comes en el verano. Usamos el chocolate todos los días, pero ¿qué es el chocolate? ¿Y de dónde viene?

5   Imagina que estás en el siglo[2] XVI. El conquistador Hernán Cortés llega a México. Él descubre[3] que los aztecas combinan agua con las semillas[4] del cacao (una planta tropical de la América Central) para preparar una bebida que ellos llaman *chocolate*. En azteca, la palabra *chocolate* quiere decir "agua amarga,"[5] porque la bebida de los aztecas es muy diferente
10 del chocolate dulce[6] de hoy.

    Cortés lleva unas semillas del cacao a España y muy pronto el chocolate es la bebida favorita de los españoles. Pero el chocolate que ellos preparan no es dulce tampoco. Son los ingleses quienes, en el siglo XVIII, preparan el chocolate con leche y azúcar que bebemos ahora.

---

[1]**piensa en** (from **pensar**) *think about*   [2]**el siglo** *century*   [3]**descubrir** *to discover*   [4]**la semilla** *seed*   [5]**amargo, -a** *bitter*   [6]**dulce** *sweet*

ANTES DE LEER

1. The word *bebida* is related to the verb *beber*. What do you think *bebida* means?
2. What do you think of when you hear the word "chocolate"?

Preguntas

Contesta según la lectura.

1. ¿De dónde viene el chocolate?
2. ¿Qué es el cacao?
3. Cuando Cortés llega a México, ¿quiénes ya usan el chocolate?
4. ¿Cómo preparan los aztecas el chocolate?
5. ¿Cómo es la bebida de los aztecas?
6. ¿Quién lleva unas semillas del cacao a España?
7. ¿Cómo es el chocolate que preparan entonces en España?
8. ¿Quiénes aprenden a preparar el chocolate con leche y azúcar?
9. ¿Qué bebes tú cuando hace mucho frío? ¿Qué te gusta beber cuando hace mucho calor?

EXPLICACIONES II

El complemento directo:
Los pronombres *lo, la, los, las*

You already know what a direct object is. It tells who or what receives the action of the verb. For example, in these sentences the direct object tells who or what I understand.

Comprendo **la pregunta.**	*I understand **the question.***
Comprendo **a la profesora.**	*I understand **the teacher.***

To avoid repeating a direct object noun, we often replace it with a direct object pronoun.

¿Comprendes **la pregunta?**	*Do you understand **the question?***
Sí, **la** comprendo.	*Yes, I understand **it.***
¿Comprendes **a la profesora?**	*Do you understand **the teacher?***
No, no **la** comprendo.	*No, I don't understand **her.***

The direct object pronoun comes right before the verb and we don't use the personal *a* with it. Here are the direct object pronouns meaning "him," "her," "it," "you" (formal and plural), and "them."

lo	*him, it, you* (formal)	**los**	⎫
la	*her, it, you* (formal)	**las**	⎬ *them, you* (pl.)

1 Direct object pronouns can refer to people or things. They agree in gender and number with the nouns they replace. *Lo* replaces a masculine singular noun, and *la* replaces a feminine singular noun. *Los* replaces a masculine plural noun, and *las* replaces a feminine plural noun.

¿Lees **el periódico?**	*Do you read **the newspaper?***
Sí, **lo** leo.	*Yes, I read **it.***
¿Necesitas **la dirección?**	*Do you need **the address?***
Sí, **la** necesito.	*Yes, I need **it.***
¿Prefieres **los trajes grises?**	*Do you prefer **the gray suits?***
Sí, **los** prefiero.	*Yes, I prefer **them.***
¿Esperas **a tus hermanas?**	*Are you waiting for **your sisters?***
Sí, **las** espero.	*Yes, I'm waiting for **them.***

2 When the pronoun replaces both a masculine and feminine direct object noun, *los* is used.

¿Compras **el vestido y las dos faldas**?

Sí, **los** compro.

*Are you buying **the dress and the two skirts**?*

*Yes, I'm buying **them**.*

¿Ayudas **a Eva y a Juan**?

No, no **los** ayudo.

*Are you helping **Eva and Juan**?*

*No, I'm not helping **them**.*

PRÁCTICA

A Sí, lo quiero. Imagina que tienes un(a) hermano(a) que va a la universidad. Él o ella pregunta si *(if)* quieres algunas *(some)* de sus cosas. Sigue el modelo.

ESTUDIANTE A ¿Quieres mi cartel?
ESTUDIANTE B Sí, gracias, lo quiero.
o: No, gracias, no lo quiero.

1.    2.    3.

4.    5.    6.

7.    8.   9.

B ¿Por qué no? Hay personas que nunca están de acuerdo *(in agreement)*. Sigue el modelo.

escribir la tarea / es demasiado difícil
ESTUDIANTE A ¿Qué haces?
ESTUDIANTE B Escribo la tarea.
ESTUDIANTE A Yo no la escribo. Es demasiado difícil.

1. escuchar música clásica / no me gusta
2. usar la computadora / es aburrida
3. repasar la lección / es muy fácil
4. esperar a Claudia / siempre llega tarde
5. mirar la televisión / me gusta más leer
6. llamar a Gloria / es muy antipática
7. terminar la tarea / tengo que hacer muchas cosas

C ¿A quién buscas? Tantas *(so many)* personas buscan a tantas otras *(other)* personas. Pregunta y contesta según el modelo.

> mi primo Mateo / al partido de fútbol
> ESTUDIANTE A *Busco a mi primo Mateo.*
> ESTUDIANTE B *No está aquí. ¿Por qué lo buscas?*
> ESTUDIANTE A *Porque vamos juntos al partido de fútbol.*

1. mi mamá / a casa
2. mi amigo Ernesto / a la escuela
3. el hijo del Sr. Díaz / al cine
4. la profesora Millán / a la biblioteca
5. mi abuelo / a la panadería
6. el esposo de Marta / al gimnasio
7. mi tío Federico / al mercado
8. mi hermano / al laboratorio
9. tu sobrina / a la cafetería
10. Yolanda / a una fiesta de cumpleaños

D ¿Qué llevas? Imagina que vas a hacer tu maleta *(to pack your suitcase)*. Tu hermanito(a) mira toda tu ropa. Quiere ver *(to see)* qué ropa vas a poner en la maleta. Pregunta y contesta según el modelo.

> los pantalones verdes
> ESTUDIANTE A *¿Quieres los pantalones verdes?*
> ESTUDIANTE B *Sí, los necesito.*
> o: *No, no los necesito.*

1. los zapatos negros
2. los guantes morados
3. los calcetines rojos
4. el paraguas y el impermeable
5. el traje gris y la camisa blanca
6. los jeans nuevos
7. los pantalones cortos
8. el suéter y la bufanda
9. los zapatos marrones
10. las camisetas y el suéter

Ropa de la América Latina y de España

E **¿Dónde las venden?** Imagina que trabajas en un almacén. Tienes que contestar muchas preguntas. Pregunta y contesta según el modelo.

> cintas / primer piso
> ESTUDIANTE A *¿Venden Uds. cintas?*
> ESTUDIANTE B *Sí, las vendemos en el primer piso.*

1. botas / la planta baja
2. mermeladas / el segundo piso
3. estufas / la planta baja
4. guitarras / el tercer piso
5. mesas y sillas / el primer piso
6. faldas para las niñas / el tercer piso
7. bicicletas / la planta baja
8. papeleras / el segundo piso

F **¿Qué haces?** Imagina que tú y un(a) amigo(a) hablan de lo que *(what)* Uds. no hacen durante las vacaciones. Siempre usa el complemento directo correcto. Sigue el modelo.

> leer libros de matemáticas
> ESTUDIANTE A *¿Lees libros de matemáticas?*
> ESTUDIANTE B *No, nunca los leo.*

1. mirar la televisión
2. tocar la guitarra
3. beber té y café
4. escribir cartas
5. llamar a tus amigos
6. cuidar a tus hermanitas
7. limpiar tu dormitorio
8. escuchar música clásica
9. leer el periódico
10. llevar una camisa blanca y un traje

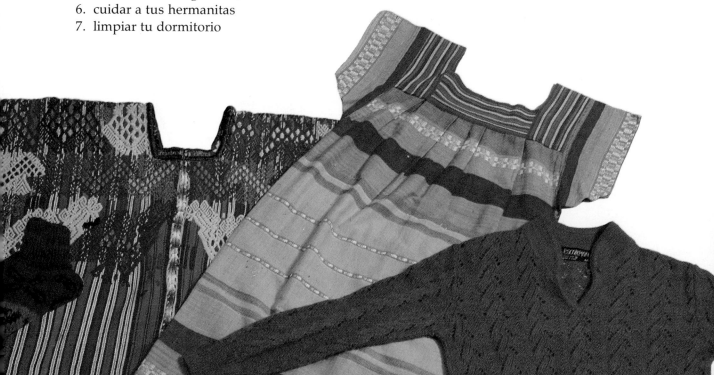

Los complementos directos con el infinitivo

◆ COMMUNICATIVE
OBJECTIVES
To express intention
To make plans

Look at the position of the direct object pronouns in the answers to this question.

¿Puedes lavar **los platos**?   *Can you wash **the dishes**?*

Sí, puedo lavar**los**.   }

Sí, **los** puedo lavar.   }   *Yes, I can wash **them**.*

When we use direct object pronouns with infinitives, we can either attach them to the end of the infinitive or put them before the main verb.

PRÁCTICA

A En el mercado.   Felipe y su padre están de compras en el supermercado. Pregunta y contesta según el modelo.

ESTUDIANTE A	*Necesitamos una botella de agua mineral.*
ESTUDIANTE B	*Muy bien, voy a buscarla.*

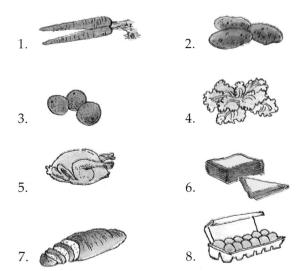

1.

2.

3.

4.

5.

6.

7.

8.

B ¿Qué desea Ud.?   Mira los dibujos de la Práctica A y sigue el modelo.

ESTUDIANTE A	*Quiero comprar una botella de agua mineral.*
ESTUDIANTE B	*La voy a buscar.*

C Voy a hacerlo mañana. ¿Siempre esperas hasta *(until)* mañana?
Pregunta y contesta según el modelo.

> ESTUDIANTE A *Necesito estudiar la lección 15.*
> ESTUDIANTE B *¿Tienes que estudiarla hoy?*
> ESTUDIANTE A *No, la puedo estudiar mañana.*

1. Necesito escribir unas cartas.
2. Necesito limpiar el garaje.
3. Necesito repasar el poema.
4. Necesito terminar la tarea.
5. Necesito buscar la guía telefónica.
6. Necesito comprar comestibles.
7. Necesito llamar a José.
8. Necesito ayudar a papá.

D Hablemos de ti.

1. ¿Tienes muchos discos o cintas? Aproximadamente *(About)* ¿cuántos discos o cintas tienes? ¿Tienes discos o cintas favoritos? ¿Cuáles son? ¿Cuándo los escuchas? ¿Vas a escucharlos esta noche?
2. Cuando tienes tarea, ¿dónde la haces? ¿Cuándo la haces? ¿Tienes tarea para mañana? ¿En qué materias? ¿Cuándo vas a hacerla?
3. Después de la cena, ¿quién quita los platos en tu casa? ¿Quién los lava? ¿Quién va a lavarlos esta noche?

ACTIVIDAD

Quince preguntas.   Divide the class into two teams.
Each team makes up 15 questions. Afterwards, members
of each team take turns asking and answering one
another's questions. Every answer should include a direct
object pronoun. Continue playing until both teams have
asked and answered 15 questions. Here are some verbs
you may want to use:

aprender	comprar	hacer	ir a
beber	contestar	lavar	necesitar
borrar	cuidar	limpiar	prefiero / prefieres
buscar	dibujar	mirar	puedo / puedes
cocinar	escuchar	poner	quiero / quieres
comer	esperar	recibir	tener que

APLICACIONES

REPASO

Look carefully at the model sentences. Then put the English cues into Spanish to form new sentences based on the models.

1. *Ayer por la mañana, Raúl fue a la carnicería para comprar pollo y carne.*
   (Last night I went to the supermarket to buy apples and bananas.)
   (Yesterday afternoon you (fam.) *went to the market to buy eggs and corn.)*
   (On Monday Cecilia went to the bakery to buy bread.)

El señor lleva pan a las tiendas en España.

2. *A menudo cocino huevos para el desayuno.*
   (Sometimes Mrs. Ochoa cooks turkey for dinner.)
   (On weekends we make sandwiches for lunch.)
   (On Sundays my parents make tea for breakfast.)

3. *Diego pone el tenedor a la izquierda del plato.*
   (You (pl.) *put the napkins next to the glasses.)*
   (We put the saucers under the cups.)
   (They put the knives to the right of the plates.)

4. *¿Quiénes hacen la tarea? Ellos la hacen, por supuesto.*
   (Who's making the bread? We're making it, of course.)
   (Who's clearing the table? I'm doing it, of course.)
   (Who's drinking the juice? We're drinking it, of course.)

5. *Busco a María. Tengo que buscarla porque siempre sale conmigo los viernes por la noche.*
   (We're looking for our friends (f.). *We have to look for them because they always go out with us on Sunday afternoons.)*
   (I'm calling my girlfriend. I have to call her because we're going out with you (fam.) *on Saturday morning.)*
   (They're calling Sonia and Rodolfo. They have to call them because they're going out with them on Thursday night.)

Put the English captions into Spanish.

Yesterday afternoon I went to the market to buy carrots and potatoes.

Today my brother and I are cooking chicken for dinner.

I put the tablecloth on the table.

Who sets the table? Juanito sets it, of course.

We're waiting for Dad. We have to wait for him because he always goes out with our uncles on Saturday afternoons.

REDACCIÓN

Now you are ready to write your own dialogue or paragraph. Choose one of the following topics.

1. Expand the *Tema* by writing four to six sentences about the pictures. For example, in picture 1, what fruits and vegetables do they sell in the market? What don't they sell? In picture 2, what else do you think they are going to eat? What are they doing in picture 3? In picture 4, what does Juanito say as he sets the table? In picture 5, what are they doing? What are they going to do after their father arrives?

2. Write a paragraph of four to six sentences about a weekend lunch. Do you eat alone? Do you and your family eat together? Where do you eat? What do you eat and drink?

3. Write a dialogue of four to six lines between a shopkeeper and a shopper that might take place in the market shown in picture 1. What does the shopper want to buy? What does it cost per kilo? Is it expensive or cheap? Is the shopper going to buy it?

COMPRUEBA TU PROGRESO   CAPÍTULO 8

A   La comida
Answer the questions according to the picture.
Use complete sentences.

1. ¿Qué hay sobre el platillo?
2. ¿Qué hay a la derecha del plato?
3. ¿Qué hay debajo de los tenedores?
4. ¿Qué hay a la izquierda de la taza y del platillo?
5. ¿Qué hay para el desayuno?
6. ¿Qué hay para poner en el pan tostado?

B   ¿Adónde fuiste?
Complete the sentences using the correct form:
fui, fuiste, or *fue.*

1. (Yo) _____ a la panadería ayer por la tarde.
2. Laura _____ al mercado ayer.
3. ¿_____ (tú) al supermercado con Jorge anoche?
4. (Yo) no _____ a la carnicería ayer.
5. Él no _____ a casa ayer por la mañana.
6. (Tú) _____ al barrio de Pablo anoche.

C   ¿Qué haces?
Complete the sentences with the correct verb
form.

1. *(hacer)* ¿Qué _____ (tú) en la cocina?
2. *(poner)* (Yo) _____ los churros en la cocina.
3. *(salir)* José _____ conmigo los domingos.
4. *(hacer)* (Nosotros) _____ pan.
5. *(poner)* ¿Dónde _____ María las tazas?
6. *(salir)* Uds. _____ mucho por la noche.
7. *(hacer)* Ud. _____ dibujos muy bonitos.
8. *(salir)* (Yo) _____ del estadio a las dos.
9. *(salir)* (Nosotros) _____ de casa juntos.

D   ¿Cuál es el verbo?
Complete each sentence with the correct form of
salir, poner, or *hacer* according to the meaning.

1. ¿(Tú) _____ para el aeropuerto a las seis?
2. ¿Qué _____ (tú) los lunes por la tarde?
3. ¿Quiénes _____ la mesa esta noche?
4. Mis hermanos _____ té para el desayuno.
5. (Yo) _____ el almuerzo para mis amigos.
6. Manuel y yo _____ del café después de las ocho.
7. ¿_____ (tú) los comestibles en el refrigerador?
8. ¿Por qué _____ (nosotros) los platos en el agua? Para lavarlos, ¡por supuesto!

E   ¿Lo buscas?
Rewrite the sentences, replacing the italicized
words with the correct direct object pronoun.

   Busco *a mi hermano.*
   Lo busco.

1. Escucho *a mi hermana.*
2. Pongo *los plátanos y las manzanas* en el plato.
3. ¿No compras *la botella de agua mineral?*
4. ¿Busca Ud. *su libro de álgebra?*
5. ¿Comen Uds. *las zanahorias?*
6. ¿Comprendes *al vendedor?*
7. Venden *las lechugas.*
8. Quito *mis platos.*

F   ¿Lo haces?
Answer the questions according to the model.

   ¿Compras la blusa ahora?
   No, pero voy a comprarla más tarde.

1. ¿Hace Roberto jugo de naranja?
2. ¿Limpian ellos los baños?
3. ¿Lee Ud. el periódico?
4. ¿Escucha la radio?
5. ¿Necesito mi abrigo ahora?
6. ¿Estudian Uds. las lecciones?
7. ¿Cocinan Uds. el pollo y las verduras?
8. ¿Lavas las tazas y los platillos?

VOCABULARIO DEL CAPÍTULO 8

Sustantivos
el agua (f.)
el agua mineral
el almuerzo
el azúcar
el barrio
la botella
el café (coffee)
el café con leche
la carne
la carnicería
la cebolla
la cena
los comestibles
la comida (meal)
la cosa
la cuchara
el cuchillo
el chocolate
los churros
el desayuno
la docena
los frijoles
la fruta
el gramo
los guisantes
el huevo
el jugo
el jugo de naranja /
    de manzana / de tomate
el kilo
la lechuga
el limón, pl. los limones
el litro
el maíz
el mantel
la manzana
el mercado
la mermelada

la naranja
la panadería
el pan tostado
la papa
el pavo
la peseta
el plátano
el platillo
el plato (plate)
el pollo
la servilleta
el supermercado
la taza
el té
el tenedor
el tomate
el vaso
la verdura
la zanahoria

Pronombre
todo

Pronombres de complemento directo
lo, la, los, las

Verbos
beber
hacer (to make)
llegar
necesitar
poner
salir (de)
vender

(yo) fui
(tú) fuiste
Ud. (él / ella) fue

Adverbios
anoche
ayer
pronto
ya

Preposiciones
debajo de
para + inf.
sobre

Números
ciento un(o), -a
ciento dos
doscientos, -as
trescientos, -as
cuatrocientos, -as
quinientos, -as
seiscientos, -as
setecientos, -as
ochocientos, -as
novecientos, -as
mil

Expresiones
al mediodía
ayer por la mañana / noche /
    tarde
de compras
un poco (de)
poner la mesa
quitar los platos
vender a + (amount of money)

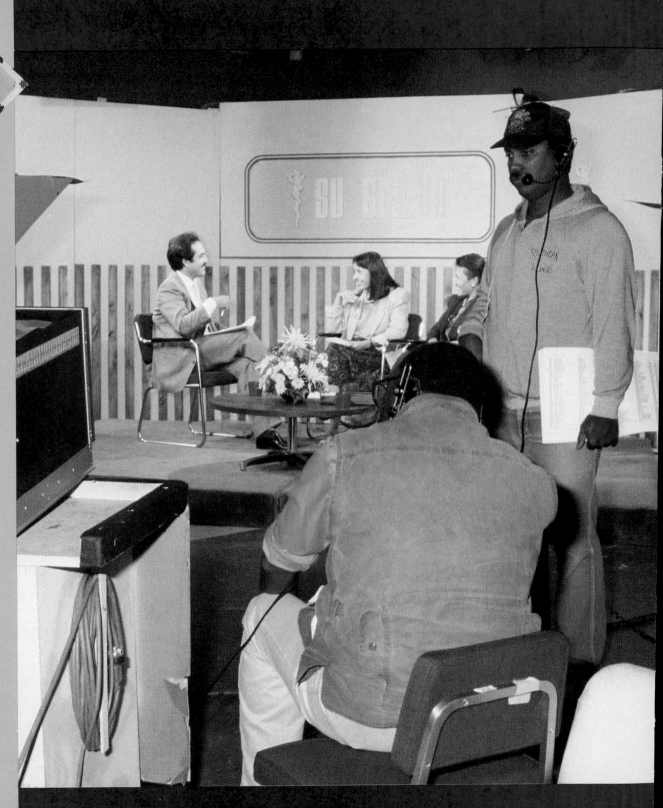

CAPÍTULO 9

PRÓLOGO CULTURAL

LA TELE EN LOS ESTADOS UNIDOS

The best way to practice Spanish is to go to a Spanish-speaking country. But if you can't do that, you may be able to bring the Spanish-speaking world into your own home simply by turning on your television set. In most parts of the United States you can find at least one local cable channel or television station that features Spanish-language programming. The Spanish International Network, now called Univision, celebrated its twenty-fifth anniversary in 1986. This national network imports and produces programs for more than 400 stations in the United States. In some places, these stations broadcast 24 hours a day.

Spanish-language television features four main types of programs: movies, *telenovelas* (soap operas), variety shows, and sports. As in all soap operas, *telenovelas* feature many characters and various story lines going on at the same time. But unlike the ones you are familiar with, *telenovelas* usually run for a period of only a few months. Families and friends often gather to watch the final episodes of their favorite *telenovelas* together.

Variety shows feature musicians and dancers along with comedians, magicians, and acrobats. Sometimes even the superstars of the Spanish-speaking world appear on these shows.

If you are a soccer fan, you may have already watched some Spanish-language sports programs. They present the best games from around the world and are often the only programs to cover international soccer tournaments such as the World Cup competition.

Even if you've studied Spanish for only a short time, you can enjoy these sports and variety shows. You might even be surprised to discover how much you understand. If there's a Spanish channel in your area, try it—it's like opening a window onto another world.

PALABRAS NUEVAS I

El cine y la tele

película de ciencia ficción

película cómica

película de terror

película romántica

dibujos animados

película policíaca

película del oeste

película musical

◆ COMMUNICATIVE
OBJECTIVES

To discuss movies
and TV

To hesitate

To ask and tell how
long something lasts

To prioritize

To read a television
schedule

To show surprise

el televisor

las noticias

el anuncio
comercial

el actor

la actriz
pl. las actrices

CONTEXTO
COMUNICATIVO

1 EVA   ¿Qué **programa** vas a **ver** esta noche?

    LUIS   Una película cómica muy vieja.

    EVA   ¿Es **en colores**?

    LUIS   Sí.

    EVA   ¿Y quiénes son los actores?

    LUIS   No sé. No son **muy conocidos.**

Variaciones:

■ cómica → musical

■ en colores → en blanco y negro

el programa   *program*
ver (yo veo, tú ves)   *to see*
en colores   *in color*
(muy) conocido, -a   *(well-)
known*

2 DIANA   **¡Imagínate! Acabo de** ver a Daniel Vadías en
el canal 17.

    RAÚL   ¿En qué **clase de** programa?

    DIANA   **Bueno . . . ,** en un anuncio comercial.

■ ¡imagínate! → ¡qué suerte!

¡imagínate!   *imagine!*
acabar de + infinitive   *to have
just (done something)*
el canal   *TV channel*
la clase (de)   here: *kind (of),
type (of)*
bueno   here: = pues

3 EDUARDO   **¿Cuánto dura** el programa **sobre** México?

    ÁNGELA   Tres horas. **Desde** las nueve **hasta** las doce.
Y **continúa*** mañana por la noche.

    EDUARDO   ¿Vas a ver todo el programa?

    ÁNGELA   ¡Ojalá!

■ las doce → la medianoche

■ continúa → no termina hasta

¿cuánto dura?   *how long does
(something) last?*
durar   *to last*
sobre   here: *about*
desde   *from*
hasta   *until*
continuar   *to continue*

* Note the written accent on the *ú* in all present-tense forms of *continuar* except the *nosotros*
and *vosotros* forms: *continúo, continúas, continúa, continuamos, continuáis, continúan.*

4	EVA	Hola, Carlos. Esta noche **doy** una fiesta en mi casa. ¿Quieres venir?	**dar (yo doy, tú das)** *to give*
	CARLOS	¡Cómo no! ¿A qué hora es?	
	EVA	A las siete.	

- ¡cómo no! → ¡por supuesto!
- siete → ocho y media

5	DOLORES	¿Vienes al cine conmigo, Antonio?
	ANTONIO	**Hoy no.** Tengo que **arreglar** mi bicicleta.
	DOLORES	¡Qué mala suerte! **Dan una película estupenda** en el cine Luxor.

hoy no *not today*
arreglar *to fix, to repair*
dar una película / un programa *to show a movie / a program*
estupendo, -a *fantastic, great*

- hoy no → no puedo
- estupenda → muy interesante

6	LUZ	En el canal 38 dan una película del oeste. ¿Quieres verla conmigo?
	JORGE	¿Cuándo? ¿Ahora?
	LUZ	No, en una hora **y media.**
	JORGE	Muy bien, pero tengo que terminar la tarea **antes de** mirar la tele.

y media *and a half*
antes de *before*
antes de + infinitive *before (doing something)*

- del oeste → de ciencia ficción
- del oeste → de terror
- en una hora y media → en **media hora**
- antes de → después de
- terminar la tarea → repasar mis lecciones

media hora *half an hour*

Una tienda de videocintas en España

OTROS VIDEOS
"BURNING" ("LA QUEMA"). Producción británica. Color. Ochenta y siete minutos. Director: Tony Maylan. Intérpretes: Brian Matthews, Lea Ayers, Brian Backer, Lou David. No recomendada a menores de dieciocho años.
"CARNAVAL DE SANGRE". Producción estadounidense. Color. Noventa minutos. Director: Leonard Kirtman. Intérpretes: Burt Young, Earle Edgerton, Judith Resnick. No recomendada a menores de dieciocho años.

PRÁCTICA

A ¿Qué película dan? Mira los anuncios. Con un(a) compañero(a) de clase, discute *(discuss)* las películas. Sigue el modelo.

ESTUDIANTE A *¿Qué clase de película dan en el cine Colón?*
ESTUDIANTE B *Una película de terror. ¿Quieres verla?*
ESTUDIANTE A *Sí. Vamos a verla.*
    o: *No. No quiero verla.*

B ¿Cuáles te gustan? Mira los anuncios de la Práctica A, y discute qué clases de películas te gustan. Sigue el modelo.

ESTUDIANTE A *¿Te gustan las películas de terror?*
ESTUDIANTE B *Sí, me gustan mucho. ¿A ti te gustan?*
    o: *No, no me gustan. ¿A ti te gustan?*
ESTUDIANTE A *Sí. Mucho.*
    o: *No.*

C **Me gusta mucho la tele.** Di *(Tell)* qué clases de programas te gustan, cuáles no te gustan y por qué. Puedes usar también las palabras *muy, bastante* o *demasiado* antes del adjetivo. Sigue el modelo.

> *Me gustan los dibujos animados. Son (muy) divertidos.*

1. los anuncios comerciales	aburrido
2. los programas policíacos	bueno
3. los programas en el canal *(número)*	divertido
4. los programas cómicos	estupendo
5. las noticias	interesante
6. las películas románticas	malo
7. los programas de deportes	
8. los dibujos animados	
9. los programas musicales	
10. los programas de ciencia ficción	
11. los programas sobre las ciencias	

D **Mi programa favorito.** Dos amigos hablan sobre cuánto duran los programas en el canal 8. Pregunta y contesta según el modelo.

ESTUDIANTE A   *¿Cuánto dura el programa de dibujos animados?*
ESTUDIANTE B   *Media hora. Desde las cinco y media hasta las seis.*

Tv guía

1v CANAL 8

3

MIÉRCOLES

17:30.—**Los tres peces pequeños**: Programa de dibujos animados
18:00.—**¿Cuándo es nunca?**: Programa de preguntas y respuestas para niños
18:30.—**Hoy en la ciudad**: Programa de noticias
19:00.—**¿Por qué llueve?**: Programa de ciencias populares
20:00.—**Frijoles y maíz**: Programa sobre la comida mexicana
20:30.—**La casa sin ventanas**: Película de terror
22:00.—**Los deportes de hoy**: Programa de deportes
22:30.—**El viento triste**: Película romántica
24:00.—**¡Hasta mañana!**: Programa de noticias y música (15 minutos)

-22:30 (☆☆☆) —*El viento triste.* 1988. 90 minutos. Director: Osvaldo Petrera. Actores: Ana Moreno, Daniel Salcedo. Carmen, una chica bonita de Nueva York, viaja a Puerto Rico para ver a su novio Manolo, un hombre con un... daloso.

4

JUEVES

E Hablemos de ti.

1. ¿Qué programas de televisión te gustan más? ¿Por qué?
2. ¿Qué clases de películas te gustan menos? ¿Por qué? ¿Ves muchas películas?
3. ¿Quiénes son tu actor y tu actriz favoritos? ¿Por qué?
4. ¿Qué películas dan ahora en tu ciudad?
5. ¿Te gustan las películas viejas? ¿Dónde las ves?
6. ¿Te gustan las películas en blanco y negro o prefieres las películas en colores? ¿Por qué?
7. ¿Qué programas ves los sábados por la noche? ¿Vas a mirar la televisión esta noche? ¿Qué programas vas a ver?

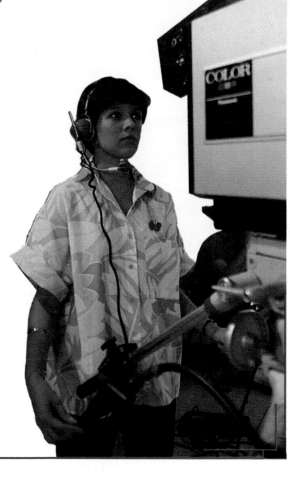

ACTIVIDAD

¿Qué programas dan?   Form seven groups. Your teacher will assign a day of the week to each group. Work together to make up a TV listing for all of the programs being shown on that night on a particular channel between 6:00 and 10:00 P.M. Give each program a title, and prepare a brief description of what it is about. You might use words or phrases from the list below. Afterwards, you might get back together as a class and take turns reading your TV listings, or you might post them for others to look at.

el actor / la actriz	durar
los anuncios	estupendo, -a
el canal	las noticias
conocido, -a	una película
continuar	un programa
desde . . . hasta	sobre

APLICACIONES

¿Qué programa vamos a ver?

Todo el mundo[1] tiene su programa favorito, pero hay sólo un televisor en la casa.

MARÍA	Alfonso, ¿vas a mirar la tele esta noche?
ALFONSO	Sí. Quiero ver un partido de fútbol a las siete. Ciudad
5	Juárez contra[2] Mérida.* ¡Va a ser estupendo!
MARÍA	¡Esta noche no! A las siete dan *Todos los sábados,* mi programa favorito.
ALFONSO	Tú siempre ves esos[3] programas musicales.
MARÍA	Y tú ves programas de deportes todos los días. Béisbol
10	ayer, fútbol hoy, básquetbol mañana.
ALFONSO	Papá, yo quiero ver el partido de fútbol. Tú quieres verlo también, ¿no?
PAPÁ	No, Alfonso. Vamos todos a ver las noticias hasta las 7:30. Después, yo voy a leer el periódico y Uds. van a
15	hacer su tarea. Más tarde dan una gran película policíaca en el canal 33. Tu mamá y yo tenemos ganas de verla y dura hasta las 10:30.
ALFONSO	Entonces yo voy a escuchar el partido de fútbol en mi dormitorio. Y tú, María, ¿qué vas a hacer?
20 MARÍA	No sé. Pero yo no voy a escuchar el partido de fútbol. ¡Qué aburrido!

---

[1]**todo el mundo** *everybody* [2]**contra** *against, versus* [3]**esos, esas** *those*

* Ciudad Juárez is located in the northernmost part of Mexico, and Mérida is located in the south.

Preguntas

Contesta según el diálogo.

1. ¿Qué programa tiene ganas de mirar Alfonso?   2. ¿Cuál es el programa favorito de María? ¿Qué clase de programa es?   3. ¿A qué hora tiene Alfonso ganas de mirar la televisión? ¿Qué clase de programa prefiere Alfonso?   4. ¿Quiénes van a mirar las noticias? ¿Qué van a hacer después?   5. ¿Qué clase de película van a ver los padres?   6. ¿A qué hora termina la película?   7. ¿Qué va a hacer Alfonso entonces?   8. ¿Por qué no pueden mirar todos su programa favorito?

Participación

Working with a partner, make up a dialogue of four to six lines in which you decide what programs to watch this evening and why.

PRONUNCIACIÓN

A In Spanish we pronounce the letter combination *qu* like the letter *c* in the English word "cat." In English, that sound is usually followed by a puff of air. In Spanish it is not.
Escucha y repite.

que	queso	quiero	porque	esquina	esquiar

B When the letter *c* comes before *a, o, u,* or a consonant, it is also pronounced like the *c* in "cat." Again, there is no puff of air.
Escucha y repite.

casa   contento   cuando   cuchara
poco   acabar   claro   creo

C When *c* comes before *e* or *i*, most Spanish speakers pronounce it like the *s* in the English word "sand."
Escucha y repite.

cero   cinco   ciudad   ciencias   conocido

D Escucha y repite.

Dan una película cómica.
Quiero mirar el canal cinco.
Hay quince anuncios comerciales.
Es una película de ciencia ficción en colores.

◆ COMMUNICATIVE
OBJECTIVES
To show disinterest
To express enthusiasm
To warn
To express
disappointment

CONTEXTO
VISUAL

La playa

la nube

la sombrilla

el mar

los anteojos de sol

la ola

la toalla

la playa

los anteojos

dentro de

las sandalias

fuera de

tener frío (m.)

tener calor (m.)

tener razón (f.)

tener sed (f.)

tener hambre (f.)

no tener razón (f.)

tener sueño (m.)

tener miedo (de) (m.)

tener suerte (f.)

CONTEXTO COMUNICATIVO

1 PABLO   Hola, Rosa, ¿quieres ir a la playa conmigo?

    ROSA   Pero, ¿por qué vas a la playa? **Está nublado.**

    PABLO   **¿Qué importa?** No puedo tomar el sol, pero puedo nadar.

está nublado   *it's cloudy*
¿qué importa?   *so what?*
mucho, -a   here: *very*

Variaciones:

■ está nublado → no hace sol
■ no puedo tomar el sol → no hace **mucho** calor

2 CÉSAR   ¿**Todo el mundo** va a la playa?

MARCOS   **Casi** todo el mundo. José no va.

CÉSAR   ¿Por qué no?

MARCOS   **A él le dan miedo** las olas.

■ a la playa → al parque
las olas → los perros

3 ANITA   ¿Dónde está Jaime?

HÉCTOR   Fue a comprar hamburguesas y refrescos.

ANITA   **¡Qué bueno!**

HÉCTOR   **¡Cuidado,** Anita! **Si** vas a nadar, no **debes** comer.

ANITA   Tienes razón, pero tengo mucha hambre.

■ refrescos → limonada
■ tienes razón → sí, debo **tener cuidado**

4 JORGE   Tienes mucha suerte, Felipe.

FELIPE   ¿Por qué?

JORGE   Porque nunca estudias mucho y siempre sacas buenas notas.

FELIPE   **Ya no.** Acabo de recibir un cero en mi prueba de geometría.

JORGE   **¡Caramba!**

■ estudias → repasas las lecciones
■ sacas → recibes
■ un cero → una "F"
■ ¡caramba! → ¡qué lástima!

todo el mundo *everybody*

casi *almost*

le here: *him;* see p. 323.

dar miedo (a) *to frighten, to scare (someone)*

¡qué bueno! *great!*

¡cuidado! *watch out! careful!*

si *if*

deber *should, ought to*

tener cuidado (m.) *to be careful*

ya no *not anymore*

¡caramba! *gosh!, gee!*

EN OTRAS PARTES

En España se dice *las gafas.*
En el Caribe se dice *los espejuelos.*

En España se dice
el parasol.

PRÁCTICA

A ¿Cómo están? Tell how each of these people feels.

(él)
Tiene suerte.

1. Todo el mundo

2. Ud.

3. (tú)

4. Uds.

5. (ellos)

6. (nosotros)

B ¡Ay, tengo . . . ! Imagina que estás en cada *(each)* una de estas *(these)* situaciones. Usa la expresión apropiada con *tener* y *mucho, -a* para describir cómo te sientes *(how you feel)*.

> Estás en Alaska durante el mes de enero y no llevas abrigo.
> *Tengo mucho frío.*

1. Estás en la playa de Acapulco en el verano. Hace mucho sol y no tienes sombrilla.
2. Es mediodía. Acabas de llegar al hotel y quieres comer.
3. Es medianoche. Estás solo(a) en una casa vieja. No puedes ver nada.
4. Tienes un traje de baño nuevo y quieres tomar el sol, pero siempre está nublado.
5. Es muy tarde, después de la medianoche. Y todavía debes estudiar para un examen de álgebra.
6. Montas en bicicleta en una ciudad grande y hay muchos coches en la calle. Pero tú no tienes miedo. ¿Por qué?
7. Acabas de jugar al tenis. Hace mucho calor y no hay nada para beber.

Acapulco, México

C ¡Qué problema! Escoge (choose) la palabra o expresión apropiada para completar cada frase.

1. _____ vamos al parque los domingos. (hoy no / mañana / siempre)
2. _____ Tengo sed y no hay agua en el refrigerador. (¡Caramba! / ¡Qué bueno! / ¡Cuidado!)
3. Es mayo y en los Estados Unidos _____ hace mucho frío. (casi / ya no / siempre)
4. Debemos buscar _____ antes de ir a la playa. (una sombrilla / un anuncio comercial / una nube)
5. _____ Las olas son muy grandes hoy. ¿No tienes miedo de nada? (¡Imagínate! / ¡Cuidado! / ¿Qué importa?)
6. _____ No puedo ir al mar contigo. (¡Qué bueno! / ¡Cuidado! / ¡Caramba!)
7. Si no llevo mis _____, no puedo ver la pizarra. (anteojos de sol / anteojos / vasos)
8. ¡Qué lástima! _____ dan mi programa favorito. (Siempre / Ya no / A menudo)

D Hablemos de ti.
1. ¿Hay una playa en tu ciudad o cerca de ella? ¿Vas allí en el verano? ¿Con quiénes vas? ¿Qué hacen Uds. cuando van a la playa?
2. ¿Qué haces cuando tienes hambre? ¿Y cuando tienes sed?
3. ¿Qué llevas cuando hace frío? ¿Y cuando hace mucho calor? ¿Tienes frío o calor ahora?
4. ¿De qué tienes miedo? ¿De los perros grandes o de los gatos negros? ¿O no tienes miedo de nada?

ESTUDIO DE PALABRAS

Spanish words that end in -sión or -ción often have English equivalents that end in -sion or -tion.

la televisión	television
la expresión	expression
la ficción	fiction
la pronunciación	pronunciation
la participación	participation

You shouldn't have any trouble understanding the following words.

la confusión	la visión	la tensión
la acción	la loción	la fracción

EXPLICACIONES I

Los verbos *dar* y *ver*

◆ COMMUNICATIVE OBJECTIVES

To report what you see

To discuss giving things to others

The verb *dar* means "to give." Except for the *yo* form—*doy*—it takes the same present-tense endings as a regular *-ar* verb.

INFINITIVO **dar**

	SINGULAR	PLURAL
1	(yo) **doy**	(nosotros) (nosotras) **damos**
2	(tú) **das**	(vosotros) (vosotras) **dais**
3	Ud. (él) (ella) **da**	Uds. (ellos) (ellas) **dan**

The verb *ver* means "to see." Like *dar,* only its *yo* form is irregular: *veo.* Otherwise it takes the same present-tense endings as a regular *-er* verb.

INFINITIVO **ver**

	SINGULAR	PLURAL
1	(yo) **veo**	(nosotros) (nosotras) **vemos**
2	(tú) **ves**	(vosotros) (vosotras) **veis**
3	Ud. (él) (ella) **ve**	Uds. (ellos) (ellas) **ven**

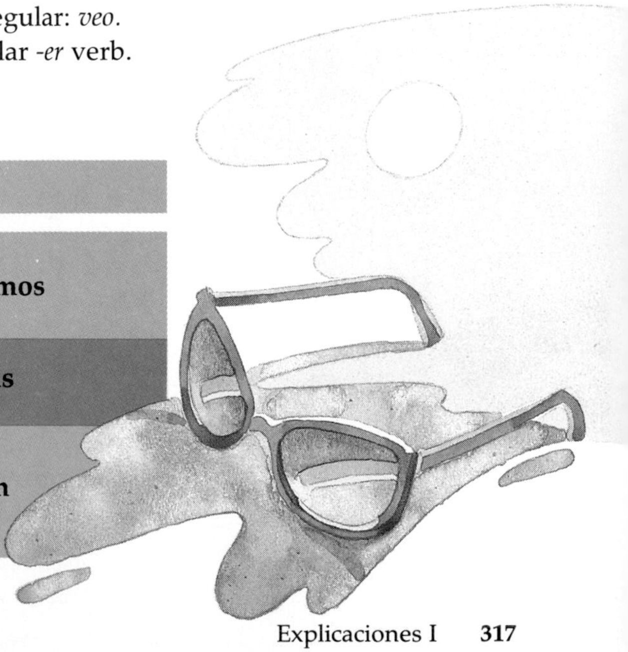

PRÁCTICA

A **¿Qué damos?** Usa la forma correcta de *dar* para formar frases. Sigue el modelo.

> (tú) / una computadora al colegio
> *Das una computadora al colegio.*

1. (yo) / las respuestas correctas
2. (tú) / una cena mañana
3. tus padres / casi todos sus libros a la biblioteca
4. mi profesor de matemáticas / buenas notas
5. Uds. / un televisor a la escuela, ¿verdad?
6. (nosotros) / de comer al perro
7. todo el mundo / muchas pruebas
8. (nosotras) / una fiesta esta noche
9. Yolanda y tú nunca / nada a nadie

B **¿Qué vemos aquí?** Imagina que vas de compras con unos amigos. ¿Qué ve cada persona? Usa cualquier *(any)* adjetivo apropiado en tu respuesta. Sigue el modelo.

Luis y Teresa
ESTUDIANTE A *¿Qué ven Luis y Teresa?*
ESTUDIANTE B *Ven una computadora muy cara.*

1. Mónica   2. César y Pablo

3. (tú)   4. ellas

5. yo   6. Roberto

Uds. ven a personas también. Usa *¿a quién?* para preguntar. ¡Cuidado! No olvides *(don't forget)* la *a* personal en las respuestas.

7. (nosotros)   8. Uds.

9. Elena y tú   10. todos

C El diario *(diary)* de Cristóbal.   Cristóbal mira su diario viejo, pero no puede leer unas palabras. Usa la forma correcta de *dar* o *ver* para ayudarlo a leer su diario.

DIARIO   fecha: _martes, 28 de agosto_

Estamos en Valencia. Nosotros ⸺ a mi primo Juan todos los días. ¡Qué aburrido! Es un niño muy tonto. Tía Luisa ya no ⸺ muy bien. Tiene anteojos nuevos pero no quiere llevarlos. El canal 7 ⸺ dos películas interesantes esta noche, pero no puedo ⸺las porque duran cuatro horas y debo ir a un restaurante con mis tíos. ¡Caramba! Pero anoche fui al cine para ⸺ una película sobre un hombre que vive en el mar.

Málaga, España

DIARIO   fecha: _jueves, 30 de agosto_

Ahora estoy en Málaga y ⸺ el mar desde mi ventana. ¡Es estupendo! En el hotel hay un pájaro de muchos colores. Mis padres ⸺ de comer al pájaro todos los días, pero todavía no canta. El pájaro le ⸺ mucho miedo al gato que vive en el hotel. Es muy divertido. Estoy fuera del hotel casi todo el día. Todavía está nublado. ¿Cuándo vamos a ⸺ un día sin nubes?

DIARIO   fecha: _lunes, 3 de septiembre_

Acabamos de salir de Málaga. Tenemos que estar en casa mañana. La semana próxima nosotros ⸺ una fiesta y nuestros amigos van a ⸺ todas las películas de nuestras vacaciones. Ellos tienen suerte, ¿no?

Acabar de + infinitivo

◆ COMMUNICATIVE
  OBJECTIVES
  To describe or report
  things that just
  happened
  To give reasons or
  excuses

Acabar is a regular *-ar* verb. We use *acabar de* + an infinitive to talk about something that has *just taken place*.

Ellos **acaban de** salir.	*They've **just** left.*
Acabamos de llegar.	*We've **just** arrived.*

PRÁCTICA

A ¿Qué tienes? Paco habla por teléfono. Pregunta y contesta según el modelo. Usa expresiones de la lista para contestar.

> tener hambre
> ESTUDIANTE A *¿Tienes hambre?*
> ESTUDIANTE B *No, acabo de terminar el desayuno.*

1. tener calor
2. tener hambre
3. tener frío
4. tener suerte
5. tener sed
6. tener miedo

beber una botella de agua mineral
beber una taza de té
comer una tortilla
comprar un perro grande
ver a un policía
sacar una mala nota
salir del mar
terminar el desayuno

(abajo, izquierda) En un café en Guadalajara, México; (abajo, derecha) Amigos en Bogotá, Colombia

B ¿Y qué pasa ahora?   Imagina que cuidas a unos niños. Tú miras una película policíaca en la tele. De vez en cuando (*from time to time*) uno de los niños entra en la sala y pregunta "¿Qué pasa ahora?" Pregunta y contesta según el modelo.

> la actriz morena / ver un gato negro
> ESTUDIANTE A   *¿Qué hace la actriz morena?*
> ESTUDIANTE B   *Acaba de ver un gato negro.*

1. la tía simpática / llamar a sus padres
2. la novia del muchacho / escribir una carta
3. el actor muy bajo / bailar con la chica alta
4. el señor delgado / salir de su oficina
5. sus abuelos / contestar el teléfono
6. el chico latinoamericano / llegar en taxi
7. el sobrino / recibir una carta
8. los policías / entrar en la casa

C Hablemos de ti.
1. ¿Das muchas fiestas? ¿Cuándo las das? ¿Por qué?
2. ¿Da muchas pruebas tu profesor(a) de español? ¿Siempre sales bien?
3. ¿Da buenas notas tu profesor(a) de español?
4. ¿Qué acaban de aprender tú y tus compañeros en la clase de español?
5. ¿Qué acabas de hacer?

En una playa de Puerto Rico

APLICACIONES

¿Qué película vemos?

Julio y Lucía acaban de llegar al centro. ¿Qué van a hacer? ¿Qué películas dan esta noche? ¿Qué clase de película es *Mi guitarra y yo?*

Lucía thinks that she and Julio should have dinner before going to the movies. Make up a dialogue in which they decide which movie they will see, what time they will go, and where they will eat. You might want to use these words or phrases:

tener hambre   durar
comer   media hora
antes de   estupendo, -a

LUNA

CINE

EL POLICÍA AUSENTE 23:00
18:00   20:30
MI GUITARRA Y YO   24:15
17:30   19:45   22:00

EL MUSEO
DEL
MIEDO
16:10   18:00
19:50   21:40
23:30

MIL KILOS
DE
GUISANTES
17:30   19:45
22:00   24:15

Mil Kilos de guisantes

El museo del miedo

El policía ausente

Mi guitarra y yo

EL LABORATORIO DEL DR. ANTIPÁTICO   23:00
18:00   20:30   NO VEO NUBES   21:40   23:30
16:10   18:00   19:50

El laboratorio del Dr. Antipático

No veo nubes

L. Kelen

EXPLICACIONES II

El complemento indirecto:
Los pronombres *le* y *les*

An indirect object tells *to whom* or *for whom* an action is performed. An indirect object pronoun replaces an indirect object noun. Here are the indirect object pronouns meaning "to (or for) him, her, you" (formal and plural), and to (or for) "them."

◆ COMMUNICATIVE OBJECTIVES

To express doing things for others

To describe giving things to others

Le doy los libros. *I'm giving the books* $\begin{cases} \textbf{\textit{to him.}} \\ \textbf{\textit{to her.}} \\ \textbf{\textit{to you.}} \text{ (Ud.)} \end{cases}$

or: *I'm giving **him (her, you)** the books.*

Les compro suéteres. *I'm buying sweaters **for*** $\begin{cases} \textbf{\textit{them.}} \\ \textbf{\textit{you.}} \text{ (Uds.)} \end{cases}$

or: *I'm buying **them (you)** sweaters.*

Notice that like direct object pronouns, indirect object pronouns come directly before the verb.

1   When we use a noun as an indirect object, we usually also use the indirect object pronoun.

> **Le** doy los libros **a Teresa.**   *I'm giving the books **to Teresa.***
> **Les** compro suéteres **a mis padres.**   *I'm buying sweaters **for my parents.***

2   You can see that *le* and *les* can have more than one meaning. To make the meaning clear, we can add the preposition *a* + a prepositional pronoun.

le $\begin{cases} \text{a él} \\ \text{a ella} \\ \text{a Ud.} \end{cases}$ les $\begin{cases} \text{a ellos} \\ \text{a ellas} \\ \text{a Uds.} \end{cases}$

> **Le** doy los libros **a ella.**   *I'm giving the books **to her.***
> **Les** compro suéteres **a Uds.**   *I'm buying sweaters **for you.***

3 We can also add *a* + noun or prepositional pronoun for emphasis.

Le doy los libros **a ella,** (no **a él.**)

*I'm giving the books **to her,** (not **to him**).*

Le escribo una carta **a David,** (no **a Miguel**).

*I'm writing a letter **to David,** (not **to Miguel**).*

4 We can attach an indirect object pronoun to an infinitive or put it before the main verb, just as we do with direct object pronouns.

Voy a comprar**les** suéteres.
Les voy a comprar suéteres.
} *I'm going to buy sweaters **for them.***

5 To ask the question "to whom" or "for whom" we use *¿a quién?* + *le* or *¿a quiénes?* + *les*.

¿A quién le das el libro?   ***To whom** are you giving the book?*

¿A quiénes les escribes cartas?   ***To whom** do you write letters?*

Una tienda en Bariloche, Argentina

PRÁCTICA

A **¿A quién le escribes?**   Imagina que un estudiante de España pasa *(is spending)* el año con tu familia. Casi todas las noches escribe cartas. Tú le preguntas a quién le escribe. Pregunta y contesta según el modelo.

> mi abuelo
> ESTUDIANTE A   *¿A quién le escribes?*
> ESTUDIANTE B   *A mi abuelo. Le escribo a menudo.*

1. mi hermana
2. mi padre
3. mi profesor de inglés
4. mi sobrina
5. mi tío Alberto
6. mi prima Luz
7. mi amigo Carlos
8. mi tía Alicia

B **¿Qué haces para tu familia?**   Imagina que hablas con un(a) amigo(a) sobre lo que *(what)* hace—o no hace—para los otros *(others)*. Pregunta y contesta según el modelo.

> arreglarles el coche a tus padres
> ESTUDIANTE A   *¿Les arreglas el coche a tus padres?*
> ESTUDIANTE B   *Sí, les arreglo el coche.*
>   o: *No, no les arreglo el coche.*

1. darles el almuerzo a tus hermanitas
2. enseñarles español a tus hermanos
3. darles chocolate a los niños
4. comprarles anteojos de sol a tus padres
5. leerles el periódico a tus abuelos
6. darles de comer a tus peces
7. cocinarles pavo a ellas
8. comprarles limonada a las chicas

C **¿A quién le da las cosas viejas?**   Cecilia acaba de ganar la lotería *(won the lottery)*. Les da todas sus cosas viejas a sus amigos porque compra cosas nuevas. Sigue el modelo.

> los trajes de baño / sus hermanas
> *Les da los trajes de baño a sus hermanas.*

1. la toalla de Disneyland / Felipe
2. los discos de rock / sus amigos
3. las sandalias / su madre
4. las cartas de actrices conocidas / Carlota y Eva
5. la moto / el novio de Leonor
6. las cucharas de Bolivia / el hijo del Sr. Piñera
7. las faldas de primavera / las chicas
8. los libros policíacos / el profesor de inglés

D ¿Qué le compran? Imagina que es diciembre y que dos niños hablan de lo que *(what)* sus padres van a darles a los otros miembros de la familia. Sigue el modelo.

Rosa

ESTUDIANTE A   *¿Qué van a comprarle a Rosa?*
ESTUDIANTE B   *Le van a comprar sandalias.*

1. Silvia

2. tía Mercedes

3. abuelita

4. tío Jaime

5. las hijas de Silvia

6. Antonio

7. Luz y Luis

8. tío Pablo

9. la novia de tío Pablo

Una plaza en Barcelona, España

E Hablemos de ti.

1. ¿Tienes amigos en otras ciudades o países? ¿Les escribes a menudo? ¿Cuándo los ves?
2. ¿Qué les das a tus padres para sus cumpleaños? Si tienes hermanos, ¿qué les das a ellos?
3. Si tienes hermanos menores, ¿los ayudas a hacer la tarea? ¿En qué materias?
4. ¿Te gustan los anuncios comerciales en la televisión? ¿Cuáles son tus favoritos? ¿Cuáles no te gustan?
5. ¿Te gustan los dibujos animados? ¿Cuándo los miras? ¿Cuáles son tus favoritos?
6. ¿Cuidas a los niños a veces? ¿Qué te gusta hacer cuando cuidas a los niños? ¿Les lees libros? ¿Miran juntos la tele?
7. ¿Cuándo deben tener cuidado los niños pequeños? Y tú, ¿cuándo debes tú tener mucho cuidado?

ACTIVIDAD

Le doy el borrador a él.   Get together with two or three other students. Write each of the words listed below on separate cards. Place them face up on a desk, and take half a minute to memorize where each item is. Then turn the cards over. One person starts by picking up a card (without looking at it) and giving it to someone while saying what he or she is giving that person. For example, if you think the card you are picking up says *el borrador,* say:

Le doy el borrador a *(nombre).*

You get a point for each card you identify correctly. Take turns picking cards until none are left. The person who has the most points wins.

los bolígrafos	el cuaderno	las papeleras
el borrador	los dibujos	el periódico
los carteles	los lápices	el pupitre
la computadora	el mapa	la tiza

APLICACIONES

REPASO

Look carefully at the model sentences. Then put the English cues into Spanish to form new sentences based on the models.

1. *Son las nueve de la mañana y Paco acaba de leer el periódico de anoche.*
   (It's 11:00 in the evening, and I've just fixed María's TV set.)
   (It's 5:00 in the afternoon, and you've (pl.) just seen today's news.)
   (It's 10:00 in the morning, and we've just cleaned Grandmother's kitchen.)

2. *Debe ir al café porque tiene mucha sed.*
   (We should go to the hotel because we're very sleepy.)
   (I should go to the beach because I'm very hot.)
   (They should go home because they're very scared.)

3. *¡Uf! ¿Qué ve Roberto?*
   (Watch out! What do you (fam.) see?)
   (Gosh! What do I see?)
   (Imagine! What do we see?)

4. *Son los perros. ¿Los ves ahora? Tienen frío.*
   (It's Margarita. We see her now. She's sleepy.)
   (It's Tomás. I see him now. You're right.)
   (It's the girls. Do you (formal) see them now? They're lucky.)

5. *Héctor le da una taza de té.*
   (We give her a glass of juice.)
   (I give them a bottle of water.)
   (They give you (pl.) a cheese sandwich.)

(arriba) Una esquina en Sevilla; (derecha) Un café en Salamanca

Put the English captions into Spanish.

It's twelve o'clock at night, and Claudia and Mateo have just seen a horror film.

They should go to the kitchen because they are very hungry.

Watch out! What do they see?

It's the cat. They see him now. He's thirsty.

Mateo gives him a saucer of milk.

REDACCIÓN

Now you are ready to write your own dialogue or paragraph. Choose one of the following topics.

1. Expand the *Tema* by writing four to six new sentences about the pictures. What are the young people watching? (Invent a name for the film.) What channel is it on? How is the movie? After feeding the cat, what are Claudia and Mateo going to eat?

2. Write a paragraph of four to six sentences about a favorite television program. What kind of program do you like to watch? Cartoons? News programs? Sports? When do you watch the program? How long does it last? A half hour? An hour? Who are the actors in it? Do you like or dislike commercials? Why?

3. Write talk balloons for each picture. What are Claudia and Mateo saying to each other?

COMPRUEBA TU PROGRESO   CAPÍTULO 9

A   ¿A qué hora?
At what time are these programs being shown?

6:00
A las seis dan una película de terror.

1. 10:00   2. 8:30

3. 9:00   4. 8:45

5. 9:30   6. 9:15

7. 7:45   8. 5:30

B   ¿Qué pasa?
Based on the drawings, tell how the following people feel.

1. Ana y Paco   2. Beatriz   3. (yo)

4. mi hermano   5. Pablo y yo   6. (tú)

C   ¿*Dar* o *ver*?
Use the correct form of *dar* or *ver*.

1. Nosotros nunca _____ los dibujos animados.
2. El Sr. Taboada le _____ una prueba a la clase.
3. Luis _____ a Patricio todos los días.
4. Pedro y Teresa _____ una fiesta esta noche.
5. (Tú) les _____ pan a los pájaros.
6. Desde el avión (yo) _____ el mar.

7. ¿Qué programa _____ Uds.?
8. (Yo) no les _____ muchos refrescos a los muchachos.
9. (Nosotros) ya no les _____ nada a ellos.
10. ¿_____ (tú) la ola estupenda?

D   Acaban de hacerlo
Answer according to the model. Use a direct object pronoun in your answer.

¿Terminas el capítulo?
Acabo de terminarlo.

1. ¿Venden Uds. su casa?
2. ¿Arregla papá tu reloj?
3. ¿Miras las noticias?
4. ¿Estudian los alumnos la lección 4?
5. ¿Lees tu cuaderno?
6. ¿Limpia Lisa el apartamento?

E   ¿A quiénes?
Form sentences using *dar* and the cues given. Follow the model.

(yo) / la manzana / el profesor
Le doy la manzana al profesor.

1. (ella) / sandalias / la niña
2. ¿Ud. / el paraguas / el muchacho?
3. (nosotros) / la tarea / las profesoras
4. (yo) / las respuestas / mis compañeros de clase
5. (él) / lápices / los estudiantes
6. (ellos) / anteojos de sol / mi hermano
7. (ellas) / leche / el gato
8. (tú) / la sombrilla / mis hermanas

F   Voy a hacerlo más tarde
Answer in the negative. Follow the model.

¿Le arreglas la moto a tu papá?
No. Voy a arreglarle la moto más tarde.

1. ¿Le escribes una carta a tu padre?
2. ¿Les das el almuerzo a las niñas?
3. ¿Les lees el periódico a tus hermanas?
4. ¿Les das las notas a los estudiantes?
5. ¿Le arreglas la puerta a tu mamá?
6. ¿Le preguntas cuánto cuesta al vendedor?

VOCABULARIO DEL CAPÍTULO 9

Sustantivos
el actor, la actriz
los anteojos
los anteojos de sol
el anuncio comercial
el canal
la clase (de) *(kind)*
los dibujos animados
el mar
la media hora
las noticias
la nube
la ola
la película
la playa
el programa
las sandalias
la sombrilla
el televisor
la toalla

Pronombres de complemento indirecto
le, les

Adjetivos
cómico, -a
(muy) conocido, -a
estupendo, -a
mucho, -a *(very)*
musical
policíaco, -a
romántico, -a

Conjunción
si

Verbos
acabar de + *inf.*
arreglar
continuar
dar
deber
durar
ver

Adverbio
casi

Preposiciones
antes de
dentro de
desde
fuera de
hasta
sobre *(about)*

Expresiones
bueno *(well)*
¡caramba!
¿cuánto dura?
¡cuidado!
dar miedo a
dar una película / un programa
de ciencia ficción
del oeste
de terror
en colores
está nublado
hoy no
¡imagínate!
¡qué bueno!
¿qué importa?
tener { calor
cuidado
frío
hambre
miedo (de)
sed
sueño
suerte
tener (no tener) razón
todo el mundo
ya no
y media *(and a half)*

CAPÍTULO 10

PRÓLOGO CULTURAL

DOS ANIMALES DE LAS AMÉRICAS

Have you ever heard the expression "ship of the desert"? It describes the camel, the only pack animal that can endure the harsh desert conditions. Another member of the camel family—though one without humps—is one of the best pack animals of the Andes. High on the mountain trails, where travel is difficult or impossible for horses, the sure-footed llama can carry up to 100 pounds for distances up to 20 miles.

The Indians of the Andes use the llama in a variety of ways. It is a topnotch pack animal because of the heavy loads it can carry and because it can survive at high altitudes and live for weeks without water. The Indians use its meat for food, its wool for clothing, and its fat for candles.

Although the llama is native to the Americas, the horse is not. You may be surprised to learn that there were no horses in the Western Hemisphere before the Spaniards came to Mexico in 1519. The Mexican Indians, who had never seen riders on horseback, believed that the Spaniards were strange beasts, half man and half animal.

As time passed, of course, horses became a familiar sight in North America. Mustangs and broncos, descendants of the first Spanish horses, roamed wild in Mexico and what is now the southwest United States. The Indians used horses in battle and in hunting buffalo.

As recently as the early 1900s, horses pulled carriages through our cities and towns. They were our primary means of transportation. Today we use horses mainly for recreation, but they still play an important role in the North American way of life, just as llamas do in South America.

PALABRAS NUEVAS I

La granja

CONTEXTO VISUAL

CONTEXTO COMUNICATIVO

1 SOFÍA   ¿Quieres **caminar** cerca del lago? Es un día muy **hermoso.**

     TOMÁS   Sí, vamos. Me gusta mucho caminar cuando hace buen tiempo.

Variaciones:
- hermoso → **agradable**
- hace buen tiempo → hace sol

2 SARA   La veterinaria viene hoy.

     LUIS   ¿Están enfermos los **animales**?

     SARA   Los caballos, sí.

- la veterinaria → el veterinario
- los caballos → las vacas
- los animales → **los animales domésticos**
  los caballos → nuestro perro viejo

3 PEDRO   ¿Ves los patos?

     JULIA   No, pero los **oigo.**

     PEDRO   Yo también. ¡Cua, cua!

- los patos → los cerdos
  ¡cua, cua! → ¡oinc, oinc!
- los patos → los caballos
  ¡cua, cua! → ¡jiiii!
- los patos → las ovejas
  los oigo → las oigo
  ¡cua, cua! → ¡meee!

caminar   *to walk*
hermoso, -a   *beautiful*

agradable   *pleasant*

el animal   *animal*

el animal doméstico   *pet*

oír (yo oigo, tú oyes)   *to hear*

4 ANA ¿Adónde vas, José? ¿No tienes que dar de comer a las gallinas?

JOSÉ Acabo de hacerlo.

ANA ¿Por qué llevas tu mochila entonces?

JOSÉ Le **traigo** unos huevos a mamá.

ANA ¡En tu mochila!

■ mamá → mi abuela

traer (yo traigo, tú traes)
to bring

EN OTRAS PARTES

También se dice *la finca*.

También se dice *el finquero / la finquera* y *el agricultor / la agricultora*.

En muchos países de la America Latina se dice *el chancho*. También se dice *el puerco*.

PRÁCTICA

A ¿En el cielo o en la tierra? Imagina que tú y un(a) amigo(a) ayudan a preparar el escenario (*stage*) para una obra de teatro. Usa el dibujo para indicar (*tell*) dónde debe estar cada (*each*) cosa—en el cielo o en la tierra. Usa también la lista de preposiciones para indicar la posición de cada cosa en relación con otra cosa (*something else*). Sigue el modelo.

ESTUDIANTE A *¿Dónde pongo el pájaro?*
ESTUDIANTE B *En el cielo, a la derecha de la nube.*

| a la derecha | sobre | entre | detrás de |
| a la izquierda | debajo de | al lado de | delante de |

B **¿Qué oyes en la granja?** Pregunta y contesta según el modelo.

ESTUDIANTE A   *¿Oyes los patos?*
ESTUDIANTE B   *Sí, los oigo. Hacen "cua-cua."*

C En la granja. Pregunta y contesta según los dibujos.

¿Qué hace . . . ?
¿Qué comen . . . ?

ESTUDIANTE A   *¿Qué hace la granjera?*
ESTUDIANTE B   *Les da de comer a las gallinas.*
ESTUDIANTE A   *¿Qué comen las gallinas?*
ESTUDIANTE B   *Maíz.*

1. ¿Qué tiene . . . ?
   ¿Qué bebe . . . ?

2. ¿Cómo están . . . ?
   ¿Qué comen . . . ?

3. ¿Qué hace . . . ?
   ¿Cuándo . . . ?

4. ¿Qué hacen . . . ?
   ¿Dónde . . . ?

5. ¿Qué hacen . . . ?
   ¿Dónde . . . ?

6. ¿Qué hacen . . . ?
   ¿Cómo son . . . ?

7. ¿Qué hace . . . ?
   ¿De qué color . . . ?

8. ¿Adónde va . . . ?
   ¿Qué lleva . . . ?

9. ¿Qué trae . . . ?
   ¿Para qué . . . ?

D Hablemos de ti.

1. ¿Vives en una granja o en una ciudad? ¿Te gustan las granjas o prefieres las ciudades grandes? ¿Por qué?
2. ¿Qué animales viven en una granja?
3. ¿Tienes un jardín? ¿Es grande o pequeño? ¿Hay muchas flores en tu jardín? ¿Hay árboles?
4. ¿Qué tiempo hace hoy? ¿De qué color es el cielo? ¿Hay nubes? ¿Llueve o nieva? ¿Te gusta la lluvia? ¿Por qué? ¿Te gusta la nieve? ¿Por qué?

ACTIVIDAD

Estaciones   Work with a partner to make up a poem of four to five lines about your impressions of a season. The lines don't have to rhyme, nor do they have to be complete sentences. For example:

EL VERANO
Me gusta el verano.
Árboles grandes
Con hojas verdes,
Flores y sol.

When you've finished writing the poem, you may want to read it aloud to the class.

APLICACIONES

La profesión de veterinario

Un estudiante del Colegio Superior de Puerto Rico habla con la doctora* Estela Torres, veterinaria.

PABLO	Dra. Torres, me llamo Pablo Guzmán. Escribo para el periódico del colegio. Quiero hablar con Ud. sobre su profesión.
DRA. TORRES	¡Cómo no!
PABLO	¿Trabaja Ud. con animales de la granja o con animales domésticos?
DRA. TORRES	Bueno, prefiero los animales de la granja: caballos, vacas, cerdos, ovejas . . .
PABLO	¿Cuáles son sus animales favoritos?
DRA. TORRES	Todos, me gustan todos. Por eso[1] soy veterinaria.
PABLO	¿Y tiene Ud. un gato o un perro en su casa?
DRA. TORRES	¿*Un* gato? ¿*Un* perro? ¡Tengo cuatro gatos hermosos y dos buldogs!
PABLO	¿Y qué hace Ud. cuando están enfermos?
DRA. TORRE	Llamo al veterinario, por supuesto. Una buena médica nunca cuida a los miembros de su propia[2] familia.

5

10

15

---

[1]**por eso** *that's why*   [2]**propio, -a** *own*

* We use *el doctor / la doctora* as the title when we speak to or about a doctor. The term for the profession of doctor is *el médico / la médica*. For example: *Nuestro médico es el Dr. Sánchez.*

Preguntas

Contesta según el diálogo.

1. ¿Con quién habla Pablo? ¿Por qué?   2. ¿Cuál es la profesión de la Dra. Torres?   3. ¿Con qué clase de animales prefiere trabajar?
4. ¿Cuáles son sus animales favoritos?   5. ¿Tiene animales domésticos? ¿Cuáles? ¿Cuántos?   6. ¿Qué hace cuando sus animales están enfermos? ¿Por qué?   7. ¿Qué haces tú cuando tus animales están enfermos?

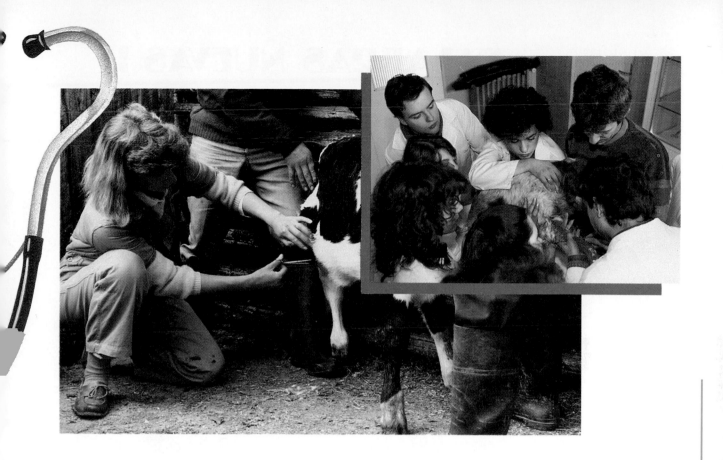

Participación

Work with a partner to make up a dialogue of six to eight lines in which a student who writes for the school newspaper interviews a farmer.

PRONUNCIACIÓN

A In Spanish, the letter *s* usually has the same sound as the *s* in the English word "sand."
Escucha y repite.

sol   siete   después   casas   física   televisión

B The letter *z* in Spanish is usually pronounced like the *s*.
Escucha y repite.

pez   diez   tiza   plaza   almuerzo   izquierda

C Escucha y repite.

El museo está en la esquina.
¿Te gustan los zapatos azules?
Hay seis pizarras en esta clase.

CONTEXTO
VISUAL

PALABRAS NUEVAS II

Una visita al zoológico

el leopardo

la cebra

el elefante

la jirafa

la guardiana
(de zoológico)

el zoológico

el hipopótamo

CONTEXTO
COMUNICATIVO

1 ALFREDO Una **visita** al zoológico es siempre muy agradable.

  LAURA ¿Qué animales te gustan más?

  ALFREDO **Generalmente,** voy para ver los tigres y los
    leones. ¡Son **magníficos**!

  LAURA Yo prefiero los monos. Son muy listos.

Variaciones:

■ agradable → divertida

■ los tigres y los leones → las jirafas y las cebras
  magníficos → magníficas

■ listos → inteligentes

la visita *visit*

generalmente *generally, usually*
magnífico, -a *magnificent*

el oso

el rinoceronte

la jaula

el tigre

la serpiente

la iguana

el mono

el guardián
(de zoológico)

el león
pl. los leones

la llama

el caimán
pl. los caimanes

2 ELENA   ¿Puedes **visitar** el zoológico conmigo hoy?

   DIEGO   **¡Claro!** Y tu hermano, ¿viene con nosotros?

   ELENA   **Creo que no.** Tiene que trabajar.

   ■ claro → por supuesto
   ■ hermano → primo

visitar   *to visit*
claro (que sí) = por supuesto
creo que no   *I don't think so*
creer   *to think, to believe*

3 MAMÁ   ¿Te dan miedo los **ruidos que** hacen los leones?

   BENJAMÍN   **Claro que no,** mamá. Todos están en sus jaulas.

   ■ te dan miedo → tienes miedo de
   ■ los leones → esos animales

el ruido   *noise*
que   *that; who*
claro que no   *of course not*

4 JORGE   Luz, ¿**cómo se llaman esos** animales?

    LUZ   **Este** animal pequeño es una iguana.

    JORGE   ¿Y **ese** animal grande allí? ¿Es un caimán?

    LUZ   No sé. Pero **creo que sí.**

■ esos → **estos**
  ese → este
  allí → aquí

■ creo que sí → creo que no

¿cómo se llama(n)?   *what is (are) the name(s) of?*

esos, -as   *those*

este, -a   *this*

ese, -a   *that*

creo que sí   *I think so*

estos, -as   *these*

5 NORMA   ¿Qué hace un guardián de zoológico?

    PEPE   **Varias** cosas. Es **la persona** que les da de comer a los animales, los cuida y limpia sus jaulas.

    NORMA   ¡Uf! ¡Qué aburrido!

    PEPE   ¡Al contrario, es un **trabajo** muy interesante!

■ un guardián → una guardiana

■ varias → muchas

varios, -as   *several*

la persona   *person*

el trabajo   *job; work*

6 TÍA MÓNICA   ¿Por qué no **dices la verdad,** Sergio?

    SERGIO   ¡Siempre digo la verdad!

    TÍA MÓNICA   ¿Siempre?

    SERGIO   Bueno, . . . a veces.

■ no → nunca

■ dices la verdad → **dices que sí**
  digo la verdad → digo que sí

■ a veces → casi siempre

decir (yo digo, tú dices)   *to say, to tell*

la verdad   *truth*

decir que sí / no   *to say yes / no*

EN OTRAS PARTES

También se dice *la culebra*.

En México se dice *el chango*.
También se dice *el mico*.

También se dice *el lagarto*.

PRÁCTICA

A ¿Cómo son? Imagina que estás en el zoológico con un(a) amigo(a) y que Uds. hablan de los animales. Pregunta y contesta según el modelo. Usa adjetivos apropiados *(appropriate)* de la lista.

ESTUDIANTE A   *Los hipopótamos son grandes, ¿no?*
ESTUDIANTE B   *Yo creo que son muy gordos.*

aburrido	estupendo	hermoso	lento	pequeño
alto	feo	inteligente	limpio	rápido
bonito	gordo	interesante	listo	sucio
enorme	grande	largo	magnífico	tonto

B Una visita al zoológico. Susana visita el zoológico de Chapultepec con su hermano mayor. Ella tiene muchas preguntas. Completa el diálogo con la palabra o expresión correcta.

claro que no	creo que sí	iguana	persona	se llama
creo	guardián	jaula	ruido	verdad

    SUSANA   ¿Cómo _____ ese animal verde, Francisco?
    FRANCISCO   Es una _____.
    SUSANA   ¡Ay! ¿Oyes el _____ que hacen los leones?
    FRANCISCO   Sí. _____ que tienen hambre. ¿Te dan miedo?
5   SUSANA   ¡_____!
    FRANCISCO   ¿Por qué no dices la _____?
    SUSANA   Bueno, tengo un poco de miedo. Mira, Francisco, ¿quién es esa _____ que entra en la _____ de los leones?
    FRANCISCO   Es el _____, por supuesto.
10   SUSANA   ¿Les va a dar de comer ahora?
    FRANCISCO   _____.

C Hablemos de ti.

1. ¿Hay un buen zoológico en tu ciudad o cerca de ella? ¿Cómo es? ¿Te gusta visitarlo? ¿Por qué?
2. ¿Qué animales del zoológico son tus favoritos? ¿Por qué?
3. Cuando vas al parque, ¿a veces les das de comer a los patos? ¿Qué les das? ¿Les das de comer a los animales cuando visitas el zoológico? ¿Por que?
4. ¿Qué animales comen carne? ¿Cuáles comen hierba y hojas? ¿Qué comen los monos? ¿Y las gallinas?

ESTUDIO DE PALABRAS

Many English words have come from Spanish. This is partly because Spanish-speaking people had settled in the western and southwestern United States long before English-speaking settlers arrived. These newcomers adopted many Spanish words that were already in use. *Patio, plaza, fiesta, adobe,* and *burro* are some of those. Naturally, many of our loanwords from Spanish are associated with the West. Here are some of them.

buckaroo, from *vaquero,* cowboy
canyon, from *cañón,* a deep valley with steep slopes
corral, from *corral,* a yard or pen for animals
lariat, from *la reata,* a rope for leading animals
lasso, from *lazo,* a loop or noose
mesa, from *mesa,* a flat-topped hill, like a table
palomino, from *paloma* ("dove"), a dove-colored, light gray horse
savvy, from the question *¿sabes?* ("you know"), common sense or know-how
stampede, from *estampida,* the hurrying away of a frightened herd of animals

(arriba) Un mexicano;
(derecha) Dos chilenos

EXPLICACIONES I

Los verbos *oír* y *traer*

Here are all of the present-tense forms of *oír* ("to hear").

◆ COMMUNICATIVE
  OBJECTIVES
  To tell what you hear
  To plan a picnic
  To go over a checklist

INFINITIVO   **oír**

	SINGULAR		PLURAL
1	(yo)	**oigo**	(nosotros) (nosotras) } **oímos**
2	(tú)	**oyes**	(vosotros) (vosotras) **oís**
3	Ud. (él) (ella) } **oye**		Uds. (ellos) (ellas) } **oyen**

Notice that the *yo* form ends in *-go.* The *nosotros* and *vosotros* forms have an accent on the *i: oímos, oís.* In all other forms, the *i* changes to *y.*

Here are all of the present-tense forms of *traer* ("to bring").

INFINITIVO   **traer**

	SINGULAR		PLURAL
1	(yo)	**traigo**	(nosotros) (nosotras) } **traemos**
2	(tú)	**traes**	(vosotros) (vosotras) } **traéis**
3	Ud. (él) (ella) } **trae**		Uds. (ellos) (ellas) } **traen**

Like several other verbs, *traer* has only one irregular present-tense form: *traigo.* All of the other forms are like those of regular *-er* verbs.

PRÁCTICA

A **En el zoológico.** Imagina que vas al zoológico con un(a) amigo(a). A veces Uds. oyen unos animales, pero no los ven. Pregunta y contesta según el modelo.

ESTUDIANTE A *Oigo el león. ¿Lo oyes tú?*
ESTUDIANTE B *Sí, lo oigo, pero no lo veo.*

1. los patos	3. el oso	5. el tigre	7. la oveja
2. los monos	4. el elefante	6. los cerdos	8. los leopardos

B **Los ruidos de la granja.** Imagina que tú y unos estudiantes de la ciudad están en una granja. Durante la noche, es muy difícil dormir *(to sleep)* porque Uds. oyen muchos ruidos. ¿Qué oyen Uds.? Sigue el modelo.

Rafael

Rafael oye la oveja. Hace "¡Meee!"

1. (yo)   2. Marta y Jorge

3. Elena y yo   4. María

5. Pedro y tú   6. (tú)

7. (nosotros)   8. todos

C **¿Qué traen?** Imagina que tu clase va a tener un picnic. Tú y un(a) compañero(a) repasan una lista de lo que *(what)* traen las personas. Sigue el modelo.

> ¿Jorge? / la ensalada
> ESTUDIANTE A   *¿Qué trae Jorge?*
> ESTUDIANTE B   *Creo que trae la ensalada.*

1. ¿Jaime? / los refrescos
2. ¿Yolanda y Roberto? / el chile con carne
3. ¿Anita? / el pan y el queso
4. ¿Ricardo y tú? / los platos y los vasos
5. ¿Emilia y Ramón? / la mantequilla y la mermelada
6. ¿(tú)? / las frutas
7. ¿la profesora? / los manteles y las servilletas

D **Hablemos de ti.**
1. ¿Traes tu almuerzo a la escuela? ¿Qué traes?
2. ¿Tienes una mochila? ¿Qué traes a la escuela en ella?
3. ¿Oyes muchos ruidos desde la ventana de tu dormitorio? ¿Qué oyes generalmente?

ACTIVIDAD

¿Qué traes a la fiesta?   Pretend that your Spanish class is going to have a party during a vacation. Everyone has to bring something. What will each person bring? Choose someone to write the list on the chalkboard. He or she begins by saying *Traigo* ____, writes it on the board, and then asks, *¿Qué traes, Inés?* Each person adds something and asks another student until everyone has signed up to bring something. Can your class make up a list that has everyone bringing something different?

APLICACIONES

Pecosa y yo

ANTES DE LEER

As you read, look for the answers to the following questions.
1. ¿Qué es una boa?
2. ¿Dónde viven las boas?
3. ¿Cómo es Pecosa?

Graciela Sandoval, una muchacha de 16 años, trabaja en el zoológico durante los fines de semana. Aquí habla de su trabajo en la casa de las serpientes. Graciela dice: "Las serpientes son magníficas. La boa, por ejemplo, es una serpiente muy grande y muy larga. Generalmente las
5 boas viven en la América del Sur, especialmente en el Brasil y las Guayanas. Comen pequeños animales, pero pueden vivir varios meses sin comida. Las boas no son venenosas,[1] pero debes tener cuidado porque pueden morder."[2]

"Yo tengo una boa que tiene dos años. Vive conmigo en Brooklyn.
10 Se llama Pecosa, que quiere decir 'freckled,' porque es marrón y roja. Pecosa no es muy inteligente, pero es muy hermosa y muy limpia. Vive en una jaula grande en mi dormitorio y nunca hace ruido. Le doy de comer cada[3] dos semanas. A veces cuando hace buen tiempo la llevo al parque. Muchas personas tienen miedo de Pecosa. No sé por qué. Todo
15 el mundo me pregunta si es difícil cuidarla. Yo les digo que sólo tengo que darle de comer y darle mucho cariño.[4] En mi barrio Pecosa es muy conocida y muy popular."

---

[1]**venenoso, -a** *poisonous*   [2]**morder** *to bite*   [3]**cada** *every*   [4]**cariño** *affection*

Preguntas

Contesta según la lectura.

1. ¿Dónde trabaja Graciela? ¿Cuándo trabaja allí?
2. ¿Qué dice Graciela de las serpientes?
3. ¿De dónde son las boas?
4. ¿Qué comen las boas? ¿Comen a menudo?
5. ¿Por qué tienes que tener cuidado con las boas?
6. ¿Dónde vive Pecosa?
7. ¿Qué tiene que hacer Graciela para cuidar a Pecosa?
8. ¿De qué color es Pecosa?
9. ¿Te dan miedo las serpientes? ¿Por qué?

EXPLICACIONES II

El verbo *decir*

The verb *decir* means "to say" or "to tell." Here are all of its forms in the present tense.

◆ COMMUNICATIVE OBJECTIVE

To report what people say about something

INFINITIVO **decir**

	SINGULAR		PLURAL
1	(yo) **digo**	(nosotros) (nosotras) }	**decimos**
2	(tú) **dices**	(vosotros) (vosotras) }	**decís**
3	Ud. (él) } **dice** (ella)	Uds. (ellos) } **dicen** (ellas)	

Notice that the *yo* form ends in *-go* and that the *e* changes to *i* in all except the *nosotros* and *vosotros* forms.

When another verb comes after *decir* or *creer*, we must use *que*. In English, after verbs like "say" and "think" we can leave out the word "that." But in Spanish we can't. For example:

Dicen que ella no viene.
Él **cree que** hay muchas gallinas en la granja.

*They **say (that)** she isn't coming.*
*He **thinks (that)** there are a lot of hens on the farm.*

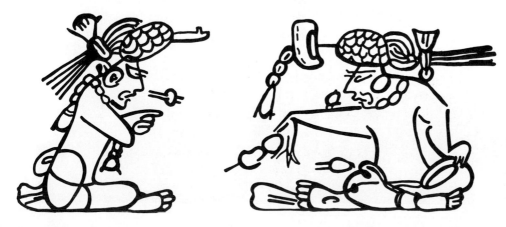

PRÁCTICA

A ¿Crees que sí? El profesor de inglés dice que el inglés es muy fácil. ¿Qué dicen sus estudiantes? Pregunta y contesta según el modelo.

> ¿Felipe? / sí
> ESTUDIANTE A *¿Qué dice Felipe?*
> ESTUDIANTE B *Dice que sí.*

1. ¿María? / no
2. ¿Uds.? / sí
3. ¿Ana y Susana? / sí
4. ¿nosotros? / no

5. ¿Julia? / sí
6. ¿Leonor y tú? / no
7. los buenos estudiantes / sí
8. Y tú, ¿qué dices?

B ¿Cómo es el nuevo profesor? Imagina que hay un nuevo profesor de música. Todos los alumnos tienen una opinión. ¿Qué dicen de él? Sigue el modelo.

> ¿Miguel? / no . . . muy alto
> ESTUDIANTE A *¿Qué dice Miguel?*
> ESTUDIANTE B *Dice que no es muy alto.*

1. ¿Juan? / muy inteligente
2. ¿Marta y Julia? / bilingüe
3. ¿(tú)? / muy joven
4. ¿Ana? / aburrido

5. ¿Leonor? / bastante interesante
6. ¿Antonio? / no . . . muy simpático
7. ¿Uds.? / no . . . muy agradable
8. ¿Ud.? / no . . . tonto

En Guadalajara, México

Adjetivos demostrativos

We use demonstrative adjectives to point out people and things.

> Este elefante es grande. Ese elefante es pequeño.

◆ COMMUNICATIVE OBJECTIVES

To point things out
To clarify
To find out prices in a store

Demonstrative adjectives come before the noun and agree with it in number and gender.

	SINGULAR			PLURAL	
m.	**este** granjero	*this farmer*	m.	**estos** granjeros	*these farmers*
f.	**esta** granjera		f.	**estas** granjeras	
m.	**ese** granjero	*that farmer*	m.	**esos** granjeros	*those farmers*
f.	**esa** granjera		f.	**esas** granjeras	

We use forms of *este* to refer to people or things that are *near the speaker*. We use forms of *ese* to refer to people or things that are *near the person being spoken to*.* We also, of course, use *este / esta* when we are not actually pointing something out: *este año, esta noche,* for example.

---

* There is a third demonstrative adjective—*aquel, aquella, aquellos, aquellas*—that refers to things that are far away from *both* the speaker *and* the person being spoken to. For now, we will concentrate on the words presented in the chart.

PRÁCTICA

A **En el supermercado.** Imagina que estás de compras en el supermercado del barrio y que le preguntas al vendedor cuánto cuestan las cosas. Pregunta y contesta según el modelo.

ESTUDIANTE A *¿Cuánto cuestan estas naranjas?*
ESTUDIANTE B *Doscientos cincuenta pesos el kilo.*

$250 el kilo

1. $300 el kilo

2. $200 el kilo

3. $600 el kilo

4. $50 la botella

5. $75 el kilo

6. $120 el kilo

7. $300 el kilo

8. $180 la docena

9. $400 el kilo

B **Todavía en el supermercado.** Imagina que un(a) amigo(a) entra en el supermercado y le pregunta al vendedor cuánto cuestan las cosas. Usa los dibujos de la Práctica A para preguntar y contestar. Sigue el modelo.

ESTUDIANTE A *¿Cuánto cuestan esas naranjas?*
ESTUDIANTE B *Doscientos cincuenta pesos el kilo.*

C En el almacén. Imagina que estás en un almacén en España y que quieres ver varias cosas. Pregunta y contesta según el modelo.

sombrilla: 800 pesetas

ESTUDIANTE A *Quiero ver esa sombrilla, por favor.*
ESTUDIANTE B *¿Esta sombrilla?*
ESTUDIANTE A *Sí. ¿Cuánto cuesta?*
ESTUDIANTE B *Ochocientas pesetas.*

1. toallas: 500 pesetas
2. anteojos de sol: 600 pesetas
3. sombrero: 800 pesetas
4. camiseta: 320 pesetas
5. sandalias: 750 pesetas
6. calcetines: 100 pesetas
7. traje de baño: 940 pesetas
8. chaqueta: 870 pesetas
9. pantalones: 460 pesetas
10. bufanda: 280 pesetas
11. blusas: 650 pesetas
12. vestido: 990 pesetas

D Hablemos de ti.
1. ¿Qué vas a hacer esta noche? ¿Qué vas a hacer este fin de semana? ¿Qué haces generalmente durante los fines de semana?
2. ¿Te gusta este libro de español? ¿Por qué?
3. ¿Crees que aprendes mucho este año? ¿Qué aprendes en tu clase de historia? ¿En tu clase de español?

ACTIVIDAD

¿Tienes suerte? Work in pairs or groups of three. Each group will write unusual fortune cookie messages. Every message will end with a question. Working together, think up six fortunes, and write each one on a separate slip of paper. The fortunes should begin with *Decimos que.* Here are some examples:

Decimos que mañana vas a traer un pato a la escuela. ¿Para quién es?
Decimos que hay un caimán en tu pupitre. ¿Qué vas a hacer?

When you have finished writing the fortunes, fold them and put them into a bag. Then exchange bags with another group. Take turns drawing fortunes from the bag. Read them aloud, changing *decimos* to *dicen* and changing the statement and question to the *yo* form. For example:

Dicen que mañana *voy* a traer un pato a la escuela. ¿Para quién es?
Dicen que hay un caimán en *mi* pupitre. ¿Qué *voy* a hacer?

After you have read each fortune, answer the question.

APLICACIONES

Look carefully at the model sentences. Then put the English cues into Spanish to form new sentences based on the models.

1. *El granjero trae a su hijo al hospital.*
   (I'm bringing my brother to the bakery.)
   (We're bringing our friends to the game.)
   (They're bringing their students to the library.)

2. *Uds. ven los trenes. Oyen los aviones.*
   (He sees the snow. He hears the bears.)
   (We see the sun. We hear the rain.)
   (I see the hens. I hear the noise.)

3. *¡Qué guapo es este muchacho! ¡Y esa muchacha! ¡Qué bonita es!*
   (How long this road is! And that farm! How enormous it is!)
   (How fast these horses are! But those cows! How slow they are!)
   (How magnificent these trees are! And those flowers! How beautiful they are!)

4. *¿Qué dice Ud.? ¿Está Ud. cansado? ¿Tiene miedo de los rinocerontes?*
   (What do you (pl.) say? Are you worried? Are you afraid of the bulls?)
   (What do they (m.) say? Are they sick? Are they afraid of the job?)
   (What do we say? Are we tired? Are we afraid of the test?)

5. *¡Claro que no! Pero me gustan más estas cebras.*
   (I don't think so. But I like those lambs more.)
   (Of course! But I like these sheep too.)
   (I think so. But I like that monkey more.)

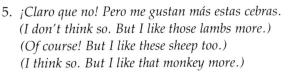

(arriba) Un tucán en Guatemala; (derecha) Un zoológico en Buenos Aires

TEMA

Put the English captions into Spanish.

1. Carlos is bringing his cousin Rosa to the zoo.

2. "Do you see the elephant? Do you hear the lion?"

3. "How beautiful this tiger is! And that giraffe! How tall it is!"

4. What do you say? Are you bored? Are you afraid of the animals?"

5. "Of course not! But I like these birds more."

REDACCIÓN

Now you are ready to write your own dialogue or paragraph. Choose one of the following topics.

1. Expand the story in the *Tema* by writing four to six new sentences. Tell what day of the week it is. How does Rosa feel? Is she happy? Sad? Is she thirsty? Hungry? What does Carlos buy her to eat or drink? Is Rosa happy then?

2. Write a paragraph of four to six sentences about a farm. Is it small or large? Are there animals? Many or few? What kinds? What are they like? Who takes care of them? What does he or she do to take care of them?

3. Make up a dialogue of four to six lines between two people at the zoo. What do they see and hear? Which animals does each one like? Why?

Aplicaciones   357

COMPRUEBA TU PROGRESO   CAPÍTULO 10

A   ¿Verdad?
Rewrite each sentence, correcting the false information.

1. El toro da leche.
2. En el verano hay mucha nieve.
3. La gallina hace "meee."
4. Por la noche vemos el sol en el cielo.
5. Generalmente, la hierba es roja.
6. Cuando mi gato está enfermo llamo al granjero.
7. Los peces caminan.
8. Los leones comen verduras.

B   Los ruidos de la granja
Answer each question according to the model.

> ¿Qué oye Ud.? (una gallina)
> *Oigo una gallina.*

1. ¿Qué oigo? (un caballo)
2. ¿Qué oyen Marcos y Teresa? (una vaca)
3. ¿Qué oímos? (un pato)
4. ¿Qué oye Elena? (un cerdo)
5. ¿Qué oyes? (un cordero)
6. ¿Qué oyen Uds.? (un gallo)
7. ¿Qué oyen los niños? (una oveja)
8. ¿Qué oye el veterinario? (un perro)

C   ¿Qué traes?
Form sentences using the verbs *traer* and *ver*.

> Pilar / la mochila
> *Pilar trae la mochila.*
> *Pilar ve la mochila.*

1. Pablo / los churros
2. (yo) / el jugo de naranja
3. (nosotras) / la sombrilla
4. (tú) / los frijoles
5. Uds. / las manzanas y las naranjas
6. Daniel y Jorge / los cuchillos y los tenedores
7. Pilar / las flores
8. (yo) / la carne

D   ¿Quién dice . . . ?
Complete each question with the appropriate form of *decir*.

1. ¿Siempre _____ Ud. la verdad?
2. ¿_____ tú que oyes un ruido?
3. Mamá y papá _____ que no.
4. (Nosotros) _____ que vamos a traer los caballos.
5. ¿_____ Uds. que sí?
6. (Yo) _____ que la película es magnífica.

E   ¿Cuál prefieres?
Complete each question according to the art. Follow the model.

¿Prefieres _____ sandwich o _____ hamburguesa?
¿Prefieres este sandwich o esa hamburguesa?

1. ¿Prefieres _____ naranjas o _____ manzana?
2. ¿Prefieres _____ helado o _____ plátanos?
3. ¿Prefieres _____ maíz o _____ zanahorias?
4. ¿Prefieres _____ jamón o _____ huevos?
5. ¿Prefieres _____ tomates o _____ lechuga?
6. ¿Prefieres _____ pan o _____ papas?

VOCABULARIO DEL CAPÍTULO 10

Sustantivos
el animal
el animal doméstico
el árbol
el caballo
el caimán, *pl.* los caimanes
el camino
la cebra
el cerdo
el cielo
el cordero
el elefante
la estrella
la flor
la gallina
el gallo
la granja
el granjero, la granjera
el guardián, la guardiana
　(de zoológico)
la hierba
el hipopótamo
la hoja
la iguana
la jaula
la jirafa
el lago
el león, *pl.* los leones
el leopardo
la luna
la llama

la lluvia
la mochila
el mono
la nieve
el oso
la oveja
el pato
la persona
el rinoceronte
el ruido
la serpiente
el sol
la tierra
el tigre
el toro
el trabajo
la vaca
la verdad
el veterinario, la veterinaria
la visita
el zoológico

Pronombre relativo
que

Adjetivos
agradable
hermoso, -a
magnífico, -a
varios, -as

Adjetivos demostrativos
ese, -a, -os, -as
este, -a, -os, -as

Verbos
caminar
creer
decir
oír
traer
visitar

Adverbio
generalmente

Expresiones
claro (que sí / no)
¿cómo se llama(n)?
creo que sí / no
decir que sí / no

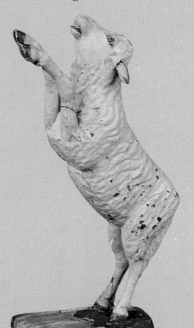

CAPÍTULO 11

PASATIEMPOS POPULARES

Imagine that you are visiting friends in South America. School is over, and you and your friends want to have some fun. What will you do for entertainment? You'll find that young people in South America do many of the same things for entertainment that you do. They might take you to a party or a movie, or you might go bicycle riding or to a soccer game. But whatever you do there, you will probably not do it alone; teenagers in South America generally spend a lot of time in group activities.

The most popular sport throughout the Spanish-speaking world is *fútbol*. You can usually find a *fútbol* game being played at any hour of the day wherever there is room in a park or courtyard or on the grassy slope of a steep hill.

You may not be familiar with a variation of *fútbol*, called *fulbito* (minisoccer), which is often played in the street by two teams of five players each. Whenever a car comes, the game stops, and the players frantically move the goals out of the way. On the beach a vigorous game of *fulbito* is usually followed by a refreshing swim.

One sport you might never have heard of is *esquí sobre arena*—sand skiing! This is popular along the coast of Peru, where the rippling dunes of the desert and beaches offer a warm alternative to skiing in the mountains. In mountainous regions, school or city mountain-climbing clubs are also popular, as is snow skiing.

South American teenagers go out on dates, too. But occasionally an older or younger brother or sister or another relative comes along. During the evening a few friends might join them at the town's central plaza, and before you know it, a spontaneous party is underway. In Spanish-speaking countries free time is time for being with friends and socializing.

PALABRAS NUEVAS I

Una fiesta fabulosa

**CONTEXTO
VISUAL**

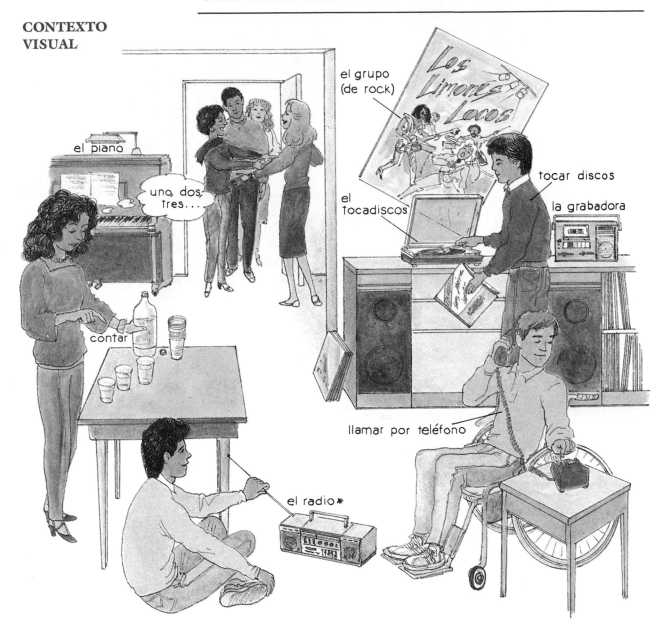

el grupo
(de rock)

el piano

uno, dos,
tres...

tocar discos

la grabadora

el tocadiscos

contar

llamar por teléfono

el radio*

* In most Spanish-speaking countries a distinction is made between *el radio*, meaning radio set, and *la radio*, meaning the broadcast you listen to.

◆ COMMUNICATIVE
    OBJECTIVES

To plan and describe a
party or dance

To introduce people

To tell where and with
whom one went

To describe gifts one
gave

To say what one can
and can't do

To offer to lend
something

CONTEXTO
COMUNICATIVO

1 ÁNGEL   La semana **pasada** la mamá de Pedro le **dio** una
              fiesta de cumpleaños **fabulosa.**

LOLA   ¿Y qué le **diste** tú para su cumpleaños?

ÁNGEL   Le **di** unos discos de rock.

Variaciones:

- la semana pasada → el mes pasado
- fabulosa → estupenda
- unos discos de rock → un libro de ciencia ficción

pasado, -a   *last; past*

**(yo) di, (tú) diste, (Ud., él,
ella) dio** (from **dar**)   *gave*

fabuloso, -a   *fabulous*

2 GREGORIO   ¿Qué haces?

TERESA   Escribo **las invitaciones** para **el baile** de fin de
          año.

GREGORIO   ¿Cuántos **invitados** vas a tener?

TERESA   Entre treinta y cuarenta personas.

GREGORIO   ¿**Me** vas a **invitar**?

TERESA   Claro. **Aquí tienes** tu invitación.

- el baile → la fiesta
- claro → ¡cómo no!

la invitación, pl. **las
invitaciones**   *invitation*

el baile   *dance*

el invitado, la invitada   *guest*

me   *me*

invitar   *to invite*

aquí tienes / tiene Ud.   *here is,
here are*

3 RAMÓN   ¡**Oye,** Carmen! ¿Quieres ir conmigo al cine esta
              noche?

CARMEN   Gracias, pero no **puedo.** Ya tengo un **plan** para
          esta noche. **Tal vez otro** día.

- cine → baile
- otro día → la semana próxima

¡oye!   *listen!, hey!*

**poder (o → ue) (yo puedo, tú
puedes)**   *can, to be able to*

el plan   *plan*

tal vez   *maybe, perhaps*

otro, -a   *other, another*

4 RAQUEL   Buenos días, señor. Busco el disco nuevo del grupo "Las Iguanas." ¿Dónde lo puedo **encontrar**?

     VENDEDOR   **Aquí lo tiene Ud.**

     RAQUEL   Gracias. ¿Cuánto **cuesta**?

     VENDEDOR   Mil pesos.

- buenos días → buenas tardes
- mil → 700

encontrar (o → ue) (yo encuentro, tú encuentras) *to find*

aquí lo (la, los, las) tienes / tiene Ud. *here it is, here they are*

costar (o → ue) *to cost*

5 JAIME   Voy a tocar **otra vez** esa **canción** de "Las Iguanas."

     CATALINA   Sí, me gusta mucho. Es muy **chistosa.**

     JAIME   Si quieres, **te presto** el disco.

- presto → **muestro**

otra vez *again*

la canción, pl. **las canciones** *song*

chistoso, -a *funny*

te *you* (familiar)

prestar *to lend*

mostrar (o → ue) (yo muestro, tú muestras) *to show*

6 REBECA   Te quiero **presentar** a mis amigas Inés **e*** Isabel.

     GUILLERMO   ¡Mucho gusto! Si están **libres,** las invito a **tomar algo.**

- están libres → no están ocupadas

presentar *to introduce*

e = y

libre *not busy, free*

tomar here: = beber

tomar algo *to have something to drink*

NOTE: In Spanish we sometimes use the present tense to express an idea in the future. For example:

Si quieres, te **presto** el disco.   *If you want, **I'll lend** you the record.*

¿Me **presentas** a tus amigas?   *Are you **going to introduce** me to your friends?*

EN OTRAS PARTES

En España se dice *el magnetofón* y *el magnetófono.*

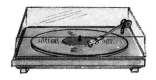

También se dice *el fonógrafo.*

También se dice *telefonear.*

* The Spanish word *y* becomes *e* before a word beginning with *i* or *hi*.

PRÁCTICA

A **¿Con quiénes fuiste?** Imagina que tienes un(a) amigo(a) muy curioso(a). Siempre quiere saber *(to know)* quiénes van de excursión *(on outings)* contigo. Sigue el modelo.

> el lago / Marta, Inés
> ESTUDIANTE A *¿Con quiénes fuiste al lago?*
> ESTUDIANTE B *Con Marta e Inés.*

1. la granja / Mario, Pedro
2. el gimnasio / Ana, Ignacio
3. el campo / Patricia, Isabel
4. la panadería / Virginia, Luz
5. el zoológico / Pilar, Irene
6. la playa / Jorge, Elena

B **¿Qué le diste?** Consuelo recibió *(received)* muchos regalos *(gifts)* para sus quince años. Todo el mundo pregunta qué recibió. Sigue el modelo.

 / Manuel /

> ESTUDIANTE A *¿Qué le diste a Consuelo para su cumpleaños?*
> ESTUDIANTE B *Le di una bufanda.*
> ESTUDIANTE A *¡Qué fabuloso! ¿Y qué le dio Manuel?*
> ESTUDIANTE B *Unas cintas.*

1.  / Cecilia /

2.  / Mario /

3.  / Elena /

4.  / Eduardo /

5. 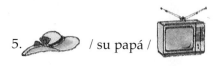 / su papá /

6.  / su mamá /

7.  / Irene /

8. / Juanito /

C Una conversación. Si un(a) amigo(a) dice estas cosas, ¿qué contestas? Escoge *(Choose)* una frase apropiada de la lista.

1. Mario lleva su libro de química al baile.
2. Creo que voy a poner el helado en la estufa.
3. Tengo que escribir 50 invitaciones hoy.
4. Esta noche voy al baile con tu novio(a).
5. No encuentro el tocadiscos.
6. Te presento a Victoria.
7. Mi hermana me presta su coche este sábado.
8. No estoy libre para ir al cine.
9. La línea ya no está ocupada.
10. Tengo los horarios. Aquí los tienes.

Aquí lo tienes.
Mucho gusto.
¡Oye! ¿Estás loco(a)?
¡Qué aburrido!
¡Qué bueno!
¡Qué chistoso!
¡Qué fabuloso!
¡Qué lástima!

(arriba) En Nueva York; (abajo) En Puerto Rico

D Hablemos de ti.

1. ¿Hay bailes en tu escuela? ¿Cuándo? ¿Te gustan los bailes? ¿Van a ellos tú y tus amigos?
2. ¿Qué clase de música prefieres escuchar? ¿Tienes un tocadiscos? ¿Una grabadora? ¿Tienes muchos discos y cintas?
3. ¿Qué clase de música escuchan tus padres? ¿Hay un radio en el coche de tus padres? En su coche, ¿puedes escuchar tu música favorita o tienes que escuchar la música favorita de tus padres?
4. ¿Cuál es tu grupo de rock favorito?
5. ¿Tocas la guitarra o el piano? ¿Tocas a veces canciones españolas en la guitarra o el piano? ¿Cuáles?
6. ¿Qué dices cuando presentas a un amigo(a) a otro(a)?

ACTIVIDAD

El teléfono   Work in groups of three. Choose one person to be the caller, one to be the person being called, and one to be the "telephone." The caller chooses one of the dialogue topics listed below and then "calls" to invite the second person. Each person must talk to the "telephone," who then passes on the message. For example, the caller might ask, *¿Quieres ir al cine?*, and the "telephone" would say, *(Nombre) pregunta si quieres ir al cine.* When the other person answers the question, the "telephone" will relay the message. In your conversation, you might discuss where you want to go, when, what you need, how much money you have, etc. After each brief conversation, switch roles and conversation topics.

ir a un restaurante	ir al parque
ir a un café	ir a un partido de ____
ir al cine o al teatro	ir de compras
ir al zoológico	ir al centro

APLICACIONES

Caimán, Caimán

Rafael llama a Mariana por teléfono.

RAFAEL   ¿Aló, Mariana? Habla Rafael. ¿Qué planes tienes para este sábado? ¿Estás libre?

MARIANA   Pues . . . hay un baile en el centro juvenil.[1]

5   RAFAEL   ¡Ay, Mariana! ¡Qué aburrido! Oye, yo tengo un plan. Hay un concierto[2] de rock en el Coliseo. ¿Por qué no vamos juntos? Yo te invito.

MARIANA   ¡Qué bueno! Me encanta el rock. ¿Quiénes tocan?

RAFAEL   Un grupo mexicano fabuloso: "Caimán, Caimán." ¿Te gusta?

10   MARIANA   ¡Claro que sí! Es mi grupo favorito. Tengo casi todos sus discos.

RAFAEL   ¡Magnífico! Hasta el sábado, entonces.

---

[1] **el centro juvenil**   *youth center*   [2] **el concierto**   *concert*

Un muchacho llama por teléfono en España.

Preguntas

Contesta las preguntas según el diálogo.

1. ¿Qué hacen Mariana y Rafael?   2. ¿Cuándo es el baile? ¿Dónde es?   3. ¿Qué dice Rafael del plan de Mariana?   4. ¿Cuál es el plan de Rafael?   5. ¿Qué es "Caimán, Caimán"?   6. ¿Por qué tiene Mariana casi todos sus discos?   7. ¿Puedes inventar unos títulos (*titles*) de canciones para ese grupo?

Participación

Work with a partner to create a dialogue of four to six lines about inviting a friend to a rock concert. When is the concert? Where is it? What group will play? How will you go to the concert?

PRONUNCIACIÓN

A In Spanish the letter *ch* has the same sound as the *ch* in the English word "check."

Escucha y repite.

chica   chistoso   mucho   coche   leche   derecha

B Escucha y repite.

Buenas noches, Conchita.
La chica bebe mucha leche.
Bebemos chocolate a las ocho de la noche.

PALABRAS NUEVAS II

Los pasatiempos

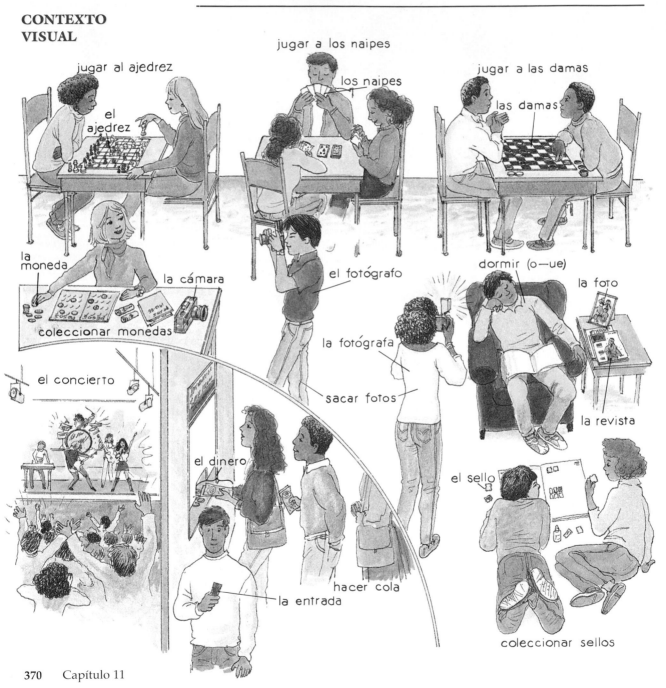

jugar al ajedrez

el ajedrez

jugar a los naipes

los naipes

jugar a las damas

las damas

la moneda

la cámara

coleccionar monedas

el fotógrafo

la fotógrafa

sacar fotos

dormir (o—ue)

la foto

la revista

el concierto

el dinero

hacer cola

la entrada

el sello

coleccionar sellos

To describe what one saw

To discuss games and hobbies

To say good-by

To exclaim

To tell jokes

CONTEXTO COMUNICATIVO

1 DANIEL   Oye, Graciela, ¿cómo **pasas** los domingos?

GRACIELA   Leo revistas y **juego** a los naipes.

DANIEL   ¡Esos **pasatiempos** son muy aburridos!

GRACIELA   Tal vez para ti. A mí me gustan.

Variaciones:
- revistas → **cuentos**
- aburridos → tontos

pasar *to spend (time)*

jugar (u → ue) (yo juego, tú juegas) *to play*

el pasatiempo *pastime, hobby*

el cuento *story*

2 GLORIA   ¿Puedo ir al cine, papá?

PAPÁ   ¿A qué hora vas a **volver**?

GLORIA   Si veo sólo la primera película, vuelvo a las diez.

PAPÁ   **Está bien, hasta pronto.**

- primera película → película policíaca
- hasta pronto → **hasta la vista**

volver (o → ue) (yo vuelvo, tú vuelves) *to return, to go back, to come back*

está bien *okay, all right*

hasta pronto *see you soon*

hasta la vista *see you later*

3 NORMA   Acabo de ver a José.

RAÚL   ¿Dónde lo **viste**?

NORMA   Lo **vi** en el concierto, pero él no me **vio.**

- en el concierto → delante del teatro

(yo) vi, (tú) viste, (Ud., él, ella) vio (from ver) *saw*

4 DAVID   Quiero ir al concierto, pero no puedo **pagar** las entradas.

SERGIO   ¡Qué lástima! Si quieres, te presto unos pesos.

- pagar → comprar
- pagar → **pagar** 500 pesos **por**
- ¡qué lástima! → **¡qué problema!**

pagar *to pay (for)*

pagar + sum of money + por *to pay ... for*

¡qué + noun! *what a(n)...!*

el problema *problem*

5 MARCOS   ¿Cuál prefieres, el ajedrez **u*** otro **juego**?

GEORGINA   Me encanta jugar a las damas.

MARCOS   ¿Jugamos un partido, entonces?

u = o

el juego *game*

* The Spanish word *o* becomes *u* before a word beginning with *o* or *ho.*

6 MAMÁ	**Vámonos,** chicos. Estoy cansada.	**vámonos** *let's leave, let's go*
HIJOS	¿No **nos** compras un juego?	**nos** *us*
MAMÁ	Hoy no.	

■ un juego → una cámara
■ un juego → unas revistas

7 EVA	¡Qué aburrido! Pedro sólo habla **de** sus problemas.	**de** here: *about*
JORGE	Yo creo que es muy divertido. Siempre me **cuenta chistes.**	**contar (o → ue)** here: *to tell*
		el chiste *joke*

■ problemas → sellos

EN OTRAS PARTES

También se dice *la estampilla* y en México se dice *el timbre.*

También se dice *tomar fotos.*

También se dice *jugar a las cartas.*

PRÁCTICA

A **¿Qué hacen?** Hoy llueve, y todo el mundo está en casa. Pregunta y contesta según el modelo.

(tú) / arreglar

ESTUDIANTE A *¿Qué haces?*
ESTUDIANTE B *Arreglo la cámara.*

1. Sara / buscar 2. Uds. / jugar 3. (ellos) / leer

4. (tú) / sacar 5. mamá / escuchar 6. Uds. / jugar

7. (tú) / contar 8. (ellas) / mirar 9. tu abuelo / tocar

B ¿Lo viste? Imagina que le cuentas a un(a) amigo(a) las cosas que
viste ayer. Pregunta y contesta según el modelo.

> las noticias en el canal 5
> ESTUDIANTE A *¿Viste las noticias en el canal 5?*
> ESTUDIANTE B *Sí, las vi. ¡Qué interesantes!*

Puedes usar estas expresiones:

¡Qué aburrido, -a!	¡Qué fabuloso, -a!	¡Qué hermoso, -a!
¡Qué chistoso, -a!	¡Qué feo, -a!	¡Qué interesante!
¡Qué divertido, -a!	¡Qué grande!	¡Qué largo, -a!

1. el coche nuevo de mis padres
2. la cola delante del estadio
3. las fotos de la fiesta
4. la nueva película de terror
5. las revistas que tiene mi amiga
6. las monedas viejas del profesor
7. mi tocadiscos nuevo
8. el piano blanco en la tienda de discos
9. los sellos nuevos que venden en el correo
10. el programa de música española

C Hablemos de ti.

1. ¿Cuáles son tus pasatiempos favoritos?
2. ¿Coleccionas sellos o monedas? ¿Coleccionas discos o libros?
   ¿Crees que es un pasatiempo divertido e interesante? ¿Es caro?
   ¿Puedes mostrar tu colección a la clase y hablar un poco de ella?
3. ¿Coleccionan cosas tus hermanos o tus padres? ¿Qué coleccionan?
4. ¿Qué juegos te gustan? ¿Te gusta jugar al ajedrez o a las damas?
   ¿Juegas a menudo? ¿Juegas bien? ¿Con quién juegas?
5. ¿A veces les prestas cosas a tus amigos? ¿Qué les prestas? Y ellos,
   ¿te prestan cosas? ¿Qué te prestan?
6. ¿Viste una buena película la semana pasada? ¿Cuál? ¿Con quién
   fuiste al cine? ¿Cuánto cuesta una entrada de cine?
7. Cuando vas al cine con tu novio(a), ¿quién paga?

ESTUDIO DE PALABRAS

Many Spanish words have the letter *f* where English words use *ph*.

Felipe	*Philip*	la geografía	*geography*	el teléfono	*telephone*
la foto	*photo*	Josefina	*Josephine*	el elefante	*elephant*
la farmacia	*pharmacy*	la física	*physics*		

What do you think these words mean:

la fobia   fotocopiar   la filosofía   las Filipinas

EXPLICACIONES I

Verbos con el cambio o → ue

◆ COMMUNICATIVE
OBJECTIVES

To indicate location

To express curfews

To relate a day's events
and activities

In the present tense of certain verbs, like *contar*, the *o* in the stem changes to *ue* in all except the *nosotros* and *vosotros* forms. We call these *stem-changing* verbs. Sometimes we call them *shoe* verbs, because we can draw a shoe around the four forms that change. Here are all of the forms of *contar* ("to count; to tell") in the present tense. Notice that although the stem changes, the endings are regular.

INFINITIVO	contar		
	SINGULAR		**PLURAL**
1	(yo) cuento	(nosotros) (nosotras)	contamos
2	(tú) cuentas	(vosotros) (vosotras)	contáis
3	Ud. (él) cuenta (ella)	Uds. (ellos) (ellas)	cuentan

Tres amigas hablan en la
Gran Vía de Madrid

Luis **cuenta** muchos chistes.	*Luis **tells** a lot of jokes.*
Pablo y yo **contamos** las monedas.	*Pablo and I **are counting** the coins.*

Here are the other verbs you know that have the stem change *o* → *ue*.

-AR verbs		-ER / -IR verbs	
costar	*to cost*	poder	*to be able, can*
encontrar	*to find*	volver	*to return, to go back, to come back*
mostrar	*to show*	dormir	*to sleep*

Note that *encontrar* is often equivalent to "can find" in English:

No encuentro mi dinero.   *I **can't find** my money.*

PRÁCTICA

A **¿Dónde lo encuentran?** Escoge *(choose)* elementos de las tres columnas para describir qué cosas encuentran estas personas y dónde las encuentran. Sigue el modelo.

> *Francisco encuentra el gato detrás del piano.*

Francisco	pan	cerca del teléfono
la Sra. Molina	sellos	detrás del televisor
(yo)	el coche	debajo de la silla
(tú)	revistas	delante de la puerta
Ud.	naipes	detrás del piano
(nosotras)	el pájaro	en el refrigerador
Uds.	el gato	en la mochila
Ana y yo	fotos	en el árbol
las chicas	anteojos de sol	sobre la mesa
	la guía telefónica	dentro del garaje
	cartas	en la calle
		fuera de su jaula

B **¿A qué hora vuelven?** Di *(tell)* a qué hora estas personas vuelven a casa los sábados. Sigue el modelo.

Juan

ESTUDIANTE A *¿A qué hora vuelve Juan?*
ESTUDIANTE B *Vuelve a las nueve y media.*

1. (tú) 2. Ricardo y tú 3. María y Elena 4. tú y tu tío

5. Uds. 6. Inés 7. Ud. 8. Ramón y yo

C ¿Qué dicen?   Completa las frases con la forma correcta del verbo.

1. Si tú no _____ el tocadiscos, nosotros no _____ bailar.
   (encontrar / poder)
2. Cuando Pablo _____ chistes, nadie _____ hablar. *(contar / poder)*
3. Cuando (nosotras) _____ un vestido bonito, siempre _____
   mucho. *(encontrar / costar)*
4. Si ellas me _____ sus problemas, (yo) _____ tal vez ayudarlas.
   (contar / poder)
5. (Yo) no te _____ la foto de mi novia porque no la _____.
   (mostrar / encontrar)
6. ¡Vámonos! Si (nosotros) _____ a casa temprano, Uds. _____ ver
   la película de medianoche en la tele. *(volver / poder)*
7. ¡Oye, Esteban! ¿Nos _____ decir otra vez cuánto _____ las
   entradas para ese concierto? *(poder / costar)*
8. Los domingos, si (nosotros) _____, siempre _____ hasta las diez.
   (poder / dormir)
9. Cuando ella _____ de su país, siempre nos _____ las revistas que
   trae. *(volver / mostrar)*
10. Yo _____ nueve horas todas las noches, pero mis hermanos sólo
    _____ siete. *(dormir / dormir)*

D Planes para el domingo.   Usa la forma correcta de cada *(each)* verbo
para completar el párrafo *(paragraph)*.

El domingo por la mañana, Alicia llama por teléfono a su nueva
amiga Gloria para invitarla a ir a nadar en el lago. Gloria busca su
traje de baño, pero no lo _____ *(encontrar)*. Su mamá le _____ *(mostrar)*
dónde está. Ella lo pone en su mochila y sale para ir a la casa de
5 Alicia. Cuando llega allí, Alicia la presenta a su mamá. Después, las
muchachas toman el autobús y van al lago, pero cuando llegan no
_____ *(poder)* nadar porque ahora hace demasiado fresco y está
nublado. "Oye," dice Alicia, "¿por qué no _____ *(volver)* (nosotras) a
mi casa? (Nosotras) _____ *(poder)* ir al cine más tarde. Dan una
10 fabulosa película cómica en el Aragón." "Está bien," contesta Gloria.
"¡Vámonos!" Las chicas esperan el autobús y _____ *(volver)* a la casa
de Alicia. Alicia le _____ *(contar)* a su mamá sus planes nuevos. Su
mamá les dice que (ellas) _____ *(poder)* ir al cine si no _____ *(volver)*
demasiado tarde.

El verbo *jugar* (*u → ue*)

Jugar is a stem-changing verb. In the present tense, the *u* of the stem changes to *ue* except in the *nosotros* and *vosotros* forms. The endings are regular.

◆ COMMUNICATIVE OBJECTIVES
To identify sports and games
To indicate who is playing

INFINITIVO	jugar	
	SINGULAR	**PLURAL**
1	(yo) **ju**ego	(nosotros) (nosotras) } **ju**gamos
2	(tú) **ju**egas	(vosotros) (vosotras) } **ju**gáis
3	Ud. (él) (ella) } **ju**ega	Uds. (ellos) (ellas) } **ju**egan

PRÁCTICA

A ¿A qué juegan? Pregunta y contesta según el modelo.

Ramón y Carlos

ESTUDIANTE A *¿A qué juegan Ramón y Carlos?*
ESTUDIANTE B *Juegan al fútbol.*

1. Silvia e Inés

2. (tú)

3. Martín

4. los padres e hijos

5. Uds.

6. Alicia y tú

Explicaciones I   **377**

B **Antes del examen.** Habla con un(a) amigo(a) de las cosas que haces o no haces antes de un examen. Sigue el modelo.

> dormir bien
> ESTUDIANTE A *¿Duermes bien?*
> ESTUDIANTE B *Sí, duermo bien.*
> o: *No, no duermo bien.*

1. contar muchos chistes
2. jugar al ajedrez
3. volver a casa después de medianoche
4. contar las horas hasta el examen
5. poder ir a conciertos de rock
6. jugar a los naipes
7. dormir ocho horas
8. volver a la biblioteca para estudiar

C **¿Y qué hacen Uds.?** Haz *(do)* Práctica B con dos compañeros o compañeras de clase. Sigue el modelo.

> dormir bien
> ESTUDIANTE A *¿Duermen Uds. bien?*
> ESTUDIANTES B-C *Sí, dormimos bien.*
> o: *No, no dormimos bien.*
> o: *Yo duermo bien, pero él (ella) no.*

¿Jugamos al ajedrez?

El infinitivo con otro verbo

We often use an infinitive right after another verb. Some of these verbs are *gustar, deber, encantar, necesitar, poder, preferir (prefiero),* and *querer (quiero).*

◆ **COMMUNICATIVE OBJECTIVES**
To ask permission
To express obligation
To answer a survey

Pueden salir para México ahora.	*They can leave for Mexico now.*
¿Quieres jugar al tenis?	*Do you want to play tennis?*
Necesitamos abrir esta puerta.	*We need to open this door.*
Prefiero estudiar solo.	*I prefer to study alone.*

1 Some verbs require *a* before an infinitive. For example: *aprender, ayudar, enseñar, invitar, ir,* and *venir.*

Aprendemos a tocar el piano.	*We're learning to play the piano.*
Ella les **enseña a leer.**	*She's teaching them to read.*
Siempre **ayudo a lavar** los platos.	*I always help wash the dishes.*
Vienen a arreglar el radio.	*They're coming to fix the radio.*
Los **invito a tomar** algo.	*I'm inviting them to have something to drink.*

2 *Tener* requires *que* before an infinitive and *acabar* requires *de.*

Acabamos de pagar la entrada.	*We just paid for the ticket.*
Tengo que volver pronto.	*I have to return soon.*

Tenis en Madrid, España

379

PRÁCTICA

A ¿Qué puedo hacer? Los niños quieren hacer muchas cosas, pero primero tienen que preguntarle a su mamá. Pregunta y contesta según el modelo.

> jugar al ajedrez / tocar el piano
> ESTUDIANTE A *¿Puedo jugar al ajedrez?*
> ESTUDIANTE B *Sí, pero después tienes que tocar el piano.*

1. tomar algo / lavar el vaso
2. tocar unos discos / terminar la tarea
3. invitar a María a comer / ayudar en la cocina
4. contar un chiste / decirlo en español
5. pasar el día con Jaime / trabajar en el jardín
6. mostrar mi bicicleta nueva a Eva / ponerla en el garaje
7. llevar mi juego nuevo a la casa de Pepe / traerlo a casa
8. visitar a Graciela / estudiar

B ¿Te gusta hablar español? Usa frases completas para contestar las preguntas de esta encuesta *(survey)*.

1. ¿Qué aprendes a hacer en la clase de español?
2. ¿Crees que puedes aprender a hablar bien el español?
3. ¿Qué acabas de aprender en tu clase de español?
4. ¿Tienes que leer un diálogo muchas veces para comprenderlo?
5. ¿Cuántas horas de tarea debes hacer por la noche para tu clase de español?
6. ¿Prefieres estudiar español con un(a) amigo(a) o solo(a)? ¿Dónde prefieres estudiar?
7. ¿Qué prefieres estudiar, el español u otra materia? ¿Cuál?
8. ¿Con quién puedes hablar español?
9. ¿Quién te ayuda a repasar para las pruebas de español?
10. ¿Puedes contar chistes en español?
11. ¿Quieres visitar países donde hablan español? ¿Cuáles?
12. ¿Vas a estudiar español el año próximo? ¿Dónde?

C Hablemos de ti.
1. ¿Te gusta sacar fotos? ¿De qué o de quién sacas fotos?
2. ¿En qué estaciones del año juegas al béisbol? ¿Al fútbol americano? ¿Al básquetbol?
3. ¿Estás cansado(a)? Generalmente, ¿cuántas horas duermes por la noche?
4. Cuando sales los viernes o los sábados por la noche, ¿a qué hora tienes que volver a casa? ¿Siempre vuelves a esa hora? ¿Qué pasa cuando vuelves después de esa hora?

APLICACIONES

Pasatiempos

Casi todo el mundo tiene un pasatiempo favorito. ¿Cuáles son los pasatiempos favoritos de estas personas? ¿Por qué hacen cola?

Make up a dialogue of four to six lines in which two people discuss buying the tickets, the group that's playing, and what the concert is going to be like. Here are some words you may want to use:

la canción	pagar	tocar (discos)	tal vez
la entrada	pasar	costar	otra vez

EXPLICACIONES II

Los complementos directos e indirectos: *me, te, nos*

◆ COMMUNICATIVE
OBJECTIVES

To ask others to do
things for you

To refuse or put people
off

To offer to do favors

To bargain

You already know the direct and indirect object pronouns that mean "him," "her," "you" (*Ud., Uds.*), "it," and "them." The pronouns *me, te,* and *nos* mean "me," "you" (familiar), and "us." We use them as both direct and indirect object pronouns.

Me ven en la cola.	*They see **me** in line.*
¿**Me** das el dinero?	*Are you giving **me** the money?*
No **te** creen.	*They don't believe **you**.*
No **te** escribo.	*I don't write **to you**.*
¿**Nos** oyen?	*Do they hear **us?***
Nos muestran las entradas.	*They're showing **us** the tickets.*

1 Remember that direct and indirect object pronouns go right before the verb or can be attached to an infinitive.

Anita **me** da un sello.	*Anita is giving **me** a stamp.*
No **te** llaman por teléfono.	*They aren't phoning **you**.*
Nos esperan en la esquina.	*They're waiting for **us** on the corner.*
Te quiero contar un chiste. ⎫	
Quiero contar**te** un chiste. ⎭	*I want to tell **you** a joke.*
David **me** debe llamar. ⎫	
David debe llamar**me**. ⎭	*David should call **me**.*

2 Remember that we can emphasize the indirect object pronouns *le* and *les* by using the preposition *a* + *Ud. / Uds. / él / ella / ellos / ellas*. We can emphasize the indirect object pronouns *me, te,* and *nos* by adding *a mí, a ti,* or *a nosotros, -as.*

¿A quién le escriben?	*To whom are they writing?*
Me escriben **a mí**.	*They're writing **to me**.*
¿A quién le cantas?	*For whom are you singing?*
Te canto **a ti**.	*I'm singing **for you**.*
¿A quiénes les hablan?	*To whom are they talking?*
Nos hablan **a nosotros**.	*They're talking **to us**.*

Instrumento Musical Prehispánico

VENEZUELA
Bs. 2

PERÚ
CORREOS
1500
PRESENTE EN LA ANTÁRTIDA

FAUNA

CORREOS DE BOLIVIA
Sb. 300

BICENTENARIO DEL NACIMIENTO
DE JOSÉ EUSTAQUIO MÉNDEZ

3 Here is a summary of the direct and indirect object pronouns.

DIRECT OBJECT PRONOUNS				INDIRECT OBJECT PRONOUNS			
SINGULAR		**PLURAL**		**SINGULAR**		**PLURAL**	
me	*me*	**nos**	*us*	**me**	*(to / for) me*	**nos**	*(to / for) us*
te	*you*	**os***	*you*	**te**	*(to / for) you*	**os***	*(to / for) you*
lo	*you* *him* *it*	**los**	*you* *them*	**le** *(to / for)*	*you* *him* *her* *it*	**les** *(to / for)*	*you* *them*
la	*you* *her* *it*	**las**	*you* *them*				

* Like *vosotros*, *os* is used mainly in Spain. You should recognize it when you see it.

En el correo en Madrid,
España

PRÁCTICA

A ¿Me invitas? Imagina que hablas por teléfono con un(a) amigo(a). Pregunta y contesta según el modelo.

> invitar al baile
> ESTUDIANTE A *¿Me invitas al baile?*
> ESTUDIANTE B *¡Claro! Siempre te invito.*
> o: *No, no te invito.*

1. creer
2. esperar
3. escuchar
4. llamar antes de salir
5. comprender
6. ayudar con la tarea
7. presentar a los otros invitados
8. buscar después del concierto

B El novio de Julia. Julia tiene un novio nuevo y todas sus amigas le preguntan cómo es. Pregunta y contesta según el modelo.

> traer flores
> ESTUDIANTE A *¿Te trae flores?*
> ESTUDIANTE B *Sí, a menudo me trae flores.*
> o: *No, nunca me trae flores.*

1. mostrar sus fotos
2. contar chistes
3. prestar su coche
4. cantar canciones románticas
5. escribir poemas
6. hablar de sus planes
7. contar sus problemas
8. decir cosas bonitas

C Ahora no. Imagina que cuidas a dos niños que quieren muchas cosas. Tú no tienes ganas de hacer nada. Pregunta y contesta según el modelo.

> querer hacer un dibujo
> ESTUDIANTE A *¿Quieres hacernos un dibujo?*
> o: *¿Nos quieres hacer un dibujo?*
> ESTUDIANTE B *Ahora no. Tal vez más tarde.*

1. poder cantar otra canción
2. poder mostrar tus revistas
3. ir a prestar tu cámara
4. poder comprar helados
5. poder contar un cuento
6. ir a tocar otro disco
7. ir a leer unos libros
8. poder traer un vaso de agua

D Una visita a los abuelos. Emilia va a pasar un mes en la granja de sus abuelos. Su hermanito tiene muchas preguntas. Pregunta y contesta según el modelo.

llevar la carta de mamá

ESTUDIANTE A *¿Vas a llevarles la carta de mamá?*
ESTUDIANTE B *Claro que sí.*
         o: *Claro que no.*

1. prestar tu cámara

2. traer fotos

3. dar mis dibujos

4. escribir cartas

5. traer maíz y papas

6. hablar de tu novio

7. contar de tu visita

8. mostrar tus notas

9. decir muchas gracias

E **Una buena amiga.** María hace muchas cosas para sus amigos.
Sigue el modelo.

a él / prestar su radio
A él le presta su radio.

1. a mí / traer sellos de otros países
2. a Uds. / enseñar canciones nuevas
3. a ella / leer libros de cuentos
4. a ti / contar chistes divertidos
5. a él / dar revistas de deportes
6. a nosotros / traer flores del campo
7. a ellas / mostrar los dibujos animados
8. a todos nosotros / prestar sus cintas de rock

Una mujer vende flores
en México.

386

F **¿Y qué me das tú?** Si una persona te hace un favor, tú debes hacerle uno a ella. Completa las frases con los pronombres correctos.

1. Si tú _____ prestas tu tocadiscos, yo _____ toco mi disco nuevo.
2. Si Uds. _____ cocinan la cena, nosotros _____ lavamos los platos.
3. Si tú _____ ayudas a limpiar el garaje, yo _____ pago.
4. Si ellos _____ dan el dinero, nosotras _____ compramos las entradas.
5. Si tú _____ traes el libro, yo _____ leo un cuento.
6. Si Ud. _____ espera esta tarde, yo _____ enseño a usar la computadora.
7. Si Uds. _____ dan la guitarra, yo _____ toco una canción.
8. Si ella _____ arregla la grabadora, nosotros _____ damos cien pesos.

G **Hablemos de ti.**

1. ¿Cuánto dinero te dan tus padres durante la semana? ¿Qué compras?
2. ¿A veces les prestas dinero a tus amigos? ¿Por qué? ¿Qué cosas te prestan tus amigos a ti?
3. ¿Quiénes te escriben cartas? ¿Te escriben cartas tus amigos cuando van de vacaciones? ¿De qué cosas te escriben?
4. ¿Te esperan tus amigos después de las clases? ¿Dónde? ¿Adónde van Uds. entonces?
5. ¿Tienes planes para el próximo verano? ¿Puedes contarle a la clase tus planes?

ACTIVIDAD

¡Oye! Working in pairs, take turns choosing a verb from the list and saying what you are going to do for your partner. Your partner will interrupt, and then rephrase and complete your offer, saying what he or she would like you to do.

ESTUDIANTE A Voy a darte . . .
ESTUDIANTE B Vas a darme dinero para el almuerzo.

comprar	enseñar (a)	mostrar	presentar
contar	escribir	pagar	prestar
dar	leer		

▼ APLICACIONES

REPASO

Look carefully at the model sentences. Then put the English cues into Spanish to form new sentences based on the models.

1. *Mis padres hacen cola para el partido de fútbol.*
   (I'm drawing posters for the play.)
   (We're taking pictures for Sunday's newspaper.)
   (Cristina collects songs for the rock group.)

2. *Invitan a sus primos a ir al estadio con ellos.*
   (Jorge invites Mónica to play chess with him.)
   (We invite Mario and Luz to go downtown with us.)
   (I invite the photographer (f.) to travel to Ecuador with me.)

3. *Pero ese sábado estamos ocupadas. No podemos trabajar.*
   (But tonight I'm tired. I can't play.)
   (But this morning Felipe is absent. They can't continue.)
   (But that day you (fam.) aren't free. You can't help.)

4. *Luis está preocupado, pero te presta las fotos.*
   (Dad is bored, but he tells me a story.)
   (We're prepared, and he gives us the test.)
   (You're (fam.) sad, but we teach you (fam.) a game.)

5. *No duermo. Juego al ajedrez con mi primo favorito.*
   (We're not coming back. We're going to the dance with our Mexican friends.)
   (You (formal) aren't sleeping. You're playing checkers with your sick son.)
   (She isn't coming back. She's attending the theater with her older sister.)

Un fotógrafo y su modelo en Cali, Colombia

TEMA

Put the English captions into Spanish.

1. My brother Paco is buying tickets for the rock concert.

2. He invites his girlfriend to attend the concert with him.

3. But that week Paco is sick. He can't go out.

4. He's sad, but he gives me the tickets.

5. Paco doesn't sleep. He plays cards with our younger brother.

REDACCIÓN

Now you are ready to write your own dialogue or paragraph. Choose one of the following topics.

1. Expand the *Tema* by writing five more sentences, giving the following information. Your father returns home. He plays cards with your brothers. You return from the concert and tell Paco that you saw his girlfriend at the concert with another boy. Now Paco is very sad!

2. Pretend that you are the brother or sister to whom Paco gave the tickets. Write a dialogue of four to six lines, giving the phone conversation between you and the friend you are inviting to go with you. Explain that your brother is sick and cannot go to the rock concert and that he gave you the tickets. Invite your friend to go with you. He or she either accepts the invitation or makes an excuse not to go.

3. Create talk balloons for the five pictures in the *Tema*. What are the characters saying or thinking?

COMPRUEBA TU PROGRESO CAPÍTULO 11

A Pasatiempos

In each blank write the word from the list below that best completes each sentence.

chistoso	tal vez	tomar algo
fabulosa	por teléfono	semana pasada
prestar	grabadora	

1. Tengo un tocadiscos muy viejo, pero no tengo _____.
2. Quiero invitar a Marta. Voy a llamarla _____.
3. ¿Tienes sed? Pues, vamos a _____.
4. ¡Tu nueva canción es _____!
5. No voy a verlo hoy porque lo vi la _____.
6. ¿Me puedes _____ dinero?
7. No puedo ir contigo hoy; _____ mañana.

B ¿Y aquí qué pasa?

Answer the questions according to the pictures. Use complete sentences.

1. ¿A qué juegan Uds.? 2. ¿Qué le das a Pedro?

3. ¿Qué necesitamos? 4. ¿Qué le diste a él?

5. ¿Qué leen Uds.? 6. ¿Qué compran Uds.?

C ¿Qué hacen?

Complete the sentences with the correct form of the verb.

1. Yo no _____ la nueva tienda de ropa. (encontrar)
2. ¿Por qué no _____ Uds. ir al teatro? (poder)
3. Nosotros no _____ mucho. (dormir)
4. Pepito _____ chistes muy buenos. (contar)
5. Ellos _____ a las damas. (jugar)
6. Ella me _____ sus dibujos. (mostrar)
7. ¿Por qué no _____ continuar nosotros? (poder)

D ¿Qué pueden hacer?

Form complete sentences using the words given. Use a, de, or que when necessary.

1. (nosotros) / acabar / asistir / un concierto
2. María / poder / contar / del 0 al 100
3. el fotógrafo / ir / enseñarnos / usar / la cámara
4. los invitados / aprender / cantar / esas canciones viejas
5. (yo) / te / invitar / tomar algo / mañana
6. (tú) / tener / trabajar más / si / ir / sacar / buenas notas

E ¿A quién?

Complete the sentence with the correct pronoun: me, te, or nos.

Si no me das tu número de teléfono, no _____ puedo llamar.
Si no me das tu número de teléfono, no te puedo llamar.

1. Cuando jugamos al tenis, ellos _____ miran.
2. Tú me invitas a tomar algo y yo _____ invito a mi casa.
3. ¿Por qué le hablas al perro, Paco? Él no _____ comprende.
4. Le damos discos a Ernesto, y él _____ presta sus cintas.
5. Mi amiga Leonor siempre _____ llama por teléfono.
6. Para mi cumpleaños mis padres _____ van a dar un radio nuevo.

VOCABULARIO DEL CAPÍTULO 11

Sustantivos
el ajedrez
el baile
la cámara
la canción, *pl.* las canciones
el concierto
el cuento
el chiste
las damas
el dinero
la entrada
la foto
el fotógrafo, la fotógrafa
la grabadora
el grupo
la invitación, *pl.* las invitaciones
el invitado, la invitada
el juego
la moneda
los naipes
el pasatiempo
el piano
el plan
el problema
el radio
la revista
el rock
el sello
el tocadiscos, *pl.* los tocadiscos

Pronombres de complemento directo e indirecto
me
nos
te

Adjetivos
chistoso, -a
fabuloso, -a
libre
otro, -a
pasado, -a

Verbos
coleccionar
contar (o → ue) *(to count; to tell)*
costar (o → ue)
dormir (o → ue)
encontrar (o → ue)
invitar
mostrar (o → ue)
pagar (+ *sum of money* + por)
pasar
poder (o → ue)
presentar
prestar
tocar (discos)
tomar *(to drink)*
volver (o → ue)

di, diste, dio
vi, viste, vio

Conjunciones
de *(about)*
e
u

Expresiones
aquí tienes / tiene Ud.
está bien
hacer cola
hasta la vista
hasta pronto
jugar al ajedrez
jugar a las damas
jugar a los naipes
llamar por teléfono
otra vez
¡oye!
¡qué + *noun*!
sacar fotos
tal vez
tomar algo
¡vámonos!

CAPÍTULO 12

EL CANAL DE PANAMÁ

A huge ocean liner moves slowly through the water. Passengers on deck take pictures of the thick, green, tropical jungle that surrounds them. Is this a scene from an adventure movie? No, just another day on the Panama Canal, where every year some 12,000 ships cross from one sea to another.

After a ship enters the canal from the Caribbean, it travels through a series of locks that gradually raise the level of water to a height of 85 feet above sea level. Then it moves through Lago de Gatún, an enormous lake that was created by building a dam on the tiny Río Chagres.

At about the halfway point, the mountains begin to close in and the canal becomes much narrower. Soon the ship enters the Gaillard Cut, an eight-mile section carved out of solid rock. This part alone took six years to build.

Finally, the ship reaches the Miraflores locks, where it begins to make the trip back down to sea level. Powerful electric engines are hitched alongside to pull the ship into each lock. Then, a few miles farther on, the ship enters the Pacific Ocean. To the east rise the skyscrapers of Panama City, the nation's capital and one of the first cities the Spanish founded on this continent.

The 50-mile trip takes at least 24 hours to complete, roughly two thirds of it spent waiting to enter locks. It costs about $26,000 for a ship to travel through the canal. But that's a bargain if you consider the time and expense it would require to go all the way around South America to reach that same point on the Pacific coast of Central America. Those 50 miles are nothing compared with the alternative, which is a trip of 13,000 miles!

Although it was completed over 70 years ago, the canal continues to serve the world's needs, and it remains one of the most important and amazing feats of engineering ever accomplished.

PALABRAS NUEVAS I

En el aeropuerto

CONTEXTO
VISUAL

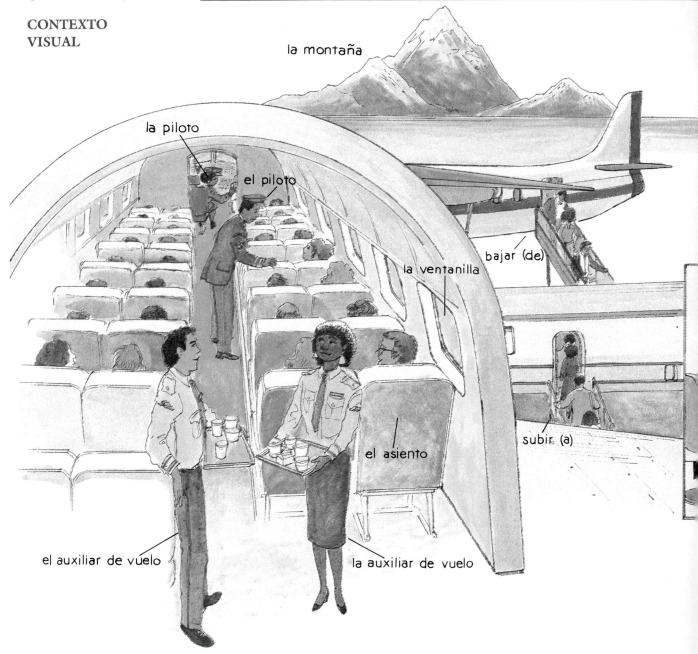

la montaña

la piloto

el piloto

la ventanilla

bajar (de)

subir (a)

el asiento

el auxiliar de vuelo

la auxiliar de vuelo

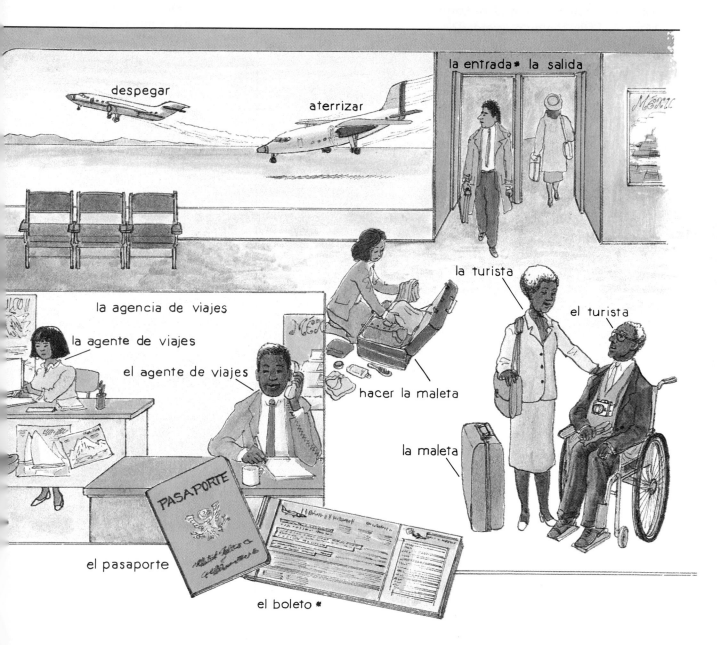

despegar

aterrizar

la entrada* la salida

la turista

el turista

la agencia de viajes

la agente de viajes

el agente de viajes

hacer la maleta

la maleta

PASAPORTE

el pasaporte

el boleto *

* *Un boleto* is a ticket for traveling. *Una entrada* is an admission ticket to a performance or an event, or to a public building such as a museum. What do you think is the literal meaning of *entrada*? What verb is it related to?

CONTEXTO
COMUNICATIVO

1 ESTELA   ¿**En** qué **piensas**?
    ANDRÉS   En mi trabajo nuevo. **Empiezo** el lunes.
    ESTELA   Estás contento, ¿verdad?
    ANDRÉS   Sí. Va a ser un trabajo muy agradable.

Variaciones:
- empiezo → empiezo a trabajar
- el lunes → la semana próxima

pensar en (e → ie) (yo pienso, tú piensas) *to think about*

empezar (a + inf.) (e → ie) (yo empiezo, tú empiezas) *to start, to begin*

2 CATALINA   ¿De quién es esta **guía** del Perú?
    ENRIQUE   De mi papá. Trabaja para una agencia de viajes.

- esta guía → este mapa
- del Perú → de Puerto Rico

la guía *guidebook*

3 ROSA   ¿Dónde **piensas** pasar **las vacaciones**?
    DANIEL   En Chile, ¿y tú?
    ROSA   Papá y yo **queremos** ir a Costa Rica.

- piensas → quieres
- queremos → **preferimos**
- Costa Rica → las montañas

pensar + inf. *to plan to, to intend to*

las vacaciones *vacation*

querer (e → ie) (yo quiero, tú quieres) *to want*

preferir (e → ie) (yo prefiero, tú prefieres) *to prefer*

4 CLARA   ¿Puedo **dejar** esta maleta contigo? Tengo que llamar a mi mamá.
    MARIO   Sí, cómo no.
    CLARA   Muchas gracias. Vuelvo muy pronto.

- maleta → mochila
- muy pronto → en un momento

dejar *to leave (something behind)*

5 AUXILIAR DE VUELO   **Bienvenida** al **vuelo** 425. ¿Cuál es el número de su asiento?
    TURISTA   El 16-F.
    AUXILIAR DE VUELO   Aquí está, al lado de la ventanilla.
    TURISTA   ¡Qué suerte! Puedo ver las montañas durante el vuelo.

- las montañas → los Andes
- el vuelo → **el viaje**

bienvenido, -a *welcome*
el vuelo *flight*

el viaje *trip*

6 ALICIA   El avión va a aterrizar en **menos de** 45 minutos.
    CARLOS   No vamos a llegar **a tiempo.**
    ALICIA   Claro que sí. Eres muy **pesimista,** Carlitos.
    CARLOS   ¡Y tú eres demasiado **optimista!**

■ aterrizar → despegar
■ 45 minutos → media hora

menos de + número   *less than*
a tiempo   *in time, on time*
pesimista   *pessimistic*
optimista   *optimistic*

7 GUILLERMO   **¿Cuánto tiempo** dura el viaje?
    ROSA   Un poco **más de** dos horas.

■ más de → menos de

¿cuánto tiempo?   *how long?*
el tiempo   here: *time*
más de + número   *more than*

NOTE: The verb *pensar* has several English equivalents. When *pensar* is followed by an infinitive, it means "to plan, to intend (to do something)." With *en*, it means "to think about." With *de*, it means "to think of, to have an opinion about."

¿**Piensas empezar** ahora?   *Do you **plan to start** now?*
¿**Piensas en** Elisa?   *Are you **thinking about** Elisa?*
¿Qué **piensas de** la guía?   *What do you **think of** the guidebook?*

Spanish speakers often use the verb *creer* to express an opinion.

¿Qué **piensas de** la guía?   *What do you **think of** the guidebook?*
Creo que es fabulosa.   *I **think** it's fabulous.*

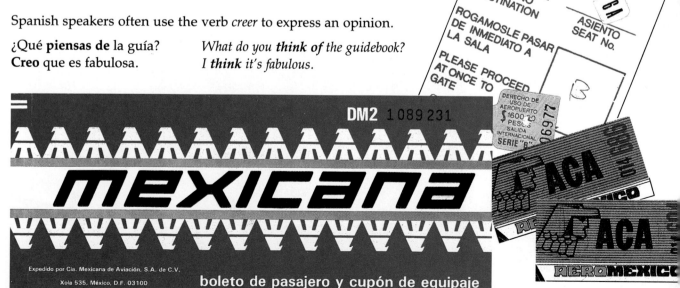

EN OTRAS PARTES

También se dice *la valija.*
En México también se dice
la petaca.

También se dice *el aeromozo.*

También se dice *la azafata* y
la aeromoza.

En España se dice *el billete.*
En México, la América
Central y Colombia también
se dice *el tiquete.*

(arriba, izquierda) Turistas
en España; (arriba, derecha)
Una agencia de viajes
en Costa Rica; (derecha)
Un viaje en autobús
en Bogotá, Colombia

PRÁCTICA

A ¿Quién lo dice? Decide cuál de estas personas dice (*says*) cada (*each*) frase.

un(a) agente de viajes   una persona optimista   un(a) turista
un(a) auxiliar de vuelo   una persona pesimista

1. Está nublado. Siempre llueve cuando dejo mi paraguas en casa.
2. Señores y señoras, el piloto nos dice que el avión va a despegar en diez minutos.
3. Si Ud. va a viajar en agosto, debe comprar el boleto en mayo.
4. Ahora llueve, pero creo que más tarde va a hacer buen tiempo.
5. Vamos a llegar tarde al aeropuerto otra vez.
6. San Juan tiene playas bonitas y muchos hoteles muy cómodos.
7. Buenos días, Sr. Suárez. Aquí está su asiento.
8. Estoy siempre muy contenta con todo.
9. Pienso sacar muchas fotos durante el viaje.
10. Bienvenidos al vuelo número 507.

B ¿Qué pasa en el aeropuerto? Contesta según los dibujos.

¿Adónde vas de vacaciones?
Voy a las montañas.

1. ¿Qué lleva la Sra. Muñoz?   2. ¿Qué busca el Sr. Muñoz?

3. ¿Quién espera en la entrada?   4. ¿Quién espera en la salida?

LLEGADAS		
VUELO	DE	HORA
300	Acapulco	10:15
467	Lima	14:00
727	Los Ángeles	16:00

SALIDAS		
VUELO	A	HORA
243	Nueva York	9:30
224	Toronto	11:00
777	Madrid	15:35

5. ¿A qué hora aterriza el vuelo 727?

6. ¿Aterriza o despega el vuelo 224? ¿A qué hora?

7. ¿Qué hay al lado del asiento?   8. ¿Qué hace?

C En avión a San Luis.   Completa cada *(each)* frase con la forma correcta del verbo apropiado *(appropriate)* de la lista.

aterrizar	empezar	poner
bajar	hacer	preferir
despegar	pensar	subir

Cuando visito a mi abuela, voy en avión. Mamá me compra el boleto, pero yo _____ las maletas. Si _____ estudiar, también _____ varios libros en la maleta. Mi mamá siempre quiere ir conmigo al aeropuerto, pero yo _____ ir solo. Los otros turistas y yo _____ al

5 avión y un poco después el avión _____. Ya en el avión, _____ a leer una revista de deportes. Menos de dos horas más tarde, el avión _____ en San Luis y todos (nosotros) _____.

Un horario de vuelos
en México

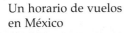

D Hablemos de ti.

1. ¿Tienes planes para tus vacaciones de verano? ¿Qué piensas hacer? ¿Adónde piensas ir de vacaciones este año? ¿Ayudas a hacer los planes cuando viajas con tu familia?
2. ¿Adónde fuiste de vacaciones el verano pasado? ¿Fuiste en avión? ¿Con quién fuiste?
3. ¿Qué dicen los auxiliares de vuelo cuando subes al avión? ¿Siempre son simpáticos? ¿Crees que su trabajo es interesante o aburrido? ¿Por qué?
4. ¿Eres una persona pesimista u optimista? ¿Puedes darnos ejemplos (*examples*) de tu pesimismo u optimismo?

ACTIVIDAD

¡Un viaje rápido!   Form groups of four to play this word game. Players take turns saying:

(Nombre) viaja a *(ciudad)*. Lleva *(cosa)*.

Each of the three words must begin with the same letter of the alphabet. For example:

Verónica viaja a *Valencia*. Lleva una *vaca*.

A player who has difficulty thinking of something may look up a word in the *Vocabulario español-inglés* in the back of this book. Do not use the letters *Ch, K, LL, Ñ, Q, U, W, X, Y,* or *Z.* Here is a list of cities and towns you may want to use, but feel free to use others.

Asunción	Florida	La Paz	Rosario
Bogotá	Guayaquil	Montevideo	San José
Caracas	Hermosillo	Nogales	Tegucigalpa
Durango	Ibiza	Oviedo	Valparaíso
El Paso	Jaén	Pamplona	

APLICACIONES

En el aeropuerto más alto del mundo

El avión de Buenos Aires acaba de aterrizar en El Alto, el aeropuerto de La Paz, Bolivia. Es el aeropuerto más alto del mundo.[1] La familia Ayala baja del avión.

SR. AYALA	¡Uf! Estas maletas son pesadísimas.[2] ¡Qué cansado estoy!	
SRA. AYALA	Yo también. Esta guía de Bolivia dice que el aire aquí no tiene mucho oxígeno.	
LUISA	Papá, ¿es verdad que estamos en el aeropuerto más alto del mundo?	
SR. AYALA	Sí, hija, no hay otro más alto.	
LUISA	Y ahora, ¿adónde vamos?	
SR. AYALA	A La Paz, la capital más alta del mundo.	
SRA. AYALA	Y mañana vamos a ir al lago Titicaca,* el . . .	
LUISA	Ya sé, mamá. El lago más alto del mundo, ¿verdad?	
SR. AYALA	Hijita, ¿cómo adivinaste?[3]	

5

10

15

---

[1] **más alto del mundo** *highest in the world*   [2] **pesadísimo, -a** *very heavy*
[3] **¿cómo adivinaste?** *how did you guess?*

* Lake Titicaca, which forms part of the boundary between Bolivia and Peru, lies at the highest point above sea level of any major lake in the world.

El Alto, La Paz, Bolivia

Preguntas

1. ¿De dónde viene la familia Ayala?   2. ¿En qué ciudad y en qué país están ellos ahora?   3. ¿Cómo se llama el aeropuerto?   4. ¿Por qué está cansado el Sr. Ayala?   5. ¿Cómo se llama el lago más alto del mundo? ¿Dónde está?   6. Imagina que escribes una guía sobre La Paz. ¿Qué vas a decir? Puedes empezar: "Bienvenidos a La Paz. Después de bajar del avión . . ."

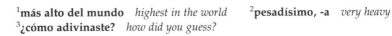

Participación

Work with a partner to create a dialogue of six to eight lines. Imagine that you are two strangers waiting for a plane at an airport (or for a train at a station). Why is each of you traveling? Where are you going? What time does your plane take off (or your train leave)? What time will you arrive? Do you think your plane (or train) is going to be on time? Why or why not?

PRONUNCIACIÓN

A Pronunciation of the Spanish *j* is not like any English sound. It is a breathy sound, something like the *h* in the English word "hay," but it is made very far back in the mouth—almost in the throat.
Escucha y repite.

jamón	junio	joven	jueves
viaje	dejar	mujer	flojo

B In a few words the letter *x* has the same sound.
Escucha y repite.

Texas   México

C Before *e* and *i*, the letter *g* is pronounced just like the *j*.
Escucha y repite.

agencia   página   gimnasio   inteligente

D After *n*, the letter *g* is pronounced like the *g* in the English word "get."
Escucha y repite.

tengo   pongo   inglés

E In all other cases the letter *g* has a softer sound. The back of your tongue almost touches the roof of your mouth.
Escucha y repite.

amiga	pagar	digo	abrigo
agosto	agua	iguana	Olga

F In the groups *gue* and *gui* the *u* is not pronounced.
Escucha y repite.

guía   guitarra   Guillermo   guisantes

G Escucha y repite.

El abrigo de Jorge es rojo.
Me gusta el jugo de naranja.
Tengo un amigo en Guatemala.
Guillermo es guapo, joven, grande e inteligente.

To complain about prices

To buy gifts

To describe things emphatically

To exaggerate

PALABRAS NUEVAS II

¿Quieres comprar un regalo?

CONTEXTO
VISUAL

la cliente · el cliente · el regalo · la caja · el pañuelo · la corbata · el bolso · la pulsera · el arete · el anillo · las joyas · el cinturón pl. los cinturones · la cartera · el collar

CONTEXTO
COMUNICATIVO

1	TERESA	¿Qué regalo le compro a mamá?
	DAVID	Esta pulsera es muy **bella.**
	TERESA	Pero cuesta **demasiado.**
	DAVID	Entonces, ¿por qué no le compras ese collar? Es **más** barato **que** la pulsera.
	TERESA	Tienes razón. ¿Me prestas el dinero?

bello, -a *beautiful*

demasiado here: *too much*

más + adj. + **que** *more* + adj. + *than*; adj. + *-er* + *than*

Variaciones:

■ muy bella → **bellísima**

■ cuesta demasiado → es **carísima**

■ más barato que → **menos** caro **que**

bellísimo, -a *very beautiful*

carísimo, -a *very expensive*

menos + adj. + **que**
 less + adj. + *than*

abrir   abierto, –a   cerrar (e → ie)   cerrado, –a

generoso, –a   DONACIONES   tacaño, –a

pobre   rico, –a

2 MARIO   Pedrito, ¿**qué hiciste** cuando fuiste al centro?
PEDRO   Le **compré** a Sara **el** anillo **más** bonito **de** la tienda.
MARIO   ¿Cuánto **pagaste**?
PEDRO   Imagínate, menos de **un dólar.** Sólo pagué
99 **centavos.**
MARIO   ¡Chico! ¡Qué tacaño eres!

- hiciste → compraste
- anillo → collar
- ¡chico! → ¡caramba!

¿**qué hiciste**?   *what did you (fam.) do?*

(**yo**) **compré, (tú) compraste** (from **comprar**)   *bought*

el / la / los / las más + adj. + **de** *the most* + adj. + *in; the* + adj. + *-est in*

(**yo**) **pagué, (tú) pagaste** (from **pagar**)   *paid*

el dólar   *dollar*

el centavo   *cent*

3 JUAN   ¿Cuándo van a abrir el banco?

ELISA   Mañana. Hoy es día de fiesta. Los bancos están cerrados.

JUAN   ¡Pero tengo que **cambiar** dinero!

ELISA   Te puedo prestar diez dólares.

JUAN   Eres muy **amable,** Elisa. Muchas gracias.

ELISA   **No hay de qué,** Juan.

cambiar   *to change, to exchange*

amable   *kind, nice*

no hay de qué = de nada

- están cerrados → no están abiertos
- amable → generosa
- no hay de qué → de nada

4 RAÚL   El Sr. Saldaña es **el peor** profesor de esta escuela.

MAMÁ   ¿Por qué? **¿Qué hizo?**

RAÚL   Me dio una mala nota en geometría.

MAMÁ   Pues, Raúl, tú eres **el** estudiante **menos serio de** la clase.

peor   *worse*

el / la peor + noun   *the worst*

¿qué hizo?   *what did he / she / you (formal) do?*

el / la / los / las menos + adj. + **de**   *the least* + adj. + *in*

serio, -a   *serious*

mejor   *better*

el / la mejor / peor   *the best / worst*

- peor → **mejor**
  mala nota → buena nota
  menos serio → más listo

Una vendedora de joyas en Andalucía, España

EN OTRAS PARTES

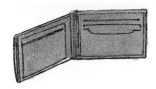

En varios países de la América del Sur se dice *la billetera*.

También se dice *la cartera*. En México se dice *la bolsa*.

En la Argentina y en el Perú se dice *los aritos* y en Venezuela se dice *los zarcillos*. También se dice *los pendientes*.

También se dice *el brazalete*.

También se dice *la sortija*.

PRÁCTICA

A ¿Qué palabra falta *(is missing)* **aquí?** Completa las frases con la palabra correcta.

1. Cuando hace calor prefiero dormir con la ventana *(abierta / cerrada)*.
2. Martín siempre ayuda a los clientes. Es un vendedor muy *(antipático / amable)*.
3. El tío de Elena nunca le da regalos. Es muy *(generoso / tacaño)*.
4. Las joyas en esta tienda cuestan demasiado. Son *(bellísimas / carísimas)*.
5. El papá de Inés tiene una casa grande en Madrid y una casa de verano en la playa. Es un hombre muy *(pobre / rico)*.
6. Es domingo y no puedo cambiar dinero. Los bancos están *(abiertos / cerrados)*.
7. Mi amigo Pablo siempre me presta dinero. Es una persona muy *(generosa / tacaña)*.
8. Tomás siempre saca ceros en física. Es el *(peor / mejor)* alumno de la clase.
9. Después del partido, Uds. deben poner los naipes en *(la cartera / la caja)*.
10. No puedo *(bajar del / subir al)* avión porque no tengo *(entrada / boleto)*.

B ¿Qué compraste ayer? Imagina que ayer fuiste a una tienda para comprar regalos. Pregunta y contesta según el modelo.

ESTUDIANTE A   *¿Qué compraste ayer?*
ESTUDIANTE B   *Compré una pulsera.*
ESTUDIANTE A   *¿Cuánto pagaste?*
ESTUDIANTE B   *(Sólo) tres dólares y veinticinco centavos.*

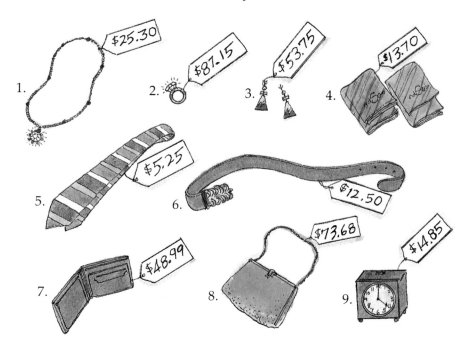

C Hablemos de ti.

1. ¿Qué clase de regalos te gusta recibir? ¿Qué quieres recibir para tu próximo cumpleaños?
2. ¿Qué clase de regalos te gusta comprar? ¿Para quién(es) los compras? ¿Qué regalos les diste a tus padres o a tus amigos para la Navidad pasada? ¿Pagaste mucho?
3. ¿Qué haces cuando abres un regalo que no te gusta? ¿Qué le dices a la persona que te dio el regalo?
4. ¿Te gusta llevar joyas? ¿Qué joyas llevas? ¿A veces llevan corbata los muchachos de tu clase? ¿Cuándo?
5. ¿Qué hacen las personas generosas? ¿Y las personas tacañas? ¿Eres tú generoso(a) o tacaño(a)? ¿Por qué?

ESTUDIO DE PALABRAS

In Spanish we can emphasize an adjective by adding the endings *-ísimo(s)* or *-ísima(s)*. A racing car is more than *un coche rápido*; it is *un coche rapidísimo*. Because *gracias* means "thanks" and *muchas gracias* means "thanks a lot," *muchísimas gracias* means "thank you *very* much."

Here are some other examples. Notice that in English we can use a lot of different words to make an adjective stronger.

un collar bellísimo	*a very beautiful necklace*
una joya carísima	*an extremely expensive jewel*
unos programas aburridísimos	*some really boring programs*
unas montañas altísimas	*some fantastically high mountains*
un chiste divertidísimo	*a terribly funny joke*
una película tontísima	*an awfully silly movie*

To retain the right pronunciation, an adjective whose last consonant is *c* or *g* changes to *qu* or *gu* before adding the *-ísimo(a)* ending: *rico, -a → riquísimo, -a; largo → larguísimo, -a.*

How do you think you might say the following in Spanish?

It's a terribly easy test.
It's a very fat hen.
They're incredibly generous men.

Joyas peruanas

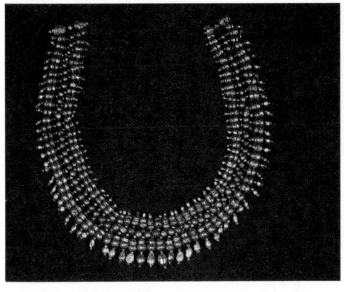

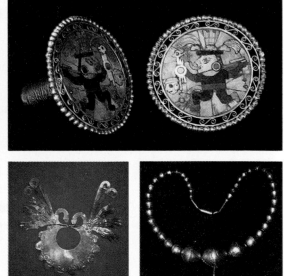

EXPLICACIONES I

Verbos con el cambio *e → ie*

◆ COMMUNICATIVE
OBJECTIVES
To tell about plans and
what you want to do

To find out when
something begins

To arrange to be
on time

You have already learned about stem-changing verbs whose stem vowel changes from *o* to *ue*. In another group of verbs the stem vowel changes from *e* to *ie* in all of the present-tense forms except *nosotros* and *vosotros*. Here are the present-tense forms of *pensar*.

INFINITIVO **pensar**

	SINGULAR		PLURAL	
1	(yo)	pienso	(nosotros) (nosotras)	pensamos
2	(tú)	piensas	(vosotros) (vosotras)	pensáis
3	Ud. (él) (ella)	piensa	Uds. (ellos) (ellas)	piensan

Notice that the endings are the same as for regular *-ar* verbs. Here are other *e → ie* stem-changing verbs that you know.

-AR verbs	*-ER / -IR verbs*
cerrar	preferir
empezar	querer

PRÁCTICA

A ¿Qué piensan ser?   Varios estudiantes hablan de sus futuras carreras *(careers)*. Indica qué piensan ser. Sigue el modelo.

(tú)
Piensas ser veterinaria, ¿verdad?

1. Patricia

2. Esteban y Armando

3. Ud.

4. Horacio

5. Rosa y tú

6. Miguel y Diana

7. Ana y Gabriela

8. (tú)

9. Uds.

B **¿Qué quieren ser?**   Usa los elementos de la Práctica A para preguntar y contestar según el modelo.

> ESTUDIANTE A   *¿Qué quieres ser?*
> ESTUDIANTE B   *Creo que quiero ser veterinaria.*

C **Mucho más.**   Ester siempre exagera *(exaggerates)* todo. Escoge *(choose)* de la lista un adjetivo apropiado *(appropriate)* para preguntar y contestar. Sigue el modelo.

> mi trabajo
> ESTUDIANTE A   *¿En qué piensas?*
> ESTUDIANTE B   *Pienso en mi trabajo.*
> ESTUDIANTE A   *¿Es difícil?*
> ESTUDIANTE B   *Dificilísimo.*

1. mis notas de álgebra	alto
2. los chistes de Mario	bello
3. mi perro Bruno	bueno
4. mi película favorita	caro
5. el novio de Silvia	difícil
6. la canción nueva de los "Rockeros"	divertido
7. mis aretes nuevos	guapo
8. los árboles de mi jardín	inteligente
9. el anillo que vi en la tienda	malo
10. los dibujos animados que vi anoche	tonto

D Siempre temprano. Hay personas que siempre quieren llegar media hora antes. Pregunta y contesta según el modelo.

> el concierto / 8:30 / Elena y yo
>
> ESTUDIANTE A *¿Cuándo empieza el concierto?*
> ESTUDIANTE B *A las ocho y media. Pero Elena y yo preferimos llegar a las ocho.*

1. el partido de fútbol / 5:30 / (nosotros)
2. las clases / 8:30 / los estudiantes
3. la obra de teatro / 3:00 / (yo)
4. la película de terror / 10:30 / todo el mundo
5. la fiesta / 9:30 / las chicas
6. la cena / 10:00 / Esperanza
7. los exámenes / 1:30 / Rafael y yo
8. el baile / 4:00 / Cristóbal
9. (ellos) / 1:00 / (yo)
10. (nosotros) / 8:00 / unos invitados

E Hablemos de ti.

1. ¿Qué piensas de las materias que estudias este año? ¿Cuáles prefieres? ¿Por qué?
2. ¿Dan nuevos programas de televisión este año? ¿Qué piensas de ellos? ¿Son estupendos? ¿Son aburridos? ¿Cuáles prefieres?
3. ¿A qué hora empieza tu programa de televisión favorito? ¿Cuánto tiempo dura? ¿Hay muchos anuncios comerciales durante el programa?
4. ¿A qué hora abren los almacenes en tu ciudad? ¿A qué hora cierran? ¿Están abiertos los domingos?
5. ¿Qué piensas hacer esta noche?

ACTIVIDAD

¿Qué piensas hacer? Form groups of three or five students. (If possible, groups should be of uneven numbers.) One person begins by saying what he or she plans to do, and why. The next person responds with a sentence that expresses a different point of view. For example:

> ESTUDIANTE A Pienso viajar a las montañas porque allí hace fresco.
> ESTUDIANTE B Prefiero viajar a la playa porque hace calor.

The next person makes up a new sentence. For example:

> ESTUDIANTE C Pienso comer en un buen restaurante porque soy rico.
> ESTUDIANTE D Prefiero comer en casa porque soy tacaño.

APLICACIONES

¡Bienvenidos al Ecuador!

Ver para creer.[1] Pero a menudo creemos en cosas que no
podemos ver. El ecuador[2] es una de ellas, porque es una línea
imaginaria. Pero nadie dice que no existe. El Ecuador es también
el nombre de un país de la América del Sur. Tiene ese nombre
5 porque esa línea imaginaria pasa por[3] él. El ecuador pasa cerca de
Quito, la capital, y también pasa por la ciudad de San Antonio.

En la ciudad de San Antonio está el museo Solar. En este
museo hay instrumentos para estudiar el sol y el ecuador. Una
entrada del museo está en el hemisferio sur,[4] y la otra está en el
10 hemisferio norte. ¡Imagínate! Dentro de un momento puedes
caminar de un hemisferio al otro.

¿Hay otras atracciones en el Ecuador? ¡Por supuesto! Por
ejemplo, puedes visitar muchos mercados indios.[5] El mercado
más conocido e importante está en Otavalo. Todos los sábados los
15 indios caminan grandes distancias para vender sus productos allí.
Llevan trajes de muchos bellos colores. Los hombres llevan
ponchos azules y rojos y las mujeres, faldas rojas, anaranjadas,
verdes o moradas.

También debemos hablar de los famosos "sombreros de
20 Panamá," esos sombreros que empezaron[6] a ser populares en los
Estados Unidos durante la construcción del canal de Panamá.
Pues no son de Panamá. Los hacen aquí, en el Ecuador.

---

[1]**ver para creer** *seeing is believing*   [2]**el ecuador** *equator*   [3]**pasar
por** *to pass through*   [4]**el hemisferio sur / norte** *Southern / Northern
Hemisphere*   [5]**indio, -a** *Indian*   [6]**empezaron** *began*

Preguntas
1. ¿Qué es el ecuador?
2. ¿Dónde está el museo Solar?
3. ¿Qué encuentras allí?
4. ¿Dónde están las entradas del museo?
5. ¿Por qué es conocida la ciudad de Otavalo?
6. ¿En qué día hay mercado allí?
7. ¿Por qué los "sombreros de Panamá" tienen ese nombre?
8. ¿Qué quiere decir "ver para creer"? ¿Qué crees tú? ¿Es difícil creer en
   una cosa si no puedes verla?

ANTES DE LEER

As you read, look for the
answers to these questions.
1. ¿De dónde viene el
   nombre del país?
2. ¿Cuál es la gran
   atracción del museo
   Solar?
3. ¿De dónde vienen los
   "sombreros de
   Panamá"?

EXPLICACIONES II

Comparativos y superlativos

Note how we make comparisons in Spanish.

Ana Luz Eva

Ana es **alta.** Luz es **más alta que** Ana. Eva es **la** chica **más alta.**

Remember that adjectives must agree with their nouns. For example:

Marco Luz Inés Eva

Marco es **alto.** Luz e Inés son **más altas que él.** Eva es **la más alta.**

1 To say that someone or something is the "most" or the "best" in a group, we use *de.*

  Eva es **la** muchacha **más lista** *Eva is **the smartest** girl **in** the*
  de la clase. *class.*
  Jorge e Inés son **los** estudiantes *Jorge and Inés are **the smartest***
  más listos de la escuela. *students **in** the school.*

2 We use *menos* in the same way that we use *más.*

  El Sr. Brujo es **muy** tacaño. *Mr. Brujo is **very** stingy.*
  Nadie es **menos** generoso que él. *No one's **less** generous than he (is).*
  Es la persona **menos generosa** *He's **the least generous** person **in***
  de la ciudad. *town.*

3 The adjectives *bueno, malo, viejo,* and *joven* have irregular comparative
and superlative forms.

ADJETIVO		COMPARATIVO	ADJETIVO		COMPARATIVO
bueno	→	**mejor**	viejo	→	**mayor**
malo	→	**peor**	joven	→	**menor**

Note that their masculine and feminine forms are the same, and they all add *-es* to form the plural.

Esta fruta es **buena (mala).**	*This fruit is **good (bad).***
La naranja es **mejor (peor).**	*The orange is **better (worse).***
Las manzanas son **las mejores (peores).**	*The apples are **the best (the worst).***
El Sr. Díaz es **viejo (joven).**	*Mr. Díaz is **old (young).***
Su hermano es **mayor (menor).**	*His brother is **older (younger).***
Su hermana es **la mayor (menor).**	*His sister is **the oldest (the youngest).***

4 When we use *más* or *menos* with numbers, we use *de* to mean "than".

La película dura **más de tres** horas.	*The film lasts **more than three** hours.*
Tengo **menos de 50** centavos.	*I have **less than 50** cents.*

PRÁCTICA

A   Más o menos.   Contesta las preguntas según los dibujos. Usa frases completas.

1. ¿Cuál es el animal más pequeño?
2. ¿Cuál es el animal más alto?
3. ¿Cuál es el animal más gordo?

4. ¿Cuál es el programa más triste?
5. ¿Cuál es el programa más aburrido?
6. ¿Cuál es el programa menos serio?

Tomás   Pedro   Carlos

7. ¿Quién es el chico más bajo?
8. ¿Quién es el chico más delgado?
9. ¿Quién es el chico más alto?

B **Opiniones diferentes.** Hay personas que nunca están de acuerdo *(in agreement)*. Sigue el modelo.

> Las películas románticas / divertido / las películas del oeste
> ESTUDIANTE A *Las películas románticas son más divertidas que las películas del oeste.*
> ESTUDIANTE B *Al contrario. Yo creo que son menos divertidas.*

1. Guillermo / pesimista / Lola
2. el Sr. García / amable / el Sr. Fuentes
3. el café Roma / caro / el café París
4. este programa / importante / las noticias
5. Carlota / serio / yo
6. las muchachas / inteligente / los muchachos
7. Esperanza / generoso / su hermana
8. los tigres / bonito / los leopardos
9. el béisbol / divertido / el fútbol
10. los hijos / optimista / sus padres

C **¿Qué crees tú?** Escoge adjetivos de la lista a la derecha para hacer comparaciones con *más* y *menos*. Sigue el modelo.

> autobuses/taxis
> *Creo que los autobuses son más lentos (menos cómodos) que los taxis.*

1. barcos / aviones	aburrido	hermoso
2. cerdos / gatos	agradable	incómodo
3. muchachos / muchachas	cómodo	inteligente
4. revistas / libros	difícil	interesante
5. caballos / cebras	divertido	lento
6. ajedrez / damas	fácil	limpio
7. biología / química	gordo	rápido
8. campo / ciudad	guapo	sucio
9. dibujos animados / películas policíacas		
10. noticias / anuncios comerciales		
11. coches grandes / coches pequeños		

D ¿Cuál es la respuesta? El Sr. Montoya quiere ver si sus alumnos son listos, y les da unos acertijos *(riddles)*. Contesta las preguntas.

1. Raúl tiene trece años. Esteban, su hermano mayor, tiene dos años menos que Pablo. ¿Quién es el mayor de los tres? ¿Tiene Pablo más o menos de quince años?
2. Teresa es mayor que María. Si Carlos es mayor que la hermana mayor de Teresa, ¿quién es el menor de los cuatro?
3. Ricardo tiene doce años. Marta tiene tres años más que Pilar. Pilar tiene dos años menos que Ricardo. ¿Quién es el menor? ¿Quién es el mayor? ¿Tiene Pilar más o menos de once años?
4. La Sra. Pereda es menor que su esposo. Si el Sr. Pereda es menor que sus tres hermanos, ¿es la Sra. Pereda mayor que los hermanos de su esposo?

E La encuesta. Imagina que haces una encuesta *(survey)* en tu clase sobre varias cosas. Pregunta y contesta según el modelo.

> equipo de béisbol
> ESTUDIANTE A   *¿Cuál es el mejor equipo de béisbol?*
> ESTUDIANTE B   *Para mí, el mejor equipo es _____.*
> ESTUDIANTE A   *¿Cuál es el peor equipo?*
> ESTUDIANTE B   *Para mí, el peor equipo es _____.*

1. película del año
2. programa de televisión
3. anuncio comercial
4. revista
5. día de la semana
6. grupo de rock
7. canal de televisión
8. estación del año
9. restaurante de la ciudad
10. clase del día

En Barcelona, España

El pretérito de los verbos que terminan en *-ar:* Formas singulares

◆ COMMUNICATIVE
OBJECTIVE

**To describe purchases
made and how much
they cost**

Until now we have been using most verbs only in the present tense. One of the past tenses in Spanish is called the preterite. We use it to talk about actions or events that occurred at a particular time and have now ended. Here are the singular preterite forms of the verbs *comprar* and *pagar*.

INFINITIVO	**comprar**		
1	(yo)	comp**ré**	*I bought*
2	(tú)	comp**raste**	*you bought*
3	Ud.		*you (formal) bought*
	(él) }	comp**ró**	*he bought*
	(ella)		*she bought*

INFINITIVO	**pagar**		
1	(yo)	pa**gué**	*I paid*
2	(tú)	pag**aste**	*you paid*
3	Ud.		*you (formal) paid*
	(él) }	pag**ó**	*he paid*
	(ella)		*she paid*

¿Compraste el regalo ayer?	*Did you buy the gift yesterday?*
Sí. **Pagué** diez dólares.	*Yes. I paid $10.00.*

Just as in the present tense, the preterite endings *-é*, *-aste*, and *-ó* indicate which person has done the action. Notice the written accents on all except the *tú* form. Also notice the difference between the *yo* forms of *comprar* and *pagar*. Verbs whose infinitives end in *-gar* have *-ué* in the *yo* form of the preterite.

PRÁCTICA

A Y tú, ¿qué compraste? Varias personas hablan de cosas que acaban de comprar. Pregunta y contesta según el modelo.

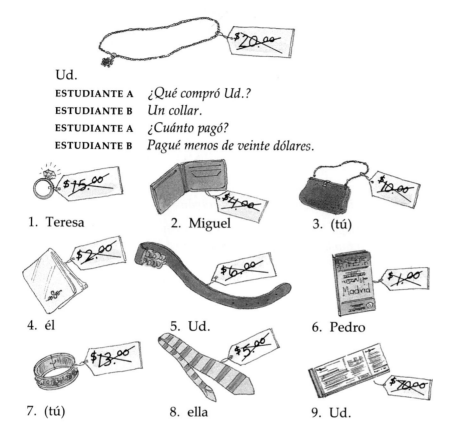

Ud.

ESTUDIANTE A	*¿Qué compró Ud.?*
ESTUDIANTE B	*Un collar.*
ESTUDIANTE A	*¿Cuánto pagó?*
ESTUDIANTE B	*Pagué menos de veinte dólares.*

1. Teresa 2. Miguel 3. (tú)

4. él 5. Ud. 6. Pedro

7. (tú) 8. ella 9. Ud.

B Hablemos de ti.

1. ¿Fuiste de compras el fin de semana pasado? ¿Qué compraste? ¿Cuánto pagaste?
2. ¿Fuiste al cine? ¿Qué película viste? ¿Cuánto pagaste por la entrada?
3. ¿Cuál es el mejor día de la semana para ti? ¿Cuál es el peor día? ¿Por qué?
4. ¿Cuál es el día de fiesta más importante del año para ti? ¿Por qué?
5. ¿Quién es la persona mayor de tu familia? ¿Quién es la persona menor? ¿Cuántos años tienen ellas?
6. ¿Cuáles son las clases más interesantes de tu colegio? ¿Cuáles son las menos interesantes? ¿Por qué?
7. ¿Cuáles son las clases más difíciles? ¿Y las más fáciles? ¿Generalmente sacas buenas notas en las clases fáciles? ¿Son mejores o peores tus notas en las clases más difíciles?

APLICACIONES

Look carefully at the model sentences. Then put the English cues into Spanish to form new sentences based on the models.

1. *¿Qué hizo la Srta. Gómez el mes pasado?*
   (What did Carlos do last year?)
   (What did you (fam.) do last winter?)
   (What did you (fam.) do last Thursday?)

2. *Compré un cinturón para mi papá.*
   (I bought a ring for my girlfriend.)
   (You (fam.) bought a handkerchief for your sister.)
   (You (formal) bought a wallet for your grandmother.)

3. *Pero ahora creo que los aretes son más fabulosos que el anillo.*
   (But now they think that Ana is nicer than David.)
   (But today we think that Diego is more pessimistic than Cristina.)
   (But now you (fam.) think that the wallet is better than the purse.)

4. *Piensan abrir esa caja.*
   (I plan to change ten dollars.)
   (We want to close our books.)
   (They want to leave their suitcases.)

5. *El auxiliar de vuelo dice que es el asiento más cómodo del avión.*
   (The Spanish teacher (m.) says it's the highest mountain in Colombia.)
   (The travel agents say they're the stingiest tourists in the city.)
   (The flight attendant (fem.) says it's the fastest plane in the country.)

En la Argentina

Put the English captions into Spanish.

1. What did Mr. Ruiz do last week?

2. He bought a bracelet for his wife.

3. But today he thinks that the necklace is more beautiful than the bracelet.

4. He intends to buy another present.

5. Mrs. Ruiz says he's the most generous man in town (in the city).

REDACCIÓN

Now you are ready to write your own dialogue or paragraph. Choose one of the following topics.

1. Expand the story in the *Tema* by writing a paragraph about Mr. and Mrs. Ruiz. What are they like? How old are they? Are they rich or poor? Generous or stingy? Does Mrs. Ruiz want to get a lot of expensive presents? What kinds of presents does she give to her husband? What does she plan to give him for his next birthday? What did she give him for his last birthday?

2. Create a thought balloon to show what Mr. Ruiz is thinking in each picture. Write one or two sentences for each balloon.

3. Write a paragraph about a shopping trip you went on. Say whether you went to a small store or a large one. Describe what you bought. Did you buy it for yourself or did you give it to someone? How much did you pay?

COMPRUEBA TU PROGRESO   CAPÍTULO 12

A   Lo contrario
Rewrite each sentence, replacing the word in italics with a word that means the opposite.

1. El avión *aterriza* a las nueve.
2. ¿A qué hora *termina* el programa?
3. El Sr. Torres es una persona muy *pesimista*.
4. ¿Me esperas cerca de la *salida*?
5. ¿Puede Ud. *abrir* la ventana, por favor?
6. Yo soy *mayor* que mi hermano.
7. La familia de Ernesto es muy *pobre*.
8. La Srta. Rosario es la cliente más *generosa* de esta tienda.
9. ¿Quién es el *mejor* piloto?

B   Completa las frases
Complete each sentence with the correct form of the verb in parentheses.

1. ¿Qué vuelo _____ los turistas?   *(preferir)*
2. Ellos _____ las puertas a las cinco.   *(cerrar)*
3. Papá, ¿cuándo _____ hacer las maletas?   *(pensar)*
4. (Nosotros) _____ hablar con la agente de viajes.   *(querer)*
5. ¿En qué _____ Uds.?   *(pensar)*
6. ¿A qué hora _____ la película?   *(empezar)*
7. Ud. _____ pronto la tienda, ¿verdad?   *(cerrar)*
8. (Nosotros) _____ dejar a los perros en casa.   *(preferir)*

C   Más que
Compare the following using the adjectives given. Follow the model.

> este collar y esa pulsera / bello
> *Este collar es más bello que esa pulsera.*

1. esta corbata y ese cinturón / barato
2. la auxiliar de vuelo y el piloto / amable
3. el vuelo 807 y el vuelo 813 / rápido
4. la Argentina y el Uruguay / grande
5. Graciela y Elisa / tacaño
6. el asiento 22C y el asiento 25A / cómodo
7. esta cartera y ese bolso / caro
8. el fútbol y el béisbol / divertido

D   ¿Cuál es tu opinión?
Use the cue in parentheses to answer each question. Follow the model.

> El Alto es un aeropuerto muy alto, ¿verdad? (América del Sur)
> *Sí, es el aeropuerto más alto de la América del Sur.*

1. El Rialto es un cine caro, ¿verdad? (barrio)
2. El desayuno es una comida importante, ¿verdad? (día)
3. Beatriz es una alumna inteligente, ¿verdad? (clase)
4. Los tigres son animales hermosos, ¿verdad? (zoológico)
5. La Sra. Clemente es una profesora muy seria, ¿verdad? (escuela)
6. El Sr. Guillén es una persona amable, ¿verdad? (agencia de viajes)
7. Madrid es una ciudad grande, ¿verdad? (España)
8. Juan Galán es un buen actor, ¿verdad? (televisión)
9. *Mi cerdo y yo* es una película muy mala, ¿verdad? (año)
10. Rosa es una niña muy joven, ¿verdad? (escuela)

E   ¡Qué caro!
Complete the dialogue with the preterite form of the verb in parentheses.

SUSANA   Ayer (yo) *(comprar)* una cartera.
LUIS   ¿Dónde la *(comprar)* (tú)?
SUSANA   En la tienda ''Regalos para todos.''
LUIS   ¿Ah, sí? Mi mamá *(comprar)* un bolso allí. ¿Cuánto *(pagar)* (tú)?
SUSANA   (Yo) *(pagar)* más de veinte dólares.
LUIS   Creo que (tú) *(pagar)* demasiado. Mi mamá sólo *(pagar)* 18 dólares por un bolso muy hermoso.

VOCABULARIO DEL CAPÍTULO 12

Sustantivos
la agencia de viajes
el/la agente de viajes
el anillo
el arete
el asiento
el/la auxiliar de vuelo
el boleto
el bolso
la caja
la cartera
el centavo
el cinturón, *pl.* los cinturones
el/la cliente
el collar
la corbata
el dólar
la entrada *(entrance)*
la guía
las joyas
la maleta
la montaña
el pañuelo
el pasaporte
el/la piloto
la pulsera
el regalo
la salida
el tiempo *(time)*
el/la turista
las vacaciones
la ventanilla
el viaje
el vuelo

Adjetivos
abierto, -a
amable
bellísimo, -a
bello, -a
bienvenido, -a
carísimo, -a
cerrado, -a
generoso, -a
mejor
optimista
peor
pesimista
pobre
rico, -a
serio, -a
tacaño, -a

Verbos
abrir
aterrizar
bajar (de)
cambiar
cerrar (e → ie)
dejar
despegar
empezar (a + *inf.*) (e → ie)
pensar (+ *inf.* / en / de) (e → ie)
preferir (e → ie)
querer (e → ie)
subir (a)

Adverbio
demasiado *(too much)*

Expresiones
a tiempo
¿cuánto tiempo?
el / la / los / las más + *adj.* + de
el / la / los / las menos + *adj.* + de
hacer la maleta
más + *adj.* + que
más de (+ *número*)
menos + *adj.* + que
menos de (+ *número*)
no hay de qué
¿qué hiciste?
¿qué hizo?

CAPÍTULO 13

PRÓLOGO CULTURAL

LAS FIESTAS DE SAN FERMÍN

Do you like fireworks, parades, amusement-park rides? All of these are part of the celebration of *las fiestas de San Fermín.* In Pamplona, Spain, exactly at midnight on July 7, fireworks explode high above the crowded central plaza, and the week-long festival in honor of the city's patron saint begins.

At seven o'clock every morning, six bulls are released on the narrow main street. Many young people who dream of becoming *toreros* (bullfighters)—and others who simply enjoy the thrill—have their chance to be chased by the bulls. They must also run for their lives, of course. These are the bulls that will appear in that day's *corridas* (bullfights), and they are on their way to the *plaza de toros* (bullring), a half mile away.

Every morning thousands of men and women dressed in white and wearing red berets and sashes dance in the streets to the music of flutes and drums. On San Fermín Day, a long religious procession begins at the cathedral, winds slowly among the dancers, and then returns to its starting point.

Villagers and tourists participate in contests of strength, watch a parade of costumed figures on stilts, attend outdoor concerts, or dance *la jota,* the traditional folk dance of northern Spain. Crowds are everywhere, but especially at the late afternoon *corridas.* After the last *corrida,* about 7:30 P.M., the crowds spill out into the streets. The evening celebrations reach their peak at midnight with a burst of fireworks, but a noisy amusement park with dozens of rides stays open until three or four o'clock every morning.

After the week's final bullfight, the musicians pass through the streets playing dirges to signal the end of the festival. The celebration is over, and normal life returns to Pamplona for another year.

◆ COMMUNICATIVE OBJECTIVES
To order in a restaurant
To ask for service in a restaurant
To leave a tip
To contradict

CONTEXTO VISUAL

PALABRAS NUEVAS I

En el restaurante

el arroz

el pescado

el camarero

el bistec

la chuleta de cerdo

la chuleta de cordero

la camarera

el vino

el menú

la naranjada

el pastel

la tortilla española

la empanada

la paella

la sopa

el flan

el gazpacho

Gazpacho is a cold Spanish soup made with tomatoes, cucumbers, sweet peppers, onion, garlic, and olive oil.

Pescado refers to fish that has been caught; *pez* refers only to live fish.

Paella is a Spanish dish that includes rice, vegetables, chicken, seafood, sausage, and spices.

A *tortilla española* is made with eggs, potatoes, onions, and olive oil.

Flan is baked caramel custard and is a very popular dessert in Spanish-speaking countries.

Empanadas are a pastry filled with meat, vegetables or cheese.

el chile

el chile relleno

caliente   frío, -a

lleno, -a   vacío, -a

la cuenta

CONTEXTO COMUNICATIVO

1 ÓSCAR   En este restaurante **sirven** un gazpacho **delicioso.**

ESTER   ¡Qué bueno! Entonces voy a **pedir*** gazpacho y un bistec con una ensalada de tomates. ¿Y tú?

ÓSCAR   Yo voy a pedir chuletas de cerdo con arroz. Aquí las **preparan** muy bien.

Variaciones:
- un bistec → pescado **frito**
- de tomates → de lechuga
- de cerdo → de cordero

servir (e → i) (yo sirvo, tú sirves) *to serve*

delicioso, -a *delicious*

pedir (e → i) (yo pido, tú pides) *to ask for, to order*

preparar *to prepare*

frito, -a *fried*

2 ALBERTO   Camarero, ¿me puede traer un vaso de agua fría, por favor? ¡Este chile está muy **picante**!

CAMARERO   ¡Cómo no, señor!

- un vaso de agua fría → una botella de agua mineral
- este chile → esta sopa

picante *spicy, hot (highly spiced)*

3 ÓSCAR   ¿Qué vas a beber? ¿Un refresco?

ESTER   No, no quiero **ningún** refresco ahora. Y tú, ¿qué pides?

ÓSCAR   Una naranjada fría.

- ningún refresco → ninguna **bebida**

ningún, ninguna *no, not any* (adj.)

la bebida *drink, beverage*

---

* Note that *pedir* means "to ask for" or "to order" something. *Preguntar* means "to ask" (a question) or "to inquire" about something.

4

CAMARERO	¿Qué quiere Ud. **de postre**, señorita?
RITA	Por favor, ¿me puede decir otra vez qué postres hay?
CAMARERO	Hay helado y flan.
RITA	No quiero **ninguno,** gracias.
CAMARERO	¿Le sirvo el café entonces?
RITA	Sí, por favor.

el postre *dessert*
de postre *for dessert*

- decir otra vez → **repetir**
- helado y flan → frutas y queso

ninguno, -a *none, (not) any* (pron.)

repetir (e → i) (yo repito, tú repites) *to repeat*

5

ALICIA	¿Cuánto es la cuenta?
RICARDO	Cuarenta dólares.
ALICIA	Más seis **de propina**, ¿no?
RICARDO	Voy a dejarle ocho.

la propina *tip*
de propina *for a tip*

- voy a → quiero

EN OTRAS PARTES

En España se dice *la carta, la minuta* y *la lista de platos.*

En la América Latina se dice también *el mesero, la mesera.* También se dice *el mozo, la moza.*

En la Argentina se dice *el bife.* También se dice *el bisté* y *el biftec.*

También se dice *la chuleta de puerco.*

También se dice *el ají.*

También se dice *la torta* y *el bizcocho.*

PRÁCTICA

A En un restaurante. A menudo el camarero te pregunta cómo está la comida. ¿Qué le contestas? Pregunta y contesta según el modelo. Escoge *(choose)* tus respuestas de la lista.

ESTUDIANTE A   *¿Cómo están los burritos?*
ESTUDIANTE B   *Bastante buenos.*

muy
bastante   } delicioso
             bueno

demasiado
muy
bastante   } { caliente
un poco   frío
               picante

1.

2.

3.

4.

5.

6.

7.

8.

9.

En Galicia, España

10.

11.

12.

En un restaurante
en Madrid

B   En el restaurante y en casa.   Dos amigos hablan de la comida que piden en un restaurante y de la clase de comida que sirven en casa. Pregunta y contesta según los modelos.

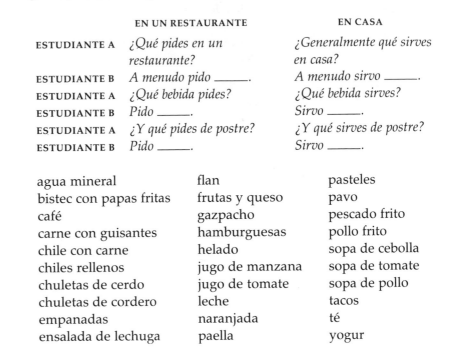

	EN UN RESTAURANTE	EN CASA
ESTUDIANTE A	*¿Qué pides en un restaurante?*	*¿Generalmente qué sirves en casa?*
ESTUDIANTE B	*A menudo pido _____.*	*A menudo sirvo _____.*
ESTUDIANTE A	*¿Qué bebida pides?*	*¿Qué bebida sirves?*
ESTUDIANTE B	*Pido _____.*	*Sirvo _____.*
ESTUDIANTE A	*¿Y qué pides de postre?*	*¿Y qué sirves de postre?*
ESTUDIANTE B	*Pido _____.*	*Sirvo _____.*

agua mineral
bistec con papas fritas
café
carne con guisantes
chile con carne
chiles rellenos
chuletas de cerdo
chuletas de cordero
empanadas
ensalada de lechuga

flan
frutas y queso
gazpacho
hamburguesas
helado
jugo de manzana
jugo de tomate
leche
naranjada
paella

pasteles
pavo
pescado frito
pollo frito
sopa de cebolla
sopa de tomate
sopa de pollo
tacos
té
yogur

C   Hablemos de ti.

1. ¿A veces comes comida mexicana o española? ¿En tu casa o en un restaurante? ¿Te gusta mucho? ¿Por qué?
2. ¿Qué te gusta más, el bistec o las chuletas de cordero? ¿O prefieres las hamburguesas? ¿Qué pones en las hamburguesas?
3. ¿Cuál es tu bebida fría favorita? ¿Y tu bebida caliente favorita?
4. ¿Te gusta la sopa? ¿Qué clase de sopa prefieres? ¿La sopa de tomate? ¿La sopa de cebolla? ¿De verduras? ¿De pollo?
5. Cuando comes en un restaurante, ¿qué pides de postre? ¿A veces preparas postres? ¿Qué postres preparas?
6. En un restaurante, si recibes una cuenta de diez dólares, ¿cuánto debes dejar de propina? ¿Cuánto dejas si la cuenta es de cinco dólares?

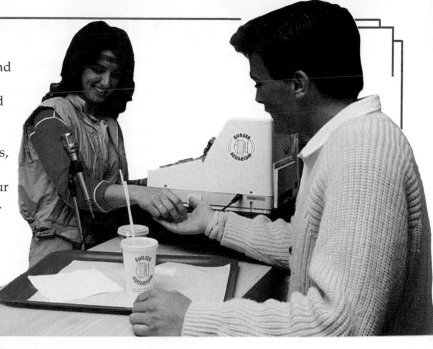

ACTIVIDAD

Tu restaurante. Pretend that you and a partner are opening your own restaurant. Think of a name for it, and plan the menu. Include two or three soups, some meat and fish dishes, several salads and vegetables, desserts, and beverages. Be sure to include the prices (in dollars and cents). Keep your menu. You will be using it again later.

(arriba, izquierda) En Puerto Rico; (abajo, derecha) Un restaurante en Barcelona, España

APLICACIONES

En "La China Cubana"

Estamos en Nueva York. Dos amigos, uno latinoamericano y la otra norteamericana, leen el menú del restaurante "La China Cubana."

En Nueva York

LUISA	¡Qué hambre tengo!
5 GABRIEL	¿Qué clase de comida sirven aquí, china[1] o cubana?
LUISA	Es un restaurante chino cubano. Muchos chinos cubanos de La Habana tienen ahora restaurantes en Nueva York. Aquí podemos comer comida china o cubana.
10 GABRIEL	Entonces, voy a pedir ropa vieja.[2] Me encanta.

(Llega el camarero.)

CAMARERO	Buenas noches. ¿Qué van a pedir?
LUISA	Yo, boliche mechado[3] con arroz blanco, y un té. De postre, flan.
15 GABRIEL	Para mí, ropa vieja, por favor.
CAMARERO	Hoy no hay ropa vieja. Hay chuletas de cerdo, bistec, pescado frito, . . .
GABRIEL	Entonces, un bistec con arroz amarillo, frijoles negros y plátanos con mucho ajo.[4] Otro día pido comida 20 china.

---

[1]**chino, -a** *Chinese*   [2]**ropa vieja** *shredded beef with tomatoes, onions, and peppers*   [3]**boliche mechado** *Cuban pot roast*   [4]**el ajo** *garlic*

Preguntas

Contesta según el diálogo.
1. ¿Dónde están los amigos? ¿En qué ciudad?   2. ¿Qué clase de restaurante es?   3. ¿Qué hacen Gabriel y Luisa?   4. ¿Qué pide Luisa? ¿Qué pide de postre? ¿Qué quiere beber?   5. ¿Qué pide Gabriel primero?   6. ¿Qué pide después?   7. ¿Qué es la ropa vieja?   8. ¿Te gusta la comida china? Cuando vas a un restaurante chino, ¿qué pides generalmente?

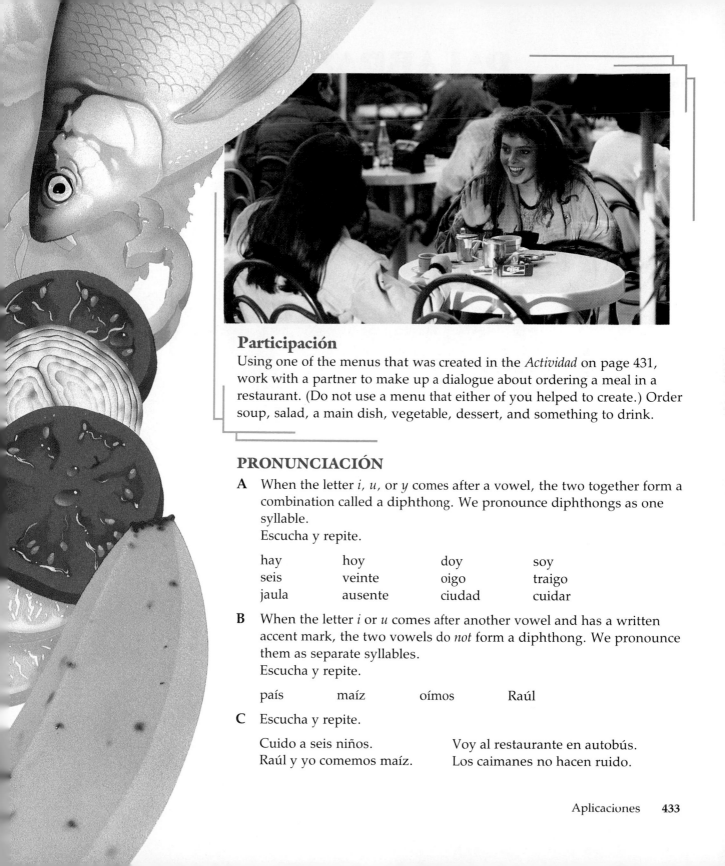

Participación

Using one of the menus that was created in the *Actividad* on page 431, work with a partner to make up a dialogue about ordering a meal in a restaurant. (Do not use a menu that either of you helped to create.) Order soup, salad, a main dish, vegetable, dessert, and something to drink.

PRONUNCIACIÓN

A When the letter *i, u,* or *y* comes after a vowel, the two together form a combination called a diphthong. We pronounce diphthongs as one syllable.
Escucha y repite.

hay	hoy	doy	soy
seis	veinte	oigo	traigo
jaula	ausente	ciudad	cuidar

B When the letter *i* or *u* comes after another vowel and has a written accent mark, the two vowels do *not* form a diphthong. We pronounce them as separate syllables.
Escucha y repite.

país	maíz	oímos	Raúl

C Escucha y repite.

Cuido a seis niños.   Voy al restaurante en autobús.
Raúl y yo comemos maíz.   Los caimanes no hacen ruido.

◆ COMMUNICATIVE
OBJECTIVES

To describe a parade or
celebration

To plan for a costume
party or a parade float

PALABRAS NUEVAS II

No hay fiesta sin disfraz

**CONTEXTO
VISUAL**

los fuegos artificiales

los dulces

el rey   la reina

la máscara

el diablo

el fantasma

**CONTEXTO
COMUNICATIVO**

1   Para mí **la celebración** más **emocionante** es **el carnaval.**
    Cada año lo **celebramos** con **fiestas de disfraces,** desfiles y
    fuegos artificiales. En las plazas y en los parques hay grupos
    que tocan música **folklórica** y **gente** que baila y canta toda la
    noche.

    Variaciones:
    ■ la celebración → la fiesta
    ■ emocionante → divertida
    ■ desfiles → conciertos
    ■ folklórica → popular

la celebración, pl. **las
celebraciones**   *celebration*

emocionante   *exciting, thrilling*

el carnaval   *carnival, Mardi Gras*

cada   *each, every*

celebrar   *to celebrate*

la fiesta de disfraces   *costume
party*

el disfraz, pl. **los disfraces**
costume, disguise

folklórico, -a   *folk*

la gente   *people*

el desfile

el torero

la torera

la piñata

romper

la corrida (de toros)

decorar

la decoración
pl. las decoraciones

2 RAÚL Hoy es un día **perfecto** para el desfile. ¿Quieres ir conmigo?

ROSA No sé . . . las calles ya están **llenas de gente,** y creo que va a **llover.**

RAÚL ¡Ay, chica, qué pesimista eres!

- perfecto → magnífico
- perfecto → estupendo
- el desfile → la celebración
- llover → **nevar**

perfecto, -a *perfect*

lleno, -a de gente *crowded*
llover (o → ue) *to rain*

nevar (e → ie) *to snow*

3 MÓNICA ¿Qué disfraz vas a llevar para carnaval?
    NORMA Voy **vestida de** reina.
    MÓNICA ¡No me digas! ¡Yo también!

- carnaval → el desfile
- reina → torera
- ¡no me digas! → ¡caramba!

vestido, -a de *dressed as*

4 PAPÁ Gabi, ¿cuándo **llegaste** a casa?
    GABRIELA A las cinco.
    PAPÁ Pues, yo llegué a las cinco también y no te vi.
    GABRIELA Tal vez porque **luego** fui al mercado. Compré unos comestibles para la cena.

- cuándo → a qué hora
- luego → después
- mercado → supermercado
- comestibles → pasteles

(yo) llegué, (tú) llegaste, (Ud., él, ella) llegó (from **llegar**) *arrived*

luego *then, later*

EN OTRAS PARTES

También se dice *los carnavales*.

PRÁCTICA

A **¿De qué vas vestido?** Imagina que vas a una fiesta de disfraces.
¿De qué vas vestido(a)? Sigue el modelo.

 Voy vestido(a) de toro.

1.

2.

3.

4.

5.

6.

Carnaval en Corrientes,
Argentina

B Celebraciones. Completa cada frase con la palabra correcta.

1. Vamos a ver si los niños pueden *(romper / servir)* la piñata. Está llena de *(dulces / gente)*.
2. De postre voy a pedir *(una propina / un pastel)*.
3. ¿Por qué tienes miedo de los *(fantasmas / pañuelos)*?
4. Los niños ponen *(decoraciones / desfiles)* en el árbol de Navidad.
5. ¿Viste los *(fuegos artificiales / ruidos)* anoche?
6. ¿Qué *(desfile / disfraz)* vas a llevar para este carnaval?
7. El torero no está preparado todavía para la *(corrida / máscara)*.
8. Cada persona trae flores para *(decorar / limpiar)* la plaza.

C ¿A qué hora? El jefe *(boss)* les dice a varios empleados *(employees)* que llegan tarde a veces. ¿Qué le dicen? Sigue el modelo.

ESTUDIANTE A *Llego a las ocho, generalmente.*
ESTUDIANTE B *No es verdad. Ayer llegaste a las ocho y cuarto.*
ESTUDIANTE A *Pues, hoy llegué a tiempo.*

1. 7:00 8:00   2. 7:30 10:00

3. 8:45 9:00   4. 7:45 8:00

5. 10:00 11:00

D Hablemos de ti.

1. ¿Cuáles son tus días de fiesta favoritos? ¿Por qué? ¿Cómo celebras esos días?
2. ¿Qué hacen los niños en "Halloween"? ¿Llevas tú disfraz en "Halloween"? ¿De qué vas vestido(a)? ¿Viste disfraces interesantes el "Halloween" pasado? ¿Cuáles?
3. ¿A veces vas a fiestas de disfraces? ¿Qué llevas?
4. ¿A qué hora llegaste a la escuela ayer? ¿Y esta mañana? ¿Generalmente llegas a tiempo?

El desfile de la Revolución Mexicana, México

ESTUDIO DE PALABRAS

Have you noticed that some nouns that end in *-ción* are closely related to certain verbs? For example:

celebrar   la celebración
decorar   la decoración

Two other verbs in this chapter are related to nouns ending in *-ción:*

preparar   la preparación
repetir   la repetición

Can you make nouns ending in *-ción* from these verbs?

continuar   durar   invitar   presentar

What verbs do you think are related to these nouns?

conversación   educación   participación   pronunciación

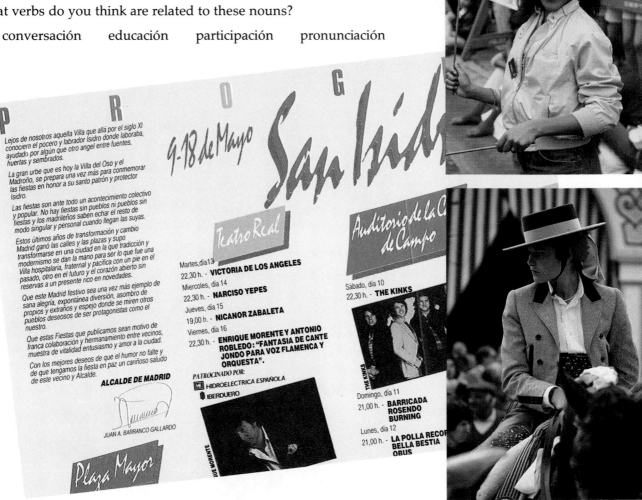

(arriba, derecha) Un desfile puertorriqueño en
Nueva York; (derecha) Fiestas de abril en Sevilla

EXPLICACIONES I

Verbos con el cambio e → i

◆ COMMUNICATIVE
OBJECTIVES

To order dessert in a restaurant

To convince others

To give reasons

To make small talk while eating out

You have already learned two types of stem-changing verbs. One type is like *contar (o → ue)*. Another type is like *pensar (e → ie)*. There is a third type in which the *e* in the stem changes to *i* in all of the present-tense forms except *nosotros* and *vosotros*. *Pedir* ("to ask for") is an example of this type.

INFINITIVO **pedir**

	SINGULAR		PLURAL	
1	(yo)	pido	(nosotros) (nosotras) }	pedimos
2	(tú)	pides	(vosotros) (vosotras) }	pedís
3	Ud. (él) (ella) }	pide	Uds. (ellos) (ellas) }	piden

The infinitives of all *e → i* verbs end in *-ir*. Two verbs of this type that you know are *servir* ("to serve") and *repetir* ("to repeat"). Watch out with *repetir!* It is the second *e* that changes: *(yo) repito.*

Piden huevos fritos con jamón.	***They're ordering*** fried eggs with ham.
El Burrito Loco **sirve** comida mexicana.	*El Burrito Loco **serves** Mexican food.*
El profesor **repite** cada pregunta.	*The teacher **repeats** every question.*

PRÁCTICA

A **¿Qué piden de postre?** Escoge (*choose*) un postre para cada persona
y pregunta y contesta según el modelo.

> Jorge y tú
> **ESTUDIANTE A** *¿Qué piden Jorge y tú?*
> **ESTUDIANTE B** *Siempre pedimos naranjas.*

1. Mario y Yolanda
2. Ester
3. Alicia
4. (tú)
5. Catalina y tú
6. la profesora
7. Uds.
8. Miguel y Silvia

Menú de Postres

Manzanas Pastel de limón Flan
Plátanos
Naranjas Pastel de chocolate Yogur con fruta
Ensalada de frutas Pastel de zanahoria Helado de chocolate
Pastel de queso

B **Y tú, ¿qué sirves?** Imagina que los profesores y estudiantes hacen
una feria (*fair*) de comida internacional. En cada puesto (*booth*) hay una
clase de comida diferente. Escoge elementos de cada columna para
preguntar y contestar.

> Ud.
> **ESTUDIANTE A** *¿Qué sirve Ud.?*
> **ESTUDIANTE B** *Sirvo gazpacho.*
> **ESTUDIANTE A** *¿Cómo está?*
> **ESTUDIANTE B** *Delicioso.*

1. Pilar	chile con carne	delicioso
2. Roberto y Alicia	chiles rellenos	estupendo
3. Pepe y tú	chocolate con churros	fabuloso
4. (tú)	chuletas de cordero	muy bueno
5. Andrés	empanadas argentinas	un poco picante
6. Carolina	frijoles negros con arroz	
7. Luis y Pilar	gazpacho	
8. Uds.	paella	
9. Juan y Ana	pasteles de maíz	
	pescado frito	
	pollo con cebolla	
	tortillas de maíz y frijoles	

C Repite, por favor. Escoge la frase correcta de la columna de la derecha para hacer diálogos como el modelo.

> ¿(tú) / la respuesta?
> ESTUDIANTE A *¿Por qué repites la respuesta?*
> ESTUDIANTE B *Porque los otros no pueden oírme.*

¿POR QUÉ?	PORQUE
1. ¿Víctor / el cuento?	a. los chicos quieren oírlo otra vez
2. ¿(tú) / todo?	b. tienen que estudiarlos
3. ¿ellos / los verbos?	c. nadie los comprende
4. ¿Uds. / las palabras?	d. debemos aprenderlas
5. ¿Felipe / los chistes?	e. los otros no pueden oírme
6. ¿Carolina / la canción?	f. no está en la guía telefónica
7 ¿Ud. / la dirección?	g. nadie me escucha
8. ¿(tú) / el poema?	h. todos quieren escucharla otra vez
	i. tengo que aprenderlo de memoria

D *¿Pedir* o *preguntar?* Gustavo y su familia están en un café. ¿Qué piden? ¿Qué preguntan? Completa las frases con la forma correcta de *pedir* o *preguntar*.

1. Julia _____ una botella de agua mineral.
2. Mi hermanita _____ dónde está el baño.
3. Mamá y yo _____ refrescos de limón.
4. Papá _____ pan con mantequilla.
5. Georgina _____ dónde están las servilletas.
6. Yo _____ si hay pastel de manzana.
7. Mi tío _____ qué sopa sirven hoy.
8. Nosotros le _____ la cuenta al camarero.
9. Mamá _____ cuánto tenemos que dejar de propina.
10. Mi hermano _____ un tenedor y un cuchillo.

Un restaurante en
Torremolinos, España

Palabras negativas

You know how to make negative sentences. You just put *no* in front of the verb.

No quiero preparar sopa.	*I **don't want** to prepare soup.*
Mario **no pide** el menú.	*Mario **doesn't ask for** the menu.*

◆ COMMUNICATIVE
OBJECTIVES

To deny

To express negative reactions

To complain

There are other negative words that you know: *nada* ("nothing"), *nunca* ("never"), *nadie* ("nobody"), *ningún, ninguna* ("not any"), and *tampoco* ("neither"). Notice how we use them:

No bailo **nunca.** }	
Nunca bailo. }	*I **never** dance.*
No tengo **nada.**	*I don't have **anything.***
Nadie llega a tiempo.	***No one** arrives on time.*
Yo **no** lo comprendo **tampoco.**	*I don't understand it **either.***

Sometimes we can put the negative word before the verb and leave out the *no*. But if the negative word comes after the verb, we must use *no* or another negative word before the verb.

Nunca habla con **nadie.**	*He **never** speaks to **anyone.***
No compra **nada.**	*He doesn't buy **anything.***

1 *Ningún, ninguna* is an adjective, so it must agree with the noun it modifies.

No hay **ninguna** bebida en el menú.	*There are **no** drinks on the menu.*
No tengo **ningún** anillo.	*I don't have **any** rings.*

We usually use *ningún, ninguna* in the singular, even when in English we would use the plural.

2 *Ninguno, -a* is a pronoun meaning "none" or "not any." It always agrees with the noun to which it refers.

Ninguno de los niños duerme.	***None** of the children is sleeping.*
No comprendo **ninguna** de las respuestas.	*I don't understand **any** of the answers.*

3 When *nadie* is the direct object of a verb, we use the personal *a*. When *ninguno(a)* refers to people and is used as a direct object, we also use the personal *a*.

No veo **a nadie.**   *I don't see anyone.*
No veo **a ninguno** de los camareros.   *I don't see any of the waiters.*

PRÁCTICA

A   ¡Nada!   Héctor siempre contesta negativamente. Ahora está con un amigo en un restaurante. Contesta con la palabra negativa correcta: *nunca, nadie, nada, ninguno* o *ninguna*. Sigue el modelo.

> ESTUDIANTE A   *¿Qué haces?*
> ESTUDIANTE B   *Nada.*

1. ¿Qué pides?
2. ¿Quién sirve aquí?
3. ¿Cuándo vuelve el camarero?
4. ¿Qué celebras hoy?
5. ¿Cuántos menús tienes?
6. ¿Cuándo vas a empezar?
7. ¿Qué bebidas te gustan?
8. ¿Quién paga la cuenta?
9. ¿Qué traen los camareros?
10. ¿Qué postre vas a pedir?
11. ¿Cuánto dejas de propina?
12. ¿Cuándo vas a volver aquí?

B   ¡No hago nada!   Ahora contesta las preguntas en Práctica A con *no* y la palabra negativa correcta. Sigue el modelo.

> ESTUDIANTE A   *¿Qué haces?*
> ESTUDIANTE B   *No hago nada.*

C   Una celebración importante.   Elena y sus amigos celebran el carnaval con una fiesta de disfraces. Completa cada frase con *ningún, ninguna* o *ninguno*.

1. _____ de estos disfraces es perfecto.
2. Mamá llegó pero no trae _____ disfraz de fantasma.
3. La sala está demasiado vacía, no tiene _____ decoración.
4. No hay _____ problema. Voy a comprar decoraciones de carnaval.
5. Luego voy a comprar naranjada. No hay _____ bebida.
6. ¡Cuidado! No queremos romper _____ de los vasos.
7. No tenemos _____ máscara de diablo.
8. No tengo _____ disco de bailes folklóricos.
9. Creo que _____ de los estudiantes viene vestido de rey.
10. No llegó _____ invitado todavía.

D Hablemos de ti.

1. ¿Cuándo estás aburrido(a)? ¿Duermes en tus clases a veces?
2. ¿Qué te gusta comer cuando vuelves a casa después de la escuela? ¿Qué haces cuando no hay nada en el refrigerador?
3. ¿Cocinas a veces? ¿Qué cocinas? ¿Te gusta también quitar los platos y lavarlos?
4. ¿A quiénes piensas llamar por teléfono esta noche? ¿Con quiénes piensas salir? ¿Qué piensas hacer?

ACTIVIDAD

Nadie y nunca Working with a partner, make a list of five things you never do and five things no one does. Take turns asking each other *¿Qué cosas no haces nunca?* and *¿Qué cosas no hace nadie?* For example:

¿Qué cosas no haces nunca? Nunca duermo en la clase.

¿Qué cosas no hace nadie? Nadie come sombreros.

Then join another pair of students and take turns sharing the answers you have come up with.

APLICACIONES

El desfile

La calle está llena de gente. Hay un gran desfile. ¿Qué clase de disfraces hay? ¿Cuál es la fecha?

Andrea has just found David. Make up a dialogue in which she asks him what time he got to the parade, which costume he likes best, and whether he plans to go to the bullfight tomorrow. You may want to use these words or phrases:

celebración	emocionante	luego
fuegos artificiales	vestido(a) de	llegué / llegaste

EXPLICACIONES II

El pretérito de *comer* y *salir*

You have learned the singular forms of regular *-ar* verbs in the preterite tense: *(yo) compré, (tú) compraste, Ud. (él, ella) compró.* Here are the singular preterite forms of *comer* and *salir*.

INFINITIVO	**comer**	
1 (yo)	**comí**	*I ate*
2 (tú)	**comiste**	*you ate*
3 Ud. (él) (ella)	**comió**	*you* (formal) *ate* *he ate* *she ate*

INFINITIVO	**salir**	
1 (yo)	**salí**	*I left*
2 (tú)	**saliste**	*you left*
3 Ud. (él) (ella)	**salió**	*you* (formal) *left* *he left* *she left*

-Er and *-ir* verbs that are regular in the preterite take the same set of endings. Like *-ar* verbs, they have a written accent on all singular forms except the *tú* form.

> ¿**Comiste** el pescado?   ***Did you eat** the fish?*
> Ricardo **salió** con ella.   *Ricardo **went out** with her.*

Although *salir* has an irregular *yo* form in the present tense *(salgo)*, it is regular in the preterite *(salí)*.

PRÁCTICA

A   **¿Qué comiste?**   ¿Qué comió cada chico(a) para el desayuno? Pregunta y contesta según el modelo.

> queso
> ESTUDIANTE A   *¿Qué comiste?*
> ESTUDIANTE B   *Comí queso.*

1. yogur
2. bistec
3. churros
4. huevos fritos
5. ensalada de frutas
6. huevos con jamón
7. jamón
8. una manzana con queso
9. pan tostado con mermelada

B **¿Qué comió Ud.?**   Ahora imagina que le preguntas a tu profesor(a) qué comió para el desayuno. Usa las frases de la Práctica A y escoge de la lista para completar cada respuesta. Sigue el modelo.

> queso
> ESTUDIANTE A   *¿Qué comió Ud.?*
> ESTUDIANTE B   *Comí queso con un vaso de leche.*

jugo de manzana	café con leche
jugo de naranja	chocolate
un vaso de leche	fruta
una naranja	papas fritas
un plátano	mantequilla y mermelada
café sin azúcar	té con limón

C **¿Cuándo salió?**   Imagina que le cuentas a un(a) amigo(a) a qué hora salió cada persona de una fiesta de disfraces anoche. Sigue el modelo.

> Marta / 10:30
> *Marta salió a las diez y media.*

1. mi tío Francisco / 10:45
2. mi prima Ángela / 11:10
3. el Sr. Girón / un poco después
4. (tú) / a medianoche
5. José / unos minutos después
6. Luz / después de ti
7. (yo) / 12:30
8. nadie / más tarde que yo

D **Detective.**   Imagina que eres detective. Investigas a varios sospechosos *(suspects)* de un robo *(robbery)*. Prepara diálogos según el modelo.

> el parque / 1:00 / 1:30
>
> ESTUDIANTE A   *¿Adónde fuiste ayer?*
> ESTUDIANTE B   *Fui al parque.*
> ESTUDIANTE A   *¿A qué hora saliste de tu casa?*
> ESTUDIANTE B   *Creo que salí a la una.*
> ESTUDIANTE A   *¿Y cuándo llegaste allí?*
> ESTUDIANTE B   *Media hora después. Llegué a la una y media.*

1. el hospital / 2:00 / 2:30
2. el correo / 10:00 / 10:30
3. el almacén / 4:00 / 4:30
4. el aeropuerto / 7:00 / 7:30
5. el mercado / 9:15 / 9:45
6. la panadería / 8:15 / 8:45

E ¿Qué pasó?   Cambia del presente al pretérito todos los verbos de este cuento. Aquí están las formas del pretérito que ya sabes *(you already know)*.

IR	(yo) fui, (tú) fuiste, Ud. (él / ella) fue
DAR	(yo) di, (tú) diste, Ud. (él / ella) dio
VER	(yo) vi, (tú) viste, Ud. (él / ella) vio
COMPRAR	(yo) compré, (tú) compraste, Ud. (él, ella) compró
PAGAR	(yo) pagué, (tú) pagaste, Ud. (él / ella) pagó
LLEGAR	(yo) llegué, (tú) llegaste, Ud. (él / ella) llegó
COMER	(yo) comí, (tú) comiste, Ud. (él / ella) comió
SALIR	(yo) salí, (tú) saliste, Ud. (él / ella) salió

El día del santo de Paco, su mamá le da dinero para comprar un nuevo radio o una grabadora. El sábado yo llego a su casa temprano y luego voy con él al almacén más grande de la ciudad. Paco ve muchos radios, grabadoras y tocadiscos. Después de mucho tiempo,
5 compra la grabadora más cara de la tienda. ¡Paga ochenta dólares! Yo también veo unas grabadoras muy buenas pero no compro ninguna. Sólo compro unas cintas y le doy una a Paco para su santo. Salgo del almacén con Paco. Luego yo voy a un restaurante donde como una hamburguesa, pero él no va conmigo. Él va a su casa muy contento
10 con sus regalos.

F   Hablemos de ti.

1. ¿Qué comiste anoche? ¿Comiste carne o pescado? ¿Verduras y ensalada? ¿Qué clase de verduras? ¿Qué clase de ensalada? ¿Qué comiste de postre?

2. ¿A qué hora saliste de casa esta mañana? ¿Cuándo llegaste a la escuela? ¿Llegaste a tiempo?

Una tienda en Caracas, Venezuela

REPASO

Look carefully at the model sentences. Then put the English cues into Spanish to form new sentences based on the models.

1. *Carolina llegó a la playa a las nueve de la mañana.*
   (I arrived at the exit at 11:00 A.M.)
   (You (fam.) arrived at the parade at 4:00 P.M.)
   (You (formal) arrived at the entrance at 10:00 A.M.)

2. *Comí una ensalada de lechuga y paella.*
   (She ate chicken salad and soup.)
   (You (formal) ate a lamb chop and beans.)
   (You (fam.) ate a cheese sandwich and potatoes.)

3. *Ahora pido un café y flan.*
   (Now you (fam.) are ordering an orangeade and dessert.)
   (Then we order some pastries and tea.)
   (Then you (formal) ask for a banana and chocolate.)

4. *"Nunca sirven comida después de las diez y media," digo yo. "¡Nunca!"*
   repito.
   ("We never serve wine before 5:30," we say. "Never!" we repeat.)
   ("I never serve paella after 11:45," says Mr. Pérez. "Never?" I ask.)
   ("The waiters never serve food before 8:15," they say. "Never!" they repeat.)

5. *Ves que no hay nada en el vaso.*
   (I see that there's no one in the dining room.)
   (They see that there aren't any forks on the table.)
   (We see that there aren't any napkins on the plates.)

El desfile de los gigantes
en Toledo, España

Put the English captions into Spanish.

1. Miguel arrived at the cafeteria at 1:00 P.M.

2. He ate a pork chop and rice.

3. Now he's asking for an apple and milk.

4. "We never serve anything after 1:30," says Mr. Pérez. "Never!" he repeats.

5. Miguel sees that there's no one in the cafeteria!

REDACCIÓN

Now you are ready to write your own dialogue or paragraph. Choose one of the following topics.

1. Expand the *Tema*. Why did Miguel arrive late in the cafeteria? What is he reading? Is Miguel still hungry? Where are the other students? What is Miguel going to do now? Where can he go to buy more food?

2. Write a dialogue between a waiter and someone visiting a Mexican restaurant for the first time.

3. Write a paragraph about a holiday you like to celebrate. Describe how you celebrate it. Do you give and receive presents? Are there parties? What do you serve? Do you have decorations? Are there fireworks or parades? Do you wear a costume? Do you eat a lot?

COMPRUEBA TU PROGRESO   CAPÍTULO 13

A   Definiciones
Match each word or phrase in the left-hand column with a word or phrase in the right-hand column.

1. el flan
2. el gazpacho
3. una naranjada
4. una chuleta de cerdo
5. la paella
6. un camarero
7. una tortilla española
8. el carnaval
9. la reina
10. la gente
11. la corrida
12. el azúcar

a. arroz con pollo y pescado
b. una sopa
c. una carne
d. un postre
e. huevos, papas y cebolla
f. una bebida
g. una persona
h. dulces
i. toros y toreros
j. desfiles y disfraces
k. esposa del rey
l. unas personas

B   Los verbos *e → i*
Complete each sentence with the correct present-tense form of the verb in parentheses.

1. Mi padre _____ el menú.   *(pedir)*
2. (Nosotros) no _____ las palabras.   *(repetir)*
3. Eduardo y Marta _____ el postre.   *(servir)*
4. ¿Por qué _____ (tú) la respuesta?   *(repetir)*
5. Yo _____ paella y flan.   *(pedir)*
6. ¿Cuándo _____ Ud. el té?   *(servir)*
7. (Nosotros) _____ más dinero.   *(pedir)*
8. (Yo) siempre _____ la sopa primero.   *(servir)*

C   *Pedir* o *preguntar*
Complete each sentence with the correct present-tense form of *pedir* or *preguntar*.

1. Elena nos _____ un televisor.
2. Él les _____ a sus padres si van al desfile.
3. (Yo) le _____ a Carlos si tiene un disfraz.
4. (Ellas) le _____ una naranjada a su madre.
5. Le debes _____ a Laura de quién es la máscara.
6. (Nosotros) le _____ más postre a papá.

D   Los negativos
Complete each sentence with the correct negative word: *ningún, ninguna, ninguno(a), nadie, nada,* or *nunca.*

1. Elena _____ quiere jugar a los naipes.
2. Voy sola porque _____ puede ir conmigo.
3. _____ muchacho quiere bailar.
4. _____ es fácil en esa clase.
5. ¡Qué bueno! No tengo _____ tarea hoy.
6. Paco nunca habla con _____.
7. No hay _____ en el vaso. Está vacío.
8. _____ de los discos es bueno.
9. _____ pongo azúcar en la comida.
10. No cantan _____ canción folklórica.

E   *Comer* o *salir*
Complete the sentences with the correct preterite form of *comer* or *salir*.

El martes pasado fui a la casa de mi abuela para celebrar el carnaval. _____ de casa temprano y llegué a su casa antes del almuerzo. Mi hermana llegó un poco después.

5　Mi abuela preparó un almuerzo delicioso, pero yo sólo _____ una chuleta de cordero con papas fritas. Raquel, mi hermana, _____ tres chuletas, papas fritas y una ensalada muy grande. "¿Qué hay de postre?" preguntó ella. "Un pastel de

10　manzana," contestó la abuela, "pero vamos a esperar a tu mamá antes de comerlo."

Mucho más tarde llegó mamá. "Nunca llegas tarde, María. ¿Cuándo _____ de casa?" le preguntó la abuela. "_____ a tiempo," contestó

15　mamá, "pero todas las calles ya están llenas de gente. El desfile empieza muy pronto." "¿Ya _____ el almuerzo?" le pregunté a ella. "No, y tengo mucha hambre," contestó mamá.

VOCABULARIO DEL CAPÍTULO 13

Sustantivos
el arroz
la bebiba
el bistec
el camarero, la camarera
el carnaval
la celebración, *pl.* las
    celebraciones
la corrida (de toros)
la cuenta
el chile
el chile relleno
la chuleta de cerdo
la chuleta de cordero
la decoración, *pl.* las
    decoraciones
el desfile
el diablo
el disfraz, *pl.* los disfraces
los dulces
la empanada
el fantasma
la fiesta de disfraces
el flan
los fuegos artificiales
el gazpacho
la gente

la máscara
el menú
la naranjada
la paella
el pastel
el pescado
la piñata
el postre
la propina
la reina
el rey
la sopa
el torero, la torera
la tortilla española
el vino

Pronombre
ninguno, -a

Adjetivos
cada
caliente
delicioso, -a
emocionante
folklórico, -a
frío, -a
frito, -a
lleno, -a
ningún, ninguna
perfecto, -a
picante
vacío, -a

Verbos
celebrar
decorar
llover (o → ue)
nevar (e → ie)
pedir (e → i)
preparar
repetir (e → i)
romper
servir (e → i)

Adverbio
luego

Expresiones
de postre
de propina
lleno, -a de gente
vestido, -a de

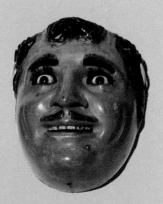

CAPÍTULO 14

PRÓLOGO CULTURAL

DEPORTES POPULARES

In Latin America and Europe, the most popular sport by far is *fútbol*, and it is followed with intense interest by its fans. Stars like Argentina's Diego Maradona and Paraguay's Julio César Romero are more popular in their own countries than any movie actor.

Soccer may be king, but many other sports, such as basketball, boxing, tennis, and auto racing also have their loyal *aficionados* (fans) in Latin America. Baseball is extremely popular in the Caribbean, Venezuela, Mexico, and some Central American countries. Many major league stars have come from Latin America—Mexico's Fernando Valenzuela, Venezuela's Tony Armas, Panama's Rod Carew, and Puerto Rico's Roberto Clemente, to name just a few.

While we are watching baseball, skiing is the rage during the winter months (July–September) in the southern part of the Andes. Among the most popular ski resorts are Portillo (Chile), Chacaltaya (Bolivia), and the "Switzerland of South America," Argentina's Bariloche. Across the ocean, in the Sierra Nevada, just south of Granada, Spain, every spring skiers can hit the slopes in the morning and then drive a short distance to the Costa del Sol to spend the afternoon swimming and sunbathing.

With so much sports activity, it is not surprising that Spain and Latin America have produced their share of international stars and world champions. In the early 1980s Mexico had five boxers who held world titles. Argentina, Cuba, and Mexico have each won several Olympic gold medals in track and field, and Spain has a gold medal in yachting. But every four years, when soccer's World Cup competition is on, all other sports are forgotten, and *fútbol* rules absolutely in the Spanish-speaking world.

PALABRAS NUEVAS I

Cosas de todos los días

CONTEXTO VISUAL

bañar

Luis baña a su hermano.

bañarse

Luis se baña.

acostar (o → ue)   acostarse (o → ue)

Acuesta a su hermano.   Se acuesta.

despertar (e → ie)   despertarse (e → ie)

Despierta a su hermano.   Se despierta.

levantar   levantarse

Levanta a su hermano.   Se levanta.

vestir (e → i)

Viste a su hermano.

vestirse (e → i)

Se viste.

peinar

Peina a su hermano.

peinarse

Se peina.

la ducha

ducharse

Se ducha.

la pasta dentífrica

el champú

el desodorante

el peine

el jabón

el despertador

la seda dental

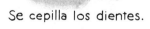

el cepillo de dientes

cepillarse los dientes

Se cepilla los dientes.

la cara

lavarse la cara

Se lava la cara.

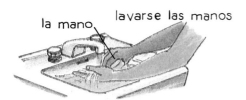

la mano

lavarse las manos

Se lava las manos.

lavarse el pelo

el pelo

Se lava el pelo.

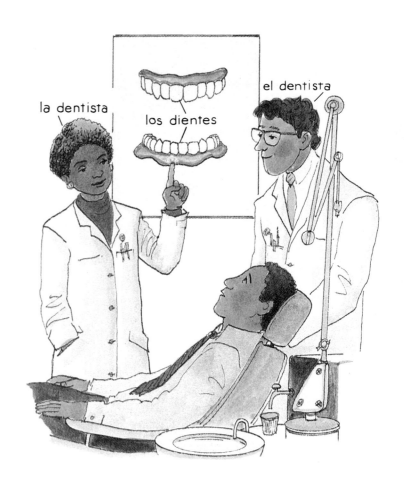

la dentista

los dientes

el dentista

CONTEXTO COMUNICATIVO

1 MAMÁ   Mario, ¿por qué **te quitas** el suéter? **Hay que** salir ahora.

    MARIO   ¿**Me pongo** también una chaqueta?

    MAMÁ   No. Volvemos pronto.

Variaciones:
- hay que → tenemos que
- ahora → **de prisa**

quitarse (yo me quito, tú te quitas) *to take off*

hay que + inf. *we (you, one) must, it's necessary (to do something)*

ponerse (yo me pongo, tú te pones) *to put on*

de prisa *in a hurry, quickly, fast*

2 HORACIO   Me levanto todas las mañanas a las 5:30.

    BÁRBARA   ¿Y a qué hora te acuestas?

    HORACIO   A las diez.

- todas las mañanas → todos los días
- 5:30 → 6:15

3 LEONOR   Siempre **me duermo** cuando viajo en tren o en avión.

    MÓNICA   ¿No te duermes cuando viajas en coche?

    LEONOR   A veces sí, a veces no.

- a veces sí, a veces no → generalmente no

dormirse (o → ue) (yo me duermo, tú te duermes) *to go to sleep, to fall asleep*

TAN SUAVE

NUEVO CHAMPU SUAVE S-3

Y TAN FRESCOS.

Con el nuevo Champú Suave S-3, el Gel de Baño S-3 y el Agua de Colonia S-3, los productos de aseo para el uso diario de toda la familia, ya tienen un solo aroma. El aroma de S-3. Para que tú y tu familia empecéis, cada día, tan frescos.

S~3

Champú Suave S-3

760 ml

Una familia, un aroma.

LEGRAIN

EN OTRAS PARTES

En muchos países se dice *lavarse los dientes*. En España se dice *lavarse la boca*.

En México se dice *la regadera*.

También se dice *la pasta de dientes*.

También se dice *el hilo dental*.

También se dice *lavarse la cabeza*.

Este anuncio no huele

El desodorante stick CREMA DE LA TOJA elimina con suavidad y eficacia el olor corporal.

No se evapora

Al no contener alcohol, este desodorante no se evapora. Y al tener mayor cantidad de producto, su duración es mucho mayor.

Desodorante sin alcohol
crema de La Toja
no irrita la piel

Sin alcohol.   Mayor duración.

El desodorante stick CREMA DE LA TOJA es cómodo y agradable

EL DESODORANTE DE MODA.

PRÁCTICA

A Hay que . . . Cecilia le dice a su hermanito varias cosas que hay que hacer. Busca las palabras correctas de la derecha para completar las frases.

1. Hay que cepillarse los dientes con _____.
2. Hay que usar la _____ también.
3. Hay que ir al _____ cada seis meses.
4. Cuando es tarde, hay que vestirse _____.
5. Hay que lavarse _____ con champú, no con jabón.
6. Hay que _____ ropa limpia después de bañarse.
7. Siempre hay que _____ las manos antes de comer.

de prisa
dentista
desodorante
lavarse
pasta dentífrica
el pelo
ponerse
seda dental

B ¿Qué necesito? Raquel va a pasar el fin de semana en la casa de una amiga. ¿Qué necesita poner en su maleta? Sigue el modelo.

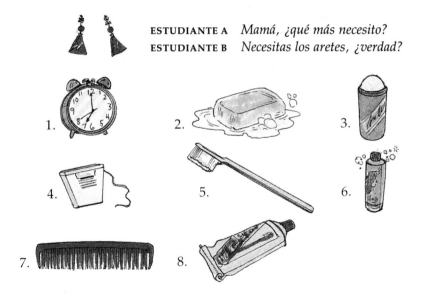

ESTUDIANTE A   *Mamá, ¿qué más necesito?*
ESTUDIANTE B   *Necesitas los aretes, ¿verdad?*

C Por la mañana. ¿Qué haces por la mañana? Sigue el modelo.

Me despierto.

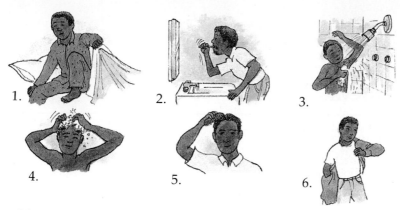

1.   2.   3.

4.   5.   6.

D Hablemos de ti.

1. ¿A qué hora te levantas cuando tienes que ir a la escuela? ¿Necesitas un despertador? ¿A qué hora te levantas los sábados? ¿Los domingos?
2. Cuando te cepillas los dientes, ¿usas la seda dental también? ¿La usas todos los días? ¿Qué dicen los dentistas sobre la seda dental?
3. ¿Qué te gusta más, el pelo corto o el pelo largo? ¿Por qué?
4. ¿A qué hora te acuestas?

ACTIVIDAD

Ud. no puede vivir sin . . .   Work in small groups to create a television commercial or a magazine ad for a deodorant, toothpaste, soap, or shampoo. Here are some advertising phrases you might want to use:

Huele bien. (It smells good.)
¡Descubra algo nuevo! (Discover something new!)
¡Qué sabor! (What a taste!)
Es el (la) mejor de todos (todas). (It's the best of all.)
Sus problemas se acabaron. (Your troubles are over.)
¡Cómprelo (cómprela) hoy! (Buy it today!)

Give your product a Spanish name, and when your ad or commercial is finished, share it with the class.

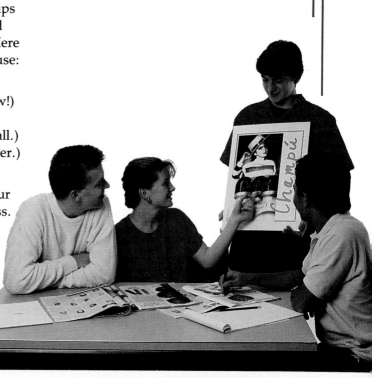

APLICACIONES

La nueva alumna

Norma, una muchacha de catorce años, acaba de llegar al internado.[1] Es la primera vez[2] que vive lejos de su familia, y le pregunta a otra alumna qué tiene que hacer.

NORMA	¿Puedo acostarme y levantarme cuando quiero?
5 DIANA	Sólo los domingos. Durante la semana tienes que acostarte a las diez y levantarte a las seis.
NORMA	¿Y los sábados?
DIANA	También a las seis, porque los sábados hay clases por la mañana. Y hay que ducharse, cepillarse los dientes, peinarse y ponerse el uniforme, todo antes de las siete. Tienes sólo una hora porque sirven el desayuno a las siete en punto.[3]
10	
NORMA	Es suficiente tiempo.
DIANA	Al contrario, no es mucho, porque hay sólo un baño para diez chicas.
15	
NORMA	¿Cómo pueden ducharse diez chicas en tan poco tiempo?[4]
DIANA	Lo hacemos de prisa.

---

[1]**el internado**   *boarding school (where students live away from home)*
[2]**la vez**   *time*   [3]**en punto**   *on the dot*   [4]**tan poco tiempo**   *such a short time*

Preguntas

Contesta según el diálogo.
1. ¿Quién es Norma? ¿Con quién habla ella?   2. ¿Cuál es el único día libre que tienen en el internado?   3. ¿A qué hora tienen que levantarse durante la semana?   4. ¿Qué tienen que hacer entre las seis y las siete?   5. ¿A qué hora sirven el desayuno?   6. ¿Por qué tienen que hacer todo de prisa?   7. ¿Crees que te gustaría *(you'd like)* asistir a un internado? ¿Por qué?   8. Por la mañana, ¿cuánto tiempo tienes tú entre la hora de levantarte y la hora de salir para la escuela? ¿Tienes que hacer todo de prisa?

Participación

Work with a partner to make up a dialogue. Imagine that you are asking a friend from another town what his or her routine is like in the morning. Start by asking at what time your friend gets up, and finish by asking at what time he or she has to be at school.

PRONUNCIACIÓN

A When the letter *i* or *u* comes before another vowel, the two together form a diphthong and are pronounced as one syllable. Escucha y repite.

demasiado	diente	junio	ciudad
estudiante	viernes	delicioso	invierno
cuando	juego	cuenta	cuidado
continuar	abuela	fuiste	puerta

B When the letter *i* or *u* has a written accent, it does not form a diphthong with the vowel that follows it. The two vowels are pronounced as separate syllables.
Escucha y repite.

frío	tío	día	todavía	continúo

C Escucha y repite.

Estudio ciencias y geometría.
Todavía hace frío, Luisa.
Mis abuelos pueden ir a Colombia en julio.
Continúo mi viaje el jueves o el viernes.

COMMUNICATIVE
OBJECTIVE
To attend an athletic
event or discuss sports

PALABRAS NUEVAS II

Deportes y más deportes

CONTEXTO
VISUAL

el balón
pl. los balones

la pelota

el equipo

el aficionado

la aficionada

* We say *ser aficionado(a) a* to mean ''to be a fan of'': *Soy aficionado al fútbol americano.*

perder (e → ie)

LOS LEONES   1 5
LOS CORDEROS   2

ganar

el golf

el volibol

débil

fuerte

correr

perder (e → ie)

CONTEXTO
COMUNICATIVO

1 MATEO   ¿Crees que vas a ganar el partido mañana?

     PABLO   **Espero** ganarlo.

Variaciones:

- espero ganarlo → **¡espero que sí!**
- espero ganarlo → **¡por supuesto!**

esperar here: *to hope, to expect*

¡espero que sí! *I hope so*

2 ARMANDO   ¡Qué **atlética** es tu hermana!

     BEATRIZ   Sí, es una **atleta** muy buena.

     ARMANDO   ¿Corre todos los días?

     BEATRIZ   Sí, cada mañana.

     ARMANDO   ¿Y no corres con ella?

     BEATRIZ   ¿Yo? No. Soy demasiado **perezosa.**

- atlética → **enérgica**
- soy demasiado perezosa → corro muy **despacio**
- soy demasiado perezosa → ella corre muy **rápidamente**

atlético, -a *athletic*
el / la atleta *athlete*

perezoso, -a *lazy*

enérgico, -a *energetic*
despacio *slowly*
rápidamente *fast, rapidly*

3 JAIME   Este verano fui a la playa sólo **una vez.**

     ELISA   Yo fui **dos veces.**

     JAIME   El año próximo espero ir allí en julio y no **regresar** antes de septiembre.

     ELISA   ¡Ojalá!

- espero → quiero
- regresar → volver

la vez, pl. **las veces** *time*
una vez *once*
dos veces *twice*
regresar *to return*

4 MARIANA   Julia es la mejor **jugadora.** Creo que va a ganar el partido.

     CLAUDIA   ¡Espero que sí! No **me divierto** cuando pierde.

- mejor → peor
  ganar → perder
  ¡espero que sí! → **¡espero que no!**

el jugador, la jugadora *player*
divertirse (e → ie) (yo me divierto, tú te diviertes) *to have fun, to have a good time*

¡espero que no! *I hope not*

5 LUISA   ¿Qué piensas de la lección de inglés?

     OSCAR   Bueno, comprendo **lo que** dice la profesora.

     LUISA   Yo también, pero no comprendo lo que dicen en las cintas. Y **trato de** hablar inglés, pero es muy difícil.

- lección → clase
- dice la profesora → leo

lo que   *what (that which)*

tratar de + inf.   *to try (to)*

(izquierda) Unas estudiantes corren en Barcelona, España.

(arriba) En la playa en Málaga, España; (izquierda) En Santo Domingo, República Dominicana

PRÁCTICA

A Deportes favoritos. Escoge *(Choose)* la palabra correcta para completar cada frase.

1. Margarita tiene mala suerte. Nunca *(gana / pierde)* cuando juega al tenis.
2. Pedro corre muy despacio. Es demasiado *(perezoso / atlético).*
3. Las hermanas Benítez siempre ganan. Son buenas *(aficionadas / atletas).*
4. Necesitamos más *(pelotas / balones)* de golf.
5. Espero llegar a tiempo. *(Trato de / Acabo de)* regresar antes del partido de béisbol.
6. *(El equipo / El aficionado)* gana el partido.
7. Te voy a enseñar *(cuando / lo que)* hacemos en el gimnasio.
8. Gustavo es fuerte y atlético. Nada *(despacio / rápidamente).*
9. Cuando estoy cansado después de un partido *(me acuesto / me despierto).*
10. Siempre trato de ganar, pero *(a veces / dos veces)* pierdo.

Un jugador de fútbol en
El Tajín, México

B Lo que esperan hacer. Varias personas hablan de lo que quieren hacer. Busca las palabras correctas para completar las frases.

balón	despacio	fuerte	no
correr	dormir	golf	regresar
débil	dos veces	jugadora	sí

1. Fui a México el año pasado. Espero _____ allí este verano.
2. Por la mañana, espero jugar al _____.
3. El sábado, hay que comprar un _____ nuevo.
4. Mañana espero _____ más rápidamente.
5. ¿Mi equipo favorito pierde el partido? Espero que _____.
6. Creo que Patricia va a ganar, porque la otra _____ es muy lenta.
7. Tomás es más _____ que yo, porque juega a la pelota todos los días. Yo no practico ningún deporte.
8. Voy a decir cada frase sólo una vez, pero voy a hablar muy _____.
9. ¿No te levantas? ¿Piensas _____ todo el día?

C Hablemos de ti.
1. ¿Eres aficionado(a) a los deportes? ¿A cuáles?
2. ¿Cuál es tu equipo favorito de béisbol? ¿De fútbol americano? ¿De básquetbol? ¿Por qué? ¿Quién es el (la) mejor jugador(a) del equipo?

3. ¿Van a ganar tus equipos favoritos este año o el próximo año? ¿Por qué?
4. ¿Juegas al golf? ¿Al volibol? ¿Cuándo? ¿Dónde juegas al volibol? ¿Con quiénes? ¿Cuántas veces practicas un deporte cada semana?
5. ¿Te gusta correr? ¿Dónde corres? ¿Cuándo? ¿Corres solo(a)?
6. ¿Eres perezoso(a) o enérgico(a)? ¿Qué hacen las personas perezosas? ¿Las personas enérgicas?
7. ¿Qué cosas tratas de hacer todos los días?

ESTUDIO DE PALABRAS

Many nouns in Spanish that refer to people have a masculine form ending in *-o* and a feminine form ending in *-a*. For example: *el veterinario/ la veterinaria.* But most nouns ending in *-e* or *-a* have the same masculine and feminine form. You have already learned several words like this.

el / la agente de viajes	el / la cliente
el / la turista	el / la policía

Most masculine nouns referring to people that end in *-dor* have feminine forms ending in *-dora.* For example: *el vendedor / la vendedora.* What are some other nouns referring to people that have the same masculine and feminine forms? Name some that have different forms.

Carteles de fútbol y de carreras de bicicletas, Alcobendas, España

EXPLICACIONES I

Los verbos reflexivos

Look at the following sentences.

Rosa tiene un coche. **Lo** lava. Luego **se** lava.

Tiene dos perros. **Los** baña. Luego **se** baña.

Tiene una hija. **La** acuesta. Luego **se** acuesta.

In the middle column, Rosa is performing an action on or for someone or something else: *su coche (lo), sus perros (los), su hija (la)*. In the right-hand column, she is doing something to or for herself *(se)*. The verbs on the right are called reflexive verbs.

(arriba) Una joven se cepilla los dientes en Santander, España; (abajo) Un estudiante se peina y otro se cepilla los dientes en España.

1   A reflexive verb has two parts—a reflexive pronoun and a verb form.
The reflexive pronoun refers to the subject of the sentence (Rosa).
Here are all of the present-tense forms of the reflexive verb *lavarse*,
"to wash oneself."

INFINITIVO   **lavarse**

	SINGULAR		PLURAL
1	(yo) **me** lavo	(nosotros) (nosotras)	**nos** lavamos
2	(tú) **te** lavas	(vosotros) (vosotras)	**os** laváis
3	Ud. (él) (ella) **se** lava	Uds. (ellos) (ellas)	**se** lavan

Except for *se,* the reflexive pronouns have the same forms as the
indirect and direct object pronouns.

2   Like other object pronouns, reflexive pronouns generally come before
the verb, or they may be attached to an infinitive.

Me quiero duchar ahora. ⎫
Quiero duchar**me** ahora. ⎬ *I want to take a shower now.*

3   Here is a list of the reflexive verbs you know.

acostarse (o → ue)	dormirse (o → ue)	peinarse
bañarse	ducharse	ponerse
cepillarse	lavarse	quitarse
despertarse (e → ie)	levantarse	vestirse (e → i)
divertirse (e → ie)	llamarse	

Now you know that *¿Cómo te llamas?* and *me llamo,* which you learned
on your first day, are forms of the reflexive verb *llamarse:* "my name
is" = "I call myself." The only form you have not yet seen is the
nosotros form:

Nos llamamos López.   *Our name is López.*

4 When we use reflexive verbs with parts of the body or articles of clothing, we usually use the definite article instead of a possessive adjective.

¿**Te** cepillas **los dientes**?	*Are you brushing **your teeth**?*
Me lavo **la cara**.	*I'm washing **my face**.*
Te puedes quitar **el sombrero**.	*You can take off **your hat**.*
Me pongo **los zapatos**.	*I'm putting on **my shoes**.*

Even when the subject is plural, we generally use the singular form for parts of the body and articles of clothing. We use the plural form only if they come in pairs (*calcetines, manos*) or are logically plural (*pantalones, dientes*).

Nos lavamos **la cara**.	*We're washing **our faces**.*
Se ponen **el sombrero**.	*They're putting on **their hats**.*
Se quitan **los zapatos**.	*They're taking off **their shoes**.*

PRÁCTICA

A ¿Cuándo? El Sr. Díaz nunca les dice a sus hijos lo que deben hacer. Les pregunta cuándo van a hacer las cosas. Sigue el modelo.

levantarse
ESTUDIANTE A *¿Cuándo van Uds. a levantarse?*
ESTUDIANTE B *Nos levantamos ahora.*

1. ducharse
2. peinarse
3. lavarse la cara
4. cepillarse los dientes
5. vestirse
6. ponerse los zapatos
7. acostarse
8. dormirse

Una muchacha se peina.

B Tú sí, pero yo no.   Imagina que le preguntas a un(a) amigo(a) qué hace. Pero su hermano(a) nunca está de acuerdo *(in agreement)* con lo que contesta. Pregunta y contesta según el modelo.

> acostarse ahora
>
> ESTUDIANTE A *¿Te acuestas ahora?*
> ESTUDIANTE B *Sí, me acuesto ahora.*
> ESTUDIANTE C *No, no nos acostamos ahora.*

1. despertarse a las seis
2. divertirse en la playa
3. dormirse por la tarde
4. acostarse temprano
5. vestirse antes del desayuno
6. despertarse tarde los sábados
7. dormirse rápidamente
8. vestirse antes de las ocho

C La familia Jiménez.   Son las 7:30 de la mañana y todo el mundo está ocupado. Usa las formas correctas reflexivas y no reflexivas para describir lo que hacen.

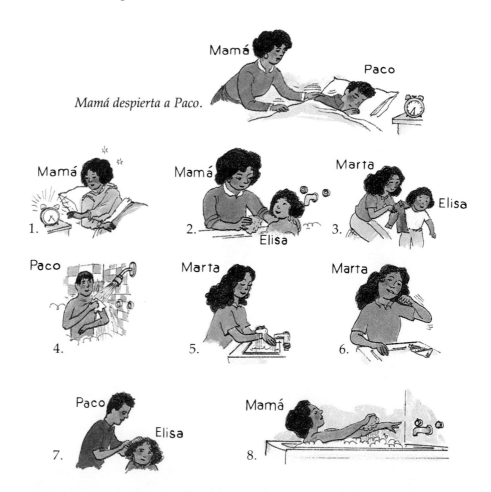

Mamá despierta a Paco.

D No tengo ganas.   Algunos días Emilia no quiere hacer nada.
Pregunta y contesta según el modelo.

>levantarse
>**ESTUDIANTE A**   *¿Por qué no te levantas?*
>**ESTUDIANTE B**   *No me quiero levantar.*
>   o: *No tengo ganas de levantarme.*

1. bañarse
2. ducharse
3. lavarse el pelo
4. peinarse

5. cepillarse los dientes
6. vestirse
7. ponerse el abrigo
8. acostarse

E Aquí es diferente.   Gustavo acaba de llegar a una escuela militar
(military) y habla con otro alumno sobre lo que hacen allí. Pregunta y
contesta según el modelo.

>ducharse cuando quiero / dos veces todos los días
>**ESTUDIANTE A**   *En casa me ducho cuando quiero.*
>**ESTUDIANTE B**   *Pues aquí tienes que ducharte dos veces todos los días.*

1. vestirse despacio / de prisa
2. cepillarse los dientes por la mañana y por la noche / después de
   cada comida
3. acostarse a las 11:30 / a las 9:30
4. despertarse a las 8:00 / a las 6:15
5. levantarse tarde / muy temprano
6. lavarse las manos cada mañana / muchas veces cada día
7. divertirse mucho todos los días / sólo los sábados por la tarde

F Hablemos de ti.
1. ¿Quién se despierta primero en tu familia? ¿A qué hora se
   despierta? ¿A qué hora te despiertas tú? ¿Te despierta un
   despertador, o puedes despertarte sin uno?
2. ¿Te diviertes cuando sales con tus amigos? ¿Qué hacen Uds. para
   divertirse?
3. ¿Qué te pones cuando vas a una fiesta? ¿Y a una fiesta de
   disfraces? ¿Qué te pones cuando hace mucho frío? ¿Qué te pones
   cuando vas a la playa o a la piscina?

APLICACIONES

El deporte también es trabajo

¡Qué fabulosa es la vida[1] de los atletas! Viajar por todos los países del mundo,[2] ganar[3] mucho dinero y ser muy popular. ¡Qué divertido! Es lo que muchas personas creen.

Pero la vida de los atletas no es fácil. Todos los días se levantan muy
5 temprano para correr. Después practican su deporte de dos a cuatro horas. ¡Dos veces todos los días! Y para estar en excelentes condiciones físicas tienen que hacer ejercicio[4] y comer bien. Hay que ser fuerte y muy enérgico.

En la Argentina, la tenista Gabriela Sabatini es un ídolo nacional. Es
10 muy joven, pero ya es una de las mejores tenistas del mundo.

Gabriela juega al tenis en muchas ciudades y muchos países. Viaja durante seis semanas y después regresa a su casa—pero no puede descansar[5] porque tiene que practicar cada día. Para divertirse, Gabriela monta en su moto. También le gustan[6] los juegos electrónicos y la música
15 de Lionel Richie. Gabriela canta muy bien.

Gabriela Sabatini todavía no es la jugadora de tenis número uno del mundo, pero, ¿en el futuro? ¡Tal vez! Por el momento, está contenta porque cada día juega un poco mejor.

---

[1]**la vida** *life*   [2]**el mundo** *world*   [3]**ganar** here: *to earn*   [4]**hacer ejercicio** *to exercise*   [5]**descansar** *to rest*   [6]**le gustan** *she likes*

Gabriela Sabatini en
Wimbledon, 1987

Preguntas

Match the sentence beginning on the left with the appropriate ending on
the right. Then put the sentences in the proper sequence.

1. Gabriela practica el tenis
2. Para divertirse, Gabriela
3. La vida de un atleta
4. También escucha
5. Gabriela está contenta
6. Es muy joven, pero ya
7. En su país, Gabriela es
8. Una tenista tiene que ser
9. Los atletas se levantan

a. monta en su moto.
b. es una de las mejores tenistas del
   mundo.
c. fuerte y enérgica.
d. dos veces todos los días.
e. muy temprano.
f. es bastante difícil.
g. la música de Lionel Richie.
h. un ídolo nacional.
i. perezosa.
j. porque cada día juega mejor.
k. muy tarde.

(arriba, izquierda) Tony Armas; (arriba,
derecha) Diego Maradona; (abajo) Roberto Clemente

EXPLICACIONES II

El infinitivo con preposiciones

◆ COMMUNICATIVE
OBJECTIVES
To give and follow
directions or
instructions
To explain and
understand correct
sequence in doing
something
To explain purpose or
intention

In Spanish, we often use an infinitive after prepositions such as *antes de* ("before"), *después de* ("after"), *para* ("to, in order to"), and *sin* ("without").

Me lavo las manos **antes de comer.**   *I wash my hands **before*** { *eating* / *I eat.*

Después de estudiar, miro la tele.   *After I study* / *After studying* } *I watch TV.*

Practico **para ganar.**   *I practice **(in order) to win.***

Salió **sin ponerse** los zapatos.   *He left **without putting on** his shoes.*

PRÁCTICA

A **¿Antes o después?**   ¿Hay que hacer la segunda acción antes o después de la primera? Sigue el modelo.

> comer / lavarse las manos
> *Antes de comer hay que lavarse las manos.*
> comer / quitar los platos
> *Después de comer hay que quitar los platos.*

1. cocinar / servir la comida
2. hablar / pensar
3. levantarse / despertarse
4. cepillarse los dientes / acostarse
5. vestirse / levantarse
6. bañarse / quitarse la ropa
7. ver la película / volver a casa
8. jugar al fútbol / ducharse

Una esquiadora en la Sierra
Nevada, España

B **¿Para qué?** ¿Para qué usamos estas cosas? Usa palabras de la izquierda y de la derecha para formar frases. Sigue el modelo.

anteojos
Usamos anteojos para ver bien.
pasta dentífrica
Usamos pasta dentífrica para cepillarnos los dientes.

1. un balón
2. un tenedor
3. una pelota
4. un despertador
5. champú
6. dinero
7. un peine
8. jabón y agua
9. un bolígrafo
10. un reloj
11. la biblioteca

a. bañarse
b. comer
c. escribir
d. estudiar
e. jugar al golf
f. jugar al volibol
g. lavarse el pelo
h. ver la hora
i. pagar lo que compramos
j. peinarse
k. despertarse
l. ver bien
m. cepillarse los dientes

C **¡Nunca!** Hay cosas que nunca hacemos sin hacer otra cosa antes. Escoge *(Choose)* la expresión apropiada de la derecha para completar cada frase. Sigue el modelo.

ir afuera cuando llueve
Nunca voy afuera cuando llueve sin ponerme un impermeable.

1. acostarse
2. pedir nada
3. empezar un trabajo
4. regresar de un viaje
5. salir de casa
6. subir a un avión
7. salir de un restaurante
8. pagar la cuenta

a. dejar una propina
b. cepillarse los dientes
c. buscar las salidas
d. ponerse un impermeable
e. comprender lo que debo hacer
f. traer un regalo para mi novio(a)
g. leer todo el menú
h. peinarse y ponerse un sombrero
i. repasarla

D El horario Imagina que tienes que hacer todas estas cosas hoy. Usa *antes de* y *después de* para preguntar y contestar. Sigue el modelo.

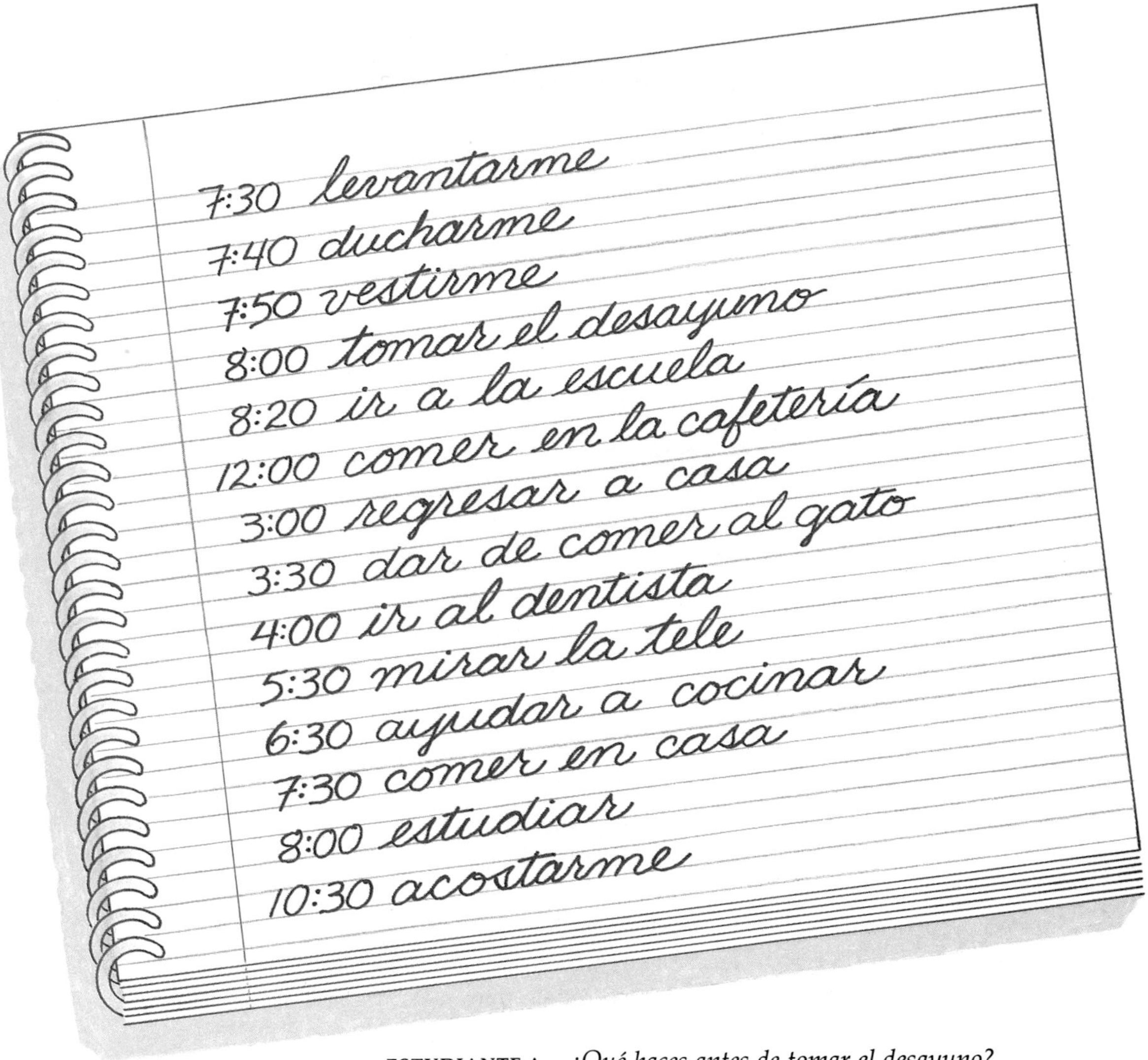

7:30 levantarme
7:40 ducharme
7:50 vestirme
8:00 tomar el desayuno
8:20 ir a la escuela
12:00 comer en la cafetería
3:00 regresar a casa
3:30 dar de comer al gato
4:00 ir al dentista
5:30 mirar la tele
6:30 ayudar a cocinar
7:30 comer en casa
8:00 estudiar
10:30 acostarme

ESTUDIANTE A *¿Qué haces antes de tomar el desayuno?*
ESTUDIANTE B *Antes de tomar el desayuno, me visto.*
ESTUDIANTE A *¿Qué haces después de tomar el desayuno?*
ESTUDIANTE B *Después de tomar el desayuno, voy a la escuela.*

E Hablemos de ti.

1. ¿Puedes decirle a la clase qué haces todos los días por la mañana? Oyes el despertador y luego . . .
2. ¿Qué haces después de regresar a casa por la tarde?
3. ¿Qué haces entre las cinco y las siete de la tarde?
4. ¿Miras la tele por la noche? ¿Lo haces antes o después de hacer la tarea? ¿Qué vas a mirar esta noche?
5. ¿A qué hora te acuestas? ¿Quién se acuesta primero en tu casa?
6. Hay cosas que tú no haces sin hacer otra cosa antes. ¿Cuáles son?

ACTIVIDAD

Antes y después   Work in groups of three. One person begins by making up a sentence telling something that he or she does. The second person then makes up a sentence about what the first person does next. The third person makes up a sentence about what the first person does before doing either of those two things. For example:

ESTUDIANTE A   Hago la maleta.
ESTUDIANTE B   Después de hacer la maleta, va al aeropuerto.
ESTUDIANTE C   Antes de hacer la maleta, busca su ropa.

APLICACIONES

Look carefully at the model sentences. Then put the English cues into Spanish to form new sentences based on the models.

1. *Tomás es un piloto alto y delgado.*
   (Ana is a strong but pessimistic player.)
   (We are good but lazy players (m.).*)*
   (You (pl.) *are nice and generous fans* (f.).*)*

2. *Se baña a las ocho.*
   (He goes to bed at 10:00.)
   (I go to sleep at 9:00.)
   (We wake up at 6:00.)

3. *Después de peinarte, te vistes. Te pones el vestido y las sandalias.*
   (After waking up, I get dressed. I put on my suit and tie.)
   (After getting up, we get dressed. We wash our face and hands.)
   (After taking a bath, you (pl.) *get dressed. You put on your necklace and earrings.)*

4. *Es tarde y hay que trabajar de prisa.*
   (It's late but they must sing twice.)
   (It's late and we must return in a hurry.)
   (It's late but he must walk slowly.)

5. *Te diviertes mucho en el partido de béisbol.*
   (I have a lot of fun in the chemistry lab.)
   (We have a lot of fun in Spanish class.)
   (They have a lot of fun at the golf match.)

En Puerto Rico

En México

TEMA

Put the English captions into Spanish.

1. Graciela is a strong and energetic athlete.

2. She gets up at 7:00.

3. After taking a bath, she gets dressed. She puts on her T-shirt and pants.

4. It's late and she must leave quickly.

5. Graciela has a lot of fun at the volleyball game.

REDACCIÓN

Now you are ready to write your own dialogue or paragraph. Choose one of the following topics.

1. Expand the *Tema* by describing what else Graciela does before going to the volleyball game. What sports is she a fan of? Which ones does she play? Who's her favorite player? Do you think she prefers watching or playing sports?

2. Write a paragraph about a sport that you enjoy. Which sport? Are you a player? How often do you play? If you are a fan, who's your favorite player? Which is your favorite team? Describe the kind of player you are. Do you always try to win? Do you usually win?

3. Write a thought (or dream) balloon for each picture in the *Tema*.

COMPRUEBA TU PROGRESO   CAPÍTULO 14

A   ¿Cuál de los dos?
Choose the correct verb form to complete each sentence.

1. María _____ el coche.
   a. lava   b. se lava
2. Yo _____ los zapatos.
   a. pongo   b. me pongo
3. Pilar _____ a su hermana.
   a. peina   b. se peina
4. Ellos _____ por la mañana.
   a. bañan   b. se bañan
5. Jorge y yo _____ los platos.
   a. quitamos   b. nos quitamos
6. Teresa _____ a sus padres todos los días.
   a. despierta   b. se despierta
7. Tú _____ a tu hermanita.
   a. vistes   b. te vistes
8. Uds. _____ a sus hijos cada noche.
   a. acuestan   b. se acuestan

B   Lo que hacen
Complete each sentence with the correct reflexive form.

1. (Nosotros) _____ la cara.   *(lavarse)*
2. Ella nunca _____.   *(divertirse)*
3. Ud. _____ el suéter rojo.   *(ponerse)*
4. Tengo que _____ los dientes.   *(cepillarse)*
5. ¿Por qué no _____ (nosotros) el sombrero? *(quitarse)*
6. Los niños _____.   *(dormirse)*
7. ¿Vas a _____ ahora?   *(levantarse)*
8. ¿Por qué no _____ (tú) ahora?   *(vestirse)*
9. (Yo) _____ por la noche.   *(bañarse)*

C   ¿Sí o no?
Answer each question according to the model.

   ¿Se lava el pelo con jabón tu amigo?
   (no / champú)
   No, se lava el pelo con champú.

1. ¿Se bañan con agua fría tus hermanos?
   (no / caliente)

2. ¿Te levantas a las siete? (no / seis)
3. ¿Se despiertan temprano Uds.? (no / tarde)
4. ¿Te duchas por la mañana? (no / por la noche)
5. ¿Se cepillan Uds. los dientes antes de comer? (no /después)
6. ¿Te acuestas después de la cena? (no / más tarde)

D   ¿Qué usas para . . . ?
Create a sentence like the one in the model.

   el lápiz
   Uso el lápiz para escribir.

1. el balón   5. la pasta dentífrica
2. el peine   6. el jabón
3. el tenedor   7. el despertador
4. el champú

E   ¿Cómo y cuándo?
Form sentences according to the model.

   Me acuesto. Leo un poco. (antes de)
   Antes de acostarme leo un poco.

1. Nos levantamos. Tomamos el desayuno. (después de)
2. Se despiertan. Mis padres necesitan un despertador. (para)
3. Me duermo. Bebo chocolate caliente. (para)
4. Me baño. Me quito la ropa. (antes de)
5. Se divierte. Hace la tarea. (antes de)
6. Me peino. Voy a salir. (después de)

F   Un chico muy malo
Form sentences according to the model.

   Sale del café. No paga.
   Sale del café sin pagar.

1. Se acuesta. No dice buenas noches.
2. Recibe los regalos. No dice gracias.
3. Sube al autobús. No hace cola.
4. Va a la escuela. No se peina.
5. Sale del cuarto. No presenta a los invitados.
6. Empieza a comer. No espera a nadie.

VOCABULARIO DEL CAPÍTULO 14

Sustantivos

el aficionado, la aficionada
el/la atleta
el balón, *pl.* los balones
la cara
el cepillo de dientes
el champú
el/la dentista
el desodorante
el despertador
los dientes
la ducha
el equipo
el golf
el jabón, *pl.* los jabones
el jugador, la jugadora
la mano
la pasta dentífrica
el peine
el pelo
la pelota
la seda dental
la vez, *pl.* las veces
el volibol

Pronombres Reflexivos

nos
se

Adjetivos

atlético, -a
débil
enérgico, -a
fuerte
perezoso, -a

Verbos

acostar(se) (o → ue)
bañar(se)
cepillar(se) (los dientes, el pelo)
correr
despertar(se) (e → ie)
divertirse (e → ie)
dormirse (o → ue)
ducharse
esperar *(to hope, to expect)*
ganar
lavarse
levantar(se)
peinar(se)
perder (e → ie)
ponerse
quitarse
regresar
tratar de (+ *inf.*)
vestir(se) (e → i)

Adverbios

despacio
rápidamente

Expresiones

de prisa
dos veces
¡espero que sí / no!
hay que
lo que
una vez

CAPÍTULO 15

LOS ESPAÑOLES PREFIEREN EL TREN

Aquí viene el tren de la Fresa. "Here comes the Strawberry Train!" As the ancient steam locomotive chugs and puffs its way into the station in Aranjuez, the town band strikes up a lively march. Not every train in Spain gets this kind of reception, but then none of the others has antique cars that are pulled by a real steam engine. *El tren de la Fresa* is a nostalgia special that travels only on summer weekends and holidays.

Originally a private train, it was built to carry the royal family back and forth between Madrid and their summer palace in Aranjuez, about 30 miles away. Later, when the train was opened to the public, the trip became a popular outing for crowds of people who climbed aboard with their picnic baskets. And every night the train brought a freight car full of fresh strawberries back to Madrid.

Even in the age of jet planes, traveling by train is still very popular in Spain. The reason might be found in the trains themselves. Passenger cars usually have a series of compartments along a passageway. In each compartment people sit facing each other, four to a side, and so they have a chance to get acquainted. Even before a train leaves the station, a compartment full of strangers has already begun to look and sound like a gathering of friends in a living room.

Spain also has modern trains, of course, with well-padded seats set in neat pairs, air-conditioning, and little overhead reading lights. But these trains are not nearly as popular as the traditional ones. Most Spaniards would much rather travel in a way that offers congenial conversation in a relaxing, comfortable atmosphere.

◆ COMMUNICATIVE
OBJECTIVES
To plan a trip
To arrange for a guide

PALABRAS NUEVAS I

Un viaje por Europa

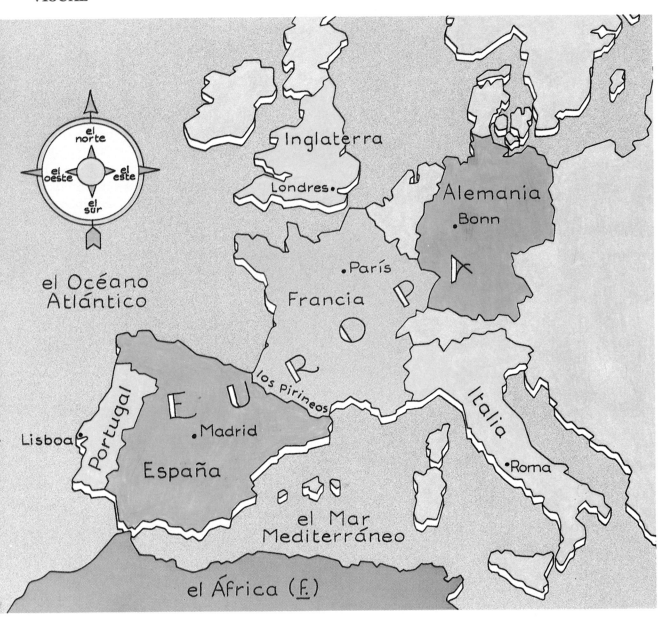

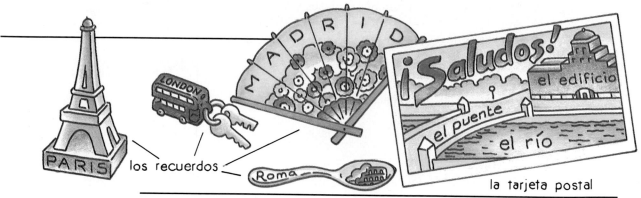

los recuerdos

el edificio

el puente

el río

la tarjeta postal

CONTEXTO COMUNICATIVO

1 SONIA ¿De dónde eres, Armando?

ARMANDO Del Paraguay.

SONIA ¡Ah! Del Paraguay. ¿Y **cuánto tiempo hace que** estás aquí?

ARMANDO **Hace** tres años.

Variaciones:

■ del Paraguay → **del Brasil**

■ estás → vives

¿cuánto tiempo hace que (+ present tense)? *how long has (someone) been (doing something)?*

hace (+ time) *for* (+ time)

el Brasil *Brazil*

2 JAIME Vas a divertirte mucho en tu viaje **por** Europa. **¿Sabes** hablar francés?

ANDREA **Más o menos.** Sé también un poco de **alemán** e **italiano.**

JAIME ¡Qué bueno!

■ alemán → **portugués**

■ ¡qué bueno! → **¡qué suerte!**

por *through, across*

saber (yo sé, tú sabes) *to know;* (+ infinitive) *to know how*

más o menos *more or less*

el alemán *German* (language)

el italiano *Italian* (language)

el portugués *Portuguese* (language)

3 ARTURO Si **haces un viaje,** vas a necesitar un **guía,** ¿no?

MARÍA ¡Claro que no! Sólo voy al norte de Italia para visitar a mis abuelos. Y hablo italiano bastante bien.

■ al norte → al sur

■ al norte → al oeste

hacer un viaje *to take a trip*

el / la guía *guide*

4 LOLA   Hace dos años que vivo en Europa. Pero acabo de llegar a Barcelona.

DIEGO   **¿Conoces** a muchos españoles?*

LOLA   ¡Ah, sí! Y conozco a muchos ingleses y franceses también.

DIEGO   Sí. Europa es bastante pequeña, pero hay muchos países.

LOLA   ¡Y docenas de **lenguas**!

- dos años que vivo en → dos meses que viajo por
- ingleses → portugueses
- ingleses y franceses → alemanes e italianos

conocer (yo conozco, tú conoces) *to know, to be acquainted with*

la lengua *language*

5 PABLO   ¿Sabes en qué hotel está Luis? Quiero **mandarle** una carta.

EMILIA   No, **no lo sé.**† Tal vez papá puede darte la dirección.

- mandarle → escribirle
- una carta → una tarjeta postal
- no, no lo sé → sí, **lo sé**
  tal vez papá puede darte → pero no tengo

mandar *to send*

(yo) no lo sé *I don't know (that)*

(yo) lo sé *I know (that)*

PRÁCTICA

A Tarjetas postales.   Imagina que un(a) amigo(a) viaja por Europa y te manda tarjetas postales de cada país que visita. Describe las tarjetas que recibes. Usa frases de la lista para terminar la conversación.

ESTUDIANTE A *Está en Italia.*

ESTUDIANTE B *¿Habla italiano?*

ESTUDIANTE A *Creo que no.*

o: *Creo que sí.*

ESTUDIANTE B *¡Qué lástima!*

o: *¡Qué bueno!*

| ¡caramba! | ¡ojalá! | ¡qué lástima! | ¡qué mala suerte! |
| ¡no me digas! | ¡qué bueno! | ¡qué suerte! | ¡espero que sí! |

---

* Adjectives formed from the names of countries can also be used as nouns to refer to people who come from that country: *Una española viene de España, los ingleses vienen de Inglaterra, un alemán viene de Alemania,* etc. Remember that we do not capitalize them.

† In expressions such as *lo sé* and *no lo sé,* the pronoun *lo* refers to a phrase rather than to a specific noun. In this case, *lo = en qué hotel está Luis.* So even if the noun were feminine—say, *en qué oficina*—we would still use *lo,* not *la.*

1. ¡Saludos de Bonn!

2. ¡Primavera en París!

3. ¡la gran ciudad de Londres!

¡ME ENCANTA MADRID!

4. ¡Qué bella es Roma!

5. AL LADO DEL MAR ¡LISBOA!

6.

B **¿Cuántas lenguas hablas?**   Imagina que tienes muchos amigos que hablan otras lenguas o que conocen a gente que habla otras lenguas. Pregunta y contesta *sí* o *no* según los modelos.

> francés / unos muchachos
>
> ESTUDIANTE A   *¿Sabes hablar francés?*
>
> ESTUDIANTE B   *No, pero conozco a unos muchachos franceses.*
>
> o: *Sí, y conozco a unos muchachos franceses.*

1. inglés / unas chicas
2. italiano / una actriz
3. alemán / una guía
4. francés / unas muchachas
5. portugués / unos chicos

6. inglés / una profesora
7. alemán / unos atletas
8. italiano / un fotógrafo
9. español / unos estudiantes
10. portugués / una dentista

C **Hablemos de ti.**

1. ¿Cuánto tiempo hace que estudias español? ¿Qué otras lenguas sabes hablar? ¿Qué otras lenguas quieres aprender a hablar?
2. ¿A veces vas de vacaciones con tu familia? ¿Adónde viajan Uds.? ¿Te gusta hacer viajes?
3. ¿Recibes tarjetas postales de tus amigos cuando viajan? ¿Les mandas tarjetas a ellos cuando tú viajas? ¿Qué escribes en una tarjeta postal?
4. ¿Qué país está al norte de los Estados Unidos? ¿Está Francia al este o al oeste de Alemania? ¿Qué país está más cerca de España, Portugal o Italia?
5. ¿Esperas viajar por Europa? ¿Por qué países piensas viajar? ¿Por qué? ¿Qué quieres ver y hacer allí? ¿Qué sabes del país o de los países que quieres visitar?

APLICACIONES

La Carrera[1] Internacional

Hugo Molina, un locutor[2] del canal 11, habla con Pedro Colón sobre la Carrera Internacional del ciclismo.[3]

SR. MOLINA	¡Qué suerte para todos los aficionados al ciclismo poder hablar con Pedro Colón!
5 SR. COLÓN	Gracias, Hugo.
SR. MOLINA	El año pasado saliste muy bien en la Tour de France, la gran carrera por Francia. Cada año hay más y más gente de otros países en esa carrera, ¿no?
SR. COLÓN	Por supuesto. Es la carrera más importante del año. 10 ¡Y la más larga! Dura más o menos tres semanas. Hay ciclistas italianos, ingleses, españoles, colombianos y, por supuesto, franceses. Ahora vienen varios norteamericanos también.
SR. MOLINA	¿Qué nos puedes decir sobre la Carrera 15 Internacional?
SR. COLÓN	Va a ser fantástica. Vamos por el norte de España a través de[4] los Pirineos. El viaje dura tres días, más o menos.
SR. MOLINA	Todos tus amigos te desean[5] buena suerte, Pedro.
20 SR. COLÓN	Muchas gracias, Hugo. ¡Y saludos a todos!

Ciclistas cerca de Mar del Plata, Argentina

---

[1] **la carrera**   *race*   [2] **el locutor**   *announcer*   [3] **el ciclismo**   *cycling*
[4] **a través de**   *across*   [5] **desear**   *to wish*

Preguntas

Contesta según el diálogo.
1. ¿Qué deporte practica Pedro Colón?   2. ¿En qué carrera salió Pedro muy bien el año pasado?   3. Según Pedro, ¿cómo es la Tour de France?   4. En la Tour de France hay ciclistas de muchos países. ¿Cuáles?   5. ¿Cuánto tiempo dura la Carrera Internacional?   6. ¿Crees que es una carrera fácil o no? ¿Por qué?

Participación

Work with a partner to make up a dialogue about a sport or game you play. How long have you been playing it? When do you practice or play? How long does a game last? Do you have a lot of fun?

PRONUNCIACIÓN

A The letter *l* in Spanish has a sound similar to that of the *l* in the English word "leap." The tip of your tongue touches the ridge right behind your front teeth. Escucha y repite.

león	lago	limón	lugar	lengua
Italia	alemán	elefante	hablar	alumno
capital	árbol	cuál	animal	sol

B Escucha y repite.

Los alumnos hablan alemán.　　　　¿Cuál es la capital de Italia?
Hay limones en ese árbol.　　　　　Luis y Elena salen de la sala.

PALABRAS NUEVAS II

Quiero hacer una reservación

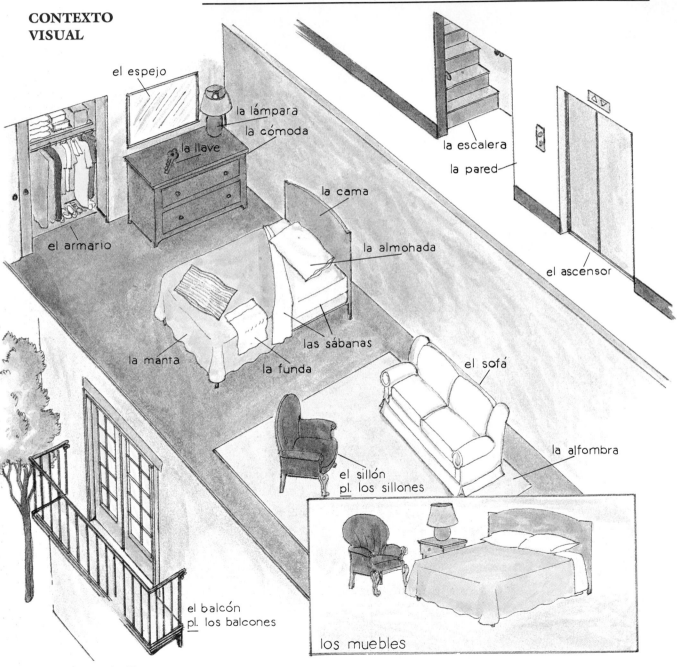

el espejo

la lámpara

la cómoda

la llave

el armario

la escalera

la pared

la cama

la almohada

el ascensor

las sábanas

la manta

la funda

el sofá

la alfombra

el sillón
pl. los sillones

el balcón
pl. los balcones

los muebles

◆ COMMUNICATIVE OBJECTIVES

To make a hotel reservation or get a hotel room

To get what one needs at a hotel

To make requests

To ask for and give directions to a place

To show interest or surprise

To give advice

To complain

CONTEXTO COMUNICATIVO

1 FELIPE   Este año quiero hacer un viaje a España. ¿Conoces un buen hotel en Madrid?

   INÉS   Esta guía de viajes **describe** varios hoteles buenos y baratos, pero es **necesario** hacer **reservaciones.**

describir	*to describe*
necesario, -a	*necessary*
la reservación, pl. las **reservaciones**	*reservation*

   Variaciones:
   - hacer un viaje a → viajar por
   - es necesario → hay que

2 SRA. RUIZ   **Discúlpeme,** ¿puedo hablar con **el gerente**?

   LA GERENTE   Yo soy la gerente, señora. ¿Puedo ayudarla?

   SRA. RUIZ   **Quisiera un cuarto* con vista al** mar.

   LA GERENTE   ¿Y cuánto tiempo piensa Ud. **quedarse**?

   SRA. RUIZ   Tres días.

discúlpeme = (formal)	*excuse me, pardon me, I beg your pardon*
el / la gerente	*manager*
quisiera	*I'd like*
el cuarto	*room*
con vista a(l)	*with a view of*
quedarse	*to stay, to remain*
privado, -a	*private*

   - discúlpeme → perdón
   - con vista al mar → con baño **privado**

3 LA GERENTE   Yolanda, es necesario cambiar las sábanas del cuarto 512.

   YOLANDA   Sí, señora. Vuelvo **en seguida** con sábanas limpias.

en seguida	*right away, immediately*

   - es necesario → tienes que
   - con sábanas → con sábanas y fundas

4 ANDRÉS   **¿Disfrutaste de** tus vacaciones?

   MÓNICA   Sí, me quedé en un hotel cerca de la playa y nadé todos los días.

disfrutar de	*to enjoy*

   - cerca de la playa → cerca del lago
   - cerca de la playa → con vista al río
   - nadé → tomé el sol

* We use *el cuarto* to mean any room in a house or hotel. Just as in English, we can use it to mean bedroom: *mi cuarto* = *mi dormitorio.*

5 MARIO	**Con permiso,** señor. ¿Me puede Ud. decir dónde está el restaurante del hotel?	**con permiso** *excuse me*
GERENTE	Sí, **con mucho gusto.** Está en el primer piso, al lado del ascensor.	**con mucho gusto** *gladly, with pleasure*
MARIO	Muchas gracias. Ud. es muy amable.	

- el restaurante → la piscina
- el primer piso → la planta baja
- al lado → enfrente

6 CLARA	¿Conoces al grupo de rock ''Las Sillas''?	
RAFAEL	Por supuesto. Son **fantásticos.**	**fantástico, -a** *fantastic*
CLARA	Pues, esta noche van a tocar en el Roxi.	
RAFAEL	**¿De veras?**	**de veras** *really*
CLARA	Claro.	

- fantásticos → fabulosos
- ¿de veras? → ¿estás **segura**?
- ¿de veras? → ¡no me digas!
- claro → sí, ¡de veras!

seguro, -a *sure*

EN OTRAS PARTES

En México se dice *la cobija.*
En el Caribe y la Argentina
se dice *la frazada.*

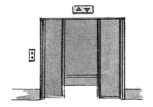

También se dice *el elevador.*

En México se dice *el closet.*
También se dice *el
guardarropa* y *el ropero.*

En Cuba y en Puerto Rico se
dice *la butaca.*

PRÁCTICA

A **¿Dónde está todo?** Imagina que siempre pierdes tus cosas y que un(a) amigo(a) te ayuda a buscarlas. Pregunta y contesta según el modelo.

ESTUDIANTE A *¿Dónde están mis aretes?*
ESTUDIANTE B *Voy a buscarlos. Tal vez los dejaste en el sofá.*

1.

2.

3.

4.

5.

6.

7.

8.

B **Querida Abby.** Imagina que tú eres la "Dear Abby" para el periódico de la escuela. Esta semana escribes consejos (*advice*) para turistas. Sigue el modelo.

> viajar a Inglaterra / tener un pasaporte
>
> ESTUDIANTE A *Querida Abby, quisiera viajar a Inglaterra. ¿Qué tengo que hacer?*
>
> ESTUDIANTE B *Para viajar a Inglaterra es necesario tener un pasaporte.*

1. tener un cuarto con baño privado / hacer una reservación de prisa
2. ir a pie por la ciudad / llevar zapatos cómodos
3. disfrutar de mi viaje / hacer buenos planes en seguida
4. sacar fotos perfectas / saber usar bien la cámara
5. conocer bien a la ciudad / caminar por las calles
6. comprar muchos recuerdos / llevar bastante dinero
7. viajar solo(a) por el país / tener un buen mapa
8. ir al norte de Europa / llevar un suéter
9. no estar cansado(a) todos los días / tratar de acostarse temprano

C **De viaje.** El Sr. Romero nunca está contento. ¿Qué le dice al gerente? Escoge (*Choose*) la mejor expresión de la derecha para completar cada frase. Sigue el modelo.

> la cama
> *La cama no es cómoda.*

1. el cuarto	estar demasiado fría
2. el ascensor	no cerrar bien
3. la puerta del baño	no tener baño privado
4. el agua de la piscina	no estar limpias
5. las sábanas	no subir hasta el tercer piso
6. los guías	no ser Morales
7. los sillones	no ser amables
8. mi apellido	no tener vista al océano
9. el balcón	ser viejos e incómodos
	no ser cómoda

D **¿Qué dices?** Escoge la respuesta correcta para cada pregunta.

1. ¿Puede Ud. decirme dónde está nuestro guía?
   (*¡Fantástico! / No estoy seguro. / Con permiso.*)
2. ¿Qué hay en el camino? ¿Es un perro?
   (*Sí, ¡cuidado! / Sí, hasta pronto. / ¡Saludos!*)
3. ¿Cuándo empieza el partido de fútbol?
   (*En el estadio. / No hay de qué. / En seguida.*)

4. ¿Te gusta la alfombra de este cuarto?
   (*Con mucho gusto. / Más o menos. / Espero que sí.*)
5. ¿Vas a viajar en barco por el río Amazonas?
   (*No lo sé. / Ya lo sé. / Con permiso.*)
6. Dices que nuestro cuarto tiene vista al océano. ¿Estás segura?
   (*Sí, ¡de veras! / Sí, hasta luego. / No hay de qué.*)
7. ¿Puede Ud. traer las maletas a nuestro cuarto?
   (*¡No hay de qué! / ¿Qué importa? / Con mucho gusto.*)
8. ¿Es necesario cerrar la puerta con llave?
   (*No lo sé. / ¡De veras! / Yo tampoco.*)

E   Hablemos de ti.
1. ¿Puedes describir tu cuarto? ¿Qué muebles hay allí? ¿De qué color son las paredes? ¿Tienes alfombra? ¿De qué color es?
2. ¿Cuál es el edificio más grande de tu ciudad? ¿Tiene ascensores? ¿Hay escaleras en tu casa? ¿Cuántos pisos tiene tu casa?
3. ¿Vives cerca de un río? ¿Cómo se llama? ¿Hay lagos cerca de tu ciudad? ¿Está tu ciudad cerca del océano?
4. Si viajas, ¿compras recuerdos? ¿Qué clase de recuerdos te gusta comprar? ¿Coleccionas recuerdos de otros países? ¿Les mandas recuerdos a tus amigos? ¿Qué les mandas a ellos? ¿Te mandan recuerdos a ti cuando hacen viajes?

Iglesia de la Virgen del Pilar en Zaragoza, España

ACTIVIDAD

¿Cómo es tu cuarto?   Get together with a partner to find out what each other's room is like. You can describe your room accurately or describe your dream room. Here are some questions to get you started:

> ¿Qué muebles hay en tu cuarto? ¿De qué colores son?
> ¿Qué vista tiene? ¿Tiene vista a la calle?
> ¿Hay decoraciones en las paredes?

Take turns asking questions until each of you can describe the other person's room.

ESTUDIO DE PALABRAS

Did you know that many Spanish words originally came from Arabic? Arabic was the language of the Moors of northern Africa, who invaded Spain in 711 and remained there for almost eight hundred years. Because they occupied Spain for so long, the Moors had a great influence on Spanish culture and language. You can identify some words that came from Arabic because they begin with *al-*. For example, *álgebra*, *almacén*, *alfombra*, and *almohada*.

Dos vistas de la Alhambra en Granada, España

Here are some other Spanish words you know that came from Arabic:

azúcar   azul   cero   sofá   ojalá

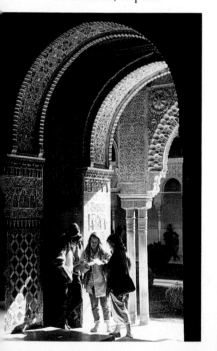

EXPLICACIONES I

Los verbos *saber* y *conocer*

In Spanish the verbs *saber* and *conocer* both mean "to know," but we use them very differently.

1 We use *saber* to talk about knowing *facts* or *information*. Here are all of the present-tense forms of *saber*.

INFINITIVO **saber**

	SINGULAR		PLURAL	
1	(yo)	**sé**	(nosotros) (nosotras)	**sabemos**
2	(tú)	**sabes**	(vosotros) (vosotras)	**sabéis**
3	Ud. (él) (ella)	**sabe**	Uds. (ellos) (ellas)	**saben**

¿**Sabes** dónde vive Javier?	*Do you **know** where Javier lives?*
¿Quién **sabe** la respuesta?	*Who **knows** the answer?*
Yo **sé** que tienes catorce años.	*I **know** (that) you're 14 years old.*

Remember that we can often omit the word "that" in English, but in Spanish we must use *que*.

2 *Saber* followed by an infinitive means to know *how* to do something.

Yo **sé** hacer una reservación.	*I **know how** to make a reservation.*
¿**Sabes** nadar?	*Do you **know how** to swim?*

◆ COMMUNICATIVE OBJECTIVES

To tell what and whom you **know**

To make small talk

To brag

3 *Conocer* means "to know" in the sense of being *acquainted* or *familiar with* a person, place, or thing. Here are its present-tense forms.

INFINITIVO **conocer**

	SINGULAR	PLURAL
1	(yo) **conozco**	(nosotros) (nosotras) } **conocemos**
2	(tú) **conoces**	(vosotros) (vosotras) } **conocéis**
3	Ud. (él) (ella) } **conoce**	Uds. (ellos) (ellas) } **conocen**

Conozco a Manuel.	*I **know** Manuel.*
¿**Conoces** esa canción?	*Do you **know** that song?*
¿**Conoces** a Barcelona?*	*Are you **familiar with** Barcelona?*

4 Except for the *yo* forms, *saber* and *conocer* take the regular *-er* verb endings in the present tense.

PRÁCTICA

A **¿Qué saben hacer?** Sigue el modelo para decir lo que saben hacer estas personas.

> Juan / jugar a las damas
> *Juan sabe jugar a las damas.*

1. María / divertirse
2. (tú) / jugar al ajedrez
3. Juana y tú / sacar fotos
4. José / decorar pasteles
5. Ester y Mario / tocar el piano
6. Uds. / dibujar bien
7. (nosotros) / preparar paella
8. Ud. / contar chistes
9. (nosotras) / arreglar lámparas
10. Y tú, ¿qué sabes hacer?

---

* Many Spanish speakers use the personal *a* with the names of cities and countries after *conocer*.

B **¿Qué conocen? ¿Y a quiénes?** Describe a la gente, los lugares *(places)* y las cosas que conocen estas personas. Usa la *a* personal si es necesario.

> Raúl / Josefina
> *Raúl conoce a Josefina.*

1. Ud. / la gerente
2. Ester y yo / ese hombre
3. Julia / este edificio
5. Javier y tú / esos anuncios

5. (tú) / esas jugadoras
6. (yo) / todos los invitados
7. mis padres / esa guía
8. la tía Gloria / ese almacén

C **¿Lo conoce?** Ahora usa las frases de la Práctica B para preguntar y contestar. Sigue el modelo.

> ESTUDIANTE A   *¿Conoce Raúl a Josefina?*
> ESTUDIANTE B   *Sí, la conoce.*

D **¿Quién es Carlos?** Completa el párrafo *(paragraph)* con las formas correctas de *saber* o *conocer*.

(Yo) _____ a Carlos. Y (yo) _____ que tú lo _____ también. ¡De veras! Vamos a describirlo. Carlos _____ muchas cosas. _____ a qué hora nos despertamos. Y _____ muy bien dónde está la cocina. Él nos _____ y a todos nuestros amigos también. Pero nosotros nunca _____ lo que él
5 piensa, porque él no _____ hablar español, y nosotros no _____ su lengua. ¿Ahora crees que (tú) _____ quién es Carlos? Por supuesto, tú ya _____ a Carlos. Es mi gato.

Un baile folklórico
en Barcelona, España

La expresión *hace . . . que*

◆ COMMUNICATIVE
   OBJECTIVES
   **To find out how long
   something has been
   going on**
   **To tell what you have
   been doing**

To tell how long something that began in the past has been going on, we use this construction:

> **Hace** + period of time + **que** + present-tense verb

Hace mucho tiempo **que** Juana **estudia** italiano.
*Juana **has been studying** Italian **for** a long time.*

Hace dos horas **que limpias** tu cuarto.
*You've **been cleaning** your room **for** two hours.*

Hace tres semanas **que estoy** aquí.
*I've **been** here **for** three weeks.*

Here is how we form questions using *hace . . . que:*

> **¿Cuánto tiempo**
> **¿Cuántos años (meses, etc.)** } **hace que** + present-tense verb?
> **¿Cuántas semanas (horas, etc.)**

¿Cuánto tiempo hace que viven en el África?
How long have they been living in Africa?

Estudiantes del Canadá,
de Alemania y de España

PRÁCTICA

A Hace mucho tiempo. Di *(Tell)* cuánto tiempo hace que estas personas hacen estas cosas.

> 15 minutos / Elena / jugar al golf
> *Hace quince minutos que Elena juega al golf.*

1. 20 minutos / Guillermo / cepillarse los dientes
2. 2 años / Pilar / hacer máscaras de carnaval
3. varios meses / Cristina / coleccionar botellas vacías
4. 5 años / Alicia / jugar en el equipo de volibol
5. 4 años / Gregorio / ser aficionado al fútbol americano
6. 6 meses / Rafael / conocer a Norma
7. mucho tiempo / Andrés / disfrutar de la música clásica
8. una semana / Laura / trabajar con el veterinario
9. más o menos media hora / Marcos / buscar la pelota
10. muchos años / la familia Durán / pasar sus vacaciones en este hotel

B ¿Cuánto tiempo hace que . . . ? Imagina que hay un estudiante alemán en tu clase. Tú no hablas alemán y él no habla mucho inglés. Hay sólo una lengua que Uds. pueden hablar juntos. Pregunta y contesta según el modelo.

> estudiar español / 8 meses
> ESTUDIANTE A *¿Cuánto tiempo hace que estudias español?*
> ESTUDIANTE B *Hace ocho meses que estudio español.*

1. vivir aquí / casi 2 meses
2. sacar fotos de flores / 5 años
3. estudiar francés / 3 años
4. tocar la guitarra / 10 años
5. saber esquiar / mucho tiempo
6. coleccionar sellos / muchos años
7. conocer a tu novia / un mes
8. asistir a esta escuela / un mes

C Hablemos de ti.

1. ¿Cuánto tiempo hace que conoces a tu mejor amigo(a)? ¿Vive cerca de ti? ¿Dónde vive? ¿Sabes su dirección? ¿Cuál es? ¿Sabes su número de teléfono? ¿Cuál es?
2. ¿A qué deportes sabes jugar? ¿Los juegas bien o mal? ¿Generalmente ganas o pierdes? ¿Cuántas veces ganaste el año pasado?
3. ¿Sabes tocar el piano o la guitarra? ¿Cuánto tiempo hace que lo (la) tocas? ¿Tocas bien o mal? ¿Cuántas veces lo (la) tocas cada semana?
4. ¿Cuánto tiempo hace que vives en tu casa?

APLICACIONES

Necesitan un cuarto

Los Girondo no tienen reservación y necesitan un cuarto en el hotel. ¿Acaban de llegar a la ciudad? ¿Cuántas maletas tienen? ¿Crees que hace mucho tiempo que viajan por Europa? ¿Cómo lo sabes?

Make up a dialogue between Mrs. Girondo and the hotel manager. Here are some words and phrases you may wish to use:

describir	con vista a(l)	baño privado	de veras
balcón	ducha	es necesario	en seguida

EXPLICACIONES II

El pretérito: Verbos que terminan en -ar

You know the singular forms of regular -ar verbs in the preterite. Here are all of the forms, both singular and plural.

INFINITIVO **comprar**

SINGULAR			PLURAL		
1 (yo)	compré	*I bought*	(nosotros) (nosotras)	compr**amos**	*we bought*
2 (tú)	compr**aste**	*you bought*	(vosotros) (vosotras)	compr**asteis**	*you bought*
3 Ud. (él) (ella)	compr**ó**	*you he she* bought	Uds. (ellos) (ellas)	compr**aron**	*you they* bought

Notice that the *nosotros* form is the same in the preterite as in the present.

1   The -ar verbs that have a stem change in the present do *not* have a stem change in the preterite.

contar (o → ue)   **pensar (e → ie)**

PRESENT	PRETERITE	PRESENT	PRETERITE
(yo) cuento	(yo) **conté**	(yo) pienso	(yo) **pensé**

2   Remember that verbs ending in -gar have a spelling change in the *yo* form of the preterite in order to keep the hard *g* sound. The *g* becomes *gu* and the *é* is added: *(yo) jugué, (yo) llegué, (yo) pagué.* Otherwise their forms are regular.

3   Verbs ending in -car also have a spelling change in the *yo* form of the preterite in order to keep the hard *c* sound. The *c* becomes *qu* and the *é* is added: *(yo) toqué, (yo) practiqué, (yo) busqué.*

◆ COMMUNICATIVE OBJECTIVES

To find out or relate what happened

To tell what you did

To explain why you did or did not do something

To brag

4 Verbs ending in *-zar* also have a spelling change in the *yo* form of the preterite. The *z* becomes *c* and the *é* is added: *(yo) empecé.*

5 The preterite of *-ar* reflexive verbs is the same as the preterite of *-ar* nonreflexive verbs.

> **Se levantaron** a las ocho.   *They **got up** at 8:00.*
> **Me acosté** temprano anoche.   *I **went to bed** early last night.*

PRÁCTICA

A   **¿Y los amigos?**   Pilar pasó un año en Alemania y no vio a sus amigos. Ahora quiere saber qué les pasó. Pregunta y contesta según el modelo.

> ¿Mario y Enrique? / viajar por Francia
> ESTUDIANTE A   *¿Mario y Enrique?*
> ESTUDIANTE B   *Viajaron por Francia.*

1. ¿Raquel y Virginia? / cantar en la televisión
2. ¿Victoria y Margarita? / celebrar sus quince años juntas
3. ¿Ester y su familia? / pasar dos semanas en París
4. ¿Las novias de Mario y Mateo? / regresar de San Juan
5. ¿Los hermanos de Lucía? / disfrutar de sus vacaciones en Lisboa
6. ¿Los alumnos del Sr. Miranda? / viajar a Londres
7. ¿Roberto y Carlos? / trabajar en un hospital para animales
8. ¿Tus sobrinas? / quedarse un mes con nosotros

B   **El primer día de clase.**   El profesor Hernández quiere saber cómo los estudiantes pasaron las vacaciones de verano. Pregunta y contesta según el modelo.

> ayudar en casa / todos
> ESTUDIANTE A   *¿Ayudaron todos en casa?*
> ESTUDIANTE B   *Sí, ayudamos en casa.*
> o: *No, no ayudamos en casa.*

1. nadar en el río / Uds.
2. levantarse temprano / todos
3. pasar mucho tiempo en la playa / tú y tus amigos
4. viajar por el África / Uds.
5. disfrutar del tiempo libre / tú y tus amigos
6. visitar los Pirineos / Uds.
7. ganar muchos partidos de béisbol / Uds.
8. jugar mucho al volibol / tú y tus amigos
9. trabajar en el centro / Uds.
10. regresar contentos / todos

C El primero. Rodolfo siempre quiere ser el primero. Si tú le dices que vas a hacer algo *(something)* él siempre te dice que acaba de hacerlo. Sigue el modelo.

> arreglar la moto
> ESTUDIANTE A *Quisiera arreglar la moto.*
> ESTUDIANTE B *Ya la arreglé.*

1. cambiar las sábanas
2. preparar la naranjada
3. cerrar el armario
4. dejar la propina
5. mandar las tarjetas postales

6. pagar las entradas
7. encontrar la llave
8. limpiar el espejo
9. buscar la manta
10. decorar las paredes

D ¿Qué pasó ayer? Mira los dibujos y forma frases en el pretérito. Sigue el modelo.

despertarse a las seis
Ellos se despertaron a las seis.

1. escuchar la radio

2. jugar a las damas

3. lavarse el pelo

4. viajar al sur de la ciudad

5. acostarse más o menos temprano

6. empezar a trabajar

7. pagar los muebles

8. caminar por el puente viejo

9. llegar tarde al baile

10. cantar canciones folklóricas

E **¿Por qué no lo hiciste?** ¿Por qué no hacen estas personas lo que quieren hacer? Pregunta y contesta según el modelo.

> (tú) / no comprar ese disco / dejar el dinero en casa
> ESTUDIANTE A *¿Por qué no compraste ese disco?*
> ESTUDIANTE B *Porque dejé el dinero en casa.*

1. Clara y Elena / no llegar temprano / terminar su trabajo tarde
2. (nosotros) / no sacar buenas notas / no estudiar para el examen
3. (tú) / no llevar esa camiseta nueva / no encontrarla
4. Rogelio / no preparar el desayuno / levantarse tarde
5. Ud. / no comprar nada / no entrar en ninguna tienda
6. (ellos) / no cocinar chiles rellenos / no comprar queso
7. Laura / no levantarse a las seis / no acostarse hasta la medianoche
8. Uds. / no quedarse en casa el sábado / necesitar divertirnos un poco

F **Mi viaje a México.** Lee el párrafo (*paragraph*) y cambia los verbos al pretérito.

Cuando viajo a México, preparo todo de prisa. Llamo al agente de viajes y compro mi boleto de avión. Luego, mis hermanas me ayudan a comprar regalos para mis tíos y mis amigos mexicanos. Estudio el mapa y también las palabras para las comidas, frutas, bebidas y
5 postres en español. Luego empiezo a contar los días hasta la fecha del viaje. Cuando llega el día del viaje, me levanto temprano y tomo un taxi al aeropuerto. Cuando bajo del taxi el taxista me ayuda con las maletas y yo le doy una buena propina. Cuando empieza el vuelo, miro por la ventanilla. La auxiliar de vuelo me da unas revistas. Trato
10 de leerlas pero no las termino. El vuelo dura casi dos horas. El avión despega a las 10:15 y aterriza en Acapulco un poco después del mediodía.
 Cuando llego, busco mis maletas, y luego mis tíos me llevan a su casa. Por la noche, juego con mis primos y luego ayudo a mi tía a
15 preparar una cena fantástica. Todos pasamos el día muy contentos.

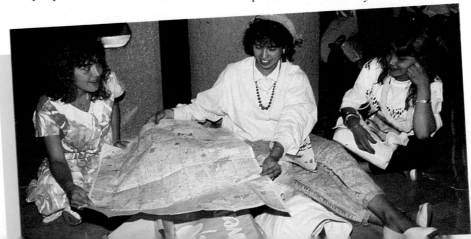

G Hablemos de ti.

1. ¿Qué hiciste esta mañana antes de venir a la escuela? ¿A qué hora te despertaste? ¿Te levantaste en seguida? ¿Qué hiciste luego?
2. ¿A qué hora llegaste a la escuela esta mañana? ¿Cuántas personas en tu clase llegaron tarde?
3. ¿A qué hora terminaste la tarea anoche? ¿A qué hora te acostaste? ¿Cuántas personas en tu clase se acostaron después de las once? No se acostó nadie después de la medianoche, ¿verdad?
4. ¿Qué programas de televisión miraste anoche? ¿Disfrutaste de ellos? ¿Viste las noticias? ¿En qué canal? ¿Qué pasó ayer? ¿Cuántas personas en tu clase no miraron la tele?
5. ¿Quién preparó la cena en tu casa anoche? ¿Qué cocinó? ¿Quién quitó los platos y los lavó? ¿Ayudaste en la cocina?

ACTIVIDAD

¿Qué hiciste el año pasado?   Work in groups of four. On separate slips of paper, each person writes three things he or she did last year: *Compré muebles nuevos. Arreglé una lámpara. Visité a mis abuelos.* Here are some verbs you might use:

arreglar	comprar	jugar	prestar
ayudar	decorar	llevar	quedarse
caminar	empezar	mostrar	terminar
cantar	encontrar	nadar	tomar
celebrar	esquiar	pasar *(tiempo)*	usar
cocinar	estudiar	practicar	viajar
coleccionar	ganar	preparar	visitar

Put all the slips together. Then take turns drawing slips and asking who did what: *¿Quién compró muebles nuevos? ¿Quién arregló una bicicleta?*, etc. Find out how many people did that particular thing and keep a group tally: *¿Cuántas personas compraron muebles nuevos?* Then get together with the whole class and make a class tally. What things were done by the largest number of people?

APLICACIONES

Look carefully at the model sentences. Then put the English cues into Spanish to form new sentences based on the models.

1. *Yo sé hablar portugués muy bien.*
   (You (fam.) know how to tell jokes rather well.)
   (We know how to take pictures very well.)
   (They know how to decorate apartments rather well.)

2. *Hace una semana que trabaja en el África.*
   (I've been living in Europe for a month.)
   (It's been raining in Germany for ten days.)
   (We've been studying in England for two weeks.)

3. *Ayer practicamos el piano.*
   (Last night I sent a gift.)
   (Yesterday you (pl.) washed the windows.)
   (Last week you (fam.) paid for the beverages.)

4. *Disfruté mucho de mis vacaciones.*
   (Carmen enjoyed her visit very much.)
   (They enjoyed our concert very much.)
   (We enjoyed your (fam.) dinner very much.)

5. *Creemos que conocemos muy bien a Bogotá.*
   (He thinks I know Bárbara very well.)
   (She thinks that you (formal) know the story very well.)
   (I think we know the answers rather well.)

Una calle en Barcelona, España

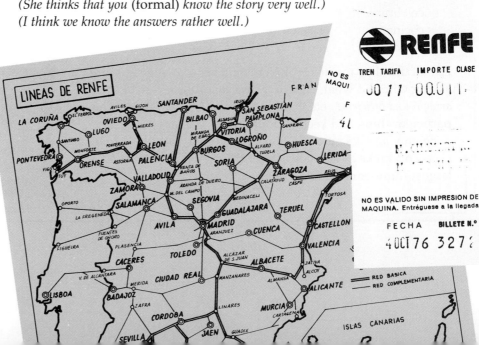

TEMA

Put the English captions into Spanish.

1. Jim and Bob know how to speak Spanish very well.

2. They've been traveling in Spain for two months.

3. Yesterday they visited Granada.

4. They enjoyed their trip very much.

5. They think they know Spain very well.

REDACCIÓN

Now you are ready to write your own paragraph. Choose one of the following topics.

1. Expand the *Tema* by writing something more about Jim and Bob. Where are they from? How old are they? Are they students? Give some additional details about their trip. Did they visit many Spanish towns and cities? Did they buy any post cards and souvenirs? Are they going to come back next summer?

2. Pretend that you are Jim or Bob, and write three post cards to friends at home to tell them about your trip.

3. Write a description of an ideal room in a house or apartment.

A   El cuarto
Complete the sentences according to the pictures.

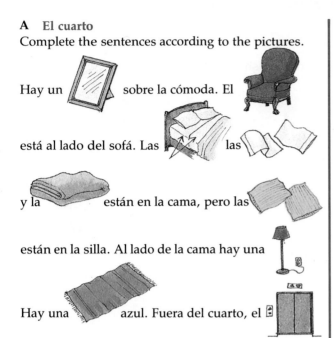

Hay un _____ sobre la cómoda. El _____ está al lado del sofá. Las _____ las _____ y la _____ están en la cama, pero las _____ están en la silla. Al lado de la cama hay una _____

Hay una _____ azul. Fuera del cuarto, el _____ está a la izquierda de la puerta y, a la derecha, está

la _____ El _____ está cerca de la ventana y por la ventana puedes ver el _____ con vista al mar.

B   *Saber* y *conocer*
Complete the questions using the correct form of *saber* or *conocer*.

1. ¿_____ ella a María Luisa?
2. ¿_____ tus padres bailar?
3. ¿_____ Jorge cantar en francés?
4. ¿_____ Uds. el sur de Italia?
5. ¿_____ (tú) arreglar el coche?

6. ¿_____ nosotros a la gerente?
7. ¿_____ (yo) a esa señora?
8. ¿_____ Uds. contestar en español?

C   El viaje de Alicia
Complete the sentences with the correct form of *saber* or *conocer*.

Mañana Alicia va a hacer su primer viaje a Portugal. Alicia _____ un poco de portugués, pero no _____ el país. (Ella) no _____ a mucha gente allá tampoco. (Yo) _____ que ella va a divertirse mucho, porque (yo) la _____ muy bien. ¿_____ (tú) a qué hora ella tiene que despertarse? (Yo) no lo _____. Pero (yo) _____ que el avión despega muy temprano. Nosotros _____ dónde ella va a quedarse, pero no _____ cuándo va a regresar.

D   ¿Cuánto tiempo hace?
Use the cues to form questions and answers, as in the model.

(tú) / estudiar español / tres meses
¿Cuánto tiempo hace que estudias español?
Hace tres meses que estudio español.

1. Ud. / conocer a ese guía / diez años
2. (tú) / mirar la televisión / dos horas y media
3. Felipe / estar enfermo / una semana
4. Mariana / saber dibujar / varios años
5. Uds. / quedarse en este hotel / cinco días
6. los niños / vivir en Inglaterra / cuatro meses

E   El pretérito
Complete the sentences using the preterite of the verbs in parentheses.

Ayer yo *(llegar)* a casa temprano, *(estudiar)* por la tarde y luego *(ayudar)* a preparar la cena. Mi hermana y yo *(lavar)* los platos. Después, (yo) *(jugar)* al ajedrez con mi hermano. Él *(ganar)*. Luego él y mi hermana *(jugar)* a las damas. Ellos *(acostarse)* temprano, pero mi papá y yo *(mirar)* la televisión hasta las once. El programa *(terminar)* entonces, y yo *(acostarse)* en seguida.

Sustantivos
el África (f.)
el alemán
Alemania
la alfombra
la almohada
el armario
el ascensor
el balcón, pl. los balcones
el Brasil
la cama
la cómoda
el cuarto
el edificio
la escalera
el espejo
el este
Europa
Francia
la funda
el / la gerente
el / la guía
Inglaterra
Italia
el italiano
la lámpara
la lengua
la llave
la manta
los muebles
el norte
el océano
el oeste
la pared
los Pirineos
Portugal
el portugués
el puente
el recuerdo

la reservación, pl. las
  reservaciones
el río
la sábana
el sillón, pl. los sillones
el sofá
el sur
la tarjeta postal

Adjetivos
alemán (pl. alemanes), alemana
fantástico, -a
francés (pl. franceses), francesa
inglés (pl. ingleses), inglesa
italiano, -a
necesario, -a
portugués (pl. portugueses),
  portuguesa
privado, -a
seguro, -a

Verbos
conocer
describir
disfrutar de
mandar
quedarse
saber

Preposición
por

Expresiones
con mucho gusto
con permiso
con vista a(l)
¿cuánto tiempo hace que . . . ?
de veras
discúlpeme
en seguida
hace + time + que + present
  tense
hacer un viaje
más o menos
(no) lo sé
quisiera
¡saludos!

CAPÍTULO 16

PRÓLOGO CULTURAL

ESCRIBIR CON DIBUJOS

They go *¡Plaf! ¡Cataplún! ¡Raas! ¡Boum! ¡Clonc! ¡Moc! ¡Flup! ¡Driiing!* It's just another scene in a Spanish-language comic book as things fall, bounce, jump, explode, ring, and generally react in the stories of those colorful characters.

The comic book has many names in Spanish. In Spain it's a *tebeo*—in honor of *TBO*, a comic book that has been around since 1917. In Argentina comics are called *historietas* and in Mexico, *cuentos*. They are similar to the comic books you know. In fact, some are translations of North American comic books. The books usually also contain such features as puzzles, jokes, essays, and movie gossip.

Most characters in these comics are humans. Mischievous children like Spain's *Zipe y Zape* and Argentina's famous *Mafalda* are very popular. For every talking animal like *Super Pumby*, a supercat who flies with the help of a portable nuclear reactor, there are half a dozen heroes like *Capitán Trueno*, who battles evil in medieval Europe. War stories and westerns are also popular.

For adults there are *fotonovelas*—stories told entirely with photographs and speech balloons like those in comics. *Fotonovelas* are usually serious, romantic, and moralistic, like Mexico's *El aventurero del amor* and *Traumas psicológicos*. One of the world's best-selling authors is a Spanish woman named Corín Tellado, who has written hundreds of romantic stories that have been made into *fotonovelas*.

The *fotonovela* is the ancestor of the *telenovela* (soap opera). But until television sets become as portable as magazines, these books that tell their stories mostly with pictures will continue to entertain millions every day.

PALABRAS NUEVAS I

El cuerpo

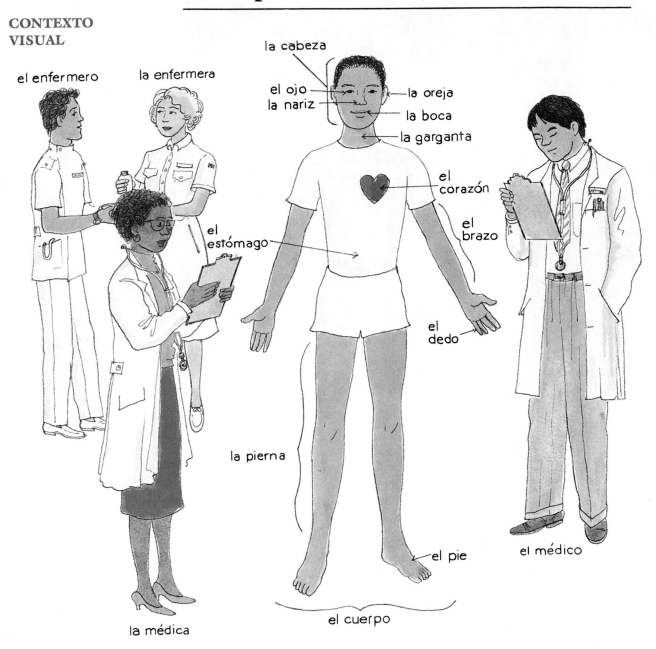

el enfermero

la enfermera

la cabeza

el ojo
la nariz

la oreja

la boca

la garganta

el corazón

el estómago

el brazo

el dedo

la pierna

la médica

el pie

el cuerpo

el médico

◆ COMMUNICATIVE
OBJECTIVES

To arrange for and have
a physical exam due to
illness

To complain about not
feeling well

To explain

To express interest or
disinterest

CONTEXTO
COMUNICATIVO

1 SRA. RUIZ ¿Qué pasa, Carlitos? **¿Te duele algo?**

CARLOS Me duele la garganta, mamá.

SRA. RUIZ **¡Pobrecito! Tienes fiebre** también. Voy a llamar a la médica.

Variaciones:

■ la garganta → **el oído***

■ me duele la garganta → me duelen la cabeza y la garganta

■ tienes fiebre → creo que tienes **gripe**

■ a la médica → a **la doctora** Arias

doler (o → ue) (me duele(n), te duele(n)) *to hurt, to ache*

algo *something, anything*

pobrecito, -a *poor thing*

la fiebre *fever*

tener fiebre *to have a fever*

el oído *(inner) ear*

la gripe *flu*

el doctor, la doctora *doctor (as title)*

2 SRA. RUIZ Hace una semana que mi hijo Carlitos tiene un **resfriado.** ¿Puede verlo la médica esta tarde?

ENFERMERA Va a **examinar** a **alguien** ahora, pero puede ver a Carlitos en media hora.

SRA. RUIZ Muchas gracias.

■ un resfriado → gripe

■ a alguien → a otro niño

el resfriado *cold*

examinar *to examine*

alguien *someone, somebody, anyone*

3 CARLITOS ¿Me va a **poner una inyección**?

DRA. ARIAS Hoy no, Carlitos. Sólo necesitas **descansar.**

■ poner una inyección → dar una **receta**

■ descansar → quedarte en cama

poner una inyección (a) *to give a shot (to)*

descansar *to rest*

la receta *prescription*

4 DRA. ARIAS ¿Sabes, Carlitos, que a los médicos no **nos gustan** las inyecciones?

CARLITOS ¿Tampoco **le gustan** a Ud.?

DRA. ARIAS No, no le gustan a nadie.

■ le gustan a Ud. → **les gustan** a las enfermeras

nos gusta(n) *we like*

le gusta(n) *he / she / it / you (formal) like(s)*

les gusta(n) *they / you (pl.) / like*

---

* In Spanish we use *el oído* to mean the inner ear and *la oreja* to mean the outer ear. It is usually the inner ear that hurts.

Palabras Nuevas I **519**

5 EUGENIO   El Dr. Suárez es una persona muy amable y un médico buenísimo. **Algún** día espero ser médico como él.

     LEONOR   Pues yo no quiero ser médica. Quisiera ser piloto.

- algún día → **por eso**
- ser médica → cuidar a las personas enfermas
- piloto → fotógrafa

algún, alguna   *a, any, some* (adj.)

por eso   *that's why*

---

6 PROFESORA   ¿Por qué no escribes las frases, Miguel?

     MIGUEL   Porque **me falta** un bolígrafo.

     PROFESORA   No es una buena **excusa.** Clase, ¿**alguno** de Uds. tiene un bolígrafo para Miguel?

- las frases → las palabras
- me falta → **me olvidé de** traer
- alguno de Uds. → alguien

faltar (me falta(n), te falta(n))   *to need, to be missing (something)*

la excusa   *excuse*

alguno(s), alguna(s)   *some, any, one* (pron.)

olvidarse (de) + inf.   *to forget (to do something)*

---

7 GRACIELA   A mí no **me importa** el dinero, ¿y a ti?

     MARCOS   Pues a mí me importa mucho.

- el dinero → ser rica

importar (me importa(n), te importa(n))   *to matter (to), to be important (to), to mind*

EN OTRAS PARTES

En México se dice *la gripa.*

También se dice *el catarro, el resfrío* y *el constipado.*

PRÁCTICA

A ¿Qué te duele? Imagina que te duele algo y la enfermera de la escuela te examina. Pregunta y contesta según el modelo y los dibujos.

ESTUDIANTE A *¿Qué te duele?*
ESTUDIANTE B *Me duele la garganta.*

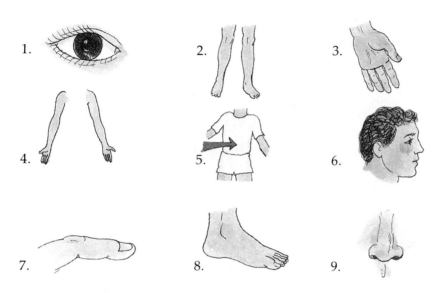

1.
2.
3.
4.
5.
6.
7.
8.
9.

B ¿Qué hacemos con este muchacho enfermo? Completa cada frase con la palabra correcta.

1. Me duele el estómago. Tengo *(hambre / sueño / razón)*.
2. Tengo fiebre. El médico me va a dar *(un pastel / la gripe / una receta)*.
3. Si tienes algo en el ojo, debes ir *(al enfermero / al pobrecito / al colegio)*.
4. Una enfermera es una mujer que *(tiene fiebre / cuida a las personas enfermas / está enferma)*.
5. Estoy enfermo. El médico me va a *(examinar / dibujar / buscar)*.
6. Tengo fiebre y me duele *(la cabeza / la receta / la excusa)*.
7. La médica dice que debo *(abrir la boca / examinar los dedos / poner una inyección a alguien)*.
8. Si estás cansada, debes *(levantarte / descansar / olvidarte)*.
9. Si te duele la garganta, creo que tienes *(un cuerpo / una inyección / gripe)*.
10. No puedo oír bien, doctor. ¿Puede darme *(algo / algunas / alguien)* para el oído?

C **¿Qué uso?** ¿Qué parte del cuerpo usas para hacer estas actividades? Pregunta y contesta según el modelo.

> para tocar el piano
> ESTUDIANTE A *¿Qué usas para tocar el piano?*
> ESTUDIANTE B *Uso las manos (o los dedos) y los pies.*

1. para caminar
2. para cantar
3. para correr
4. para escribir
5. para comer
6. para ver
7. para oír
8. para bailar
9. para leer

D **Hablemos de ti.**
1. ¿Cuántas veces vas al médico cada año? ¿A veces te pone inyecciones o te da una receta? Cuando el médico te da una receta, ¿adónde la llevas?
2. ¿Qué haces cuando tienes un resfriado? ¿Dura mucho tiempo, generalmente?
3. ¿Cómo estás hoy? ¿Te duele algo? ¿Qué te duele?
4. ¿Te olvidas de hacer cosas a menudo? ¿De qué te olvidas? ¿Te olvidaste de algo ayer u hoy?
5. ¿Qué te importa? ¿Qué no te importa?

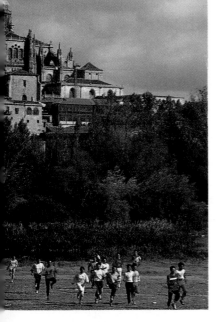

(arriba) Una clase de gimnasia en Salamanca, España; (derecha) Con la médica en España

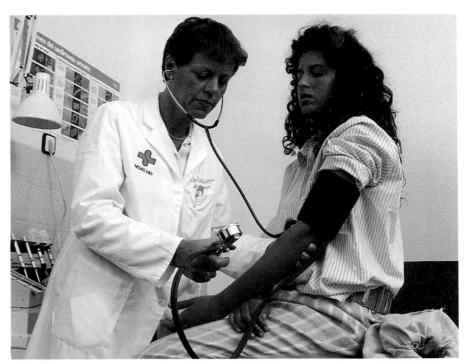

(abajo) Gimnasia en el Hospital Pérez Carreño de Caracas, Venezuela; (abajo, izquierda) Gimnasia en una universidad de Santiago, Chile

APLICACIONES

No puedo ir a la escuela

Consuelo tiene mil excusas para no ir a la escuela.

MAMÁ	¡Levántate,[1] niña! Ya es tarde.
CONSUELO	No puedo ir hoy a la escuela, mamá. Estoy enferma.
MAMÁ	¿Qué tienes,[2] hija?
5 CONSUELO	Me duele todo el cuerpo: la cabeza, la garganta, el estómago . . .
MAMÁ	Hmm . . . No tienes fiebre.
CONSUELO	No, pero tengo mucho frío. Es peor que tener fiebre, ¿no?
10 MAMÁ	A veces sí, a veces no.
CONSUELO	Si tengo frío, entonces tengo un resfriado, ¿no?
MAMÁ	¿O no te gusta ir a la escuela, tal vez?
CONSUELO	¿Qué dices, mamá? Tú sabes cómo me encanta ir a la escuela.
15 MAMÁ	¡Levántate entonces! No tengo tiempo para escuchar excusas. Si no asistes a clase, no vas al cine esta noche.
CONSUELO	¡Mamá! ¡Ya no tengo frío!
MAMÁ	¡Ya lo sabía![3] El cine es la mejor receta que conozco.

[1]**¡levántate!** *get up!*   [2]**¿qué tienes?** *what's the matter?*   [3]**¡ya lo sabía!** *I knew it!*

ESCUELA SAN MARTÍN
excusa por ausencia

Nombre del alumno (a) _____
Margarita Cecilia Botero

Motivo de ausencia _____
La niña tuvo gripe y se sentía mal.

Fecha *27 de marzo*

Firma de los padres o responsables
Patricia de Botero

Preguntas
Contesta según el diálogo.
1. ¿Por qué Consuelo no puede ir a la escuela?   2. ¿Qué le duele?
3. ¿Tiene mucha fiebre?   4. ¿Qué te duele a ti cuando tienes un resfriado?   5. Según su mamá, ¿está enferma Consuelo?   6. ¿Qué tiene ganas de hacer Consuelo? ¿Prefiere ir a la escuela o quedarse en casa?
7. ¿Por qué no tiene frío Consuelo después?   8. ¿Qué haces tú cuando te quedas en casa y tus compañeros asisten a la escuela? ¿Qué haces cuando tienes que quedarte en cama todo el día?

Participación

With a partner, create a dialogue about making excuses. Take turns playing the role of a person who is asking for a date and a person who is trying to avoid going out.

PRONUNCIACIÓN

You have probably noticed that when people speak Spanish, they often run words together without pausing in between. For example, the phrase *a la derecha de la casa* may sound more like two words than six. You don't think about it, of course, but we do the same thing in English. When you say "I'm going to go," it will probably sound like "I'm gonna go" or even "Ahmana go!" This combining of sounds is called linking. The following examples show basic patterns of linking in Spanish.

A When the last sound of a word is the same as the first sound of the next word, we usually pronounce them as one sound.
Escucha y repite.

al lado de Elena   los cerdos son negros   va a hacerlo

B We usually run two vowels together.
Escucha y repite.

la ensalada   su esposo   le hablo a ella   su amigo enfermo

C We often pronounce a final consonant as if it were the first letter of the following word.
Escucha y repite.

el amigo   el agua   los actores   el aficionado   los animales

D Escucha y repite.

Ella enseña español.   Ese actor italiano es amigo de Eva.
Mi hijo Enrique no quiere agua. El león está al lado de las serpientes.

To buy books or use a
library

To ask for and express
opinions

To agree and disagree

To borrow something

La librería

CONTEXTO
VISUAL

la librería

la escritora

el escritor

TOMÁS CARRASCO · Un mes en la luna

VICTORIA SANCHEZ · EL ESPEJO PREOCUPADO

el título

CONTEXTO
COMUNICATIVO

1 MARIO   Quisiera comprar el nuevo libro de poemas de
                 Luis Palacios. ¿Todavía lo tienen **en venta**?

        en venta *for sale*

    VENDEDORA Un momento. Voy a buscarlo adentro. *(Sale y
                 regresa después de varios minutos.)* No, **lo siento,**
                 señor, pero ya los **vendí** todos.

        lo siento *I'm sorry*

        (yo) vendí, (tú) vendiste
          (preterite of **vender**) *sold*

    MARIO   ¡Qué lástima! Es mi poeta favorito.

Variaciones:
- quisiera → quiero
- poeta → escritor
- favorito → **preferido**

        preferido, -a = favorito, -a

el poeta

la poeta

el estante

Los Poemas de Verónica y Ramón

adentro

afuera

VENTA
~~$2000~~
$500

la venta

---

2 TOMÁS   ¿Compraste ya **la novela** de Lola Castillos?

MARTA   No. Pienso **sacarla** de la biblioteca. ¿Por qué?

TOMÁS   Porque no la encuentro en ninguna librería.

MARTA   No debe ser **tan** difícil encontrarla. La vi ayer en la librería Saavedra.

■ compraste →**recibiste**
■ sacarla de la biblioteca → **pedirla prestada a** alguien

3 RICARDO   **¿Qué te parece** esta novela de **aventuras**?

CLAUDIA   **Me parece excelente.**

RICARDO   No **estoy de acuerdo.** A mí no me gustó.

CLAUDIA   Pues yo disfruté mucho de ella.

■ qué te parece → qué piensas de
■ excelente → **formidable**

la novela   *novel*

sacar   *to take out, to remove*

tan   *so, as*

(yo) recibí, (tú) recibiste (preterite of **recibir**)   *got, received*

pedir prestado, -a (a)   *to borrow (from)*

¿qué te parece ____?   *how do you like ____?, what do you think of ____?*

la aventura   *adventure*

parecer (me parece, te parece)   *to seem (to someone)*

excelente   *excellent*

estar de acuerdo   *to agree*

formidable   *terrific*

PRÁCTICA

A **¡Es formidable!**   Guillermo y un(a) amigo(a) visitan varias librerías de la ciudad. Pregunta y contesta según el modelo.

> este libro de historia / muy interesante
> ESTUDIANTE A   *¿Qué piensas de este libro de historia?*
> ESTUDIANTE B   *Me parece muy interesante.*

1. la poeta Julia de Burgos / formidable
2. la librería Saavedra / excelente
3. la venta en la librería Bolívar / magnífico
4. ese escritor alemán / muy serio
5. el cuento *El corazón del poeta* / bastante tonto
6. esta novela nueva / fabuloso
7. ese título / perfecto
8. el libro del Dr. Avellaneda / demasiado largo

B **Me falta algo.**   Eva y sus amigos pasan unos días en el campo, pero les faltan varias cosas. Pregunta y contesta según el modelo.

ESTUDIANTE A   *Tengo ganas de leer. Pero me falta un libro.*
ESTUDIANTE B   *¿Por qué no pides prestado uno?*

leer

ESTUDIANTE A   *Tengo ganas de jugar al béisbol. Pero me falta una pelota.*
ESTUDIANTE B   *¿Por qué no pides prestada una?*

jugar al béisbol

1. nadar   2. escribir a mi familia   3. sacar fotos

4. dormir afuera   5. jugar al fútbol   6. descansar

7. mandar unas   8. tocar cintas   9. levantarme temprano
   tarjetas postales

C Hablemos de ti.

1. ¿Sacas muchos libros de la biblioteca? ¿Hay una buena biblioteca en tu colegio? ¿Más o menos cuántos libros tiene? ¿Tienes tú muchos libros? ¿Cuántos?

2. ¿Qué clase de libros prefieres? ¿Quién es tu escritor(a) preferido(a)? ¿Por qué disfrutas de sus libros?

3. ¿Te gusta leer poemas? ¿Quién es tu poeta preferido(a)? ¿Aprendiste algunos poemas de memoria este año? ¿Poemas en inglés o en español? ¿Cuáles son los títulos de esos poemas?

4. ¿A veces les pides prestado algo a tus amigos? ¿Qué les pides prestado? ¿Les prestas tú cosas a ellos? ¿Qué te piden prestado a ti?

ACTIVIDAD

Busco un libro.   Work in groups of three. Take turns playing the role of a clerk in a bookstore while the other two play customers shopping for gifts. First, each of you should make up a list of titles, one book title for each of the following categories. They can be translations of English titles you know or invented titles.

libros de aventura	libros de poemas
libros de arte	novelas de ciencia ficción
libros de cuentos	novelas policíacas
libros de historia	novelas románticas
libros del oeste	obras de teatro

The customers take turns describing the people they want to give books to. The clerk asks for information about the person who is going to receive the gift. Questions might include:

¿Cuántos años tiene?	¿Qué le gusta leer?
¿Es estudiante?	¿Qué le gusta hacer?
¿Qué hace?	

The clerk must then recommend a title to the customer.

ESTUDIO DE PALABRAS

During the year you have learned many words that have the same general meaning. These words are called *synonyms*. Here are some that you have learned.

bello, -a = hermoso, -a	alumno, -a = estudiante
muchacho, -a = chico, -a	formidable = estupendo, -a

You have also learned *antonyms*, words that are opposite in meaning.

alto, -a ≠ bajo, -a	mayor ≠ menor
grande ≠ pequeño, -a	subir ≠ bajar

Can you think of a *synonym* for each italicized word in these sentences?

1. Mamá dice que *tienes que* limpiar los estantes.
2. ¿Quién es tu escritor *favorito*?
3. *Me gustan más* las novelas policíacas.
4. Voy a *regresar* a casa.
5. ¿Me quieres *contar* lo que pasó?
6. No *tengo ganas de* leer esa novela.
7. ¿Quieres *beber* algo?

Now give an *antonym* for each italicized word.

1. Te esperamos en *la entrada* del cine.
2. Hace *calor*. ¿Vamos *afuera*?
3. ¿A qué hora *cierran* la biblioteca?
4. Me parece que esa taza está *llena*.
5. Prefiero ir al médico *sin* mi mamá.
6. No le debes *prestar* nada a él.
7. No comprendo *la respuesta*.

(abajo, izquierda) Plaza del Zócalo en México; (abajo, derecha) Playa Luquillo en Puerto Rico

EXPLICACIONES I

Los verbos *doler, encantar, faltar, gustar, importar, parecer*

To say that we like something, we use the verb *gustar*, which actually means "to be pleasing." In Spanish, whatever is pleasing is the subject of the sentence.

Me gustan las novelas.	*I like novels. (Novels are pleasing to me.)*
Nos gusta la novela.	*We like the novel. (The novel is pleasing to us.)*

Gustar agrees with the subject—*novela(s)*. The person who likes them is the indirect object, *me* or *nos*. We use *gustar* with all of the indirect object pronouns:

$$\left.\begin{array}{l} \textbf{me} \\ \textbf{te} \\ \textbf{le} \end{array}\right\} \text{gusta(n)} \qquad \left.\begin{array}{l} \textbf{nos} \\ \textbf{os} \\ \textbf{les} \end{array}\right\} \text{gusta(n)}$$

1 Remember that *le* and *les* can have several meanings. To make the meaning clear or for emphasis we can add *a* + a noun or prepositional pronoun.

A él le gusta descansar.	*He likes to rest.*
A Ud. no **le** gustan las inyecciones.	*You don't like shots.*
A nosotros nos gustan los libros de aventuras. Y **a ti,** ¿qué **te** gusta?	*We like adventure books. And what do you like?*

If we use a person's name, of course, we also use *a*:

A Juana siempre **le** gusta ganar.	*Juana always likes to win.*

2 The verbs *encantar* "to love," *faltar*, "to need" or "to be missing (something)," *importar*, "to matter, to be important (to)," and *parecer*, "to seem," follow the same pattern.

¿Qué **te falta?** $\left\{\begin{array}{l} \textit{What } \textbf{\textit{do you need}}\textit{?} \\ \textit{What } \textbf{\textit{are you missing}}\textit{?} \end{array}\right.$

A ellos no **les importa** el dinero.	*Money doesn't **matter to them.***
Ese libro **me parece** interesante.	*That book **seems** interesting **to me.***
Me encanta el Dr. Lotito.	*I love Dr. Lotito.*

◆ COMMUNICATIVE
OBJECTIVES

To compare likes and
dislikes

To order in a restaurant

To emphasize or clarify

To tell what does and
doesn't matter to you

To tell where something
hurts

To tell or ask for what
you need

To act as spokesperson
for a group

3 The verb *doler*, "to hurt," is a stem-changing verb (*o* → *ue*). It follows the same pattern.

> **¿A Ud. le duele** la cabeza?   *Does **your** head **hurt**?*
> No, **me duele** el oído.   *No, **my** ear **hurts.***

Remember that we usually use the definite article with parts of the body.

PRÁCTICA

A   **¿Le gusta la comida?**   El profesor Guerrero y su clase van a un restaurante español. Escoge *(Choose)* algo del menú para cada persona. Pregunta y contesta según el modelo.

> a Ud.
> ESTUDIANTE A   *¿Qué le gusta a Ud.?*
> ESTUDIANTE B   *A mí me gustan las chuletas de cerdo y una naranjada.*

menú

SOPAS

sopa de verduras   gazpacho   sopa de pollo

COMIDAS DEL DÍA

huevos fritos con papas fritas	ensalada de lechuga y tomate
tortilla española	chiles rellenos
paella	empanadas
chuletas de cerdo	arroz con pollo
chuletas de cordero	bistec

POSTRES

frutas con queso
helado
flan
pasteles

BEBIDAS

té
café
chocolate
agua mineral
naranjada

1. a ti
2. a Ud.
3. a Uds.
4. a ella
5. a Raúl y a ti
6. a Gloria y a Victoria

B **¿Te importa?** Imagina que el sábado hay una venta de libros viejos en la biblioteca de la escuela y que tú y unos compañeros van a ayudar. Pregunta y contesta según el modelo.

> trabajar el sábado / a ti
>
> ESTUDIANTE A *A mí no me importa trabajar el sábado. ¿Y a ti?*
>
> ESTUDIANTE B *A mí no me importa tampoco.*

1. levantarse temprano / a él
2. llevar las cajas de libros / a Uds.
3. sacar los libros de los estantes / a ellas
4. limpiar los estantes / a ti
5. contar el dinero / Paco
6. vender libros viejos / a la profesora
7. pasar el sábado en la biblioteca / a Jorge y a ti
8. quedarse hasta tarde / a los otros

C **¿Qué te duele?** Después del gran partido de volibol, a todos les duele algo. Pregunta y contesta según el modelo.

> a Juan y a ti / las manos
>
> ESTUDIANTE A *¿Qué les duele a Juan y a ti?*
>
> ESTUDIANTE B *Nos duelen las manos.*

1. a ellos / la cabeza
2. a él / el oído
3. a Carlota / la boca
4. a Ud. / la nariz
5. a ti / el pie
6. a Uds. / los brazos
7. a Jorge y a Esteban / las piernas
8. a ellas / todo el cuerpo

D **En el restaurante.** Olga y Leonardo acaban de abrir su primer restaurante. ¿Qué le falta a cada cliente?

a Lorenzo   *A Lorenzo le falta un plato.*

1. a Carolina

2. a ti

3. a Uds.

4. a mí

5. a nosotros

6. a nosotras

7. a ellos

8. a Ud.

9. a Elena y a Marta

E ¿Qué les parece . . .? Imagina que alguien te pregunta qué piensan tú y tus compañeros de clase de varias cosas. Escoge un adjetivo para contestar. Sigue el modelo.

> las novelas que leen en su clase de inglés
>
> ESTUDIANTE A *¿Qué les parecen las novelas que leen en su clase de inglés?*
>
> ESTUDIANTE B *Nos parecen aburridas.*

1. las películas románticas
2. las películas cómicas
3. los programas en el canal *(número)*
4. las noticias en el canal *(número)*
5. los anuncios comerciales para *(producto)*
6. los desfiles
7. los fuegos artificiales
8. su profesor(a) de *(materia)*
9. la enfermera de la escuela
10. el título de este libro
11. este libro
12. la lengua española

aburrido
amable
antipático
difícil
divertido
emocionante
estupendo
excelente
fabuloso
fácil
formidable
hermoso
listo
simpático
tonto

(arriba) Estudiantes en Panamá; (derecha) Entrada de un cine en Palma de Mallorca, España

Palabras afirmativas

You know how to use the negative words that are listed below. Here are the affirmative words that are their antonyms.

◆ COMMUNICATIVE OBJECTIVES

To calm someone

To make excuses

To disagree

To ask for something in a store

AFFIRMATIVE WORDS	NEGATIVE WORDS
alguien *someone, somebody, anyone*	**nadie** *no one, nobody, not anybody*
algo *something, anything*	**nada** *nothing, not anything*
algún, alguna *a, any, some* (adj.)	**ningún, ninguna** *no, not any* (adj.)
alguno, alguna *some, any, one* (pron.)	**ninguno, ninguna** *none, no one, (not) any* (pron.)
siempre *always*	**nunca** *never*
también *too, also*	**tampoco** *neither, not either*

¿Vas al cine con **alguien**? No, **no** voy con **nadie**.

¿Me compraste **algo**? No, **no** te compré **nada**.

¿Tienes **alguna** excusa? No, **no** tengo **ninguna**.

¿**Siempre** los llamas por teléfono? No, **no** los llamo **nunca**.

Like *ninguno*, *alguno* agrees with the noun it describes. Before a masculine singular noun, we use *algún*.

Voy a leerlo **algún** día. *I'm going to read it **some**day.*

Tengo **algunas** amigas en Colombia. *I have **some** friends in Colombia.*

Algunas de mis blusas son viejas. ***Some** of my blouses are old.*

PRÁCTICA

A ¿Hay fantasmas?   Dos niños están en una casa vieja donde no vive nadie. Tienen un poco de miedo porque creen que ven y oyen cosas muy extrañas *(strange)*. Pregunta y contesta según el modelo.

> venir por el jardín
> ESTUDIANTE A   *¿Viene alguien por el jardín?*
> ESTUDIANTE B   *No, no viene nadie.*

1. caminar por la sala
2. dormir en el dormitorio
3. correr por el patio
4. entrar por el balcón

5. bajar la escalera
6. cantar en el baño
7. escribir en la pared
8. subir a nuestro piso

B **¿Qué hiciste anoche?** Imagina que un(a) amigo(a) te pregunta qué hiciste anoche. No hiciste nada. Sigue el modelo.

> cocinar / delicioso para la cena
> ESTUDIANTE A *¿Cocinaste algo delicioso para la cena?*
> ESTUDIANTE B *No, no cociné nada.*

1. ver / interesante en la tele
2. dibujar / nuevo para la clase de arte
3. encontrar / interesante en la cómoda
4. preparar / divertido para el baile de disfraces
5. dar / viejo a la venta de ropa
6. comprar / bonito para María
7. sacar / bueno de la biblioteca
8. tomar / caliente después de la cena
9. olvidarse de / importante

C **Dos hermanos diferentes.** Carmen y Diego son hermanos, pero son muy diferentes en todo. Pregunta y contesta según el modelo.

> estudiar por la noche
> ESTUDIANTE A *Siempre estudio por la noche.*
> ESTUDIANTE B *Pues yo nunca estudio por la noche.*

1. estar contento(a)
2. dormir ocho horas
3. cantar en la ducha
4. decir la verdad
5. bañarse por la mañana
6. olvidarse de cerrar el armario
7. divertirse en las ventas de ropa
8. estar de acuerdo con mis padres
9. pedir prestado dinero
10. descansar después del almuerzo

D **Quisiera comprar . . .** Imagina que viajas por Europa y quieres comprar recuerdos para tu familia. Pregunta y contesta según el modelo.

> manteles portugueses
> ESTUDIANTE A *Discúlpeme, señor(a). Quisiera comprar algunos manteles portugueses.*
> ESTUDIANTE B *Lo siento. No tenemos ninguno.*
> o: *Aquí tiene Ud. algunos.*

1. cintas de música folklórica
2. máscaras de carnaval
3. libros sobre las corridas de toros
4. tarjetas postales de los Pirineos
5. guías de Inglaterra
6. jabones franceses
7. carteles de Italia
8. dulces alemanes

E Siempre hay alguien. A Marta le encanta ir a la playa. Completa las frases con las palabras correctas: *algo, alguien, algún, alguno(s), alguna(s).*

Vivo cerca del mar. Siempre voy a la playa con _____ porque no me gusta ir sola. A veces voy con mis padres pero prefiero ir con mis amigas. Llevamos _____ para comer y _____ refrescos. Durante la semana, no hay mucha gente en la playa, pero generalmente hay

5 _____ a quien conozco. Pero los fines de semana siempre hay _____ turistas. _____ de mis amigas nadan muy bien. Yo no. _____ días las olas son enormes y no puedo nadar. Entonces llevo una novela para leer o hablo con _____. _____ día, tú puedes ir conmigo.

F Hablemos de ti.
1. ¿Qué haces cuando quieres comprar algo y te falta dinero?
2. ¿Piensas hacer algo interesante o divertido este fin de semana? ¿Qué vas a hacer?
3. ¿Esperas viajar algún día a la América Central? ¿A México? ¿Qué hay que hacer antes de viajar allí?
4. ¿Hay algunos estudiantes centroamericanos o sudamericanos en tu escuela? ¿Hablas español con ellos? ¿A veces te ayudan a hacer tu tarea de español?
5. ¿Qué cosas no haces nunca? ¿Cuáles son algunas de las cosas que no hace nadie en tu escuela?

ACTIVIDAD

¿Cuántas veces? How often do you do things? With a partner, make up ten questions about everyday activities. For example:

¿Te acuestas antes de las siete?
¿Les pides prestado dinero a tus amigos?
¿Estás de acuerdo con tus padres?

Then get together with two other pairs of students and take a poll. Take turns asking each other questions and tallying responses on this scale: *siempre / a menudo / a veces / nunca.*

APLICACIONES

Los regalos de Quetzalcóatl

¿Sabes quién era[1] Quetzalcóatl? Era un dios[2] muy importante para
algunos grupos de indios de México. Mucho de lo que sabemos de él
viene de la mitología de los aztecas.

¿Te parece difícil pronunciar Quetzalcóatl? Pues su nombre viene de
5 dos palabras aztecas: *quetzal,* que quiere decir pájaro de[3] plumas[4]
hermosas, y *cóatl,* que quiere decir serpiente. Quetzalcóatl, pluma-
serpiente o serpiente de plumas.

Quetzalcóatl era un dios amable y bueno. Ayudó mucho a los indios.
Les dio el maíz y les enseñó la agricultura. Les mostró también cómo
10 hacer ropa y construir templos y casas. También inventó el calendario
para enseñarle a la gente los secretos de las estrellas y de los planetas.

El buen dios pasó muchos años con la gente de México. Pero un día,
otro dios, Tezcatlipoca, salió del oeste y trató de destruir a Quetzalcóatl.
Quetzalcóatl fue al este, y cuando llegó al mar se escapó de prisa en un
15 barco.

Muchos años después, el conquistador español Hernán Cortés llegó a
México. Cortés le dio mucho miedo a Moctezuma, el emperador de los
aztecas. "Este hombre tiene que ser Quetzalcóatl que regresa," pensó
Moctezuma. Por eso los indios no atacaron a Cortés, y los españoles
20 conquistaron[5] a México. ¡Y Quetzalcóatl nunca regresó!

---

[1]**era** *(from* **ser)** *(he / she / it) was*   [2]**el dios** *god*   [3]**de** here: *with*
[4]**la pluma** *feather*   [5]**conquistar** *to conquer*

Preguntas
Contesta según la lectura.

1. ¿De dónde viene lo que sabemos de Quetzalcóatl?
2. ¿Puedes describir a Quetzalcóatl?
3. ¿Qué hizo para la gente?
4. ¿Qué hizo Tezcatlipoca?
5. ¿Cómo se escapó Quetzalcóatl? ¿Qué está al oeste de México? ¿Al este?
   (Si es necesario, mira un mapa.)
6. ¿Quién era Cortés?
7. ¿Quién era Moctezuma?
8. ¿Qué pensó Moctezuma cuando vio a Cortés?

EXPLICACIONES II

El pretérito: Verbos que terminan en -er e -ir

You already know the singular forms of *comer* and *salir* in the preterite tense. Here are all of the preterite endings for regular *-er* and *-ir* verbs. They are the same for both types of verbs.

◆ COMMUNICATIVE OBJECTIVES
To find out or tell what happened

To tell what you did

To apologize

To blame others

INFINITIVO **comer**

	SINGULAR		PLURAL
1	(yo)	com**í**	(nosotros) (nosotras) } com**imos**
2	(tú)	com**iste**	(vosotros) (vosotras) } com**isteis**
3	Ud. (él) (ella) } com**ió**		Uds. (ellos) (ellas) } com**ieron**

INFINITIVO **salir**

	SINGULAR		PLURAL
1	(yo)	sal**í**	(nosotros) (nosotras) } sal**imos**
2	(tú)	sal**iste**	(vosotros) (vosotras) } sal**isteis**
3	Ud. (él) (ella) } sal**ió**		Uds. (ellos) (ellas) } sal**ieron**

1 Here are all of the *-er* and *-ir* verbs that you know that follow this pattern.

aprender	correr	perder	abrir	salir
beber	deber	romper	asistir	subir
comer	doler	vender	describir	vivir
comprender	llover*	ver	escribir	
conocer	parecer	volver	recibir	

2 *Ver* does not have an accent mark on any of its preterite forms.

vi	**vimos**
viste	**visteis**
vio	**vieron**

PRÁCTICA

A ¿Qué hiciste la semana pasada? ¿Hiciste algunas de estas cosas la semana pasada? Pregunta y contesta según el modelo.

> comer comida mexicana
>
> ESTUDIANTE A *¿Comiste comida mexicana?*
> ESTUDIANTE B *Sí, comí comida mexicana.*
> o: *No, no comí comida mexicana.*

1. salir con tus amigos el sábado
2. asistir a alguna obra de teatro
3. ver algo bueno en el cine
4. escribir algunos poemas románticos
5. perder algún partido
6. aprender algo nuevo
7. recibir buenas noticias
8. romper algo

B Detective. Imagina que eres detective y que investigas un robo *(robbery)* en tu barrio. Les preguntas a todos qué pasó. ¡Pero nadie sabe nada! Sigue el modelo.

> ver a alguien en el balcón del tercer piso / no . . . nadie
>
> ESTUDIANTE A *¿Vieron Uds. a alguien en el balcón del tercer piso?*
> ESTUDIANTE B *No, no vimos a nadie.*

1. recibir algunas cartas chistosas / no . . . ninguna
2. abrir algunas cajas grandes / no . . . nada
3. perder las llaves de la casa / no . . . nada
4. salir del barrio hoy / no, nunca . . .
5. volver a casa temprano / no . . . hasta tarde
6. ver a un hombre alto en la esquina / no . . . nadie
7. romper las ventanas de la planta baja / no . . . nada
8. comprender todas mis preguntas / no . . . ninguna de ellas

---

* *Llover*, of course, has only one preterite form: *llovió.*

C ¿Cuánto dinero? Imagina que tú y varias otras personas vendieron estas cosas el sábado pasado. ¿Qué vendió cada persona y cuánto dinero recibió? Sigue el modelo.

Marta vendió una cámara. Recibió cinco dólares.

Marta

1. Ricardo y yo

2. Gloria y Hugo

3. (tú)

4. Anita

5. Uds.

6. (yo)

7. Graciela

8. Pedro y Andrés

9. Carlos

(arriba) En un mercado en Cartagena, Colombia; (abajo) Una vendedora en Arcos de la Frontera, España

D **¿Qué pasó aquí?** La Sra. Peña regresó a casa y encontró todo en desorden *(mess)*. Le preguntó a su hijo mayor lo que pasó. Sigue el modelo.

> abrir la puerta de mi armario / Dolores
> ESTUDIANTE A *¿Quién abrió la puerta de mi armario?*
> ESTUDIANTE B *Dolores la abrió.*

1. beber toda la limonada / Vicente
2. comer todo mi chocolate / nosotros
3. romper mi taza preferida / el perro
4. escribir esas palabras en mi libro / Juanito
5. abrir mis cartas / Dolores y Juanito
6. romper este espejo / yo
7. comer todo el pastel / Vicente y yo

E **Un cuento de terror.** Un viejo amigo nos contó este cuento. Cambia cada verbo al pretérito.

Una noche sin luna, todavía vestido de fantasma, yo *(volver)* muy tarde de una fiesta de disfraces. *(Abrir)* la puerta y *(entrar)* en la sala. En seguida algo *(correr)* por la escalera, pero cuando yo *(mirar)*, no *(ver)* nada. *(Subir)* al primer piso y *(escuchar)*. Unos segundos *(pasar)* . . .
5 y luego, ¡un pequeño ruido en el baño! *(Caminar)* despacio, muy despacio. Alguien *(abrir)* la puerta del baño. Me *(dar)* mucho miedo . . . ¿Pero sabes a quién (yo) *(encontrar)*? ¡A mi hermanito! ''¿Q-q-q-quién eres?'' me *(preguntar)*. Yo *(quitarse)* la sábana blanca. ''¡Soy yo, tonto!'' *(contestar)*. ''¿Por qué me *(dar)* un miedo tan grande?'' yo *(preguntar)*.
10 Él me *(mirar)*, *(salir)* del baño sin decir nada más y *(acostarse)*.
Dos semanas más tarde todavía no habla conmigo.

F Hablemos de ti.

1. ¿Aprendiste mucho este año? ¿Qué aprendiste?
2. ¿Saliste bien en los exámenes durante el año? ¿Sacaste buenas notas? ¿Te importan mucho las notas? ¿Por qué?
3. ¿Te gustó esta clase? ¡Esperamos que sí!

ACTIVIDAD

Opiniones   Take a class poll about what you learned this year. As a class, make up a series of questions such as these.

> ¿Aprendieron Uds. a pedir comida en un restaurante?
> ¿Aprendieron Uds. a contestar rápidamente qué hora es?
> ¿Aprendieron Uds. a hablar de las actividades que les gustan?

While one person asks the class your questions, another should keep a record of the responses. Afterward, discuss why everyone responded as they did:

> ¿Están todos de acuerdo?
> ¿Qué les gustó y no les gustó? ¿Por qué?

APLICACIONES

Look carefully at the model sentences. Then put the English cues into Spanish to form new sentences based on the models.

1. *Hoy asistí a una clase de computadoras con algunos amigos.*
   (Tonight my sister attended a volleyball game with several friends.)
   (That night they drank a bottle of milk with their friends.)
   (Last night Marcos and I ate lamb chops with our girlfriends.)

2. *A mí me gusta llamar a Anita, la atleta más formidable del equipo.*
   (She likes to watch Ricardo, the youngest person on the team.)
   (They like to listen to Luz, the most intelligent girl in the class.)
   (We like to invite Pilar and Raúl, the funniest students in the school.)

3. *Estudiaron la lección, y ahora les duele la cabeza. ¡Pobrecitos!*
   (We lost the game, and now our legs hurt. What bad luck!)
   (She wrote the letters, and now her hand hurts. What a shame!)
   (I saw the movie, and now my eyes hurt. What a problem!)

4. *La médica la examinó y le dio una receta.*
   (Dr. Jiménez (m.) listened to us and gave us an excuse.)
   (The dentist (m.) examined me and gave me a toothbrush.)
   (The nurse (f.) saw them (f.) and gave them towels.)

5. *Ana caminó un poco. Luego, ella y algunas amigas estudiaron adentro.*
   (Pablo wrote a little. Then he and some friends played inside.)
   (The women cooked a lot. Then they and some guests (f.) ate outside.)
   (I slept too much. Later some boys and I ran outside.)

TEMA

Put the English captions into Spanish.

1. Yesterday Rosa attended a soccer game with some friends.

2. Rosa likes to watch Antonio, the fastest player on the team.

3. Antonio won the game, and now his legs hurt. Poor thing!

4. The doctor examined him, but he didn't give him anything.

5. Antonio rested a little. Then he, Rosa, and some friends celebrated outside.

REDACCIÓN

Now you are ready to write your own dialogue or paragraph. Choose one of the following topics.

1. Expand the *Tema* by describing Rosa and Antonio. How does she know him? How many boys are there in the locker room? What are they doing? What is the doctor like? Where did Rosa go after the game? What did Antonio and his friends do to celebrate?

2. Write a conversation between Antonio and the doctor. Include the following: The doctor asks Antonio what is wrong. Antonio tells him that his head and legs hurt. The doctor tells Antonio that he is going to examine him. He says he isn't going to give Antonio anything but that Antonio must rest. Antonio thanks the doctor and asks him whether he must return. The doctor says that Antonio should return to his office in one week.

3. For each picture write a sentence that Rosa might write in a letter to a friend describing what happened that day.

COMPRUEBA TU PROGRESO   CAPÍTULO 16

A   ¿Qué es?
Identify each picture and use the word in a sentence.

1.

2.

3.

4.

5.

6.

7.

8.

B   ¿Le duele algo?
Answer the questions with *sí* or *no* and the correct pronoun and verb form.

> ¿Le duele a Ud. la cabeza?
> *Sí, me duele la cabeza.*
> o: *No, no me duele la cabeza.*

1. ¿A Uds. les gusta el chocolate?
2. ¿Les faltan libros a algunos de tus compañeros de clase?
3. ¿Te duelen los pies?
4. ¿A tus amigos les gustan mis poemas?
5. ¿Le importa recibir el dinero mañana?
6. ¿A tu profesora le duele el estómago?

C   ¿Cuál es?
Choose the correct word: *algún; alguno, -a, -os, -as; algo;* or *alguien.*

1. Voy a pasar _____ días con él.
2. ¿Necesitas _____, Manuel?
3. Carmen tiene _____ amigas españolas.
4. ¿Viste _____ película excelente la semana pasada?
5. _____ alumnos sólo leen los títulos.

6. ¿Quieres tomar _____ conmigo?
7. _____ día voy a viajar por España.
8. _____ comió mi postre preferido.

D   Sí, sí
Change the sentences from negative to affirmative.

1. No tienen nada en venta en esa librería.
2. No lo hago nunca.
3. Nadie lo conoce.
4. Nadie sabe nada de él.
5. Nunca bebo vino blanco.
6. Tú no conoces a nadie.
7. ¿No va al baile con nadie?
8. No tenemos ningunos vestidos para la fiesta.
9. Tampoco podemos nadar en el río.

E   Antes
Complete the sentences with the correct form of the preterite.

1. Nosotros no *(aprender)* la lección para hoy.
2. ¿Qué *(recibir)* para tu cumpleaños?
3. Ellos *(comer)* todo el pavo.
4. Ella *(vivir)* mucho tiempo en La Habana.
5. Uds. nunca *(comprender)* nada.
6. Yo no *(escribir)* los ejercicios.

F   ¿Qué pasó?
Answer the questions with *sí* and a complete sentence.

> ¿Recibiste tu libro?
> *Sí, recibí mi libro.*

1. ¿Vivió Ud. en Guadalajara?
2. ¿Aprendieron Uds. español?
3. ¿Vendieron ellos su casa?
4. ¿Visitó Ud. Valencia?
5. ¿Abrí la ventana?
6. ¿Compraste el estante?
7. ¿Comprendiste todo?
8. ¿Disfrutaste mucho de esta clase?

VOCABULARIO DEL CAPÍTULO 16

Sustantivos
la aventura
la boca
el brazo
la cabeza
el corazón
el cuerpo
el dedo
el doctor, la doctora
el enfermero, la enfermera
el escritor, la escritora
el estante
el estómago
la excusa
la fiebre
la garganta
la gripe
la inyección, *pl.* las
  inyecciones
la librería
el médico, la médica
la nariz
la novela
el oído
el ojo
la oreja
el pie
la pierna

el / la poeta
la receta
el resfriado
el título
la venta

Pronombres
algo
alguien
alguno, -a, -os, -as

Adjetivos
algún, alguna
excelente
formidable
preferido, -a

Verbos
descansar
doler (o → ue)
examinar
faltar
gustar
importar
olvidarse (de)
parecer
sacar

Adverbios
adentro
afuera
tan

Expresiones
en venta
estar de acuerdo
lo siento
pedir prestado, -a (a)
¡pobrecito, -a!
poner una inyección
por eso
¿qué te parece?
tener fiebre / gripe

LOS NÚMEROS, LOS DÍAS, LOS MESES Y LA HORA

Cardinal Numbers

0	cero	30	treinta
1	uno	40	cuarenta
2	dos	50	cincuenta
3	tres	60	sesenta
4	cuatro	70	setenta
5	cinco	80	ochenta
6	seis	90	noventa
7	siete	100	ciento
8	ocho	200	doscientos
9	nueve	300	trescientos
10	diez	400	cuatrocientos
11	once	500	quinientos
12	doce	600	seiscientos
13	trece	700	setecientos
14	catorce	800	ochocientos
15	quince	900	novecientos
16	dieciséis	1000	mil
17	diecisiete		
18	dieciocho		
19	diecinueve		
20	veinte		
21	veintiuno		
22	veintidós		
23	veintitrés		
24	veinticuatro		
25	veinticinco		
26	veintiséis		
27	veintisiete		
28	veintiocho		
29	veintinueve		

Days of the Week

lunes   *Monday*
martes   *Tuesday*
miércoles   *Wednesday*
jueves   *Thursday*
viernes   *Friday*
sábado   *Saturday*
domingo   *Sunday*

Months

enero   *January*
febrero   *February*
marzo   *March*
abril   *April*
mayo   *May*
junio   *June*
julio   *July*
agosto   *August*
septiembre   *September*
octubre   *October*
noviembre   *November*
diciembre   *December*

Time

¿Qué hora es?   *What time is it?*
Es la una.   *It's 1:00.*
Son las dos.   *It's 2:00.*
Son las dos y cuarto.   *It's 2:15.*
Son las dos y media.   *It's 2:30.*
Son las tres menos cuarto.   *It's 2:45.*
Son las tres.   *It's 3:00.*

VERBOS

INFINITIVE	PRESENT		PRETERITE	

Regular Verbs

cantar	canto	cantamos	canté	cantamos
	cantas	cantáis	cantaste	cantasteis
	canta	cantan	cantó	cantaron
aprender	aprendo	aprendemos	aprendí	aprendimos
	aprendes	aprendéis	aprendiste	aprendisteis
	aprende	aprenden	aprendió	aprendieron
vivir	vivo	vivimos	viví	vivimos
	vives	vivís	viviste	vivisteis
	vive	viven	vivió	vivieron

Reflexive Verbs

lavarse	me lavo	nos lavamos	me lavé	nos lavamos
	te lavas	os laváis	te lavaste	os lavasteis
	se lava	se lavan	se lavó	se lavaron

Stem-changing Verbs

acostar (o → ue)	See *contar*.			
acostarse (o → ue)	See *contar* and Reflexive Verbs.			
cerrar (e → ie)	cierro	cerramos	cerré	cerramos
	cierras	cerráis	cerraste	cerrasteis
	cierra	cierran	cerró	cerraron
contar (o → ue)	cuento	contamos	conté	contamos
	cuentas	contáis	contaste	contasteis
	cuenta	cuentan	contó	contaron
costar (o → ue)	See *contar*.			
despertar (e → ie)	See *cerrar*.			
despertarse (e → ie)	See *cerrar* and Reflexive Verbs.			

divertirse (e → ie)	See *preferir* and Reflexive Verbs.		me divertí	nos divertimos
			te divertiste	os divertisteis
			se divirtió	se divirtieron
doler (o → ue)	See *contar*.			
dormir (o → ue)	duermo	dormimos	dormí	dormimos
	duermes	dormís	dormiste	dormisteis
	duerme	duermen	durmió	durmieron
dormirse (o → ue)	See *dormir* and Reflexive Verbs.			
empezar (e → ie)	See *cerrar*.		empecé	empezamos
			empezaste	empezasteis
			empezó	empezaron
encontrar (o → ue)	See *contar*.			
jugar (u → ue)	juego	jugamos	jugué	jugamos
	juegas	jugáis	jugaste	jugasteis
	juega	juegan	jugó	jugaron
llover (o → ue)	(llueve)		(llovió)	
mostrar (o → ue)	See *contar*.			
nevar (e → ie)	(nieva)		(nevó)	
pedir (e → i)	pido	pedimos	pedí	pedimos
	pides	pedís	pediste	pedisteis
	pide	piden	pidió	pidieron
pensar (e → ie)	See *cerrar*.			
perder (e → ie)	pierdo	perdemos	perdí	perdimos
	pierdes	perdéis	perdiste	perdisteis
	pierde	pierden	perdió	perdieron
poder (o → ue)	See Irregular Verbs.			
preferir (e → ie)	prefiero	preferimos	preferí	preferimos
	prefieres	preferís	preferiste	preferisteis
	prefiere	prefieren	prefirió	prefirieron
querer (e → ie)	See Irregular Verbs.			
repetir (e → i)	See *pedir*.		repetí	repetimos
			repetiste	repetisteis
			repitió	repitieron
servir (e → i)	See *pedir*.		serví	servimos
			serviste	servisteis
			sirvió	sirvieron

INFINITIVE	PRESENT		PRETERITE	
vestir (e → i)	See *pedir*.		vestí	vestimos
			vestiste	vestisteis
			vistió	vistieron
vestirse (e → i)	See *pedir* and Reflexive Verbs.		me vestí	nos vestimos
			te vestiste	os vestisteis
			se vistió	se vistieron
volver (o → ue)	See *contar*.			

Verbs with Spelling Changes

aterrizar	aterrizo	aterrizamos	aterricé	aterrizamos
	aterrizas	aterrizáis	aterrizaste	aterrizasteis
	aterriza	aterrizan	aterrizó	aterrizaron
buscar	busco	buscamos	busqué	buscamos
	buscas	buscáis	buscaste	buscasteis
	busca	buscan	buscó	buscaron
conocer	conozco	conocemos	conocí	conocimos
	conoces	conocéis	conociste	conocisteis
	conoce	conocen	conoció	conocieron
continuar	continúo	continuamos	continué	continuamos
	continúas	continuáis	continuaste	continuasteis
	continúa	continúan	continuó	continuaron
creer	creo	creemos	creí	creímos
	crees	creéis	creíste	creísteis
	cree	creen	creyó	creyeron
despegar	See *llegar*.			
empezar	See Stem-changing Verbs.			
esquiar	esquío	esquiamos	esquié	esquiamos
	esquías	esquiáis	esquiaste	esquiasteis
	esquía	esquían	esquió	esquiaron
jugar	See Stem-changing Verbs.			
leer	See *creer*.			
llegar	llego	llegamos	llegué	llegamos
	llegas	llegáis	llegaste	llegasteis
	llega	llegan	llegó	llegaron
pagar	See *llegar*.			
practicar	See *buscar*.			

sacar	See *buscar*.			
tocar	See *buscar*.			

Irregular Verbs

dar	doy	damos	di	dimos
	das	dais	diste	disteis
	da	dan	dio	dieron
decir	digo	decimos	dije	dijimos
	dices	decís	dijiste	dijisteis
	dice	dicen	dijo	dijeron
estar	estoy	estamos	estuve	estuvimos
	estás	estáis	estuviste	estuvisteis
	está	están	estuvo	estuvieron
hacer	hago	hacemos	hice	hicimos
	haces	hacéis	hiciste	hicisteis
	hace	hacen	hizo	hicieron
ir	voy	vamos	fui	fuimos
	vas	vais	fuiste	fuisteis
	va	van	fue	fueron
oír	oigo	oímos	oí	oímos
	oyes	oís	oíste	oísteis
	oye	oyen	oyó	oyeron
poder	puedo	podemos	pude	pudimos
	puedes	podéis	pudiste	pudisteis
	puede	pueden	pudo	pudieron
poner	pongo	ponemos	puse	pusimos
	pones	ponéis	pusiste	pusisteis
	pone	ponen	puso	pusieron
ponerse	See *poner* and Reflexive Verbs.			
querer	quiero	queremos	quise	quisimos
	quieres	queréis	quisiste	quisisteis
	quiere	quieren	quiso	quisieron
saber	sé	sabemos	supe	supimos
	sabes	sabéis	supiste	supisteis
	sabe	saben	supo	supieron

INFINITIVE	PRESENT		PRETERITE	
salir	salgo	salimos	salí	salimos
	sales	salís	saliste	salisteis
	sale	salen	salió	salieron
ser	soy	somos	fui	fuimos
	eres	sois	fuiste	fuisteis
	es	son	fue	fueron
tener	tengo	tenemos	tuve	tuvimos
	tienes	tenéis	tuviste	tuvisteis
	tiene	tienen	tuvo	tuvieron
traer	traigo	traemos	traje	trajimos
	traes	traéis	trajiste	trajisteis
	trae	traen	trajo	trajeron
venir	vengo	venimos	vine	vinimos
	vienes	venís	viniste	vinisteis
	viene	vienen	vino	vinieron
ver	veo	vemos	vi	vimos
	ves	veis	viste	visteis
	ve	ven	vio	vieron

VOCABULARIO ESPAÑOL-INGLÉS

The *Vocabulario español-inglés* contains all active vocabulary from the text.

A dash (—) represents the main entry word. For example, **el — mineral** following **el agua** means **el agua mineral.**

The number following each entry indicates the chapter in which the word or expression is first introduced. Two numbers indicate that it is introduced in one chapter and elaborated upon in a later chapter. A letter following an entry refers to the *En Camino* sections.

The following abbreviations are used: *adj.* (adjective), *dir. obj.* (direct object), *f.* (feminine), *fam.* (familiar), *ind. obj.* (indirect object), *inf.* (infinitive), *m.* (masculine), *pl.* (plural), *prep.* (preposition), *pron.* (pronoun), *sing.* (singular).

a, al at (D); to (E, 4); *as sign of dir. obj.* (7)
— **menudo** often (3)
— **pie** on foot (4)
— **tiempo** on time (12)
— **veces** sometimes (3)
abierto, -a open (12)
el abrigo overcoat (3)
abril April (C)
abrir to open (12)
el abuelo, la abuela grandfather, grandmother (6)
los abuelos grandfathers; grandparents (6)
aburrido, -a bored; boring (5)
acabar de + *inf.* to have just *(done something)* (9)
el acento accent mark (7)
acostar (o → ue) to put *(someone)* to bed (14)
—**se** to go to bed (14)
el actor, la actriz *(f.pl.* **actrices)** actor, actress (9)
acuerdo: estar de — to agree (16)
adentro inside (16)
adiós good-by (A)
¿adónde? (to) where? (4)
el aeropuerto airport (4)
el aficionado, la aficionada (a) fan (of) (14)

el África *f.* Africa (15)
afuera outside (16)
la agencia de viajes travel agency (12)
el/la agente de viajes travel agent (12)
agosto August (C)
agradable pleasant (10)
el agua *f.* water (8)
el — mineral *f.* mineral water (8)
¡ah, sí! oh, yes! (1)
ahora now (D)
el ajedrez chess (11)
alemán *(pl.* **alemanes), alemana** German (15)
el alemán German *(language)* (15)
Alemania Germany (15)
la alfombra rug (15)
el álgebra *f.* algebra (7)
algo something, anything (16)
tomar — to have something to drink (11)
alguien someone, somebody, anyone (16)
algún, alguna some, any, a (16)
alguno, -a, -os, -as *pron.* some, any, one (16)

el almacén, *pl.* **almacenes** department store (5)
la almohada pillow (15)
el almuerzo lunch (8)
¿aló? hello? *(on phone)* (5)
alto, -a tall (2)
el alumno, la alumna pupil (2)
allá (over) there (5)
allí there (5)
amable kind, nice (12)
amarillo, -a yellow (3)
la América Central Central America (2)
la América del Norte North America (2)
la América del Sur South America (2)
la América Latina Latin America (2)
americano, -a American (E)
el amigo, la amiga friend (2)
anaranjado, -a orange (3)
el anillo ring (12)
animados: los dibujos — movie cartoons (9)
el animal animal (10)
el — doméstico pet (10)
anoche last night (8)
los anteojos eyeglasses (9)
los — de sol sunglasses (9)
antes de before (9)

— + *inf.* before (*doing something*) (9)

antipático, -a unpleasant, not nice (5)

el **anuncio comercial** commercial (9)

el **año** year (C)

    ¿cuántos —s tienes? how old are you? (6)

    el **día de fin de —** New Year's Eve (C)

    los **quince —s** fifteenth birthday (party) (6)

    tener . . . —s to be . . . years old (6)

el **Año Nuevo** New Year's Day (C)

el **apartamento** apartment (6)

el **apellido** last name, surname (6)

aprender to learn (7)

    — a + *inf.* to learn how (to) (7)

    — de memoria to memorize (7)

aquí here (3)

    — lo (la / los / las) tiene(s) here it is, here they are (11)

    — tienes / tiene Ud. here is, here are (11)

el **árbol** tree (10)

el **arete** earring (12)

la **Argentina** Argentina (B)

el **armario** closet (15)

arreglar to fix, to repair (9)

el **arroz** rice (13)

el **arte** art (7)

el **ascensor** elevator (15)

así, así, so-so (A)

el **asiento** seat (12)

asistir a to attend (7)

aterrizar to land (12)

el/la **atleta** athlete (14)

atlético, -a athletic (14)

ausente absent (7)

el **autobús,** *pl.* **autobuses** bus (4)

el/la **auxiliar de vuelo** flight attendant (12)

la **avenida** avenue (5)

la **aventura** adventure (16)

el **avión,** *pl.* **aviones** plane (4)

ayer yesterday (8)

ayudar (a + *inf.)* to help (1, 6)

el **azúcar** sugar (8)

azul blue (3)

bailar to dance (E)

el **baile** dance (11)

bajar to come down, to go down (12)

    — de to get off or out of (*vehicles*) (12)

bajo, -a short (2)

    la **planta —a** ground floor (6)

el **balcón,** *pl.* **balcones** balcony (15)

el **balón,** *pl.* **balones** ball (14)

el **banco** bank (4)

la **bandera** flag (1)

bañar to bathe (*someone*) (14)

    —se to take a bath (14)

el **baño** bathroom (6)

    el **traje de —** bathing suit (3)

barato, -a cheap, inexpensive (3)

el **barco** boat (4)

el **barrio** neighborhood (8)

el **básquetbol** basketball (E)

bastante rather, fairly, kind of (2)

beber to drink (8)

la **bebida** drink, beverage (13)

el **béisbol** baseball (E)

bellísimo, -a very beautiful (12)

bello, -a beautiful (12)

la **biblioteca** library (4)

la **bicicleta** bicycle (E)

    montar en — to ride a bicycle (E)

bien well, good, fine (A)

    está — okay, all right (11)

bienvenido, -a welcome (12)

bilingüe bilingual (7)

la **biología** biology (7)

el **bistec** steak (13)

blanco, -a white (3)

la **blusa** blouse (3)

la **boca** mouth (15)

el **boleto** ticket (12)

el **bolígrafo** (ballpoint) pen (B)

Bolivia Bolivia (B)

el **bolso** purse (12)

bonito, -a pretty, good-looking (2)

el **borrador** (blackboard) eraser (7)

borrar to erase (7)

la **bota** boot (3)

la **botella** bottle (8)

el **Brasil** Brazil (15)

el **brazo** arm (16)

bueno (buen), -a good (4)

    —as noches good evening, good night (A)

    —as tardes good afternoon, good evening (A)

    bueno, . . . well, . . . (9)

    ¡bueno! okay, fine (4)

    —os días good morning (A)

    hace buen tiempo it's nice (out) (3)

    ¡qué —! great! (9)

la **bufanda** scarf, muffler (3)

el **burrito** burrito (1)

buscar to look for (3)

el **caballo** horse (10)

la **cabeza** head (16)

la **cabina telefónica** phone booth (5)

cada each, every (13)

el **café** café (5); coffee (8)

    el **— con leche** coffee with milk (8)

la **cafetería** cafeteria (7)

el **caimán,** *pl.* **caimanes** alligator (10)

la **caja** box (12)

el **calcetín,** *pl.* **calcetines** sock (3)

el **calendario** calendar (C)

caliente hot (13)

el **calor:**
    hace — it's hot (out) (3)
    tener — to be hot *(person)* (9)
la **calle** street (5)
la **cama** bed (15)
la **cámara** camera (11)
el **camarero,** la **camarera** waiter, waitress (13)
    cambiar to change, to exchange (12)
    caminar to walk (10)
el **camino** road (10)
el **camión,** *pl.* **camiones** truck (4)
la **camisa** shirt (3)
la **camiseta** t-shirt (3)
el **campo** country, countryside (4)
el **Canadá** Canada (2)
    canadiense Canadian (2)
el **canal** TV channel (9)
la **canción,** *pl.* **canciones** song (11)
    cansado, -a tired (5)
    cantar to sing (E)
la **capital** capital (2)
el **capítulo** chapter (7)
la **cara** face (14)
    ¡caramba! gosh! gee! (9)
el **Caribe** Caribbean (2)
    carísimo, -a very expensive (12)
el **carnaval** carnival, Mardi Gras (13)
la **carne** meat (8)
la **carnicería** butcher shop (8)
    caro, -a expensive (3)
la **carta** letter (7)
el **cartel** poster (1)
la **cartera** wallet (12)
la **casa** house (4)
    a — *(to one's)* home (4)
    en — at home (1)
    casi almost (9)
    catorce fourteen (C)
la **cebolla** onion (8)
la **cebra** zebra (10)
la **celebración,** *pl.* **celebraciones** celebration (13)

celebrar to celebrate (13)
la **cena** dinner, supper, evening meal (8)
el **centavo** cent (12)
el **centro** downtown (4)
    centroamericano, -a Central American (2)
    cepillar (el pelo) to brush (someone's hair) (14)
    —se (los dientes, el pelo) to brush one's (teeth, hair) (14)
el **cepillo de dientes** toothbrush (14)
    cerca de near, close to (5)
el **cerdo** pig (10)
    la **chuleta de** — pork chop (13)
    cero zero (C)
    cerrado, -a closed (12)
    cerrar (e → ie) to close (12)
el **cielo** sky (10)
    cien one hundred (D)
    ciencia ficción: de — *adj.* science fiction (9)
las **ciencias** science (7)
    ciento uno, -a; ciento dos; etc. 101; 102; etc. (8)
    cinco five (C)
    cincuenta fifty (D)
el **cine** movie theater (E)
la **cinta** tape (E)
el **cinturón,** *pl.* **cinturones** belt (12)
la **ciudad** city (4)
    claro (que sí) of course (10)
    — **que no** of course not (10)
la **clase (de)** class (A); kind, type (9)
    el **compañero,** la **compañera de** — classmate (2)
    clásico, -a classical (1)
el/la **cliente** customer (12)
la **cocina** kitchen (6)
    cocinar to cook (E)
el **coche** car (4)
    cola: hacer — to stand in line (11)
    coleccionar to collect (11)

el **colegio** high school (7)
Colombia Colombia (B)
el **color** color (3)
    ¿de qué —? what color? (3)
    en —**es** in color (9)
el **collar** necklace (12)
el **comedor** dining room (6)
    comer to eat (E)
    dar de — **a** to feed (6)
    comercial *see* **anuncio**
los **comestibles** groceries (8)
    cómico, -a comic (9)
la **comida** food (E); meal (8)
    cómo:
        ¿— **es . . . ?** what's . . . like? (2)
        ¿— **estás?** how are you? *fam.* (A)
        ¿— **está Ud.?** how are you? *formal* (A)
        ¡— **no!** of course! (1)
        ¿— **se dice . . . ?** how do you say . . . ? (B)
        ¿— **se escribe . . . ?** how do you spell . . . ? (B)
        ¿— **te llamas?** what's your name? (A)
la **cómoda** dresser (15)
    cómodo, -a comfortable (6)
el **compañero,** la **compañera de clase** classmate (2)
    comprar to buy (3)
    compras: de — shopping (8)
    comprender to understand (7)
    no comprendo I don't understand (B)
la **computadora** computer (7)
    con with (1)
    — **mucho gusto** gladly, with pleasure (15)
    — **permiso** excuse me (15)
el **concierto** concert (11)
    conmigo with me (7)
    conocer to know, to be acquainted with (15)
    conocido, -a: muy — well-known (9)
    contar (o → ue) to count; to tell (11)

contento, -a happy (5)
contestar to answer (3)
contigo with you *fam.* (7)
continuar to continue (9)
contrario: al — on the contrary (2)
el corazón heart (16)
la corbata tie (12)
el cordero lamb (10)
   la chuleta de — lamb chop (13)
correcto, -a correct (7)
el correo post office (4)
correr to run (14)
la corrida (de toros) bullfight (13)
corto, -a short (2)
la cosa thing (8)
costar (o → ue) to cost (11)
   ¿cuánto cuesta(n) . . . ? how much does / do . . . cost? (3)
   Costa Rica Costa Rica (B)
creer to think, to believe (10)
   creo que no I don't think so (10)
   creo que sí I think so (10)
el cuaderno notebook (B)
¿cuál, -es? what? (D); which one(s)? (3)
   ¿— es la fecha de hoy? what's the date today? (C)
cuando when (3)
¿cuándo? when? (C)
¿cuánto? how much? (3)
   ¿— cuesta(n) . . . ? how much does / do . . . cost? (3)
   ¿— dura? how long does *(something)* last? (9)
   ¿— tiempo? how long? (12)
¿cuántos, -as? how many? (C)
   ¿— años tienes? how old are you? (6)
cuarenta forty (D)
cuarto:
   menos — quarter to (D)
   y — quarter after, quarter past (D)

el cuarto room (15)
cuatro four (C)
cuatrocientos, -as four hundred (8)
Cuba Cuba (B)
cubano, -a Cuban (2)
la cuchara spoon (8)
el cuchillo knife (8)
la cuenta check *(in restaurant)* (13)
el cuento story (11)
el cuerpo body (16)
cuesta(n) *see* costar
cuidado:
   ¡—! watch out! be careful! (9)
   tener — to be careful (9)
cuidar a los niños to baby-sit (6)
el cumpleaños birthday (C)

el champú shampoo (14)
la chaqueta jacket (3)
el chico, la chica boy, girl (6)
Chile Chile (B)
el chile chili pepper (13)
   el — con carne chili con carne (1)
   el — relleno stuffed pepper (13)
el chiste joke (11)
chistoso, -a funny (11)
el chocolate chocolate, hot chocolate (8)
la chuleta de cerdo / cordero pork / lamb chop (13)
los churros churros (8)

las damas checkers (11)
dar to give (9)
   — de comer a to feed (6)
   — miedo a to frighten, to scare (9)
   — una película / un programa to show a movie / a program (9)

de (del) from (B, 5); of (C); *possessive* **—'s, —s'** (5); about (11)
antes — before (9)
— compras shopping (8)
¿— dónde? from where? (B)
— nada you're welcome (B)
— origen . . . of . . . origin (2)
— postre for dessert (13)
— prisa in a hurry, quickly, fast (14)
— propina for a tip (13)
¿— qué color? what color? (3)
¿— quién(es)? whose? (5)
— vacaciones on vacation (3)
— veras really (15)
debajo de under (8)
deber should, ought to (9)
débil weak (14)
decir to say, to tell (10)
   ¿cómo se dice .,. . ? how do you say . . . ? (B)
   — que sí / no to say yes / no (10)
   ¡no me digas! you don't say! (5)
   ¿qué quiere — . . . ? what does . . . mean? (B)
la decoración, *pl.* **decoraciones** decoration (13)
decorar to decorate (13)
el dedo finger (16)
dejar to leave (behind) (12)
delante de in front of (5)
delgado, -a thin (2)
delicioso, -a delicious (13)
demasiado too (2); too much (12)
dentífrica: la pasta — toothpaste (14)
el/la dentista dentist (14)
dentro de inside (of) (9)
el deporte sport (1)
derecha: a la — (de) to the right (of) (5)
el desayuno breakfast (8)

descansar to rest (16)
describir to describe (15)
desde from (9)
desear: ¿qué desea Ud.? may I help you? (3)
el **desfile** parade (13)
el **desodorante** deodorant (14)
despacio slowly (14)
despegar to take off *(planes)* (12)
el **despertador** alarm clock (14)
despertar (e → ie) to wake *(someone)* up (14)
— **se** to wake up (14)
después afterwards, later (4)
— **de** after (7)
— **de** + *inf.* after *(doing something)* (7)
detrás de behind (5)
di I gave (11)
el **día** day (C)
el — **de fiesta,** *pl.* **días de fiesta** holiday (C)
el — **de fin de año** New Year's Eve (C)
todos los —**s** every day (7)
el **diablo** devil (13)
dibujar to draw (7)
el **dibujo** drawing (B)
los —**s animados** movie cartoons (9)
dice *see* **decir**
diciembre December (C)
diecinueve nineteen (C)
dieciocho eighteen (C)
dieciséis sixteen (C)
diecisiete seventeen (C)
los **dientes** teeth (14)
el **cepillo de** — toothbrush (14)
diez ten (C)
difícil hard, difficult (7)
digo, digas *see* **decir**
el **dinero** money (11)
dio he / she / you *formal* gave (11)
la **dirección,** *pl.* **direcciones** address (5)
el **disco** record (E)
discúlpeme excuse me, par-

don me, I beg your pardon (15)
el **disfraz,** *pl.* **disfraces** costume, disguise (13)
la **fiesta de disfraces** costume party (13)
disfrutar de to enjoy (15)
diste you *fam.* gave (11)
divertido, -a amusing, entertaining (5)
divertirse (e → ie) to have fun, to have a good time (14)
doce twelve (C)
la **docena (de)** dozen (8)
el **doctor, la doctora** doctor *(as title)* (16)
el **dólar** dollar (12)
doler (o → ue) to hurt, to ache (16)
doméstico: el animal — pet (10)
domingo Sunday (C)
el — on Sunday (C)
¿dónde? where? (5)
¿a —**?** (to) where? (4)
¿de —**?** from where? (B)
dormir (o → ue) to sleep (11)
— **se** to fall asleep, to go to sleep (14)
el **dormitorio** bedroom (6)
dos two (C)
doscientos, -as two hundred (8)
la **ducha** shower (14)
ducharse to take a shower (14)
los **dulces** candy (13)
durante during (4)
durar to last (9)

e and (11)
el **Ecuador** Ecuador (B)
el **edificio** building (15)
la **educación física** physical education (7)
el *m. sing.* the (C)
él he (B); him *after prep.* (7)

el **elefante** elephant (10)
El Salvador El Salvador (B)
ella she (B); her *after prep.* (7)
ellos, ellas they (2); them *after prep.* (7)
emocionante exciting, thrilling (13)
la **empanada** meat pie (13)
empezar (a + *inf.)* **(e → ie)** to begin, to start (12)
en in (C); on (5); at (5)
— + *vehicle* by (4)
— **casa** at home (1)
— **seguida** right away, immediately (15)
— **venta** for sale (16)
encantar to love (16)
me encanta(n) I love (E, 1)
encontrar (o → ue) to find (11)
enérgico, -a energetic (14)
enero January (C)
el **enfermero, la enfermera** nurse (16)
enfermo, -a sick (5)
enfrente de across from, opposite (5)
enorme enormous, huge (2)
la **ensalada** salad (1)
enseñar (a) to teach (7)
entonces then, so (1)
la **entrada** ticket (11); entrance (12)
entrar (en) to go in, to come in, to enter (3)
entre between (5)
el **equipo** team (14)
eres you *fam.* are (B)
es he / she / it is (B)
la **escalera** staircase (15)
escribir to write (7)
¿cómo se escribe . . . ? how do you spell . . . ? (B)
el **escritor, la escritora** writer (16)
el **escritorio** desk (1)
escuchar to listen (to) (E)
la **escuela** school (E)
ese, -a; -os, -as that; those (10)
eso: por — that's why (16)

España Spain (B)
español, -a Spanish (2)
el español Spanish (*language*) (E)
especial special (6)
el espejo mirror (15)
esperar to wait (for) (4); to hope, to expect (14)
¡espero que sí / no! I hope so / not! (14)
el esposo, la esposa husband, wife (6)
esquiar to ski (E)
la esquina (street) corner (5)
a la vuelta de la — around the corner (5)
esta *see* este
la estación, *pl.* estaciones season (3); station (4)
el estadio stadium (5)
los Estados Unidos United States (2)
el estante shelf (16)
estar to be (5)
está bien okay, all right (11)
— de acuerdo to agree (16)
este, -a; -os, -as this; these (10)
esta noche tonight (4)
el este east (15)
el estómago stomach (16)
la estrella star (10)
el/la estudiante student (A)
estudiar to study (1)
la estufa stove (6)
estupendo, -a fantastic, great (9)
Europa Europe (15)
el examen, *pl.* exámenes test, exam (1)
examinar to examine (16)
excelente excellent (16)
la excusa excuse (16)

fabuloso, -a fabulous (11)
fácil easy (7)
la falda skirt (3)
faltar to need, to be missing (something) (16)

la familia family (6)
el fantasma ghost (13)
fantástico, -a fantastic (15)
la farmacia pharmacy, drugstore (4)
favor: por — please (B)
favorito, -a favorite (7)
febrero February (C)
la fecha date (C)
¡felicidades! congratulations! (C)
¡felicitaciones! congratulations! (6)
feo, -a ugly (2)
la fiebre fever (16)
la fiesta holiday (C); party (D)
el día de — holiday (C)
la — de disfraces costume party (13)
el fin:
el día de — de año New Year's Eve (C)
el — de semana, *pl.* fines de semana weekend (4)
la física physics (7)
físico, -a: la educación —a physical education (7)
el flan flan, baked custard (13)
flojo, -a: estar — en to be poor in (7)
la flor flower (10)
folklórico, -a *adj.* folk (13)
formidable terrific (16)
la foto photo (11)
el fotógrafo, la fotógrafa photographer (11)
francés (*pl.* franceses), francesa French (15)
el francés French (*language*) (7)
Francia France (15)
la frase sentence (7)
el fresco: hace — it's cool (out) (3)
los frijoles beans (8)
frío, -a cold (13)
el frío:
hace — it's cold (out) (3)
tener — to be cold (*person*) (9)

frito, -a fried (13)
las papas —as French fries (1)
la fruta fruit (8)
fue he / she / you *formal* went (8)
los fuegos artificiales fireworks (13)
la fuente fountain (5)
fuera de outside (of) (9)
fuerte strong (14)
estar — en to be good in (7)
fui / fuiste I / you *fam.* went (8)
la funda pillowcase (15)
el fútbol soccer (E)
el — americano football (E)

la gallina hen (10)
el gallo rooster (10)
ganar to win (14)
ganas *see* tener
el garaje garage (6)
la garganta throat (16)
el gato cat (2)
el gazpacho gazpacho (*cold soup made with tomatoes, oil, spices*) (13)
generalmente generally, usually (10)
generoso, -a generous (12)
la gente people (13)
lleno, -a de — crowded (13)
la geometría geometry (7)
el/la gerente manager (15)
el gimnasio gymnasium (7)
el golf golf (14)
el Golfo de México Gulf of Mexico (2)
gordo, -a fat (2)
la grabadora tape recorder (11)
gracias thank you, thanks (A)
muchas — thanks a lot (B)
el gramo gram (8)
gran, *pl.* grandes great (4)
grande big, large (2)
la granja farm (10)

el granjero, la granjera farmer (10)

la gripe flu (16)

gris, *pl.* **grises** gray (3)

el grupo group (11)

el guante glove (3)

guapo, -a handsome, good-looking (2)

el guardián, la guardiana (de zoológico) (zoo)keeper (10)

Guatemala Guatemala (B)

la guía guidebook (12)

    la — telefónica phone book (5)

el/la guía guide (15)

los guisantes peas (8)

la guitarra guitar (E)

gustar to like (16)

    me / te gusta(n) I / you *fam.* like (E, 1)

gusto:

    con mucho — gladly, with pleasure (15)

    mucho — pleased to meet you (A)

hablar to speak, to talk (E)

    — por teléfono to talk on the phone (E)

hace:

    — + *time* + **que** for + *time* (15)

    See also **calor, fresco, frío, sol, tiempo, viento**

hacer to do (E); to make (8)

    — cola to stand in line (11)

    —la maleta to pack a suitcase (12)

    — un viaje to take a trip (15)

    (tú) haces you do (3)

    (yo) hago I do (3)

hambre: tener — to be hungry (9)

la hamburguesa hamburger (1)

hasta until (9)

    — la vista see you later (11)

    — luego see you later (A)

    — mañana see you tomorrow (A)

    — pronto see you soon (11)

hay there is, there are (C)

    — que + *inf.* we (you, one) must, it's necessary (14)

    no — de qué you're welcome (12)

el helado ice cream (1)

el hermanito, la hermanita little brother, little sister (6)

el hermano, la hermana brother, sister (6)

los hermanos brothers; brother(s) and sister(s) (6)

hermoso, -a beautiful (10)

hiciste: ¿qué —? what did you *fam.* do? (12)

la hierba grass (10)

el hijo, la hija son, daughter (6)

los hijos sons; son(s) and daughter(s) (6)

el hipopótamo hippopotamus (10)

la historia history (7)

    hizo: ¿qué —? what did he / she / you *formal* do? (12)

la hoja leaf (10)

    la — de papel, *pl.* **—s de papel** piece of paper (B)

    hola hello, hi (A)

el hombre man (2)

Honduras Honduras (B)

la hora hour (D)

    ¿a qué —? (at) what time? (D)

    la media — half an hour (9)

    ¿qué — es? what time is it? (D)

el horario schedule (7)

el hospital hospital (4)

el hotel hotel (4)

hoy today (C)

    — no not today (9)

el huevo egg (8)

la iglesia church (4)

la iguana iguana (10)

¡imagínate! imagine! (9)

el impermeable raincoat (3)

importante important (6)

importar to matter to, to be important to, to mind (16)

    ¿qué importa? so what? (9)

incómodo, -a uncomfortable (6)

Inglaterra England (15)

inglés *(pl.* **ingleses), inglesa** English (15)

el inglés English *(language)* (7)

inteligente intelligent (5)

interesante interesting (5)

el invierno winter (3)

la invitación, *pl.* **invitaciones** invitation (11)

el invitado, la invitada guest (11)

invitar to invite (11)

la inyección, *pl.* **inyecciones** shot (16)

    poner una — to give a shot (16)

ir to go (E)

    ir a + *inf.* going to + *verb* (4)

Italia Italy (15)

italiano, -a Italian (15)

el italiano Italian *(language)* (15)

izquierda: a la — de to the left of (5)

el jabón, *pl.* **jabones** soap (14)

el jamón ham (1)

el jardín, *pl.* **jardines** garden (6)

la jaula cage (10)

los jeans jeans (3)

la jirafa giraffe (10)

joven, *pl.* **jóvenes** young (2)

las joyas jewels, jewelry (12)

el juego game (11)

jueves Thursday (C)
   el — on Thursday (C)
el jugador, la jugadora player (14)
   jugar (u –› ue) to play (E, 11)
   — a(l) to play (*sports or games*) (E)
el jugo (de) juice (8)
   julio July (C)
   junio June (C)
   juntos, -as together (4)

el kilo kilo (8)

la the *f. sing.* (C); you *f. formal,* her, it *dir. obj.* (8)
el laboratorio laboratory (7)
   lado: al — de next to, beside (5)
el lago lake (10)
la lámpara lamp (15)
el lápiz, *pl.* **lápices** pencil (B)
   largo, -a long (2)
   las the *f. pl.* (C); you *f. pl.,* them *f. dir. obj.* (8)
   lástima: ¡qué —! that's too bad, that's a shame (5)
   latinoamericano, -a Latin American (2)
   lavar to wash (1)
   —se (la cara, las manos, el pelo) to wash (one's face, hands, hair) (14)
   le (to / for) you *formal,* him, her *ind. obj.* (9)
la lección, *pl.* **lecciones** lesson (7)
la leche milk (1)
   el café con — coffee with cream (8)
la lechuga lettuce (8)
   leer to read (E)
   lejos de far from (5)
la lengua language (15)
   lento, -a slow (4)
el león, *pl.* **leones** lion (10)

el leopardo leopard (10)
   les (to / for) you *pl.,* them *ind. obj.* (9)
   levantar to lift, to raise (14)
   —se to get up (14)
   libre free, not busy (11)
la librería bookstore (16)
el libro book (B)
el limón, *pl.* **limones** lemon (8)
la limonada lemonade (1)
   limpiar to clean (6)
   limpio, -a clean (6)
la línea line (5)
   listo, -a smart, clever (7)
el litro liter (8)
   lo you *m. formal,* him, it *dir. obj.* (8)
   — que what (14)
   — siento I'm sorry (16)
   loco, -a crazy (5)
   los the *m. pl.* (C); you, them *dir obj.* (8)
   luego then, later (13)
   hasta — see you later (A)
la luna moon (10)
   lunes Monday (C)
   el — on Monday (C)

la llama llama (10)
   llamar to call (7)
   ¿cómo te llamas? what's your name? (A)
   — por teléfono to phone (11)
   —se to be called, to be named (14)
   me llamo my name is (A)
la llave key (15)
   llegar to arrive (8)
   lleno, -a full (13)
   — de gente crowded (13)
   llevar to wear; to carry (3)
   llover (o → ue) to rain (13)
   llueve it's raining (3)
la lluvia rain (10)

la madre mother (6)
   magnífico, -a magnificent (10)
el maíz corn (8)
   mal not well, badly (5)
la maleta suitcase (12)
   hacer la — to pack a suitcase (12)
   malo (mal), -a bad (4)
la mamá mom (6)
   mandar to send (15)
la mano hand (14)
la manta blanket (15)
el mantel tablecloth (8)
la mantequilla butter (1)
la manzana apple (8)
   mañana tomorrow (C)
   hasta — see you tomorrow (A)
la mañana morning (D)
   de la — in the morning; A.M. (D)
   por la — in the morning (7)
el mapa map (1)
el mar sea (9)
   marrón, *pl.* **marrones** brown (3)
   martes Tuesday (C)
   el — on Tuesday (C)
   marzo March (C)
   más plus (C); more (1)
   el / la / los / las — + *adj.* the most + *adj.,* the + *adj.* + -est (12)
   — + *adj.* + que more + *adj.* + than, *adj.* + -er + than (12)
   — de + *number* more than (12)
   — o menos more or less (15)
   — tarde later (D)
   me / te gusta(n) — I / you prefer, like (*something*) more (1)
la máscara mask (13)
las matemáticas mathematics (7)
la materia (school) subject (7)
   mayo May (C)
   mayor older (6)
   el / la — the oldest (12)

me me *dir. obj.,* (to / for) me *ind. obj.* (11); myself (14); *see also* **encantar, gustar, llamar**

media:
  la — hora half an hour (9)
  y — half-past (D); and a half (9)

la medianoche midnight (D)

el médico, la médica doctor (16)

el mediodía noon (D)
  al — at noon (8)

mejor better (12)
  el/la — the best (12)

memoria: aprender de — to memorize (7)

menor younger (6)

menos minus (C); + *number (in time telling)* (minutes) to (D)
  el/la/los/las — + *adj.* the least + *adj.* (12)
  más o — more or less (15)
  — + *adj.* **+ que** less + *adj.* + than (12)
  — de + *number* less than, fewer than (12)

el menú menu (13)

menudo: a — often (3)

el mercado market (8)

la mermelada jelly, preserves (8)

el mes month (C)

la mesa table (1)
  poner la — to set the table (8)

el metro subway (4)

mexicano, -a Mexican (E, 2)

México Mexico (B)

mi, mis my (C, 4)

mí me *after prep.* (7)

miedo:
  dar — a to frighten, to scare (9)
  tener — (de) to be afraid (of) (9)

miércoles Wednesday (C)
  el — on Wednesday (C)

mil one thousand (8)

el minuto minute (D)

mirar to look (at), to watch (E)

la mochila knapsack, backpack (10)

un momento just a moment (5)

la moneda coin (11)

el mono monkey (10)

la montaña mountain (12)

montar en bicicleta to ride a bicycle (E)

morado, -a purple (3)

moreno, -a dark, brunette (2)

mostrar (o → ue) to show (11)

la moto motorcycle (4)

el muchacho, la muchacha boy, girl (2)

mucho a lot, very much (1)

mucho, -a, -os, -as much, many, a lot of (1); very (9)
  — gusto pleased to meet you (A)

los muebles furniture (15)

la mujer woman (2)

el mundo: todo el — everybody, everyone (9)

el museo museum (5)

la música music (1)

musical *adj.* musical (9)

muy very (A)

nada nothing, not anything (3)
  de — you're welcome (B)

nadar to swim (E)

nadie no one, nobody, not anyone (7)

los naipes cards (11)

la naranja orange (8)

la naranjada orangeade (13)

la nariz nose (16)

la Navidad Christmas (C)

necesario, -a necessary (15)

necesitar to need (8)

negro, -a black (3)

nevar (e → ie) to snow (13)
  nieva it's snowing (3)

Nicaragua Nicaragua (B)

la nieve snow (10)

ningún, ninguna *adj.* no, not any (13)

ninguno, -a *pron.* none, (not) any (13)

el niño, la niña little boy, little girl (6)

los niños little boys; boys and girls; children (6)
  cuidar a los — to baby-sit (6)

no no (A); not (E)
  ¡cómo —! of course (1)
  ¿—? don't you? aren't I? etc. (E)

la noche night (D)
  de la — at night, in the evening; P.M. (D)
  esta — tonight (4)
  por la — in the evening, at night (7)

el nombre name (B)

el norte north (15)

norteamericano, -a North American (2)

nos us *dir. obj.,* (to / for) us *ind. obj.* (11); ourselves (14)

nosotros, -as we (2); us *after prep.* (7)

la nota grade (7)

las noticias news (9)

novecientos, -as nine hundred (8)

la novela novel (16)

noventa ninety (D)

noviembre November (C)

el novio, la novia boyfriend, girlfriend (5)

la nube cloud (9)

nublado: está — it's cloudy (9)

nuestro, -a our (6)

nueve nine (C)

nuevo, -a new (2)

el número number (C)
  el — de teléfono phone number (D)

nunca never (4)

o or (1)
la obra de teatro play (5)
el océano ocean (15)
octubre October (C)
ocupado, -a busy (5)
ochenta eighty (D)
ocho eight (C)
ochocientos, -as eight hundred (8)
el oeste west (15)
   del — western (9)
la oficina office (5)
el oído (inner) ear (16)
oír to hear (10)
¡ojalá! I hope so! let's hope so! (7)
el ojo eye (16)
la ola wave (9)
olvidarse (de + *inf.***)** to forget (to) (16)
once eleven (C)
optimista optimistic (12)
la oreja ear (16)
origen: de — of . . . origin (2)
el oso bear (10)
el otoño autumn, fall (3)
otro, -a other, another (11)
   otra vez again (11)
la oveja sheep (10)
¡oye! listen! hey! (11)

el padre father (6)
los padres parents, mother and father (6)
la paella paella (13)
pagar to pay (for) (11)
   — + *sum of money* + **por** to pay + *sum of money* + for (11)
la página page (7)
el país country (2)
el pájaro bird (2)
la palabra word (7)
el pan bread (1)
   el — tostado toast (8)
la panadería bakery (8)
Panamá Panama (B)

los pantalones pants (3)
las pantimedias pantyhose (3)
el pañuelo handkerchief (12)
el papá dad (6)
la papa potato (8)
   las —s fritas French fries (1)
el papel: la hoja de — piece of paper (B)
la papelera wastebasket (7)
para for (1)
   — + *inf.* to, in order to (8)
el paraguas umbrella (3)
el Paraguay Paraguay (B)
parecer to seem (16)
   ¿qué te parece . . . ? how do you like . . . ? what do you think of . . . ? (16)
la pared wall (15)
el parque park (5)
el partido (de + *sport)* game, match (5)
pasa: ¿qué —? what's going on? what's happening? (5)
pasado, -a last; past (11)
el pasaporte passport (12)
pasar to spend *(time)* (11)
el pasatiempo pastime, hobby (11)
la pasta dentífrica toothpaste (14)
el pastel cake, pastry (13)
el patio courtyard (6)
el pato duck (10)
el pavo turkey (8)
pedir (e → i) to ask for, to order (13)
   — prestado, -a (a) to borrow (from) (16)
peinar to comb someone's hair (14)
   —se to comb one's hair (14)
el peine comb (14)
la película movie, film (9)
pelirrojo, -a red-haired (2)
el pelo hair (14)
la pelota ball (14)
pensar (e → ie) to think (12)

   — + *inf.* to plan, to intend (12)
   — de to think of, to have an opinion about (12)
   — en to think about (12)
peor worse (12)
   el/la — the worst (12)
pequeño, -a small, little (2)
perder (e → ie) to lose (14)
¡perdón! pardon me (5)
perezoso, -a lazy (14)
perfecto, -a perfect (13)
el periódico newspaper (1)
permiso: con — excuse me (15)
pero but (E)
el perro dog (2)
la persona person (10)
el Perú Peru (B)
el pescado fish *(cooked)* (13)
la peseta peseta (8)
pesimista pessimistic (12)
el peso peso (3)
el pez, *pl.* **peces** fish *(live)* (2)
el piano piano (11)
picante spicy, hot (13)
el pie foot (16)
   a — on foot (4)
la pierna leg (16)
el/la piloto pilot (12)
la piñata pinata (13)
los Pirineos Pyrenees Mts. (15)
la piscina swimming pool (4)
el piso floor, story (6)
   el primer (segundo, tercer) — second (third, fourth) floor (6)
la pizarra chalkboard (B)
el plan plan (11)
la planta baja ground floor (6)
el plátano banana (8)
el platillo saucer (8)
el plato dish (1); plate (8)
   quitar los — to clear the table (8)
la playa beach (9)
la plaza town square, plaza (4)
pobre poor (12)
¡pobrecito, -a! poor thing! (16)

un **poco** a little (5)
  un — de a little (8)
  pocos, -as a few, not many (1)
  poder (o → ue) can, to be able to (11)
  (tú) puedes you can (6)
  (yo) puedo I can (6)
el **poema** poem (7)
el/la **poeta** poet (16)
el/la **policía** police officer (5)
  policíaco, -a *adj.* detective, mystery (9)
el **pollo** chicken (8)
  poner to put, to place (8)
    — la mesa to set the table (8)
    —se to put on *(clothes)* (14)
    — una inyección to give a shot (16)
  popular popular (1)
  por through, across (15)
    — eso that's why (16)
    — favor please (B)
    — la mañana in the morning (7)
    — la noche in the evening, at night (7)
    — la tarde in the afternoon (7)
    ¿**— qué?** why? (1)
    ¡**— supuesto!** of course (5)
    — teléfono on the phone (E)
  porque because (1)
  Portugal Portugal (15)
  portugués *(pl.* **portugueses),** **portuguesa** Portuguese (15)
el **portugués** Portuguese *(language)* (15)
el **postre** dessert (13)
  de — for dessert (13)
  practicar to practice (1)
  preferido, -a favorite (16)
  preferir (e → ie) to prefer (12)
    (tú) prefieres you prefer (3)
    (yo) prefiero I prefer (3)
la **pregunta** question (3)
  preguntar to ask (3)

preocupado, -a worried (5)
preparado, -a prepared, ready (7)
preparar to prepare (13)
presentar to introduce (11)
presente *adj.* present (7)
prestado, -a: pedir — **(a)** to borrow (from) (16)
prestar to lend (11)
la **primavera** spring (3)
primero (primer), -a first (4)
  el — piso second floor (6)
el **primero** the first (C)
el **primo, la prima** cousin (6)
prisa: de — in a hurry, quickly, fast (14)
privado, -a private (15)
el **problema** problem (11)
el **profesor, la profesora** teacher (A)
el **programa** program (9)
pronto soon (8)
  hasta — see you soon (11)
la **propina** tip (13)
  de — for a tip (13)
próximo, -a next (4)
la **prueba** test (7)
puedo, puedes *see* **poder**
el **puente** bridge (15)
la **puerta** door (B)
Puerto Rico Puerto Rico (B)
puertorriqueño, -a Puerto Rican (2)
pues well (1)
la **pulsera** bracelet (12)
el **pupitre** student desk (1)

que that; who (10); than (12); *see also* **hay, tener**
  lo — what (14)
qué what, which (C)
  no hay de — you're welcome (12)
  ¿**por —?** why? (1)
  ¡**— +** *adj.!* how + *adj.!* (2)
  ¡**— +** *noun!* what a(n) + *noun!* (11)
  ¡**— bueno!** great! (9)

¿**— desea Ud.?** may I help you? (3)
¿**— importa?** so what? (9)
¡**— lástima!** that's too bad! that's a shame! (5)
¡**— (mala) suerte!** what (bad) luck! (5)
¿**— tal?** how's it going? (A)
quedarse to stay, to remain (15)
querer (e → ie) to want (12)
  ¿**qué quiere decir . . . ?** what does . . . mean? (B)
  (tú) quieres you want (4)
  (yo) quiero I want (4)
  quisiera I'd like (15)
el **queso** cheese (1)
¿**quién, -es?** who? (1, 3)
  ¿**a —?** whom? to whom? (7)
  ¿**con —?** with whom? (1)
  ¿**de —?** whose? (5)
  ¿**para —?** for whom? (7)
la **química** chemistry (7)
quince fifteen (C)
la **quinceañera** fifteen-year-old girl (6)
los **quince años** fifteenth birthday (party) (6)
quinientos, -as five hundred (8)
quisiera *see* **querer**
quitar:
  — los platos to clear the table (8)
  —se to take off *(clothes)* (14)

la **radio** radio *(broadcast)* (E)
el **radio** radio *(set)* (11)
rápidamente fast, rapidly (14)
rápido, -a fast (4)
razón:
  no tener — to be wrong (9)
  tener — to be right (9)
la **receta** prescription (16)
recibir to receive, to get (7)
el **recuerdo** souvenir (15)
el **refresco** soda, pop (1)

el **refrigerador** refrigerator (6)

el **regalo** present, gift (12)

regresar to return, to go back, to come back (14)

la **reina** queen (13)

el **reloj** clock, watch (D)

relleno: el chile — stuffed pepper (13)

repasar to review (7)

repetir (e → i) to repeat (13)

la **República Dominicana** Dominican Republic (B)

la **reservación,** *pl.* **reservaciones** reservation (15)

el **resfriado** cold (16)

la **respuesta** answer (7)

el **restaurante** restaurant (5)

la **revista** magazine (11)

el **rey** king (13)

rico, -a rich (12)

el **rinoceronte** rhinoceros (10)

el **río** river (15)

el **rock** rock *(music)* (11)

rojo, -a red (3)

romántico, -a romantic (9)

romper to break (13)

la **ropa** clothing, clothes (3)

rubio, -a blond (2)

el **ruido** noise (10)

sábado Saturday (C)

el — on Saturday (C)

la **sábana** sheet (15)

saber to know (15)

— + *inf.* to know how to (15)

(no) lo sé I (don't) know that (15)

no sé I don't know (B)

sacar to take out, to remove (16)

— fotos to take pictures (11)

— una buena / mala nota to get a good / bad grade (7)

la **sala** living room (6)

la **salida** exit (12)

salir (de) to leave, to go out, to come out (8)

— bien / mal en to do well / badly on *(tests)* (7)

¡saludos! greetings! (15)

las **sandalias** sandals (9)

el **sandwich** sandwich (1)

el — de jamón / de queso ham / cheese sandwich (1)

el **santo** saint's day (C)

se yourself *formal,* himself, herself, itself, yourselves, themselves (14)

sé *see* **saber**

sed: tener — to be thirsty (9)

la **seda dental** dental floss (14)

seguida: en — right away, immediately (15)

según according to (7)

segundo: el — piso third floor (6)

el **segundo** second (D)

seguro, -a sure (15)

seis six (C)

seiscientos, -as six hundred (8)

el **sello** stamp (11)

la **semana** week (C)

el fin de — weekend (4)

el **señor (Sr.)** Mr.; sir (A)

la **señora (Sra.)** Mrs.; ma'am (A)

la **señorita (Srta.)** Miss; ma'am (A)

septiembre September (C)

ser to be (2)

serio, -a serious (12)

la **serpiente** snake (10)

la **servilleta** napkin (8)

servir (e → i) to serve (13)

sesenta sixty (D)

setecientos, -as seven hundred (8)

setenta seventy (D)

si if (9)

sí yes (A)

siempre always (4)

siento: lo — I'm sorry (16)

siete seven (C)

la **silla** chair (1)

el **sillón,** *pl.* **sillones** armchair (15)

simpático, -a nice, pleasant (5)

sin without (1)

sobre on (8); about (9)

el **sobrino, la sobrina** nephew, niece (6)

los **sobrinos** nephews; niece(s) and nephew(s) (6)

el **sofá** sofa (15)

el **sol** sun (10)

hace — it's sunny (3)

los anteojos de — sunglasses (9)

tomar el — to sunbathe (3)

solo, -a alone (4)

sólo only (C)

el **sombrero** hat (3)

la **sombrilla** beach umbrella (9)

son (they) are (C)

— las + *number* it's . . . o'clock (D)

la **sopa** soup (13)

soy I am (B)

su, sus his, her, your *formal,* their (6)

subir to go up, to come up (12)

— a to get on or in *(vehicles)* (12)

sucio, -a dirty (6)

sudamericano, -a South American (2)

sueño: tener — to be sleepy (9)

suerte:

¡qué (mala) —! what (bad) luck! (5)

tener (mala) — to be (un)lucky (9)

el **suéter** sweater (3)

el **supermercado** supermarket (8)

supuesto: por — of course (5)

el **sur** south (15)

tacaño, -a stingy (12)

el taco taco (1)

tal:

  ¿qué —? how's it going? (A)

  — vez maybe, perhaps (11)

también too, also (E)

tampoco neither, not either (6)

tan so, as (16)

tarde late (D)

  más — later (D)

la tarde afternoon (D)

  de la — in the afternoon or early evening; P.M. (D)

  por la — in the afternoon (7)

la tarea homework (1)

la tarjeta postal post card (15)

el taxi taxi (4)

la taza cup (8)

te you *fam. dir. obj.*, (to / for) you *fam. ind. obj.* (11); *see also* **gustar, llamar**

el té tea (8)

el teatro theater (5)

  la obra de — play (5)

telefónico, -a:

  la cabina —a phone booth (5)

  la guía —a phone book (5)

el teléfono telephone (D)

  el número de — phone number (D)

  hablar por — to talk on the phone (E)

  llamar por — to phone (11)

la televisión (tele) television (TV) (E)

el televisor TV set (9)

temprano early (D)

el tenedor fork (8)

tener to have (6)

  — fiebre / gripe to have a fever / the flu (16)

  — ganas de + *inf.* to feel like (*doing something*) (6)

  — que + *inf.* to have to (6)

  See also **año, calor, cuidado,**

frío, hambre, miedo, razón, sed, sueño, suerte

el tenis tennis (E)

tercer: el — piso fourth floor (6)

terminar to end, to finish (7)

terror: de — *adj.* horror (9)

ti you *fam. after prep.* (7)

la tía aunt (6)

el tiempo weather (3); time (12)

  a — on time (12)

  ¿cuánto —? how long? (12)

  hace buen / mal — it's nice / bad (out) (3)

  ¿qué — hace? what's the weather like? what's it like out? (3)

la tienda store (3)

  la — de (ropa, discos) (clothing, record) store (3)

la tierra earth, soil (10)

el tigre tiger (10)

el tío, la tía uncle, aunt (6)

los tíos uncles; aunt(s) and uncle(s) (6)

el título title (16)

la tiza chalk (1)

la toalla towel (9)

el tocadiscos, *pl.* **tocadiscos** record player (11)

tocar to play (*musical instruments / records*) (E, 11)

todavía still (5)

todo *pron.* everything (8)

todo, -a, -os, -as every; all; the whole (7)

  todo el mundo everybody, everyone (9)

  todos los días every day (7)

todos, -as *pron.* everyone, all (7)

tomar to take (4); to drink (11)

  — algo to have something to drink (11)

  — el sol to sunbathe (3)

el tomate tomato (8)

tonto, -a dumb, foolish (5)

el torero, la torera bullfighter (13)

el toro bull (10)

la tortilla española Spanish omelet (13)

  tostado: el pan — toast (8)

trabajar to work (E)

el trabajo job; work (10)

traer to bring (10)

el traje suit (3)

  el — de baño bathing suit (3)

  tratar de + *inf.* to try (to) (14)

trece thirteen (C)

treinta thirty (C)

  — y uno (un); — y dos; etc. 31; 32; etc. (C)

el tren train (4)

tres three (C)

trescientos, -as three hundred (8)

triste unhappy, sad (5)

tu, tus your (B; 4)

tú you *fam.* (A)

el/la turista tourist (12)

u or (11)

¡uf! ugh! phew! (D)

un, una a, an, one (C)

  a la una at 1:00 (D)

  una vez once (14)

único, -a only (6)

  el hijo —, la hija — only child (6)

uno one (C)

unos, -as some, a few (4)

el Uruguay Uruguay (B)

usar to use (7)

usted (Ud.) you *formal sing.* (A)

ustedes (Uds.) you *pl.* (2)

la vaca cow (10)

las vacaciones vacation (12)

  de — on vacation (3)

  vacío, -a empty (13)

  vámonos let's leave, let's go (11)

vamos: — a + *inf.* let's + *verb* (4)

varios, -as several (10)

el **vaso** glass (8)

veces *see* **vez**

veinte twenty (C)

  veintiuno (veintiún);
  veintidós; etc. 21; 22; etc. (C)

el **vendedor,** la **vendedora** salesperson (3)

vender to sell (8)

  — a + *amount of money* to sell for . . . (8)

Venezuela Venezuela (B)

venir to come (6)

la **venta** sale (16)

  en — for sale (16)

la **ventana** window (B)

la **ventanilla** little window (12)

ver to see (9)

el **verano** summer (3)

  veras: de — really (15)

la **verdad** truth (10)

  ¿—? isn't that so? right? (1)

verde green (3)

la **verdura** vegetable (8)

el **vestido** dress (3)

  vestido, -a de dressed as (13)

  vestir (e → i) to dress *(someone)* (14)

  —se to get dressed (14)

el **veterinario,** la **veterinaria** veterinarian (10)

la **vez,** *pl.* **veces** time (14)

  a veces sometimes (3)

  dos veces twice (14)

  otra — again (11)

  tal — maybe, perhaps (11)

  una — once (14)

vi I saw (11)

viajar to travel (4)

el **viaje** trip (12)

  la agencia de —s travel agency (12)

  el/la agente de —s travel agent (12)

  hacer un — to take a trip (15)

viejo, -a old (2)

el **viento: hace —** it's windy (3)

viernes Friday (C)

  el — on Friday (C)

el **vino** wine (13)

vio he / she / you *formal* saw (11)

la **visita** visit (10)

  visitar to visit (10)

  vista:

  con — a(l) with a view of (15)

  hasta la — see you later (11)

viste you *fam.* saw (11)

vivir to live (7)

el **volibol** volleyball (14)

volver (o → ue) to return, to go back, to come back (11)

el **vuelo** flight (12)

  el/la auxiliar de — flight attendant (12)

  vuelta: a la — de la esquina around the corner (5)

y and (A)

  — + *number (in time telling)* (minutes) past (D)

  — media half-past (D); and a half (9)

ya already (8)

  — no not anymore (9)

yo I (B)

el **yogur** yogurt (1)

la **zanahoria** carrot (8)

el **zapato** shoe (3)

el **zoológico** zoo (10)

  el guardián, la **guardiana de —** zookeeper (10)

ENGLISH-SPANISH VOCABULARY

The *English-Spanish Vocabulary* contains all active vocabulary from the text.

A dash (—) represents the main entry word. For example, — **from** following **across** means **across from**.

The number following each entry indicates the chapter in which the word or expression is first introduced. Two numbers indicate that it is introduced in one chapter and elaborated upon in a later chapter. A letter following an entry refers to the *En camino* sections.

a, an un, una (C); algún, alguna (16)

able: to be — poder (o → ue) (11)

about sobre (9); de (11)

absent ausentè (7)

accent mark el acento (7)

according to según (7)

to **ache** doler (o → ue) (16)

acquainted: to be — with conocer (15)

across por (15)

　— from enfrente de (5)

actor, actress el actor, la actriz, *f.pl.* actrices (9)

address la dirección, *pl.* direcciones (5)

adventure la aventura (16)

afraid: to be — (of) tener miedo (de) (9)

Africa el África (15)

after después de (+ *noun / inf.*) (7)

afternoon la tarde (D)

　good — buenas tardes (A)

　in the — de la tarde (D); por la tarde (7)

afterwards después (4)

again otra vez (11)

agency: travel — la agencia de viajes (12)

agent: travel — el / la agente de viajes (12)

to **agree** estar de acuerdo (16)

airplane el avión, *pl.* aviones (4)

airport el aeropuerto (4)

alarm clock el despertador (14)

algebra el álgebra *f.* (7)

all todo, -a (7)

alligator el caimán, *pl.* caimanes (10)

all right está bien (11)

almost casi (9)

alone solo, -a (4)

already ya (8)

also también (E)

always siempre (4)

A.M. de la mañana (D)

American americano, -a (E)

amusing divertido, -a (5)

and y (A); e (11)

animal el animal (10)

another otro, -a (11)

answer la respuesta (7)

to **answer** contestar (3)

any *adj.* algún, alguna (16); *pron.* alguno, -a, -os, -as (16)

　not — *adj.* (no . . .) ningún, ninguna (13); *pron.* (no . . .) ninguno, -a (13)

anymore: not — ya no (9)

anyone alguien (16)

　not — (no . . .) nadie (7, 13)

anything algo (16)

　not — (no . . .) nada (3, 13)

apartment el apartamento (6)

apple la manzana (8)

　— juice el jugo de manzana (8)

April abril (C)

Argentina la Argentina (B)

arm el brazo (16)

armchair el sillón, *pl.* sillones (15)

around the corner a la vuelta de la esquina (5)

to **arrive** llegar (8)

art el arte (7)

as tan (16)

to **ask** preguntar (3)

　to — for pedir (e → i) (13)

asleep: to fall — dormirse (o → ue) (14)

at a(l) (D); en (5)

　— home en casa (1)

athlete el / la atleta (14)

athletic atlético, -a (14)

to **attend** asistir a (7)

attendant *see* **flight attendant**

August agosto (C)

aunt la tía (6)

　—(s) and uncle(s) los tíos (6)

autumn el otoño (3)
avenue la avenida (5)

to baby-sit cuidar a los niños (6)
back: to come / go — volver
(o → ue) (11); regresar (14)
backpack la mochila (10)
bad malo (mal), -a (4)
—ly mal (5)
it's — out hace mal tiempo (3)
that's too — ¡qué lástima! (5)
bakery la panadería (8)
balcony el balcón, *pl.* balcones
(15)
ball la pelota (14); el balón, *pl.*
balones (14)
banana el plátano (8)
bank el banco (4)
baseball el béisbol (E)
basketball el básquetbol (E)
bath: to take a — bañarse (14)
to bathe (someone) bañar (14)
bathing suit el traje de baño (3)
bathroom el baño (6)
to be ser (2); estar (5)
beach la playa (9)
— umbrella la sombrilla (9)
beans los frijoles (8)
bear el oso (10)
beautiful hermoso, -a (10);
bello, -a (12)
very — bellísimo, -a (12)
because porque (1)
bed la cama (15)
to go to — acostarse (o → ue)
(14)
to put (someone) to — acostar (o → ue) (14)
bedroom el dormitorio (6)
before antes de (+ *noun / inf.*)
(9)
to begin empezar (e → ie) (a +
inf.) (12)
behind detrás de (5)
to believe creer (10)
belt el cinturón, *pl.* cinturones
(12)
beside al lado de (5)

best: the — + *noun* + **in** el / la
mejor + *noun* + de(l) (12)
better mejor (12)
between entre (5)
beverage la bebida (13)
bicycle la bicicleta (E)
to ride a — montar en bicicleta (E)
big grande (2)
bilingual bilingüe (7)
biology la biología (7)
bird el pájaro (2)
birthday el cumpleaños (C)
fifteenth — los quince años
(6)
black negro, -a (3)
blanket la manta (15)
blond rubio, -a (2)
blouse la blusa (3)
blue azul (3)
boat el barco (4)
body el cuerpo (16)
Bolivia Bolivia (B)
book el libro (B)
bookstore la librería (16)
boot la bota (3)
booth: phone — la cabina telefónica (5)
bored aburrido, -a *(estar)* (5)
boring aburrido, -a *(ser)* (5)
to borrow (from) pedir prestado,
-a (a) (16)
bottle la botella (8)
box la caja (12)
boy el muchacho (2); el chico (6)
little — el niño (6)
boyfriend el novio (5)
bracelet la pulsera (12)
Brazil el Brasil (15)
bread el pan (1)
to break romper (13)
breakfast el desayuno (8)
bridge el puente (15)
to bring traer (10)
brother el hermano (6)
—(s) and sister(s) los hermanos (6)
little — el hermanito (6)
brown marrón, *pl.* marrones (3)
brunette moreno, -a (2)

to brush (someone's hair) cepillar
(el pelo) (14)
— (one's teeth / hair) cepillarse (los dientes / el pelo) (14)
building el edificio (15)
bull el toro (10)
bullfight la corrida (de toros)
(13)
bullfighter el torero, la torera
(13)
burrito el burrito (1)
bus el autobús, *pl.* autobuses (4)
busy ocupado, -a (5)
not — libre (11)
but pero (E)
butcher shop la carnicería (8)
butter la mantequilla (1)
to buy comprar (3)
by en + *vehicle* (4)

café el café (5)
cafeteria la cafetería (7)
cage la jaula (10)
cake el pastel (13)
calendar el calendario (C)
to call llamar (7)
to — on the phone llamar por
teléfono (11)
called: to be — llamarse (14)
camera la cámara (11)
can poder (o → ue) (11)
— I help you? ¿qué desea
Ud.? (3)
I / you — (yo) puedo / (tú)
puedes (6)
Canada el Canadá (2)
Canadian canadiense (2)
candy los dulces (13)
capital la capital (2)
car el coche (4)
cards los naipes (11)
careful:
be —! ¡cuidado! (9)
to be — tener cuidado (9)
Caribbean el Caribe (2)
carnival el carnaval (13)
carrot la zanahoria (8)
to carry llevar (3)

cartoons los dibujos animados (9)
cat el gato (2)
to **celebrate** celebrar (13)
  celebration la celebración, *pl.* celebraciones (13)
cent(avo) el centavo (12)
Central America la América Central (2)
Central American centroamericano, -a (2)
chair la silla (1)
chalk la tiza (1)
chalkboard la pizarra (B)
to **change** cambiar (12)
channel el canal (9)
chapter el capítulo (7)
cheap barato, -a (3)
check *(in restaurant)* la cuenta (13)
checkers las damas (11)
cheese el queso (1)
chemistry la química (7)
chess el ajedrez (11)
chicken el pollo (8)
child el niño, la niña (6)
children *(boys and girls)* los niños (6); *(sons and daughters)* los hijos (6)
Chile Chile (B)
chili (pepper) el chile (13)
chili con carne el chile con carne (1)
chocolate el chocolate (8)
  hot — el chocolate (8)
chop la chuleta (13)
  lamb / pork — la chuleta de cordero / cerdo (13)
Christmas la Navidad (C)
church la iglesia (4)
churros los churros (8)
city la ciudad (4)
class la clase (de) (A)
classical clásico, -a (1)
classmate el compañero, la compañera de clase (2)
clean limpio, -a (6)
to **clean** limpiar (6)
to **clear the table** quitar los platos (8)

clever listo, -a (7)
clock el reloj (D)
  alarm — el despertador (14)
to **close** cerrar (e → ie) (12)
close to cerca de (5)
closed cerrado, -a (12)
closet el armario (15)
clothes, clothing la ropa (3)
cloud la nube (9)
cloudy: it's — está nublado (9)
coat el abrigo (3); la chaqueta (3)
coffee el café (8)
  — with milk el café con leche (8)
coin la moneda (11)
cold frío, -a (13)
  it's — (out) hace frío (3)
  to be — *(people)* tener frío (9)
cold el resfriado (16)
to **collect** coleccionar (11)
Colombia Colombia (B)
color el color (3)
  in — en colores (9)
  what —? ¿de qué color? (3)
comb el peine (14)
to **comb someone's hair** peinar (14)
  to — one's hair peinarse (14)
to **come** venir (6)
  to — back volver (o → ue) (11); regresar (14)
  to — down bajar (12)
  to — in entrar (en) (3)
  to — out salir (de) (8)
  to — up subir (12)
comedy *(film)* la película cómica (9)
comfortable cómodo, -a (6)
comic *adj.* cómico, -a (9)
commercial el anuncio comercial (9)
computer la computadora (7)
concert el concierto (11)
congratulations! ¡felicidades! (C); ¡felicitaciones! (6)
to **continue** continuar (9)
contrary: on the — al contrario (2)
to **cook** cocinar (E)
  cool: it's — (out) hace fresco (3)
corn el maíz (8)

corner la esquina (5)
  around the — a la vuelta de la esquina (5)
correct correcto, -a (7)
to **cost** costar (o → ue) (11)
  how much does / do . . . —? ¿cuánto cuesta(n) . . .? (3)
Costa Rica Costa Rica (B)
costume el disfraz, *pl.* disfraces (13)
  — party la fiesta de disfraces (13)
to **count** contar (o → ue) (11)
country el país (2)
country(side) el campo (4)
courtyard el patio (6)
cousin el primo, la prima (6)
cow la vaca (10)
crazy loco, -a (5)
crowded lleno, -a de gente (13)
Cuba Cuba (B)
Cuban cubano, -a (2)
cup la taza (8)
custard el flan (13)
customer el / la cliente (12)

dad el papá (6)
dance el baile (11)
to **dance** bailar (E)
dark(-haired) moreno, -a (2)
date la fecha (C)
  what's the — today? ¿cuál es la fecha de hoy? (C)
daughter la hija (6)
day el día (C)
  every — todos los días (7)
December diciembre (C)
to **decorate** decorar (13)
decoration la decoración, *pl.* decoraciones (13)
delicious delicioso, -a (13)
dental floss la seda dental (14)
dentist el / la dentista (14)
deodorant el desodorante (14)
department store el almacén, *pl.* almacenes (5)

to **describe** describir (15)
desk el escritorio (1)
   student — el pupitre (1)
dessert el postre (13)
   for — de postre (13)
detective *adj.* policíaco, -a (9)
devil el diablo (13)
difficult difícil (7)
dining room el comedor (6)
dinner la cena (8)
dirty sucio, -a (6)
disguise el disfraz, *pl.* disfraces (13)
dish el plato (1)
to **do** hacer (E)
   to — **well / badly on** *(tests)* salir bien / mal en (7)
doctor el médico, la médica (16); el doctor (Dr.), la doctora (Dra.) *(as title)* (16)
dog el perro (2)
dollar el dólar (12)
Dominican Republic la República Dominicana (B)
door la puerta (B)
down: to come / go — bajar (12)
downtown el centro (4)
dozen la docena (de) (8)
to **draw** dibujar (7)
drawing el dibujo (B)
dress el vestido (3)
to **dress (someone)** vestir (e → i) (14)
   to get —**ed** vestirse (e → i) (14)
dressed as vestido, -a de (13)
dresser la cómoda (15)
drink la bebida (13)
to **drink** beber (8); tomar (11)
   to have something to — tomar algo (11)
drugstore la farmacia (4)
duck el pato (10)
dumb tonto, -a (5)
during durante (4)

each cada (13)
ear la oreja (16)
   (inner) — el oído (16)

early temprano (D)
earring el arete (12)
earth la tierra (10)
east el este (15)
easy fácil (7)
to **eat** comer (E)
Ecuador el Ecuador (B)
egg el huevo (8)
eight ocho (C)
eighteen dieciocho (C)
eight hundred ochocientos, -as (8)
eighty ochenta (D)
either: not — (no . . .) tampoco (6, 16)
elephant el elefante (10)
elevator el ascensor (15)
eleven once (C)
El Salvador El Salvador (B)
empty vacío, -a (13)
to **end** terminar (7)
energetic enérgico, -a (14)
England Inglaterra (15)
English inglés (*pl.* ingleses), inglesa (15)
English *(language)* el inglés (7)
to **enjoy** disfrutar de (15)
enormous enorme (2)
to **enter** entrar (en) (3)
entertaining divertido, -a (5)
entrance la entrada (12)
to **erase** borrar (7)
eraser el borrador (7)
Europe Europa (15)
evening: good — buenas tardes / buenas noches (A)
every todo, -a (7); cada (13)
   — **day** todos los días (7)
everybody / everyone todos, -as (7); todo el mundo (9)
everything todo (8)
exam el examen, *pl.* exámenes (1)
to **examine** examinar (16)
excellent excelente (16)
to **exchange** cambiar (12)
exciting emocionante (13)
excuse la excusa (16)
excuse me con permiso (15); discúlpeme (15)

exit la salida (12)
to **expect** esperar (14)
expensive caro, -a (3)
   very — carísimo, -a (12)
eye el ojo (16)
eyeglasses los anteojos (9)

fabulous fabuloso, -a (11)
face la cara (14)
fairly bastante (2)
fall el otoño (3)
to **fall asleep** dormirse (o → ue) (14)
family la familia (6)
fan (of) el aficionado, la aficionada (a) (14)
fantastic estupendo, -a (9); fantástico, -a (15)
far from lejos de (5)
farm la granja (10)
farmer el granjero, la granjera (10)
fast *adj.* rápido, -a (4); *adv.* rápidamente (14); *adv.* de prisa (14)
fat gordo, -a (2)
father el padre (6)
favorite favorito, -a (7); preferido, -a (16)
February febrero (C)
to **feed** dar de comer a(l) (6)
to **feel like** *(doing something)* tener ganas de + *inf.* (6)
fever la fiebre (16)
   to have a — tener fiebre (16)
few: a — pocos, -as (1); unos, -as (4)
fewer than menos que / de (12)
fifteen quince (C)
fifteenth birthday los quince años (6)
fifteen-year-old girl la quinceañera (6)
fifty cincuenta (D)
film la película (9)
to **find** encontrar (o → ue) (11)
fine bien (A); ¡bueno! (4)
finger el dedo (16)
to **finish** terminar (7)

fireworks los fuegos artificiales (13)

first el primero *in dates* (C); primero (primer), -a (4)

— **floor** la planta baja (6)

fish *(live)* el pez, *pl.* peces (2); *(cooked)* el pescado (13)

five cinco (C)

— **hundred** quinientos, -as (8)

to **fix** arreglar (9)

flag la bandera (1)

flan el flan (13)

flight el vuelo (12)

— **attendant** el / la auxiliar de vuelo (12)

floor el piso (6)

ground — la planta baja (6)

second (third / fourth) — el primer (segundo / tercer) piso (6)

flower la flor (10)

flu la gripe (16)

to have the — tener gripe (16)

folk *adj.* folklórico, -a (13)

food la comida (E)

foolish tonto, -a (5)

foot el pie (16)

on — a pie (4)

football el fútbol americano (E)

for para (1)

— **sale** en venta (16)

to **forget (to)** olvidarse (de + *inf.*) (16)

fork el tenedor (8)

forty cuarenta (D)

fountain la fuente (5)

four cuatro (C)

— **hundred** cuatrocientos, -as (8)

fourteen catorce (C)

fourth floor el tercer piso (6)

France Francia (15)

free libre (11)

French francés (*pl.* franceses), francesa (15)

French *(language)* el francés (7)

French fries las papas fritas (1)

Friday viernes (C)

on — el viernes (C)

fried frito, -a (13)

friend el amigo, la amiga (2)

to **frighten** dar miedo a (9)

from de(l) (B); desde (9)

— **what country?** ¿de qué país? (2)

— **where?** ¿de dónde? (B)

front: in — **of** delante de (5)

fruit la fruta (8)

full lleno, -a (13)

fun: to have — divertirse (e → ie) (14)

funny chistoso, -a (11)

furniture los muebles (15)

game el partido (de + *sport*) (5); el juego (11)

garage el garaje (6)

garden el jardín, *pl.* jardines (6)

gave di / diste / dio (11)

gazpacho el gazpacho (13)

gee! ¡caramba! (9)

generally generalmente (10)

generous generoso, -a (12)

geometry la geometría (7)

German alemán (*pl.* alemanes), alemana (15)

German *(language)* el alemán (15)

Germany Alemania (15)

to **get** recibir (7)

to — **a good / bad grade** sacar una buena / mala nota (7)

to — **dressed** vestirse (e → i) (14)

to — **off / out of** *(vehicles)* bajar de (12)

to — **on / in** *(vehicles)* subir a (12)

to — **up** levantarse (14)

ghost el fantasma (13)

gift el regalo (12)

giraffe la jirafa (10)

girl la muchacha (2); la chica (6)

little — la niña (6)

girlfriend la novia (5)

to **give** dar (9)

to — **someone a shot** poner una inyección (16)

gladly con mucho gusto (15)

glass el vaso (8)

glasses los anteojos (9)

dark —**es** los anteojos de sol (9)

glove el guante (3)

to **go** ir (E)

—**ing to** + *verb* ir a + *inf.* (4)

how's it —**ing?** ¿qué tal? (A)

to — **back** volver (o → ue) (11); regresar (14)

to — **down** bajar (12)

to — **in(to)** entrar (en) (3)

to — **out** salir (de) (8)

to — **to bed** acostarse (o → ue) (14)

to — **to sleep** dormirse (o → ue) (14)

to — **up** subir (12)

what's —**ing on?** ¿qué pasa? (5)

golf el golf (14)

good bien (A); bueno (buen), -a (4)

— **afternoon** buenas tardes (A)

— **evening** buenas tardes / buenas noches (A)

— **morning** buenos días (A)

— **night** buenas noches (A)

to be — **in** estar fuerte en (7)

to have a — **time** divertirse (e → ie) (14)

good-by adiós (A)

good-looking bonito, -a (2); guapo, -a (2)

gosh! ¡caramba! (9)

grade la nota (7)

to get a good / bad — sacar una buena / mala nota (7)

gram el gramo (8)

grandfather el abuelo (6)

grandmother la abuela (6)

grandparents los abuelos (6)

grass la hierba (10)

gray gris, *pl.* grises (3)

great gran (4); fantástico (9)

—**!** ¡qué bueno! (9)

green verde (3)

greetings! ¡saludos! (15)

groceries los comestibles (8)
ground floor la planta baja (6)
group el grupo (11)
Guatemala Guatemala (B)
guest el invitado, la invitada (11)
guide el / la guía (15)
guidebook la guía (12)
guitar la guitarra (E)
Gulf of Mexico el Golfo de México (2)
gym(nasium) el gimnasio (7)

hair el pelo (14)
  to brush one's — cepillarse (el pelo) (14)
  to brush someone's — cepillar (el pelo) (14)
  to comb one's — peinarse (14)
  to comb someone's — peinar (14)
half:
  and a — y media (9)
  — an hour la media hora (9)
  — -past y media (D)
ham el jamón (1)
hamburger la hamburguesa (1)
hand la mano (14)
handkerchief el pañuelo (12)
handsome guapo, -a (2)
happening: what's —? ¿qué pasa? (5)
happy contento, -a (5)
hard difícil (7)
hat el sombrero (3)
to have tener (6)
  to — a good time / fun divertirse (e → ie) (14)
  to — a fever / the flu tener fiebre / gripe (16)
  to — just *(done something)* acabar de + *inf.* (9)
  to — something to drink tomar algo (11)
  to — to tener que + *inf.* (6)
he él (B)
head la cabeza (16)

to hear oír (10)
heart el corazón (16)
hello ¡hola! (A); ¿aló? *(on phone)* (5)
to help ayudar (a + *inf.*) (1, 6)
  may I — you? ¿qué desea Ud.? (3)
hen la gallina (10)
her su, sus *poss. adj.* (6); ella *after prep.* (7); la *dir. obj.* (8)
  to / for — le (9)
here aquí (3)
  — is /— are aquí tienes / tiene Ud. (11)
  — it is /— they are aquí lo (la, los, las) tiene(s) (11)
herself se (14)
hey! ¡oye! (11)
hi ¡hola! (A)
high school el colegio (7)
him él *after prep.* (7); lo *dir. obj.* (8)
  to / for — le (9)
himself se (14)
hippopotamus el hipopótamo (10)
his su, sus (6)
history la historia (7)
hobby el pasatiempo (11)
holiday la fiesta (C); el día de fiesta, *pl.* días de fiesta (C)
home la casa (1)
  at — en casa (1)
  (to one's) — a casa (4)
homework la tarea (1)
Honduras Honduras (B)
to hope esperar (14)
  I — not espero que no (14)
  I — so ¡ojalá! (7); espero que sí (14)
  let's — so ¡ojalá! (7)
horror *adj.* de terror (9)
horse el caballo (10)
hospital el hospital (4)
hot caliente (13); *(spicy)* picante (13)
  it's — (out) hace calor (3)
  to be — *(people)* tener calor (9)
hotel el hotel (4)
hour la hora (D)

  half an — la media hora (9)
house la casa (4)
how? ¿cómo? (A, B)
  — + *adj.*! ¡qué + *adj.*! (2)
  — are you? ¿cómo estás / está Ud.? (A)
  — do you like . . .? ¿qué te parece . . .? (16)
  — long? ¿cuánto tiempo? (12)
  — long does (something) last? ¿cuánto dura? (9)
  — many? ¿cuántos, -as? (C)
  — much? ¿cuánto? (3)
  — old are you? ¿cuántos años tienes? (6)
  —'s it going? ¿qué tal? (A)
  to know — (to) saber + *inf.* (15)
  to learn — (to) aprender a + *inf.* (7)
huge enorme (2)
hundred cien (D); *see also* **two, three,** etc.
  101; 102; etc. ciento uno, -a; ciento dos; etc. (8)
hungry: to be — tener hambre (9)
hurry: in a — de prisa (14)
to hurt doler (o → ue) (16)
husband el esposo (6)

I yo (B)
ice cream el helado (1)
if si (9)
iguana la iguana (10)
imagine! ¡imagínate! (9)
immediately en seguida (15)
important importante (6)
  to be — to importar (16)
in en (C); de (12)
  — order to para + *inf.* (8)
inexpensive barato, -a (3)
inside adentro (16)
  — (of) dentro de (9)
intelligent inteligente (5)
to intend to pensar (e → ie) + *inf.* (12)
interesting interesante (5)

into en (3)
to introduce presentar (11)
    invitation la invitación, *pl.* invitaciones (11)
to invite invitar (11)
    it él, ella (7); lo, la *dir. obj.* (8)
    Italian italiano, -a (15)
    Italian (*language*) el italiano (15)
    Italy Italia (15)
    itself se (14)

    jacket la chaqueta (3)
    January enero (C)
    jeans los jeans (3)
    jelly la mermelada (8)
    jewels, jewelry las joyas (12)
    job el trabajo (10)
    joke el chiste (11)
    juice el jugo (de) (8)
    July julio (C)
    June junio (C)
    just: to have — (*done something*) acabar de + *inf.* (9)

    key la llave (15)
    kilo el kilo (8)
    kind *adj.* amable (12)
    kind la clase (de) (9)
    kind of *adv.* bastante (2)
    king el rey (13)
    kitchen la cocina (6)
    knapsack la mochila (10)
    knife el cuchillo (8)
to know saber (15); conocer (15)
    I don't — no sé (B)
    I (don't) — that (no) lo sé (15)
    to — how (to) saber + *inf.* (15)

    laboratory el laboratorio (7)
    lake el lago (10)
    lamb el cordero (10)
    — chop la chuleta de cordero (13)

    lamp la lámpara (15)
to land aterrizar (12)
    language la lengua (15)
    large grande (2)
    last pasado, -a (11)
    — name el apellido (6)
    — night anoche (8)
to last durar (9)
    late tarde (D)
    later más tarde (D); después (4); luego (13)
    see you — hasta luego (A); hasta la vista (11)
    Latin America la América Latina (2)
    Latin American latinoamericano, -a (2)
    lazy perezoso, -a (14)
    leaf la hoja (10)
to learn aprender (7)
    to — how (to) aprender a + *inf.* (7)
    least: the — + *adj.* el / la / los / las menos + *adj.* (12)
to leave salir (de) (8)
    to — (behind) dejar (12)
    left: to the — of a la izquierda de (5)
    leg la pierna (16)
    lemon el limón, *pl.* limones (8)
    lemonade la limonada (1)
to lend prestar (11)
    leopard el leopardo (10)
    less:
    — + *adj.* + **than** menos + *adj.* + que (12)
    — than + *number* menos de + *number* (12)
    more or — más o menos (15)
    lesson la lección, *pl.* lecciones (7)
    let's vamos a + *inf.* (4)
    — leave! ¡vámonos! (11)
    letter la carta (7)
    lettuce la lechuga (8)
    library la biblioteca (4)
to lift levantar (14)
    like:
    to feel — (*doing something*) tener ganas de + *inf.* (6)

    what's (*someone / something*) **—?** ¿cómo es . . .? (2)
    what's the weather —? ¿qué tiempo hace? (3)
to like gustar (16)
    how do you — . . .? ¿qué te parece . . .? (16)
    I / you — me / te gusta(n) (E, 1)
    I'd — quisiera (15)
    line la línea (5)
    to stand in — hacer cola (11)
    lion el león, *pl.* leones (10)
to listen (to) escuchar (E)
    —! ¡oye! (11)
    liter el litro (8)
    little pequeño, -a (2)
    a — un poco (5); un poco de (8)
to live vivir (7)
    living room la sala (6)
    llama la llama (10)
    long largo, -a (2)
    how —? ¿cuánto tiempo? (12)
to look (at) mirar (E)
    to — for buscar (3)
to lose perder (e → ie) (14)
    lot:
    a — mucho (1)
    a — of muchos, -as (1)
to love encantar (16)
    I — me encanta(n) (E, 1)
    luck: what (bad) —! ¡qué (mala) suerte! (5)
    lucky: to be — tener suerte (9)
    lunch el almuerzo (8)

    ma'am señora / señorita (A)
    magazine la revista (11)
    magnificent magnífico, -a (10)
to make hacer (8)
    man el hombre (2)
    manager el / la gerente (15)
    many muchos, -as (1)
    how —? ¿cuántos, -as? (1)
    not — pocos, -as (1)
    map el mapa (1)
    March marzo (C)
    Mardi Gras el carnaval (13)
    market el mercado (8)

mask la máscara (13)
match el partido (de + *sport*) (5)
mathematics las matemáticas (7)
to **matter to** importar (16)
May mayo (C)
may I help you? ¿qué desea Ud.? (3)
maybe tal vez (11)
me mí *after prep.* (7); me (11)
  to / for — me (11)
  with — conmigo (7)
meal la comida (8)
mean: what does . . . —? ¿qué quiere decir . . .? (B)
meat la carne (8)
  — pie la empanada (13)
meet: pleased to — you mucho gusto (A)
to **memorize** aprender de memoria (7)
menu el menú (13)
Mexican mexicano, -a (2)
Mexico México (B)
midnight la medianoche (D)
milk la leche (1)
to **mind** importar (16)
mineral water el agua mineral *f.* (8)
minus menos (C)
minute el minuto (D)
mirror el espejo (15)
Miss (la) señorita (Srta.) (A)
missing: to be — something faltar (16)
mom la mamá (6)
Monday lunes (C)
  on — el lunes (C)
money el dinero (11)
monkey el mono (10)
month el mes (C)
moon la luna (10)
more más (1)
  — or less más o menos (15)
  — + *adj.* + than más + *adj.* + que (12)
  — than + *number* más de + *number* (12)
morning la mañana (D)
  good — buenos días (A)
  in the — de la mañana (D); por la mañana (7)

yesterday — ayer por la mañana (8)
most: the — + *adj.* el / la / los / las más + *adj.* (12)
mother la madre (6)
— and father los padres (6)
motorcycle la moto (4)
mountain la montaña (12)
mouth la boca (16)
movie la película (9)
  —s el cine (E)
  — theater el cine (E)
Mr. (el) señor (Sr.) (A)
Mrs. (la) señora (Sra.) (A)
much mucho (1)
  how —? ¿cuánto? (3)
  too — demasiado (12)
muffler la bufanda (3)
museum el museo (5)
music la música (1)
musical *adj.* musical (9)
must: we / you / one — hay que + *inf.* (14)
my mi, mis (C, 4)
myself me (14)

name el nombre (B)
  last — el apellido (6)
  my — is me llamo (A)
  what's your —? ¿cómo te llamas? (A)
named: to be — llamarse (14)
napkin la servilleta (8)
near cerca de (5)
necessary necesario, -a (15)
  it's — (to) hay que + *inf.* (14); es necesario (15)
necklace el collar (12)
to **need** necesitar (8); faltar (16)
neighborhood el barrio (8)
neither (no . . .) tampoco (6, 16)
nephew el sobrino (6)
never (no . . .) nunca (4, 13)
new nuevo, -a (2)
New Year's Day el Año Nuevo (C)
New Year's Eve el día de fin de año (C)

news las noticias (9)
newspaper el periódico (1)
next próximo, -a (4)
  — to al lado de (5)
Nicaragua Nicaragua (B)
nice simpático, -a (5); amable (12)
  it's — out hace buen tiempo (3)
  not — antipático, -a (5)
niece la sobrina (6)
  —(s) and nephew(s) los sobrinos (6)
night la noche (D)
  at — de la noche (D); por la noche (7)
  good — buenas noches (A)
  last — anoche (8)
nine nueve (C)
  — hundred novecientos, -as (8)
nineteen diecinueve (C)
ninety noventa (D)
no no (A); *adj.* (no . . .) ningún, ninguna (13)
  — one (no . . .) nadie (7, 13)
nobody (no . . .) nadie (7, 13)
noise el ruido (10)
none (no . . .) ninguno, -a (13)
noon el mediodía (D)
  at — al mediodía (8)
north el norte (15)
North America la América del Norte (2)
North American norteamericano, -a (2)
nose la nariz (16)
not no (E)
  — any *adj.* (no . . .) ningún, ninguna (13); *pron.* (no . . .) ninguno, -a (13)
  — anyone (no . . .) nadie (7)
  — many pocos, -as (1)
  — well mal (5)
notebook el cuaderno (B)
nothing (no . . .) nada (3, 13)
novel la novela (16)
November noviembre (C)
now ahora (D)
number el número (C)

nurse el enfermero, la enfermera (16)

ocean el océano (15)
o'clock:
    it's 1 — es la una (D)
    it's 2 —, 3 —, etc. son las dos, tres, etc. (D)
October octubre (C)
of de(l) (D)
of course ¡cómo no! (1); ¡por supuesto! (5); ¡claro (que sí)! (10)
    — not ¡claro que no! (10)
off:
    to get — *(vehicles)* bajar de (12)
    to take — *(planes)* despegar (12); *(clothes)* quitarse (14)
office la oficina (5)
often a menudo (3)
oh! ¡ah! (1)
    —, yes ¡ah, sí! (1)
okay ¡bueno! (11); está bien (11)
old viejo, -a (2)
    how — are you? ¿cuántos años tienes? (6)
older mayor (6)
omelet: Spanish — la tortilla española (13)
on en (5); sobre (8)
    — foot a pie (4)
    — the phone por teléfono (E)
    — time a tiempo (12)
    — vacation de vacaciones (3)
once una vez (14)
one uno (C); *pron.* alguno, -a (16)
    at — o'clock a la una (D)
    — hundred cien (D)
    — thousand mil (8)
    which —(s)? ¿cuál(es)? (3)
onion la cebolla (8)
only sólo *adv.* (C); único, -a *adj.* (6)
open abierto, -a (12)
to open abrir (12)
opinion: to have an — about pensar (e → ie) de (12)

opposite enfrente de (5)
optimistic optimista (12)
or o (1); u (11)
orange *adj.* anaranjado, -a (3)
orange la naranja (8)
    — juice el jugo de naranja (8)
orangeade la naranjada (13)
order: in — to para + *inf.* (8)
to order pedir (e → i) (13)
origin: of . . . — de origen . . . (2)
other otro, -a (11)
ought to deber + *inf.* (9)
our nuestro, -a (6)
ourselves nos (14)
out:
    it's cool (cold / hot) — hace fresco (frío / calor) (3)
    it's nice (bad) — hace buen (mal) tiempo (3)
    to come / go — salir (de) (8)
    to get — of *(vehicles)* bajar de (12)
outside afuera (16)
    — (of) fuera de (9)
overcoat el abrigo (3)
over there allá (5)

to pack a suitcase hacer la maleta (12)
paella la paella (13)
page la página (7)
Panama Panamá (B)
pants los pantalones (3)
pantyhose las pantimedias (3)
paper: piece of — la hoja de papel, *pl.* hojas de papel (B)
parade el desfile (13)
Paraguay el Paraguay (B)
pardon me perdón (5); discúlpeme (15)
parents los padres (6)
park el parque (5)
party la fiesta (D)
passport el pasaporte (12)
past pasado, -a (11)
pastime el pasatiempo (11)
pastry el pastel (13)
to pay (for) pagar (11)

    to — + sum of money + for pagar + *sum of money* + por (11)
peas los guisantes (8)
pen el bolígrafo (B)
pencil el lápiz, *pl.* lápices (B)
people la gente (13)
pepper:
    chili — el chile (13)
    stuffed — el chile relleno (13)
perfect perfecto, -a (13)
perhaps tal vez (11)
person la persona (10)
Peru el Perú (B)
peseta la peseta (8)
peso el peso (3)
pessimistic pesimista (12)
pet el animal doméstico (10)
pharmacy la farmacia (4)
phew! ¡uf! (D)
phone el teléfono (D)
    on the — por teléfono (E)
    — book la guía telefónica (5)
    — booth la cabina telefónica (5)
    — number el número de teléfono (D)
to phone llamar por teléfono (11)
photo la foto (11)
photographer el fotógrafo, la fotógrafa (11)
physical education la educación física (7)
physics la física (7)
piano el piano (11)
picture: to take —s sacar fotos (11)
piece of paper la hoja de papel, *pl.* hojas de papel (B)
pig el cerdo (10)
pillow la almohada (15)
pillowcase la funda (15)
pilot el / la piloto (12)
piñata la piñata (13)
to place poner (8)
plan el plan (11)
to plan to pensar (e → ie) + *inf.* (12)
plane el avión, *pl.* aviones (4)
plate el plato (8)

play la obra de teatro (5)
to play jugar (u → ue) (E, 11); tocar *(musical instruments, records)* (E, 11)
    to — *(sports, games)* jugar a(l) (E)
player el jugador, la jugadora (14)
plaza la plaza (4)
pleasant simpático, -a (5); agradable (10)
please por favor (B)
pleased to meet you mucho gusto (A)
pleasure: with — con mucho gusto (15)
plus más (C)
P.M. de la tarde / de la noche (D)
poem el poema (7)
poet el / la poeta (16)
police officer el / la policía (5)
poor pobre (12)
    — thing! ¡pobrecito, -a! (16)
    to be — in estar flojo, -a en (7)
pop el refresco (1)
popular popular (1)
pork chop la chuleta de cerdo (13)
Portugal Portugal (15)
Portuguese portugués *(pl.* portugueses), portuguesa (15)
Portuguese *(language)* el portugués (15)
post card la tarjeta postal (15)
post office el correo (4)
poster el cartel (1)
potato la papa (8)
to practice practicar (1)
to prefer preferir (e →ie) (12)
    I / you — (yo) prefiero / (tú) prefieres (3)
to prepare preparar (13)
prepared preparado, -a (7)
prescription la receta (16)
present *adj.* presente (7)
present el regalo (12)
preserves la mermelada (8)
pretty bonito, -a (2)

private privado, -a (15)
problem el problema (11)
program el programa (9)
Puerto Rican puertorriqueño, -a (2)
Puerto Rico Puerto Rico (B)
pupil el alumno, la alumna (2)
purple morado, -a (3)
purse el bolso (12)
to put poner (8)
    to — on *(clothes)* ponerse (14)
    to — (someone) to bed acostar (o → ue) (14)
Pyrenees Mts. los Pirineos (15)

quarter:
    — after / past y cuarto (D)
    — to menos cuarto (D)
queen la reina (13)
question la pregunta (3)
quickly de prisa (14)

radio *(broadcast)* la radio (E); *(set)* el radio (11)
rain la lluvia (10)
to rain llover (o → ue) (13)
    it's —ing llueve (3)
raincoat el impermeable (3)
to raise levantar (14)
rapidly rápidamente (14)
rather bastante (2)
to read leer (E)
ready preparado, -a (7)
really de veras (15)
to receive recibir (7)
record el disco (E)
    — player el tocadiscos, *pl.* tocadiscos (11)
red rojo, -a (3)
    — -haired pelirrojo, -a (2)
refrigerator el refrigerador (6)
to remain quedarse (15)
to remove sacar (16)
to repair arreglar (9)
to repeat repetir (e → i) (13)
reservation la reservación, *pl.* reservaciones (15)

to rest descansar (16)
restaurant el restaurante (5)
to return volver (o → ue) (11); regresar (14)
to review repasar (7)
rhinoceros el rinoceronte (10)
rice el arroz (13)
rich rico, -a (12)
to ride a bicycle montar en bicicleta (E)
right:
    all — está bien (11)
    —? ¿verdad? (1)
    — away en seguida (15)
    to be — tener razón (9)
    to the — (of) a la derecha (de) (5)
ring el anillo (12)
river el río (15)
road el camino (10)
rock *(music)* el rock (11)
romantic romántico, -a (9)
room el cuarto (15)
rooster el gallo (10)
rug la alfombra (15)
to run correr (14)

sad triste (5)
saint's day el santo (C)
salad la ensalada (1)
sale la venta (16)
    for — en venta (16)
salesperson el vendedor, la vendedora (3)
sandals las sandalias (9)
sandwich el sandwich (1)
    ham (cheese) — el sandwich de jamón (queso) (1)
Saturday sábado (C)
    on — el sábado (C)
saucer el platillo (8)
to say decir (10)
    how do you — . . .? ¿cómo se dice . . . ? (B)
    to — yes / no decir que sí / no (10)
    you don't — ¡no me digas! (5)
to scare dar miedo a (9)

scared: to be — (of) tener miedo (de) (9)

scarf la bufanda (3)

schedule el horario (7)

school la escuela (E)

  high — el colegio (7)

science las ciencias (7)

  — fiction *adj.* de ciencia ficción (9)

sea el mar (9)

season la estación, *pl.* estaciones (3)

seat el asiento (12)

second el segundo (D)

  — floor el primer piso (6)

to see ver (9)

  — you later hasta luego (A); hasta la vista (11)

  — you soon hasta pronto (11)

  — you tomorrow hasta mañana (A)

to seem parecer (16)

to sell vender (8)

  to — for + *sum of money* vender a + *sum of money* (8)

to send mandar (15)

sentence la frase (7)

September septiembre (C)

serious serio, -a (12)

to serve servir (e → i) (13)

to set the table poner la mesa (8)

seven siete (C)

  — hundred setecientos, -as (8)

seventeen diecisiete (C)

seventy setenta (D)

several varios, -as (10)

shame: that's a — ¡qué lástima! (5)

shampoo el champú (14)

she ella (B)

sheep la oveja (10)

sheet la sábana (15)

shelf el estante (16)

shirt la camisa (3)

shoe el zapato (3)

shopping de compras (8)

short bajo, -a (2); corto, -a (2)

shot la inyección, *pl.* inyecciones (16)

to give someone a — poner una inyección (16)

should deber + *inf.* (9)

to show mostrar (o → ue) (11)

  to — a movie / a program dar una película / un programa (9)

shower la ducha (14)

  to take a — ducharse (14)

sick enfermo, -a (5)

to sing cantar (E)

sir señor (A)

sister la hermana (6)

  little — la hermanita (6)

six seis (C)

  — hundred seiscientos, -as (8)

sixteen dieciséis (C)

sixty sesenta (D)

to ski esquiar (E)

skirt la falda (3)

sky el cielo (10)

to sleep dormir (o → ue) (11)

  to go to — dormirse (o → ue) (14)

sleepy: to be — tener sueño (9)

slow lento, -a (4)

  —ly despacio (14)

small pequeño, -a (2)

smart listo, -a (7)

snake la serpiente (10)

snow la nieve (10)

to snow nevar (e → ie) (13)

  it's —ing nieva (3)

so entonces (1); tan (16)

  I don't think — creo que no (10)

  I hope — ¡ojalá! (7); espero que sí (14)

  I think — creo que sí (10)

  let's hope — ¡ojalá! (7)

  — what? ¿qué importa? (9)

soap el jabón, *pl.* jabones (14)

soccer el fútbol (E)

sock el calcetín, *pl.* calcetines (3)

soda el refresco (1)

sofa el sofá (15)

soil la tierra (10)

some unos, -as (4); algún, alguna (16); *pron.* alguno, -a, -os, -as (16)

somebody / someone alguien (16)

something algo (16)

  to have — to drink tomar algo (11)

sometimes a veces (3)

son el hijo (6)

  —(s) and daughter(s) los hijos (6)

song la canción, *pl.* canciones (11)

soon pronto (8)

  see you — hasta pronto (11)

sorry: I'm — lo siento (16)

so-so así, así (A)

soup la sopa (13)

south el sur (15)

South America la América del Sur (2)

South American sudamericano, -a (2)

souvenir el recuerdo (15)

Spain España (B)

Spanish español, -a (2)

Spanish *(language)* el español (E)

to speak hablar (E)

special especial (6)

spell: how do you spell . . .? ¿cómo se escribe . . .? (B)

to spend *(time)* pasar (11)

spicy picante (13)

spoon la cuchara (8)

sport el deporte (1)

spring la primavera (3)

stadium el estadio (5)

stairs la escalera (15)

stamp el sello (11)

to stand in line hacer cola (11)

star la estrella (10)

to start empezar (e → ie) (a + *inf.*) (12)

  station la estación, *pl.* estaciones (4)

to stay quedarse (15)

steak el bistec (13)

still todavía (5)

stingy tacaño, -a (12)

stomach el estómago (16)

store la tienda (de) (3)

  department — el almacén, *pl.* almacenes (5)

story el piso (6); el cuento (11)
stove la estufa (6)
street la calle (5)
   — corner la esquina (5)
strong fuerte (14)
student el / la estudiante (A)
to **study** estudiar (1)
stuffed pepper el chile relleno (13)
stupid tonto, -a (5)
subject *(in school)* la materia (7)
subway el metro (4)
sugar el azúcar (8)
suit el traje (3)
   bathing — el traje de baño (3)
suitcase la maleta (12)
   to pack a — hacer la maleta (12)
summer el verano (3)
sun el sol (10)
to **sunbathe** tomar el sol (3)
Sunday domingo (C)
   on — el domingo (C)
sunglasses los anteojos de sol (9)
sunny: it's — hace sol (3)
supermarket el supermercado (8)
supper la cena (8)
sure seguro, -a (15)
sweater el suéter (3)
to **swim** nadar (E)
   swimming pool la piscina (4)

table la mesa (1)
   to clear the — quitar los platos (8)
   to set the — poner la mesa (8)
tablecloth el mantel (8)
taco el taco (1)
to **take** tomar (4)
   to — a bath bañarse (14)
   to — a shower ducharse (14)
   to — a trip hacer un viaje (15)
   to — off *(planes)* despegar (12); *(clothes)* quitarse (14)
   to — out sacar (16)
   to — pictures sacar fotos (11)

to **talk** hablar (E)
tall alto, -a (2)
tape la cinta (E)
   — recorder la grabadora (11)
taxi el taxi (4)
tea el té (8)
to **teach** enseñar (a) (7)
teacher el profesor, la profesora (A)
team el equipo (14)
teeth los dientes (14)
   to brush one's — cepillarse los dientes (14)
telephone *see* **phone**
television la televisión (tele) (E)
   — channel el canal (9)
   — set el televisor (9)
to **tell** decir (10); contar (o → ue) (11)
ten diez (C)
tennis el tenis (E)
terrific formidable (16)
test el examen, *pl.* exámenes (1); la prueba (7)
than que (12); de (12)
thanks, thank you gracias (A)
   — a lot muchas gracias (B)
that ese, -a (10); que (10)
   —'s why por eso (16)
the el, la, los, las (C)
theater el teatro (5)
   movie — el cine (E)
their su, sus (6)
them ellos, ellas *after prep.* (7); los, las *dir. obj.* (8)
   to / for — les (9)
themselves se (14)
then entonces (1); luego (13)
there allí (5)
   over — allá (5)
   — is / — are hay (C)
these estos, -as (10)
they ellos, ellas (2)
thin delgado, -a (2)
thing la cosa (8)
to **think** creer (10); pensar (e → ie) (12)
   I don't — so creo que no (10)
   I — so creo que sí (10)
   to — about pensar en (12)

   to — of pensar de (12)
   what do you — of . . .? ¿qué te parece . . .? (16)
third floor el segundo piso (6)
thirsty: to be — tener sed (9)
thirteen trece (C)
thirty treinta (C)
   31; 32; etc. treinta y uno (un); treinta y dos; etc. (C)
this este, -a (10)
those esos, -as (10)
thousand mil (8)
three tres (C)
   — hundred trescientos, -as (8)
thrilling emocionante (13)
throat la garganta (16)
through por (15)
Thursday jueves (C)
   on — el jueves (C)
ticket la entrada *(entrance)* (11); el boleto *(travel)* (12)
tie la corbata (12)
tiger el tigre (10)
time el tiempo (12); la vez, *pl.* veces (14)
   (at) what —? ¿a qué hora? (D)
   on — a tiempo (12)
   to have a good — divertirse (e → ie) (14)
   what — is it? ¿qué hora es? (D)
tip la propina (13)
   for a — de propina (13)
tired cansado, -a (5)
title el título (16)
to a(l) (E)
   (in order) — para + *inf.* (8)
   minutes — *(in time-telling)* menos + *number* (D)
   — where? ¿adónde? (4)
toast el pan tostado (8)
today hoy (C)
   not — hoy no (9)
together juntos, -as (4)
tomato el tomate (8)
tomorrow mañana (C)
   see you — hasta mañana (A)
tonight esta noche (4)

too también (E); demasiado (2)
  — much demasiado (12)
toothbrush el cepillo de dientes (14)
toothpaste la pasta dentífrica (14)
tourist el / la turista (12)
towel la toalla (9)
town square la plaza (4)
train el tren (4)
to **travel** viajar (4)
travel agency la agencia de viajes (12)
travel agent el / la agente de viajes (12)
tree el árbol (10)
trip el viaje (12)
  to take a — hacer un viaje (15)
truck el camión, *pl.* camiones (4)
truth la verdad (10)
to **try (to)** tratar (de + *inf.*) (14)
t-shirt la camiseta (3)
Tuesday martes (C)
  on — el martes (C)
turkey el pavo (8)
TV la tele (E)
twelve doce (C)
twenty veinte (C)
  21; 22; etc. veintiuno (veintiún); veintidós; etc. (C)
twice dos veces (14)
two dos (C)
  — hundred doscientos, -as (8)
type la clase (de) (9)

ugh! ¡uf! (D)
ugly feo, -a (2)
umbrella el paraguas (3)
  beach — la sombrilla (9)
uncle el tío (6)
uncomfortable incómodo, -a (6)
under debajo de (8)
to **understand** comprender (7)
  I don't — no comprendo (B)
  United States los Estados Unidos (2)

unlucky: to be — tener mala suerte (9)
unpleasant antipático, -a (5)
until hasta (9)
up:
  to come / go — subir (12)
  to get — levantarse (14)
Uruguay el Uruguay (B)
us nosotros, -as *after prep.* (7); nos (11)
  to / for — nos (11)
to **use** usar (7)
usually generalmente (10)

vacation las vacaciones (12)
  on — de vacaciones (3)
vegetable la verdura (8)
Venezuela Venezuela (B)
very muy (A); mucho, -a (9)
veterinarian el veterinario, la veterinaria (10)
view: with a — of con vista a(l) (15)
visit la visita (10)
to **visit** visitar (10)
volleyball el volibol (14)

to **wait (for)** esperar (4)
waiter, waitress el camarero, la camarera (13)
to **wake up** despertarse (e → ie) (14)
  to — (someone) despertar (e → ie) (14)
to **walk** ir a pie (4); caminar (10)
wall la pared (15)
wallet la cartera (12)
to **want** querer (e → ie) (12)
  I / you — (yo) quiero / (tú) quieres (4)
to **wash** lavar (1)
  to — (one's face, hands, hair) lavarse (la cara, las manos, el pelo) (14)
wastebasket la papelera (7)
to **watch** mirar (E)
  — out! ¡cuidado! (9)

water el agua *f.* (8)
wave la ola (9)
we nosotros, -as (2)
weak débil (14)
to **wear** llevar (3)
weather el tiempo (3)
  what's the — like? ¿qué tiempo hace? (3)
Wednesday miércoles (C)
  on — el miércoles (C)
week la semana (C)
weekend el fin de semana, *pl.* fines de semana (4)
welcome bienvenido, -a (12)
  you're — de nada (B); no hay de qué (12)
well bien (A); pues (1); bueno (9)
  not — mal (5)
  — known muy conocido, -a (9)
went fui / fuiste / fue (8)
west el oeste (15)
western *adj.* del oeste (9)
what lo que (14)
  so—? ¿qué importa? (9)
  —? ¿qué? (C); ¿cuál? (D)
  —a(n) + *noun!* ¡que + *noun!* (11)
  —'s (someone / something) like? ¿cómo es . . .? (2)
  —'s your name? ¿cómo te llamas? (A)
when ¿cuándo? (C); cuando (3)
where? ¿dónde? (5)
  from —? ¿de dónde? (B)
  (to) —? ¿adónde? (4)
which, which one(s)? ¿qué? (C); ¿cuál(es)? (3)
white blanco, -a (3)
who que (10)
  —? ¿quién(es)? (1, 3)
whole: the — todo, -a (7)
whom? ¿a quién(es)? (7)
  for —? ¿para quién(es)? (7)
  to —? ¿a quién(es)? (7)
  with —? ¿con quién(es)? (1)
whose? ¿de quién(es)? (5)
why? ¿por qué? (1)
  that's — por eso (16)

wife la esposa (6)

to **win** ganar (14)

window la ventana (B); la ventanilla (12)

windy: it's — hace viento (3)

wine el vino (13)

winter el invierno (3)

with con (1)

— me conmigo (7)

— you *fam.* contigo (7)

without sin (1)

woman la mujer (2)

word la palabra (7)

work el trabajo (10)

to **work** trabajar (E)

worried preocupado, -a (5)

worse peor (12)

worst: the — + *noun* + **in** el / la
peor + *noun* + de(l) (12)

to **write** escribir (7)

writer el escritor, la escritora
(16)

wrong: to be — no tener razón
(9)

year el año (C)

to be . . . —s old tener . . .
años (6)

yellow amarillo, -a (3)

yes sí (A)

yesterday ayer (8)

— morning ayer por la mañana (8)

yogurt el yogur (1)

you *fam.* tú (A); *formal* usted
(Ud.) (A); *pl.* ustedes
(Uds.) (2); ti, ustedes *after
prep.* (7); lo, la *sing. formal
dir. obj.* (8); los, las *pl. dir.*

obj. (8); te *fam. dir. obj.* (11).

to / for — le *sing. formal* (9);
les *pl.* (9); te *fam.* (11)

with — *fam.* contigo (7)

young joven, *pl.* jóvenes (2)

younger menor (6)

your tu, tus *fam.* (B, 4); su, sus
formal & pl. (6)

you're welcome *see* **welcome**

yourself te *fam.* (14); se *formal*
(14)

yourselves se (14)

zebra la cebra (10)

zero cero (C)

zoo el zoológico (10)

zookeeper el guardián, la guardiana (de zoológico) (10)

INDEX

Most structures are first presented in conversational contexts and explained later. Bold-face numbers refer to pages where structures are explained or highlighted. Light-face numbers refer to pages where they are initially presented or, after explanation, where they are elaborated upon.

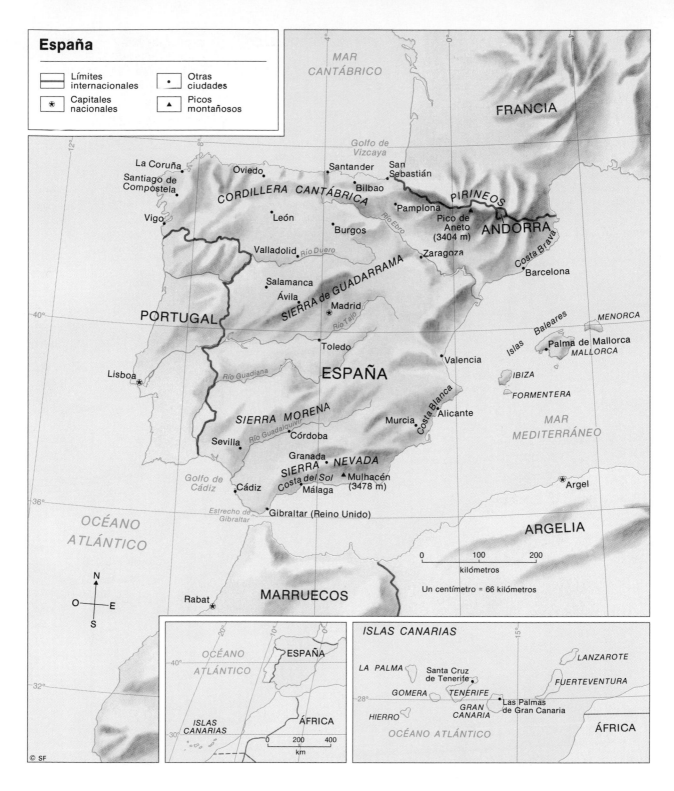

España

Límites internacionales
Capitales nacionales
Otras ciudades
Picos montañosos

MAR CANTÁBRICO

FRANCIA

Golfo de Vizcaya

La Coruña
Santiago de Compostela
Vigo
Oviedo
Santander
San Sebastián
Bilbao
CORDILLERA CANTÁBRICA
PIRINEOS
Pamplona
Pico de Aneto (3404 m)
ANDORRA
León
Burgos
Zaragoza
Costa Brava
Valladolid
Río Ebro
Río Duero
Barcelona
Salamanca
Ávila
SIERRA de GUADARRAMA
Madrid
Río Tajo
PORTUGAL
Toledo
ESPAÑA
Valencia
Islas Baleares
MENORCA
Palma de Mallorca
MALLORCA
Lisboa
Río Guadiana
IBIZA
FORMENTERA
SIERRA MORENA
Costa Blanca
Murcia
Alicante
MAR MEDITERRÁNEO
Río Guadalquivir
Córdoba
Sevilla
Granada
SIERRA NEVADA
Mulhacén (3478 m)
Argel
SIERRA
Costa del Sol
Cádiz
Málaga
Gibraltar (Reino Unido)
Estrecho de Gibraltar
ARGELIA
Golfo de Cádiz

OCÉANO ATLÁNTICO

0   100   200
kilómetros
Un centímetro = 66 kilómetros

N
O   E
S

Rabat
MARRUECOS

OCÉANO ATLÁNTICO
ESPAÑA
ÁFRICA
ISLAS CANARIAS
0   200   400
km

ISLAS CANARIAS
LA PALMA
Santa Cruz de Tenerife
LANZAROTE
GOMERA
TENERIFE
FUERTEVENTURA
HIERRO
GRAN CANARIA
Las Palmas de Gran Canaria
OCÉANO ATLÁNTICO
ÁFRICA

© SF

Mapas   **585**

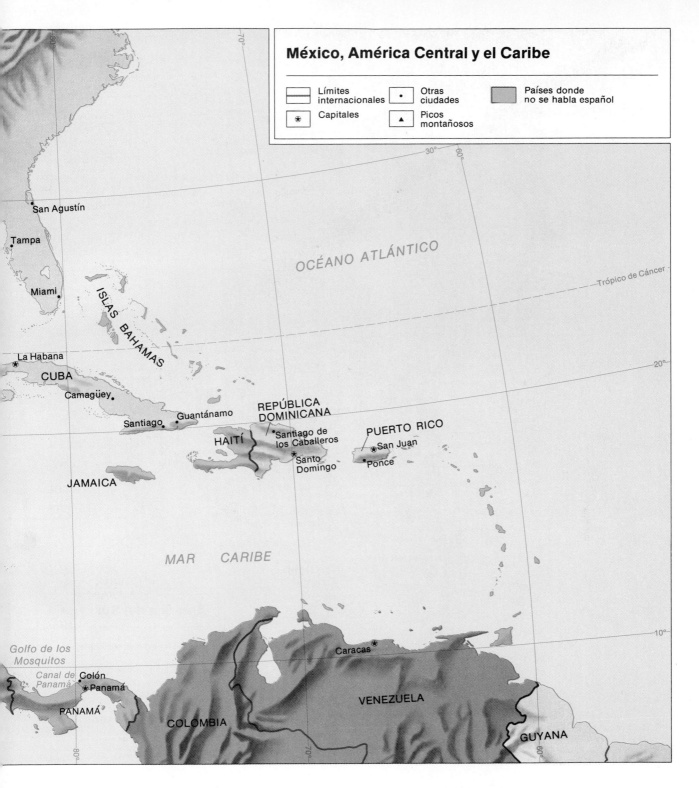

México, América Central y el Caribe

Límites internacionales

Capitales

Otras ciudades

Picos montañosos

Países donde no se habla español

San Agustín

Tampa

Miami

OCÉANO ATLÁNTICO

Trópico de Cáncer

ISLAS BAHAMAS

La Habana

CUBA

Camagüey

Santiago

Guantánamo

REPÚBLICA DOMINICANA

HAITÍ

Santiago de los Caballeros

Santo Domingo

PUERTO RICO

San Juan

Ponce

JAMAICA

MAR CARIBE

Golfo de los Mosquitos

Canal de Panamá

Colón

Panamá

PANAMÁ

COLOMBIA

Caracas

VENEZUELA

GUYANA

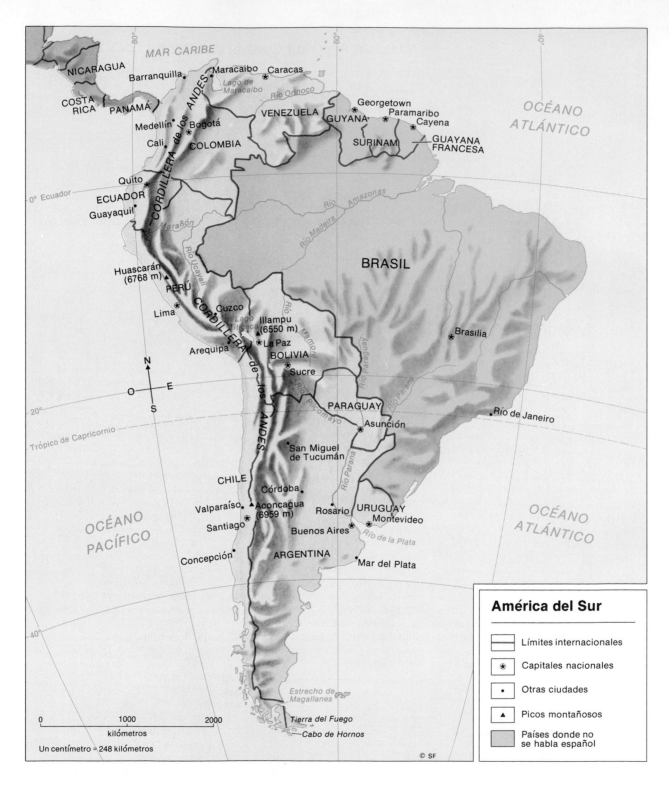

MAR CARIBE

NICARAGUA

COSTA
RICA

PANAMÁ

Barranquilla

Maracaibo

Caracas

*Lago de
Maracaibo*

Río Orinoco

VENEZUELA

Georgetown

GUYANA

Paramaribo

Cayena

SURINAM

GUAYANA
FRANCESA

Medellín

Bogotá

CORDILLERA de los ANDES

Cali

COLOMBIA

Quito

0° Ecuador

ECUADOR

Guayaquil

Marañón

Río Amazonas

BRASIL

Río Ucayali

Huascarán
(6768 m)

PERÚ

Cuzco

Lima

Río Madeira

Lago Titicaca

Illampu
(6550 m)

La Paz

Arequipa

BOLIVIA

Sucre

CORDILLERA de los ANDES

Río Mamoré

Río Pilcomayo

Río Paraguay

Brasília

PARAGUAY

Asunción

Río Paraná

20°

Trópico de Capricornio

Río de Janeiro

San Miguel
de Tucumán

CHILE

Córdoba

Valparaíso

Aconcagua
(6959 m)

Rosario

URUGUAY

Santiago

Buenos Aires

Montevideo

Río de la Plata

OCÉANO
PACÍFICO

Concepción

ARGENTINA

Mar del Plata

OCÉANO
ATLÁNTICO

OCÉANO
ATLÁNTICO

N
O   E
S

40°

*Estrecho de
Magallanes*

0   1000   2000
kilómetros

Un centímetro = 248 kilómetros

Tierra del Fuego

Cabo de Hornos

© SF

América del Sur

⟍⟍ Límites internacionales

✳ Capitales nacionales

• Otras ciudades

▲ Picos montañosos

Países donde no
se habla español

ACKNOWLEDGMENTS

Illustrations

Palabras Nuevas and *Práctica* illustrations by Steven Schindler and Don Wilson. All other illustrations by Steve Boswick, Aldo Castillo, Linda Kelen, Bob Masheris, Rob Porazinski, Steven Schindler, Ed Taber, John Walter & Associates, Don Wilson, and John Youssi.

Photos

Positions of photographs are shown in abbreviated form as follows: top (t), bottom (b), center (c), left (l), right (r), insert (INS). Unless otherwise acknowledged, all photos are the property of Scott, Foresman and Company. **Cover,** Robert Frerck/Odyssey Productions, Chicago; Introduction: 4, Stuart Cohen; 5, Mark Antman/The Image Works; 6, Eduardo Aparicio; 7(t), Eduardo Aparicio; 7(c), Peter Menzel; 7(b), Stuart Cohen; 9, Stuart Cohen. ii–iii, Robert Frerck/Odyssey Productions, Chicago; iv–v, Ian Lea; vi–vii, Stuart Cohen; viii, Bob Glaze/Artstreet; ix, Peter Menzel; x & xi(t), Gary Braasch; xi(b), Stuart Cohen; xii(t), Norman Perman, Inc.; xii(b), Peter Menzel; xiii, Arte Gallery, Chicago, Illinois; xiv, Robert Frerck/Odyssey Productions, Chicago; xvi, Eugenia Fawcett; xvii, Loren McIntyre; 1, Robert Frerck/Odyssey Productions, Chicago; 4, David R. Frazier Photolibrary; 5 & 9, Robert Frerck/Odyssey Productions, Chicago; 17, David R. Frazier Photolibrary; 22, Norman Prince; 24(t), Robert Frerck/Odyssey Productions, Chicago; 24(bl & br), Joseph F. Viesti; 25(l), Charmayne McGee; 25(r), Robert Frerck/Odyssey Productions, Chicago; 34 & 37, David Phillips; 40(t), Stuart Cohen; 40(b), Robert Frerck/Odyssey Productions, Chicago; 45, Joseph F. Viesti; 47, Milt & Joan Mann/Cameramann International, Ltd.; 48–49, Peter Menzel; 55 & 56, Robert Frerck/Odyssey Productions, Chicago; 57, Katherine McGlynn/The Image Works; 63, Beryl Goldberg; 63(INS) & 66, Stuart Cohen; 68, Robert Frerck/Odyssey Productions, Chicago; 76(l), Joseph F. Viesti; 76(r), Robert Frerck/Odyssey Productions, Chicago; 79, Eugenia Fawcett; 80–81, Victor Englebert/Scott, Foresman; 85(l), Joseph F. Viesti; 85(c), Lee Foster; 85(r), Robert Frerck/Odyssey Productions, Chicago; 87, David Phillips; 92(r), Stuart Cohen; 93, AP/Wide World; 94, David R. Frazier Photolibrary; 95 (l & r), Peter Menzel; 100, Beryl Goldberg; 100(INS), Robert Frerck/Odyssey Productions, Chicago; 105, Rice Sumner Wagner; 106, 110–111, 114(l), Robert Frerck/Odyssey Productions, Chicago; 109, Eugenia Fawcett; 114(r), Milt & Joan Mann/Cameramann International, Ltd.; 118 & 119, Stuart Cohen; 126, Paul Conklin; 127 & 130, Owen Franken; 131, Stuart Cohen; 137, Milt & Joan Mann/Cameramann International, Ltd.; 140(l), Stuart Cohen; 140(r), Owen Franken; 143, Eugenia Fawcett; 144–145 & 150, Peter Menzel; 151, Stuart Cohen; 154 & 163(t), Robert Frerck/Odyssey Productions, Chicago; 163(b), Stuart Cohen; 166, © 1985 Robert Fried/D. Donne Bryant; 167, Chip & Rosa Maria de la Cueva Peterson; 168, Victor Englebert; 171, Eugenia Fawcett; 172–173, Steve Vidler/Leo de Wys; 177, Joseph F. Viesti; 179(t), Artstreet; 179(bl), D. Donne Bryant; 179(bc), Charmayne McGee; 179(br), D. Donne Bryant; 180 & 181, Artstreet; 186(l), Milt & Joan Mann/Cameramann International, Ltd.; 186(r), Stuart Cohen; 193, Beryl Goldberg; 194, Milt & Joan Mann/Cameramann International, Ltd.; 197, Robert Frerck/Odyssey Productions, Chicago; 198(tl) & 198(br), Milt & Joan Mann/Cameramann International, Ltd.; 199(b), Beryl Goldberg; 200(t), D. Donne Bryant; 200(bl), Robert Frerck/Odyssey Productions, Chicago; 200(br), D. Donne Bryant; 203, Museum of the American Indian, The Heye Foundation; 204–205, Joseph F. Viesti; 212 & 213, Robert Frerck/Odyssey Productions, Chicago; 217(tl), Milt & Joan Mann/Cameramann International, Ltd.; 217(tr), Chip & Rosa Maria de la Cueva Peterson; 217(c & b), Joseph F. Viesti; 219, Robert Frerck/Odyssey Productions, Chicago; 220(t), Collection: Guadalupe López; 220(bl), Julio S. Simons; 220(br), Emilio Rosa Negrón; 225, David R. Frazier Photolibrary; 227, Milt & Joan Mann/Cameramann International, Ltd.; 232, Joseph F. Viesti; 235, Eugenia Fawcett; 236–237, Owen Franken; 241, 244, 245, 249, Robert Frerck/Odyssey Productions, Chicago; 250, Milt & Joan Mann/Cameramann International, Ltd.; 251, David R. Frazier Photolibrary; 255, Milt & Joan Mann/Cameramann International, Ltd.; 256, Robert Frerck/Odyssey Productions, Chicago; 263, Stuart Cohen; 265, Chip & Rosa Maria de la Cueva Peterson; 266, Chip & Rosa Maria de la Cueva Peterson; 269, Eugenia Fawcett; 270–271, Milt & Joan Mann/Cameramann International, Ltd.; 274(l), Stuart Cohen; 279, Robert Frerck/Odyssey Productions, Chicago; 284(l), Victor Englebert; 284(r), Stuart Cohen; 285, Chip & Rosa Maria de la Cueva Peterson; 286 (Counter-clockwise from top), Robert Frerck/Odyssey Productions, Chicago, Robert Frerck/Odyssey Productions, Chicago, Beryl Goldberg, Stuart Cohen,

Beryl Goldberg; 288, Stuart Cohen; 290(l), Robert Frerck/Odyssey Productions, Chicago; 290(r), Joseph F. Viesti; 291(r), Robert Frerck/Odyssey Productions, Chicago; 292, Vautier/Click/Chicago Ltd.; 297, Joseph F. Viesti; 298(t) & 306, Robert Frerck/Odyssey Productions, Chicago; 301, Private Collection; 308, Stuart Cohen; 309, Owen Franken; 310(all), Stuart Cohen; 311, Joseph F. Viesti; 314, Robert Frerck/Odyssey Productions, Chicago; 315, D. Donne Bryant; 319, Robert Frerck/Odyssey Productions, Chicago; 320(l & r), Stuart Cohen; 321, David R. Frazier Photolibrary; 324 & 326, Stuart Cohen; 328(l), Milt & Joan Mann/Cameramann International, Ltd.; 328(r), Mark Antman/The Image Works; 332–333, Loren McIntyre/Woodfin Camp & Associates; 339, Joseph F. Viesti; 340, Milt & Joan Mann/Cameramann International, Ltd.; 341, David Phillips; 341(INS), Peter Menzel; 346(l), Robert Frerck/Odyssey Productions, Chicago; 346(r), Stock Imagery; 352, Peter Menzel; 356(l), D. Donne Bryant; 356(r), Milt & Joan Mann/Cameramann International, Ltd.; 359, Arte Gallery, Chicago, Illinois; 360–361, Robert Frerck/Odyssey Productions, Chicago; 366(t & b), Owen Franken; 368, Robert Frerck/Odyssey Productions, Chicago; 369, Owen Franken; 369(INS), Peter Menzel; 374 & 378, Chip & Rosa Maria de la Cueva Peterson; 379, Beryl Goldberg; 383, Robert Frerck/Odyssey Productions, Chicago; 386, Charmayne McGee; 388, Victor Englebert; 391, Eugenia Fawcett; 392–393 & 398(tl), Robert Frerck/Odyssey Productions, Chicago; 398(tr), Owen Franken; 398(b), Stuart Cohen; 400(l), Peter Menzel; 400(r), David R. Frazier Photolibrary; 402, Stuart Cohen; 403, Milt & Joan Mann/Cameramann International, Ltd.; 406, Stuart Cohen; 409(tl & tr), Loren McIntyre; 409(bl), Lee Boltin; 409(br), Loren McIntyre; 410, Robert Frerck/Odyssey Productions, Chicago; 414, Laura Riley/Bruce Coleman Inc.; 417, Robert Frerck/Odyssey Productions, Chicago; 420(l & r), Owen Franken; 423, Robert Frerck/Odyssey Productions, Chicago; 424–425, Joseph F. Viesti; 429, Owen Franken; 430, Stuart Cohen; 431(t), Robert Frerck/Odyssey Productions, Chicago; 431(c), David R. Frazier Photolibrary; 431(b), Stuart Cohen; 432, Beryl Goldberg; 433, Robert Frerck/Odyssey Productions, Chicago; 436(l), Joseph F. Viesti; 436(r), Estudio Fotográfico Profesional; 437, Joseph F. Viesti; 438, Robert Frerck/Odyssey Productions, Chicago; 439(t), Owen Franken; 439(b), Peter Menzel; 442, Stuart Cohen; 444, Joseph F. Viesti; 449, Stuart Cohen; 450(l & r), Robert Frerck/Odyssey Productions, Chicago; 453(l), Arte Gallery, Chicago, Illinois; 453(r), Robert Frerck/Odyssey Productions, Chicago; 454–455, Joseph F. Viesti; 462, 463, Robert Frerck/Odyssey Productions, Chicago; 467(tl), Robert Frerck/Odyssey Productions, Chicago; 467(bl), Stuart Cohen; 467(b), Joseph F. Viesti; 468, Robert Frerck/Odyssey Productions, Chicago; 469, Beryl Goldberg; 471(t), Joseph F. Viesti; 471(b), Milt & Joan Mann/Cameramann International, Ltd.; 473, Robert Frerck/Odyssey Productions, Chicago; 476, Focus On Sports; 477(all), Focus On Sports; 478, Robert Frerck/Odyssey Productions, Chicago; 481, David Phillips; 482(l & r), Stuart Cohen; 485, Robert Frerck/Odyssey Productions, Chicago; 486–487, Larry Mangino/The Image Works; 492–493, Joseph F. Viesti; 499, Bob and Ira Spring; 500(t), Joseph F. Viesti; 500(c & b), 503, 504, Robert Frerck/Odyssey Productions, Chicago; 510, D. Donne Bryant; 511, Peter Menzel; 512, Stuart Cohen; 515, Arte Gallery, Chicago, Illinois; 516–517, Victor Englebert; 522(l), Joseph F. Viesti; 522(r), 523(t), Robert Frerck/Odyssey Productions, Chicago; 523(c), Chip & Rosa Maria de la Cueva Peterson; 523(b), Peter Menzel; 529, Stuart Cohen; 530(l), Peter Menzel; 530(r), Owen Franken; 534(l), Robert Frerck/Odyssey Productions, Chicago; 534(r), Joseph F. Viesti; 537, David Phillips; 541(t) & 541(b), Robert Frerck/Odyssey Productions, Chicago; 543, Owen Franken; 544(l), Victor Englebert; 544(r), The Man of Steel is a trademark of DC Comics Inc. Illustrations: Copyright © 1986 DC Comics Inc. Used with permission. Spanish edition published by VID Editorial Mexico. 547, Collection: J.P.R.; 548, Collection: Janet Kanter; 568, Photo: Ian Lea; 582, Collection: Janet Kanter; 589, Robert Frerck/Odyssey Productions, Chicago.